List Taschenbücher der Wissenscha[...]
Literaturwissenschaft

Ziolkowski, Strukturen des moder[...]
Band 1441

Ziolkowski, dessen Hermann-Hesse-Buch bereits zu den Standardwerken der Germanistik zählt, erfüllt in seiner neuen Arbeit zwei Aufgaben: Einmal bietet er eine Charakteristik des modernen deutschen Romans, wobei er von fünf repräsentativen Beispielen ausgeht: Rilke, Aufzeichnungen des Malte Laurids Brigge; Kafka, Der Prozeß; Th. Mann, Der Zauberberg; Döblin, Berlin Alexanderplatz; Broch, Die Schlafwandler. Der Nachdruck des Autors liegt auf den internen Gesetzlichkeiten der einzelnen Romane; Ziolkowski untersucht Konstanten der Motivationen, des Erzählrhythmus, aber auch die verschiedenen Bedeutungsebenen der Texte.

Im zweiten Abschnitt des Buches werden die in den Einzelinterpretationen gezeigten Motive und Symbole in einer globalen vergleichenden Literaturbetrachtung offenbar.

Theodore Ziolkowski

Strukturen des modernen Romans

Deutsche Beispiele und
europäische Zusammenhänge

List Verlag München

Deutsche Erstausgabe

Aus dem Amerikanischen von Beatrice Steiner und Wilhelm Höck.
Die Originalausgabe »Dimensions of the Modern Novel: German
Texts and European Contexts« ist 1969 in der Princeton Univer-
sity Press, Princeton, N. J. erschienen.

ISBN 3 471 61441 9

© 1969 Princeton University Press, Princeton
© 1972 Paul List Verlag KG, München
Printed in Germany. Schrift: Garamond-Antiqua
Satz: H. Mühlberger, Augsburg
Druck: Presse-Druck, Augsburg. Bindearbeit: Klotz, Augsburg

Inhalt

Vorwort zur deutschen Ausgabe

Standpunkt und Absicht dieses Buches werden zum Teil durch die Tatsache erklärt, daß es ursprünglich für ein amerikanisches Publikum geschrieben wurde. Es war mein zwiefaches Ziel, den modernen deutschen Roman in seiner Verschiedenartigkeit darzustellen und zugleich gewisse gemeinsame Tendenzen, die der Gattung thematisch sowie strukturell ihre Einheitlichkeit verleihen, hervorzuheben. Aus diesem Grund habe ich die einzelnen Romane von zwei verschiedenen Gesichtspunkten betrachtet – vom Text und vom Kontext, d. h., analytisch und analogisch. Im ersten Teil werden fünf Romane eingehend untersucht, um anhand von repräsentativen Beispielen die jeweils charakteristische Leistung eines jeden festzustellen. Im zweiten Teil wird der Standort geändert, um dieselben fünf Texte innerhalb größerer Zusammenhänge zu orten. Der Leser wird eingeladen, die Optik seiner Einbildungskraft zu betätigen, um diese beiden Einstellungen zu einem stereoskopischen Blick zu vereinigen, der zugleich Genauigkeit und Breite, Festigkeit und Weite bietet.

Die Interpretationen des ersten Teils gehen zunächst von der Strukturanalyse aus. Es ist immer nützlich, wenn man ein literarisches Kunstwerk liest, gewisse Fragen bereit zu halten. Die Frage, die ich in bezug auf Romane besonders produktiv gefunden habe, lautet: Durch welchen Prozeß der Selektion und Gestaltung gelingt es dem Werk, aus der Totalität der Welt eine künstlerische Einheit zu schaffen? Es handelt sich um eine Frage, die jedem Roman — unabhängig von Thema und Stil des Werkes — gestellt werden kann; und sie schließt selbstverständlich andere wichtige Fragestellungen keineswegs aus. Die Antwort auf diese Frage macht uns aber in jedem Fall auf die Probleme aufmerksam, die den Verfasser dringend beschäftigen. Das theoretische Schema am Ende des ersten Teils ist also nicht als ausschließend oder normativ aufzufassen; es bildet nur einen möglichen und methodologisch konsequenten Zugang zum Roman. Das Schema erklärt auch, warum ich gerade diese fünf Romane für eine detaillierte

Untersuchung auswählte: sie sind — obwohl sie zu meinen Lieblingswerken gehören — nicht etwa die fünf »besten« Romane, aber sie besitzen einen außerordentlich hohen repräsentativen Stellenwert.

Die Tatsache, daß ich ein amerikanisches Publikum im Sinne hatte, bestimmte zum Teil meine Organisation der einzelnen Kapitel. In den Vereinigten Staaten sind Döblin und Broch, bzw. ihre Romane so gut wie unbekannt; und obwohl der Name Rilke immer noch eine gewisse magische Aura ausbreitet, kennt auch der literarisch Interessierte höchstens nur die *Duineser Elegien* — gewöhnlich in Übersetzung oder sogar in Auszügen. Deshalb bin ich im Falle von Döblin und Broch etwas mehr auf den biographischen Hintergrund eingegangen, und ich hielt es für nützlich, im Laufe meiner Diskussion die Romane von Rilke, Döblin und Broch etwas ausführlicher zu rekapitulieren, als das im Falle der bekannteren Romane von Kafka und Thomas Mann nötig war.

Die allgemeineren Kapitel des zweiten Teils gehen aus den Interpretationen des ersten Teils unmittelbar hervor, denn die Themen und Bilder, die besonders behandelt werden — Zeit, Tod, der dreißigjährige Held, Kriminalität und Wahnsinn — spielen in den fünf repräsentativen Romanen eine auffällige Rolle. In jedem Kapitel habe ich die historische Entwicklung des Themas bzw. Bildes kurz skizziert, um so die charakteristisch moderne Form, die jedes im 20. Jahrhundert angenommen hat, gegen diesen Hintergrund schärfer abheben zu können. Es lag mir ferner sehr daran, zu suggerieren, wie tief diese Probleme im ethischen Bewußtsein unserer Zeit verwurzelt sind. Der Standpunkt ist hier also bewußt komparatistisch und zeitkritisch, denn die Themen und Bilder des europäischen Romans werden als Evidenz für das Bewußtsein des modernen Menschen überhaupt betrachtet. Die deutsche Literatur bietet einen geeigneten Ausgangspunkt, denn dort — etwa in den Kapiteln 7 und 10 — zeigen sich manchmal Thema sowie Bild früher und radikaler als sonst in der europäischen Literatur.

Die ausgewählten Themen sind selbstverständlich auch repräsentativ und keineswegs vollständig: die moderne Dichtung liefert ja einen Reichtum an Themen und Bildern, die unsere Aufmerksamkeit in Anspruch nehmen könnten. Aber die fünf Kapitel sind innig verwoben und bilden meines Erachtens ein einheitliches Ganzes. Denn die Zeit, die sich beim Lesen des modernen Romans so häufig als erstes Problem aufdrängt, zeugt wie Chronos selber viele Nachkommen. Es stellt sich als unmöglich heraus, die Auffassung der Zeit zu behandeln, ohne zugleich den Tod heranzuziehen. Das Bewußtsein von Zeit und Tod trägt wiederum zur Krise des Dreißigjährigen bei. Dessen Versuch, die Zeit aufzuheben, um menschliche Verpflichtungen und Tod zu vermeiden, produziert das schlechte Gewissen, das sich im Bild des Verbrechers gespiegelt sieht. Und die Irrenanstalt enthüllt sich mit überraschender Häufigkeit als die letzte Zuflucht dieser kriminellen Mentalität oder als der symbolische Ort, wo die Zeit vorläufig stillsteht.

Dieses Buch erhebt keinen Anspruch darauf, einen umfassenden Überblick über das Gebiet des deutschen Romans im 20. Jahrhundert zu bieten. Dafür stehen dem Leser — vor allem dem deutschen Leser — andere Werke zur Verfügung. Aber in dem Maße, als die fünf Beispiele des ersten Teiles die repräsentativen Möglichkeiten der Gattung abstecken und die fünf Zusammenhänge des zweiten Teils ihren Umfang andeuten, umreißt das Buch gewisse Dimensionen des modernen Romans, die weit über die behandelten Texte hinaus gültig sind.

In der deutschen Übersetzung wurde kein Versuch unternommen, den Text gegenüber der amerikanischen Ausgabe zu ändern oder für den deutschen Leser zu bearbeiten. Einige Kleinigkeiten — etwa falsche Zeitangaben — wurden stillschweigend korrigiert; einige Anmerkungen mit Hinweisen auf englische Übersetzungen sind verschwunden. Aber abgesehen von einer einzigen längeren polemischen Fußnote, die den Ton des Buches störte, wurde nichts weggelassen oder hinzugefügt. Der Wert eines solchen Buches für ein deutsches Publikum liegt ja vermutlich gerade in der typisch ausländischen bzw. komparatistischen Einstellung und Methodologie, die fünf Meisterwerke des modernen deutschen Romans hier in einem neuen Glanz aufleuchten lassen. Das wäre jedenfalls meine Hoffnung.   THEODORE ZIOLKOWSKI

Princeton, am 30. September 1971

I. Deutsche Beispiele

Kapitel 1

Rainer Maria Rilke:
Die Aufzeichnungen des Malte Laurids Brigge

In einer seiner Eintragungen erinnert sich der Verfasser von
Rilkes Roman-Tagebuch an die seltsame Geschichte seines
ehemaligen Hotelnachbarn in St. Petersburg, eines kleinen
Beamten namens Nicolaj Kusmitsch. An einem nichtigen
Sonntag überkam es Kusmitsch einmal auszurechnen, wieviel
Zeit — Tage, Stunden und Minuten — ihm noch blieb, falls
er noch fünfzig Jahre leben sollte. Er ›wechselte‹ seine Zeit
sogar in Sekunden und war verblüfft über das immense ›Kapital‹, mit dem er plötzlich gesegnet war. Überwältigt von
diesem unerwarteten Reichtum, begann er plötzlich sehr sorgfältig buchzuführen, um, wenn irgend möglich, Zeit zu ›sparen‹. Er stand früher auf, ›verbrauchte‹ weniger Zeit für
das Waschen und rannte nur noch. Aber wenn er auch an jedem der darauffolgenden Sonntage seine Buchführung in
Ordnung brachte, blieben ihm nie greifbare ›Ersparnisse‹. Er
haderte mit sich selbst, weil er seine Zeit nicht in großen Ein-
heiten verlangt hatte, etwa vier Scheine zu zehn Jahren,
einen zu fünf und den Rest in Kleinem. Das wäre besser gewesen als dieses »infame Kleingeld«, das einem so leicht durch
die Finger glitt. In seiner Trostlosigkeit studierte er eifrig das
städtische Adreßbuch, um eine »Zeitbank«, eine »Bank für
Zeit« oder ein »kaiserliches Zeitinstitut« zu finden, das ihn
in seinen Sparmaßnahmen beraten könnte. Am Ende jedoch
wurde sich Nicolaj Kusmitsch dabei der Täuschung bewußt,
der er sich hingegeben hatte, indem er seine Vorstellungen
von der Zeit im Vokabular der Finanzwelt gefaßt hatte. Die
Zeit war doch eine Dimension, die jedermann zu schaffen
machte, sie war nicht einfach eine persönliche Zumutung.
Gerade als bei Nicolaj Kusmitsch diese tröstliche Ernüchterung einsetzte, traf ihn eine neue Sensation. Während er ruhig in seinem dunklen Zimmer saß, spürte er einen Luftzug:

es war die Zeit, die vorüberglitt! (Es ist vielleicht nicht abwegig zu vermuten, daß Rilke hier mit einer Vorstellung spielte, die bis zu den Versuchen von Michelson und Morley in der Physik des 19. Jahrhunderts verbreitet war, daß Äther die Erde umgebe.) Alle Neuralgien, die dieser ständige Zugwind verursachen würde, vorausahnend, sprang er beunruhigt auf; und in diesem Augenblick spürte er eine Bewegung unter seinen Füßen: die Erde drehte sich! Als er sich nun noch daran erinnerte, daß die Erdachse in schiefem Winkel stand, war seine Agonie vollkommen. Da er verzweifelt darüber war, aufrecht auf einer hin und her schwankenden Erde zu stehen, beschloß Nicolaj Kusmitsch, von diesem Augenblick an in liegender Stellung zu verharren. Er lag den ganzen Tag auf einem Sofa und rezitierte Gedichte von Puschkin und Nekrassow auswendig: »Wenn man so ein Gedicht langsam hersagte, mit gleichmäßiger Betonung der Endreime, dann war gewissermaßen etwas Stabiles da, worauf man sehen konnte, innerlich, versteht sich.«[1]

Die Geschichte von Nicolaj Kusmitsch ist eine der längsten Episoden, die Malte in sein Tagebuch einschiebt. Als wollte er ihre Wichtigkeit unterstreichen, schließt er mit den Worten: »Ich erinnere mich dieser Geschichte so genau, weil sie mich ungemein beruhigte.« An dieser Stelle fragt sich der Leser, weshalb es sich so verhält. In der Erzähltechnik unterscheidet sich die Geschichte nicht von den anderen Aufzeichnungen. Rilke hat ein abstraktes Thema, die Zeit, gewählt und es mit einem Vokabular behandelt, das er aus der Welt des Bankwesens und des Handels lieh. Dieses Vorgehen erzielt denselben seltsam komischen Effekt, den Rilke anderswo etwa damit erreicht, daß er den Tod mit Ausdrücken aus dem Jargon der Schneider und Kleiderfabrikanten beschreibt. Diese Technik — die Konkretisierung einer Metapher (»Zeit sparen«) — war übrigens nicht ungewöhnlich in der Literatur jener Epoche. Expressionistische Dramen verwenden denselben Kunstgriff, um surreale Wirkungen zu erzielen.[2] Und Kafkas *Verwandlung* wird manchmal als Konkretisierung der metaphorischen Beschimpfung durch den Vater aufgefaßt, der Kafka einen »Mistkäfer« nannte. Im zweiten Teil der Kusmitsch-Episode erreicht Rilke einen ähnlich grotesken Effekt, indem er die Reaktion eines hypersensiblen Temperaments beschreibt, das die Abstraktion der Wissenschaft — — Äther und Umdrehung der Erde — auf seine eigenen subjektiven Erfahrungen reduziert.

Es ist eher der Ausgang der Geschichte als die Art, wie sie erzählt wird, die sie uns wichtig erscheinen läßt. Trotz seiner Angst wegen des Vergehens der Zeit findet Nicolaj Kusmitsch Ruhe, wenn er Gedichte vor sich hin rezitiert. Diese ästhetische Widerlegung der Zeitlichkeit tröstet Malte. Der Pfeil der Zeit macht Halt vor der Kunst. Wenn Nicolaj Kusmitsch die Kadenzen Puschkins intoniert, ist die Zeit suspendiert, und er wird nicht mehr durch ihren Ablauf erschüttert. In einem Brief, der fünfzehn Jahre nach Erscheinen der *Aufzeichnungen* geschrieben wurde, bemerkt Rilke, daß viele Gestalten, die im Roman evoziert werden, »Vokabeln seiner (Maltes) Not«[3] seien. Wenn sich dies auch auf Nicolaj Kusmitsch bezieht, was fraglos der Fall ist, dann ist die Zeit eine der Quellen von Maltes eigener Angst. Um die Analogie weiter zu verfolgen: Malte sucht in der Zeitlosigkeit der Kunst eine Zuflucht vor seiner eigenen zeitlichen Existenz. Untersuchen wir den Roman als Ganzes von diesem Standpunkt aus, so entdecken wir, daß die Spannung zwischen der Zeitlichkeit der Existenz und der Zeitlosigkeit der Kunst eines der Hauptthemen — wenn nicht sogar das Hauptthema — des ganzen Werks darstellt und daß sie überdies in hohem Maße seine Struktur bestimmt.

Die Zeit — und vor allem dieser Konflikt zwischen der Zeitlichkeit des Lebens und der Zeitlosigkeit der Kunst — wird immer mehr zum vorherrschenden Thema in Rilkes Oeuvre. In einem Gedicht, das den *Ange du Méridien* (1906) besingt, stellt er der Uhrzeit der Sterblichen die Ewigkeit der Kunst gegenüber: der Engel an der Kathedrale von Chartres bleibt von den Stunden, die auf der Sonnenuhr in seinen Armen vorüberfließen, unberührt. Denn für ihn schwebt die Zeit »in einem tiefen Gleichgewichte, als wären alle Stunden reif und reich«:

> gewahrst du gar nicht, wie dir unsre Stunden
> abgleiten von der vollen Sonnenuhr,
>
> auf der des Tages ganze Zahl zugleich,
> gleich wirklich, steht in tiefem Gleichgewichte,
> als wären alle Stunden reif und reich.

Eines der zentralen Themen der *Duineser Elegien* (1922), das die erste Elegie ausdrücklich betont, ist die Zeit. Und eines der letzten der *Sonette an Orpheus* (II, 27) fragt in der ersten Zeile: »Gibt es wirklich die Zeit, die zerstörende?«

Rilkes Vorstellung von der Zeit entwickelt sich und wird im Laufe der zwanzig Jahre von den frühen Gedichten bis zu den Sonetten an Orpheus klarer. Wir befassen uns hier nur mit dem Niederschlag des Themas im Roman. Es wurde hin und wieder vermerkt, Rilke habe eine Tendenz, die Zeit in seinen Gedichten in Metaphern des Raumes zu kleiden; einige Rilke-Forscher bestreiten sogar, daß er sich mit der Dimension der Zeit als solcher befaßt habe. Gewiß, nur wenige Gedichte weisen so deutlich auf den Gegensatz zwischen Zeitlosigkeit und mechanischer Uhrzeit des Menschen hin wie der *Ange du Méridien.*

In den *Aufzeichnungen* jedoch macht Rilke ausdrücklich und wiederholt auf die Zeit aufmerksam; die Geschichte des Nicolaj Kusmitsch ist dafür nur das vollendetste Beispiel. An anderer Stelle hören wir von Menschen, deren Leben »abläuft, mit nichts verknüpft, wie eine Uhr in einem leeren Zimmer —«. Von einer Stimme wird gesagt, sie habe »etwas von dem gleichmäßigen unbeteiligten Gang einer Uhr«. In einer andern Beschreibung bemerkt Malte, daß das Leben eines Menschen in den Pausen zwischen wirklicher Bewegung »weiter rückt wie ein Zeiger, wie eines Zeigers Schatten, wie die Zeit«. In all diesen Fällen ist die Uhr ein negatives Bild, das den mechanischen Ablauf der Zeitlichkeit symbolisch darstellt. An einer bemerkenswerten Stelle sagt Malte, daß sein eigenes alltägliches Leben, das »nichts unterbricht«, »wie ein Zifferblatt ohne Zeiger« ist. Mit andern Worten: die einzige gute Uhr ist die nicht gehende, denn diese Beobachtung findet sich in einer der Szenen, wo es Malte gelingt, seine Zeitlichkeit zu vergessen, indem er sich seinen Erinnerungen aus der Vergangenheit hingibt. Solche Winke aus dem Text machen uns darauf aufmerksam, daß Maltes Kampf um seine Identität, welcher auf dem Grund seiner Aufzeichnungen ausgefochten wird, immer in Zusammenhang mit der Spannung zwischen Zeitlichkeit und Zeitlosigkeit gesehen werden muß. Malte Laurids Brigge ist ein junger dänischer Edelmann von ärmlicher Vornehmheit. Er wuchs auf dem Familiengut Ulsgaard auf. Seine Kindheit wurde von einer Reihe von Sterbefällen naher Verwandter begleitet. Als Jüngling verbrachte er eine schwere Zeit auf der Akademie von Sörö, — Jahre, die nur durch die zarte Liebe zu seiner Cousine Abelone erhellt wurden. Als die Familie am Aussterben war und das Vermögen schwand, verkaufte der Vater das Gut und übersiedelte nach Kopenhagen. Malte selbst ging auf Reisen: nach Rußland, Frankreich und Italien. Nach dem Tode seines Vaters kehrte er nach Dänemark zurück, um sich der Familienangelegenheiten anzunehmen. Als er beginnt, seine Aufzeichnungen niederzuschreiben — die erste, als einzige datierte Eintragung trägt den Vermerk »11. September« —, ist er eben zum erstenmal in Paris angekommen. Er ist achtundzwanzig Jahre alt, frei von Bindungen, Verfasser einer Studie über Carpaccio, eines Dramas über die Ehe und einiger Verse.

Malte ist durch sein Leben und seine Erfahrungen bis zu diesem Zeitpunkt kaum auf Paris vorbereitet. Hier die ersten Sätze seiner Aufzeichnungen:

> So, also hierher kommen die Leute, um zu leben, ich würde eher meinen, es stürbe sich hier. Ich bin ausgewesen. Ich habe gesehen: Hospitäler. Ich habe einen Menschen gesehen, welcher schwankte und umsank. Die Leute versammelten sich um ihn, das ersparte mir den Rest. Ich habe eine schwangere Frau gesehen. Sie schob sich schwer an einer hohen, warmen Mauer entlang, nach der sie manchmal tastete, wie um sich zu überzeugen, ob sie noch da sei. Ja sie war noch da. Dahinter? Ich suchte auf meinem Plan: Maison d'Accouchement. Gut. Man wird sie entbinden — man kann das.

Dies ist eine interessante und aufschlußreiche Stelle. Der kontrapunktische Wechsel zwischen erster Person Einzahl und »den andern« (»Leute«, »man«) belegt Maltes Entfremdung.[5] Maltes defensiver Ton wird noch durch zwei weitere charakteristische Züge verdeutlicht: durch die Tendenz, sich aus der Realität zurückzuziehen (»das ersparte mir den Rest«) und durch eine Art Hilflosigkeit (»man kann das«). Seine Isolation wird durch die Sprache zu einer kaum noch erträglichen Intensität gesteigert. Das heißt: Sprache und Inhalt decken sich vollkommen und konstituieren eines der zentralen Themen des Werks. Denn Malte steht der Gruppe immer isoliert gegenüber. Wir sehen ihn allein unter einer ausgelassenen Karnevalsgesellschaft, allein unter den Lesern in der Bibliothèque Nationale. Einige seiner Eintragungen — wenn er z. B. über Beethoven oder Ibsen (den Einsamsten) spricht — sind in der Tat Hymnen auf die Einsamkeit.

Schaut Malte um sich, so begegnet er einer seltsam entmenschlichten Welt. Man beachte etwa die Unpersönlichkeit des Todes im folgenden Abschnitt:

> Dieses ausgezeichnete Hôtel ist sehr alt, schon zu König Chlodwigs Zeiten starb man darin in einigen Betten. Jetzt wird in 559 Betten gestorben. Natürlich fabrikmäßig. Bei so enormer Produktion ist der einzelne Tod nicht so gut ausgeführt, aber darauf kommt es auch nicht an. Die Masse macht es. Wer gibt heute noch etwas für einen gut ausgearbeiteten Tod?

Diese sich einschleichende Entmenschlichung, die klar hervortritt, wo immer Malte sich aufhält, schlägt sich im Stil der Erzählung nieder. Hände werden etwa mit bemerkenswerter Häufigkeit erwähnt, aber immer sind es Hände, die irgendwie vom menschlichen Körper getrennt sind, unabhängige Dinge, beziehungslose Objekte. ». . . und irgendwo kam eine welke, fleckige Hand hervor und bebte.« »Aber es wird ein Tag kommen, da meine Hand weit von mir sein wird, und wenn ich sie schreiben heißen werde, wird sie Worte schreiben, die ich nicht meine.« ». . . und die Hände sahen böse und zornig aus.« »Er nahm Abelonens Hände und schlug sie auf wie ein Buch.« Der menschliche Körper hat seine Ganzheit verloren. In einem Krankenhaus sieht Malte unter den Verbänden »ein einziges Auge . . . das niemandem mehr gehörte« und »ein eingebundenes Bein, das aus der Reihe hervorstand, groß wie ein ganzer Mensch«.[6]

Indem der Tod und der menschliche Körper an Würde verlieren, werden die Dinge vermenschlicht und dominant. »Elektrische Bahnen rasen läutend durch meine Stube. Automobile gehen über mich hin. Eine Tür fällt zu. Irgendwo klirrt eine Scheibe herunter, ich höre ihre großen Scherben lachen, die kleinen Splitter kichern.« »Einzelne Blumen in den langen Beeten standen auf und sagten: Rot, mit einer erschrockenen Stimme.« Abgestandene Luft kriecht »mit schlechtem Gewissen« aus offenen Fenstern. Die bloßgelegte Mauer eines zerstörten Hauses mit ihren sanitären Installationen sieht aus wie ein Querschnitt durch die menschlichen Eingeweide. Sogar Büchsen haben ihre Persönlichkeit: ». . . so ein Deckel müßte kein anderes Verlangen kennen, als sich auf seiner Büchse zu befinden; dies müßte das Äußerste sein, was er sich vorzustellen vermag; eine nicht zu übertreffende Befriedigung, die Erfüllung aller seiner Wünsche.«[7]

In einer Welt, in der die Menschen entmenschlicht, die Dinge aber vermenschlicht sind, ist der einzelne ganz von der Gnade der Objekte, die ihn umgeben, abhängig. Fünfundzwanzig Jahre bevor Sartre in *La Nausée* die »Klebrigkeit« der Dinge beschrieb, war Malte schon einem verwandten sinnlichen Eindruck ausgeliefert. Wir hören von »Altanen, auf die man von einer kleinen Tür hinausgedrängt wurde«. Ein kleines Stück Spitze kann »unsere Blicke vergittern«, »als ob wir Klöster wären oder Gefängnisse«. Menschen sind sogar über das eigene Blut entsetzt, das in ihren Venen fließt: »Oft ängstigte es ihn, daß es ihn im Schlafe anfallen könnte und zerreißen.« Und ein Spiegel kann mehr Macht über sie haben als der grausamste Tyrann. Hier die Szene. Malte hat sich als Kind in alte Kostüme gekleidet, die er unter dem Dach entdeckt hat: »Heiß und zornig stürzte ich vor den Spiegel und sah mühsam durch die Maske durch, wie meine Hände arbeiteten. Aber darauf hatte er nur gewartet. Der Augenblick der Vergeltung war für ihn gekommen. Während ich in maßlos zunehmender Beklemmung mich anstrengte, mich irgendwie aus meiner Vermummung hinauszuzwängen, nötigte er mich, ich weiß nicht womit, aufzusehen und diktierte mir ein Bild, nein, eine Wirklichkeit, eine fremde, unbegreifliche monströse Wirklichkeit, mit der ich durchtränkt wurde gegen meinen Willen: denn jetzt war er der Stärkere, und ich war der Spiegel.«[8]

In dieser Verfassung befindet sich Malte, als er seine Aufzeichnungen zu schreiben beginnt. Der Welt entfremdet, durch die eigene Persönlichkeit bedroht und von der Zudringlichkeit feindseliger und mächtiger Gegenstände bedrängt, hat Malte den Nullpunkt erreicht. Er ist, wie er sich selbst nennt, »dieses Nichts«[9], ein verängstigtes Nichts in einer Welt ohne Ordnung und Sinn. Nach drei Wochen in Paris beginnt er einen Brief zu schreiben und stellt dabei fest, daß ihn seine Erfahrungen so tiefgreifend verändert haben, daß aus ihm eine ganz neue, verschiedenartige Person geworden ist. »Drei Wochen anderswo, auf dem Land zum Beispiel, das konnte sein wie ein Tag, hier sind es Jahre. Ich will auch keinen Brief mehr schreiben. Wozu soll ich jemandem sagen, daß ich mich verändere? Wenn ich mich verändere, bleibe ich ja doch nicht der, der ich war, und ich bin etwas anderes als bisher, so ist klar, daß ich keine Bekannten habe.«[10] Maltes Dilemma nimmt das Schicksal vieler moderner Romanhelden vorweg: getrennt von der Familie, der Vergangenheit, verlassen von den Freunden ist er wurzellos, ein Fremder, ein »Fremdling« in einer feindseligen Stadt. Eine neue Art von Bildern, die seine Situation charakterisiert, beherrscht seinen Geist. Es fällt ihm auf, daß er Bettler und andere »Fortgeworfene« des Lebens anzieht, diese »Abfälle, Schalen von Menschen, die das Schicksal ausgespieen hat«.[11] Obwohl sein Anzug abgenutzt ist, seine Schuhe ausgetreten und sein Bart vernachlässigt, behauptet Malte vorerst, daß er nichts mit dieser Gruppe von Ausgestoßenen zu tun hat. Aber schließlich — nachdem ihn seine Krankheit in die Klinik getrieben hat — stellt er fest, daß die Ärzte ihn wie einen dieser »Fortgeworfenen« behandeln. Diese äußere Wandlung, welche sich innerhalb der ersten sechs Monate in Paris vollzieht, spiegelt die völlige Entfremdung seines inneren Daseins. Verwandelt in ein »Nichts«, in einen »Fortgeworfenen«, muß Malte einen Weg aus seiner Not finden oder zugrunde gehen.

Maltes Qual und schließlich auch seine Befreiung wachsen aus der Erfahrung, die er das »Sehenlernen« nennt. Indem er den trügerischen Schleier geltender Meinungen durchdringt, begegnet er der Realität unmittelbar und unbelastet von konventionellen Auffassungen. »Ich lerne sehen. Ich weiß nicht, woran es liegt, es geht alles tiefer in mich ein und bleibt nicht an der Stelle stehen, wo es sonst immer zu Ende war.«[12] Nur ist diese Realität so ungewöhnlich, daß er sich vor jeder weiteren Wahrnehmung fürchtet. »Ich habe Angst« tönt es wie ein Refrain durch die ersten Seiten des Buches. Denn Maltes Sehen offenbart ihm, daß die Konzeptionen, die früher den Menschen Vertrauen einflößten, die früher die Welt zusammenhielten, sich genau so auflösen lassen, unstet und zufällig werden wie die abgetrennten Glieder im Krankenhaus. »Ist es möglich«, denkt er, »daß man noch nichts Wirkliches und Wichtiges gesehen, erkannt und gesagt hat? Ist es möglich, daß man Jahrtausende Zeit gehabt hat, zu schauen, nachzudenken und aufzuzeichnen, und daß man Jahrtausende hat vergehen lassen wie eine Schulpause, in der man ein Butterbrot ißt und einen Apfel?«

Nach und nach kommt Malte zum Schluß, daß das Übel darin besteht, daß der Mensch alles analysiert und in Stücke zerbröckelt. In seinem blinden Suchen nach Kategorien und Systemen übersieht er das Wesentliche. »Ist es möglich, daß man trotz Erfindungen und Fortschritten, trotz Kultur, Religion und Weltweisheit an der Oberfläche des Lebens geblieben ist?« Selbst das Gottesbild wird aus der Sicht der Existenz geschaffen. »Ist es möglich, daß es Leute gibt, welche ›Gott‹ sagen und meinen, das wäre etwas Gemeinsames?« Dinge, befreit von dem sie einengenden Zwang konventioneller Ansichten, gleiten in einem Chaos ungehindert dahin, wie die Körperteile, die Malte um sich sieht. Sie nehmen einen furchterregenden Anblick an und charakterisieren in seinen Augen die Außenwelt. So steht Maltes Angst in direktem Zusammenhang mit dem Zusammenbruch einer festen Ordnung, mit seiner Unfähigkeit, konventionelle Gegebenheiten der Realität länger zu ertragen. Um seiner Qual zu entfliehen, muß Malte die Möglichkeit haben, eine neue Ordnung zu finden, eine Ordnung, in der die Dinge wieder ihren Platz haben. Seiner Meinung nach ist diese Ordnung mit dem Problem der Zeit verbunden.

In der ersten seiner *Duineser Elegien* (geschrieben 1912, also nur zwei Jahre nach dem Erscheinen der *Aufzeichnungen*) notiert Rilke:

> Aber Lebendige machen / alle den Fehler, daß sie zu stark unterscheiden. / Engel (sagt man) wüßten oft nicht, ob sie unter / Lebenden gehn oder Toten. Die ewige Strömung / reißt durch beide Bereiche alle Alter / immer mit sich und übertönt sie in beiden.

Dennoch ist es sogar auf dieser Erde möglich, wie die Engel zu leben und die »ewige Strömung« zu spüren, welche alle

Bereiche des Daseins vereinigt. Schon zu Anfang des Tagebuchs ruft Malte die wirklich erstaunliche Haltung seines Großvaters gegenüber der Zeit in Erinnerung:

> Die Zeitfolgen spielten durchaus keine Rolle für ihn, der Tod war ein kleiner Zwischenfall, den er vollkommen ignorierte. Personen, die er einmal in seine Erinnerung aufgenommen hatte, existierten, und daran konnte ihr Absterben nicht das geringste ändern. Mehrere Jahre später, nach dem Tode des alten Herrn, erzählte man sich, wie er auch das Zukünftige mit demselben Eigensinn als gegenwärtig empfand.[14]

Menschen, die den Bewußtseinsgrad der Engel bzw. Großvater Brahes erreichen, haben keine Angst vor der Realität, denn alles beruht auf einer ewigen Ordnung der Simultaneität. Im Gegensatz zu gewöhnlichen Menschen haben sie das Grundmuster des Daseins nie zerstört, indem sie immer tiefer unterschieden, enger gliederten, bis kein sinnvolles Ganzes mehr übrig blieb. Für solche Menschen hat auch der Tod nichts Schreckliches, da auch er in diesem Ganzen als wesentlicher Teil enthalten ist.

Im Verlauf seiner Aufzeichnungen nähert sich Malte langsam dem Ziel, der simultanen Erfahrung einer Ganzheit, die allein wahre Freiheit gegenüber Angst und Tod bedeutet. Er beginnt bescheiden. Die erste Erwiderung auf seine Angst ist — wie die von Nikolaj Kusmitsch — eine ästhetische. »Ich habe etwas getan gegen die Furcht. Ich habe die ganze Nacht gesessen und geschrieben.«[15] In diesen Worten findet sich der eigentliche Antrieb zu Maltes Tagebüchern. Sie sind vor allem ein Versuch, gegen die Furcht vor der Realität, der er durch sein neues Sehen preisgegeben ist, anzukämpfen: er will seine Wahrnehmungen in eine sinnvolle künstlerische Form bringen und dadurch die zersetzten Denkmuster konventioneller Art ersetzen. Versteht er es, den Dingen und Erfahrungen, die auf ihn zu stürzen, eine solche Form zu geben, kann er der Zeitlichkeit Einhalt gebieten, indem er sie in ein ästhetisches Ganzes fügt.

Der Aufbau der *Aufzeichnungen* als Gesamtwerk ergibt sich letzten Endes aus Maltes Versuchen, sich allmählich mit den verschiedenen Bereichen seiner Erfahrungen auseinanderzusetzen. So ist der Stoff, wenn auch nicht in einem streng systematischen Sinne, in drei aufeinanderfolgende Teile gegliedert. Zuerst wird Malte von der unmittelbaren Gegenwart, seinem Leben in Paris, gequält. Nach und nach geht er zurück: auf Grund von Erinnerungen, die sich — meistens durch Erfahrungen in der Gegenwart herbeigeführt — einschieben, beginnt er sich im Geiste wieder mit seiner eigenen Familie und seiner eigenen Kindheit zu beschäftigen. Und zum Schluß, im zweiten Teil des Romans, weitet sich sein Blickwinkel so, daß er auch die historische Vergangenheit zu erfassen vermag. Maltes Suchen nach dem Sinn des Daseins führt ihn also dazu, seine Persönlichkeit innerhalb von drei Bereichen zu prüfen: als Individuum, als Teil einer Gemeinschaft und im Lichte der Geschichte. Dieses Fortschreiten bringt ihn schließlich dazu, eine neue Definition von Gott zu suchen, d. h. seine eigene Identität auf dem Hintergrund der Ewigkeit. Gegen Ende seiner Aufzeichnungen bemerkt Malte: »Noch eh wir Gott angefangen haben, beten wir schon zu ihm: laß uns die Nacht überstehen. Und dann das Kranksein. Und dann die Liebe.«[16] Die Nacht, Krankheit, Liebe und Gott sind die Stufen von Maltes Entwicklung. Die erste Hälfte des Werks gibt seine Versuche wieder, die ersten schrecklichen Nächte in Paris zu überleben sowie die Krankheit, eine ererbte nervöse Störung, die ihn in jene Krankenhäuser treibt, die er so fürchtet. Im zweiten Teil hat er sich so weit erholt, daß er über das Problem der Liebe nachzudenken vermag, was ihn — auf den letzten Seiten — zu seinen Meditationen über Gott führt.

Bis jetzt haben wir über die *Aufzeichnungen* gesprochen, als stellten sie einen Roman im konventionellen Sinn dar. Sie sind es natürlich nicht. Selbst wenn viele romanhafte Elemente da vorkommen, müssen sie aus dem Werkganzen rekonstruiert werden. Wir erfahren z. B. eine große Anzahl von Einzelheiten aus Maltes Leben vor seiner Ankunft in Paris, aber diese Gegebenheiten sind weder in einer erzählerischen noch in einer logischen Reihenfolge angeordnet; sie sind scheinbar aufs Geratewohl in den Aufzeichnungen verteilt und müssen für eine chronologische Abfolge zusammengesucht werden. Diese Diskrepanz macht uns zuerst auf den Umstand aufmerksam, daß Rilkes ›Prosabuch‹, wie er es gerne nannte, nicht auf Grund der strukturellen Prinzipien der konventionellen Prosa verstanden werden kann.

Wir kommen Rilkes Arbeitsweise näher, wenn wir zunächst die Entstehung des Werks bedenken. Obgleich es erst 1910 erschien, arbeitete Rilke von 1903 an sporadisch, dann — in den Jahren 1908 und 1909 — sehr intensiv daran. Während dieser Zeit lebte er meistens in Paris. Maltes Reaktion auf diese Stadt basiert jedoch fast ausschließlich auf Rilkes Erfahrungen anläßlich seines ersten Besuches 1902/03.

Um die Bedeutung dieses Jahres voll würdigen zu können, müssen wir das geheimnisvolle Fluidum, das so oft den Namen Rilke umgibt, wegwischen. Der junge Mann, der in jenem August in Paris eintraf, war noch weit davon entfernt, so wie in seinem späteren Leben Gegenstand kultischer Verehrung zu sein. Er erfreute sich allerdings eines milden Succès d'estime, obgleich er noch keines seiner größeren Werke geschrieben hatte. Einige Erzählungen, Versdramen und mehrere schlanke Bände recht preziöser Lyrik: das war sein Oeuvre! Es kam also kein literarischer Löwe, um die Salons von Paris zu erobern. Rilke unternahm seine Reise wegen eines Auftrages. Er hatte für eine kunstgeschichtliche Reihe eine kleine Monographie über Auguste Rodin zu schreiben. Dieser Reihe hatte er bereits eine Studie über die Maler von Worpswede beigesteuert. Er war gewillt, ein Jünger im Tempel der französischen Kultur, ein verehrungsvoller Schüler des symbolistischen Erbes eines Baudelaires und Mallarmés zu sein — zu knien war er gewohnt.[17] Die ersten Briefe an Rodin mit der Anrede »Cher Maître« tragen das Zeichen seiner Demut; und erst nach dem Lesen der *Aufzeichnungen* äußerte sich Gide gegenüber Aline Mayrisch, Rilke habe durch dieses Buch einen Platz neben ihnen eingenommen.[18] Der junge Dichter war nicht von Freunden und Bewunderern umgeben, das sollte noch kommen. Allein und schüchtern machte sich Rilke Tag für Tag auf, um von seinem Zimmer in der Rue Toullier (auch Maltes Adresse) aus, die Welt zu entdecken, die er aus der von ihm uneingeschränkt bewunderten französischen Kunst und Literatur kannte — um dann einen schnellen Rückzug vor dem hektischen Leben des modernen Stadt-Monstrums, zu dem Paris in seinen Augen geworden war, anzutreten.

Aus Rilkes Briefen dieser frühen Zeit hören wir die klagende Stimme Maltes: »Paris (wir sagen es uns täglich) ist eine schwere, schwere, bange Stadt. Und die schönen Dinge, die da sind, machen mit ihrer strahlenden Ewigkeit doch nicht ganz gut, was man durch die Grausamkeit und Wirrheit der Gassen und die Unnatur der Gärten, Menschen und Dinge leiden muß. Paris hat für mein geängstigtes Gefühl etwas Unsäglich-Banges.«[19] Diese Stelle mit ihren Ängsten und mit den vielen den Dichter bedrängenden Menschen und Dingen könnte direkt aus den *Aufzeichnungen* sein. In einem anderen Brief erwähnt Rilke die Krankenhäuser, die Malte in den ersten Zeilen des Romans erlebt: »Ich verstehe, warum sie bei Verlaine, Baudelaire und Mallarmé immerfort vorkommen. Man sieht Kranke, die hingehen oder hinfahren in allen Straßen ... Man fühlt auf einmal, daß es in dieser weiten Stadt Heere von Kranken gibt, Armeen von Sterbenden, Völker von Toten.«[20] Diesen Druck hatte Rilke in keiner andern Stadt gespürt: weder in Prag noch in München, Berlin oder St. Petersburg. Für ihn war Paris »eine fremde, fremde Stadt.«

Rilke schrieb seinen Roman vor allem als Auseinandersetzung mit den Erfahrungen dieses ersten Jahres. Zur Zeit des Arbeitsbeginns, im Februar 1904, war er in Rom, fühlte sich geborgen und die Angst vor Paris lag hinter ihm. Im Laufe der Komposition änderte sich seine eigene Haltung gegenüber Paris. Als er im Mai 1906 Paris beschreibt, denkt er an Malte, »der das alles geliebt hätte wie ich, wenn er die Zeit seiner großen Bangnis hätte überstehen dürfen ...«[21] Und im folgenden Jahr schreibt er an eine Freundin, daß er »nirgend ... so froh und fähig und einsam« gewesen sei wie in Paris.[22] Er kann sich nun kaum damit abfinden, daß er Paris im vorangegangenen Sommer verließ: »Mir ist, als ob alles, d. h. meine Arbeit vor allem, davon abhinge, wie bald ich wieder hin zurückkomme.«[23] Um die Stimmung jenes ersten Jahres des Elends zu reproduzieren, verlangte er die Briefe zurück, die er in der Verzweiflung an seine Frau Clara und an seine Freundin Lou Andreas-Salomé geschrieben hatte. Diese Briefe enthalten manche Episode, die später — völlig umgestaltet — den Weg in sein »Prosabuch« fand. Obschon so fast jede wichtige Stelle des Romans eine autobiographische Wurzel hat, die durch Briefe und Tagebücher belegt werden kann, ist bewußt eine dichterische Form geschaffen worden, die den Anforderungen des Werks gerecht wird.[24]

Die erschreckenden Erfahrungen in Paris von 1902 und 1903 bilden also die gefühlsmäßige Grundlage für die *Aufzeichnungen,* insofern sie Maltes Suchen nach dem Sinn seines Daseins als Individuum behandeln. Erst in der zweiten Hälfte des Jahres 1904 reiste Rilke erstmals nach Schweden und Dänemark und nahm die Atmosphäre in sich auf, die in den zweiten Bereich des Romans Eingang fand: Maltes Familie und Kindheit. Der skandinavische Hintergrund wurde in Rilkes persönliche Erfahrung mit Paris integriert, um seine Haltung gegenüber seinem Romanhelden noch mehr zu objektivieren.

Es ist eine leichte, aber faszinierende Aufgabe, aus Rilkes Briefen die Reisen und die Reihenfolge seiner Lektüre in den Jahren 1904 bis 1910 zu rekonstruieren, um auf diese Weise die Orte und die Begebenheiten festzuhalten, die den dritten Bereich von Maltes Suchen bestimmen: seine Bedeutung in der Geschichte. Aber wenn wir dann das biographische Material mit den Ereignissen in der Erzählung vergleichen, so stellen wir sofort fest, daß Rilke für Maltes Aufzeichnungen die Erfahrungen seines eigenen Lebens — die Reisen, die Lektüre, sogar seine persönlichen Erlebnisse in Paris — ohne Rücksicht auf die chronologische und kausale Folge umgestaltet hat. So enthält ein Brief an Lou Andreas-Salomé vom Juli 1903 die ursprüngliche Form einer Episode (St. Vitus Tänzer), die Malte in seinen Aufzeichnungen sehr spät — zur Frühlingszeit — erzählt. Und eine andere Passage — das noch zu besprechende Seine-Bild — die in den Anfangsteilen des Romans steht, findet sich in einem Brief an Rilkes Frau von 1907. Mit anderen Worten: Ereignisse und Erfahrungen von acht Jahren sind in ein Erzählwerk eingegangen, das scheinbar Vorkommnisse aus Maltes Leben von etwas weniger als einem Jahr aufzeichnet. Und innerhalb dieser gedrängten Form sind die Ereignisse befreit von jeder kausalen Verknüpfung, die sie in Rilkes eigener Biographie besaßen, bis sie in die Romanform eingingen.

Das ist nicht eine besonders tiefgreifende Beobachtung. Sie kann einzig als Warnung für solche Interpreten dienen, die gerne enge Parallelen zwischen den Dichtern und ihren Romanhelden herstellen. Doch sie deckt einen charakteristischen Vorgang auf, da sie zeigt, wie Malte mit den Gegebenheiten seines eignen Lebens in den Aufzeichnungen fertig wird. Indem er die Ereignisse seiner Vergangenheit aus dem Zusammenhang herausreißt (sogar die Reihenfolge der Sterbefälle in der Familie ist geändert), versucht Malte sein Leben nach einem neuen Muster aufzubauen. Überdies hat diese Aufhebung der natürlichen Zeitabfolge für Malte eine tiefere existentielle Bedeutung. Indem er seine Vergangenheit von allen kausalen Verflechtungen befreit, behauptet er gleichzeitig seine persönliche Freiheit der Identität und löst sich aus der Zeitlichkeit. Als wahrer Erbe seines Großvaters versucht Malte der Bedrohung durch Zeit und Tod zu entfliehen, indem er in seinem Tagebuch der Vergangenheit neue Gestalt verleiht. Aber Malte unterwirft nicht nur seine Vergangenheit dieser bedeutungsvollen Umgestaltung. Sein dringendster Wunsch besteht darin, der Bedrohung durch die Gegenwart zu entrinnen, die Nacht zu überstehen, wie er sagt. Um dies zu erreichen, unterzieht er all seine Erfahrung der Kontrolle seiner künstlerischen Einbildungskraft, so daß jede Szene zu einem sinnvollen Kunstwerk wird.

Maltes Aufzeichnungen unterscheiden sich von systematischen Tagebucheintragungen oder geordneten autobiographischen Reminiszenzen. Obschon die erste Eintragung datiert ist und obgleich es für uns genug Hinweise gibt, um die Abfolge von Herbst, Winter, Frühling und Sommer festzustellen, spielt die äußere Zeit für Malte überhaupt keine Rolle. Die Aufzeichnungen sind voneinander unabhängige Prosateile, die in der Länge zwischen einem kurzen Abschnitt und einigen Seiten variieren und durch keine kausalen Bindungen zusammengehalten werden. Untersuchen wir ein typisches Beispiel, das zu Anfang des Buches vorkommt:

> Was so ein kleiner Mond alles vermag. Da sind Tage, wo alles um einen licht ist, leicht, kaum angegeben in der hellen Luft und doch deutlich. Das Nächste schon hat Töne der Ferne, ist weggenommen und nur gezeigt, nicht hergereicht; und was Beziehung zur Weite hat: der Fluß, die Brücken, die langen Straßen und die Plätze, die sich verschwenden, das hat diese

Weite eingenommen hinter sich, ist auf ihr gemalt wie auf Seide. Es ist nicht zu sagen, was dann ein lichtgrüner Wagen sein kann auf dem Pont-neuf oder irgendein Rot, das nicht zu halten ist, oder auch nur ein Plakat an der Feuermauer einer perlgrauen Häusergruppe. Alles ist vereinfacht, auf einige richtige, helle plans gebracht wie das Gesicht in einem Manetschen Bildnis. Und nichts ist gering und überflüssig. Die Bouquinisten am Quai tun ihre Kästen auf, und das frische und vernutzte Gelb der Bücher, das violette Braun der Bände, das größere Grün einer Mappe: alles stimmt, gilt, nimmt teil und bildet eine Vollzähligkeit, in der nichts fehlt.[25]

Es wäre ein Sakrileg gegen die Dichtkunst, würde man versuchen, diese Vision in ihre empirische Realität zurück zu übertragen. Was Malte hier getan hat, ist offenbar. Eine alltägliche Szene, die Seine-Gegend nahe des Pont-Neuf, wird zu einem Bild gefaßt, in dem »nichts gering und überflüssig« ist. Die Gegenstände sind nicht voneinander losgelöst oder außerhalb eines Zusammenhangs; jedes Ding hat seinen Platz in der Struktur des Ganzen. Rilke-Malte gelingt diese Geschlossenheit, indem er die Szene in ein impressionistisches Gemälde verwandelt. Die Hinweise auf Manet und die Malerei auf Seide sind nicht von ungefähr.
Diese eine Vignette, wörtlich aus einem Brief vom 12. Oktober 1907 an seine Frau übernommen, schrieb Rilke in den Tagen, da er den Salon d'Automne von 1907 besuchte. Dieser und andere Briefe sind reich an Gedanken über Cézanne und Hinweisen auf Manet, deren Palette Rilke vor allem bewunderte. Die ganze Szene ist fast ausschließlich anhand von Farben und Farbverbindungen wiedergegeben. Malte transformiert Realität in Ästhetik, »Landschaft in Kunst«, um Kenneth Clarks Ausdruck zu gebrauchen. Aber bei dieser Umwandlung hebt er — und das ist entscheidend — die Bestandteile aus dem Zeitablauf heraus. Schon der allererste Satz trägt dazu bei, denn — im Gegensatz zum ersten Eindruck — beschreibt Malte nicht ein Mondschein-Gemälde, sondern eine Landschaft bei Tage. Der Hinweis auf den Mond ist meteorologischer Art, wie der vollständige Text des Briefes klar zeigt. Nach Rilke war es der Mond, der der Luft nach einigen grauen nebligen Tagen ihre Reinheit wieder schenkte. Aber der sanfte und unmotivierte Wechsel von Nacht zu Tag er-

zielt den Effekt einer Aufhebung der Zeit.[26] Die Gegenstände, welche in diesem Wort-Bild gefangen und dort eine sinnvolle Funktion erhalten haben, sind zeitlos und erregen keine Angst in ihrem Beschauer. Der hellgrüne Wagen auf der Brücke, auf dem Bild zum Stehen gebracht, kann nicht durch Maltes Zimmer rasen und ihn, wie die Straßenbahnen und die Automobile der ersten Nächte in Paris, erschrecken. Der Fluß und die Bücher — alles hat im Tableau seine Funktion und seinen Platz. Malte hat einer Wirklichkeit Form und Sinn gegeben, die vorher formlos und zufällig war, er hat — im Einklang mit seinem größeren Vermögen zu sehen — eine neue Vision der Einheit geschaffen. In einem Brief an Lou Andreas-Salomé schrieb Rilke: »Das Ding ist bestimmt, das Kunst-Ding muß noch bestimmter sein; . . . der Zeit enthoben und dem Raum gegeben, ist es dauernd geworden, fähig zur Ewigkeit.«[27] Genau das hat Rilke mit der Szene am Fluß getan: er hat sie der Ewigkeit fähig gemacht.

Die unmittelbar darauf folgende Eintragung hat genau dieselbe Funktion, aber diesmal ist die Technik eine völlig andere. Malte schaut aus seinem Fenster im fünften Stockwerk und beobachtet die folgende Szene:

> Unten ist folgende Zusammenstellung: ein kleiner Handwagen, von einer Frau geschoben; vorn darauf ein Leierkasten, der Länge nach. Dahinter quer ein Kinderkorb, in dem ein ganz Kleines auf festen Beinen steht, vergnügt in seiner Haube, und sich nicht mag setzen lassen. Von Zeit zu Zeit dreht die Frau am Orgelkasten. Das ganz Kleine stellt sich dann sofort stampfend in seinem Korbe wieder auf, und ein kleines Mädchen in einem grünen Sonntagskleid tanzt und schlägt Tamburin zu den Fenstern hinauf.

Was hat Malte gesehen? Ein Bild der Armut und des Jammers, ein Bild, das ihn gewöhnlich aus der Fassung gebracht hätte, wie ein paar Seiten später die ähnliche Episode mit dem blinden Blumenkohl-Verkäufer es tut. Aber indem Malte den Vorgang künstlerisch gestaltet, verwandelt er ihn in eine literarische Kamee. Er hat genau das getan, was Rilke (in einem Brief vom 4. 10. 1907) Van Gogh zuschreibt, der »in den bangsten Tagen die bangsten Gegenstände« malte. »Wie hätte er sonst überstanden?«[28] Hier gibt es jedoch nur eine Farbe: die Szene ist nicht nach Prinzipien der Malerei aufgebaut wie der vorangehende Abschnitt. Malte beschreibt alles anhand geometrischer Figuren. Zuerst lenkte das Wort »Zusammenstellung« — eine sehr ungewöhnliche Bezeichnung für eine so zufällige Begebenheit wie diese Straßenszene — unsere Aufmerksamkeit auf den ganz bewußten Aufbau dieser kleinen Geschichte. Dann wird unser Auge auf streng geometrischer Bahn von vorn nach hinten geführt — einmal unterbrochen durch eine Waagrechte. Die horizontale Linie wird durch die vertikale, die aus dem ersten Wort (»unten«) und den letzten Wörtern (»zu den Fenstern hinauf«) entsteht, betont; sie bilden die lineare Komposition. Wieder ist es Malte gelungen, ein alltägliches — diesmal ein ziemlich deprimierendes — Ereignis der Straße aus dem zeitlichen Zusammenhang herauszureißen und es in einer geometrischen Figur festzuhalten. Sicher dachte Rilke an dieses bewußte künstlerische Gestalten, als er später einmal zu seinem französischen Übersetzer, Maurice Betz, bemerkte, die einzelnen Teile von Maltes Aufzeichnungen seien »poèmes en prose« nach der Art Baudelaires.[29]

Diese beiden kurzen Abschnitte zeigen nur zwei von vielen Eintragungsarten, die in Maltes Buch zu finden sind. Aber ob sich Malte — wie hier — von seinem Fenster aus mit einem Vorgang auf der Straße oder mit Erinnerungen aus der Kindheit oder mit Episoden aus der historischen Vergangenheit beschäftigt, er formt das Rohmaterial immer zu einem einheitlichen, sinnvollen Ganzen. Es wäre verfehlt, den Sinn dieser Szenen in ihrem Inhalt zu suchen. Es geht hier vielmehr um eine Bedeutung durch die Form, um eine rein ästhetische Bedeutung. Jede einzelne Aufzeichnung stellt einen Versuch dar, die Zeitlichkeit zu überschreiten, indem die Realität in eine zeitlose Form gebracht wird, in der die Dinge neue Bedeutung erhalten und daher Malte nicht mehr zu bedrohen vermögen.

Betrachten wir nicht mehr nur die einzelnen Aufzeichnungen, sondern ihre Anordnung im Ganzen des Romans, so sehen wir, daß Malte versucht, die Ereignisse seines Lebens künstlerisch so zu bewältigen, daß sie sinnvoll werden. Wenn Malte sich von der Erfahrung in der Gegenwart weg- und dem Zurückholen der Vergangenheit zuwendet, so schreibt er: »Ich habe um meine Kindheit gebeten, und sie ist wiedergekommen, und ich fühle, daß sie immer noch so schwer ist wie damals und daß es nichts genützt hat, älter zu werden.«[30] Seine eigene Kindheit wird in seinen Augen erst sinnvoll, wenn es ihm gelingt, sie künstlerisch so zu gestalten wie die Ereignisse seines Alltags in Paris. Indem Malte die Erlebnisse der Vergangenheit, der Gegenwart und sogar der Zukunft in eine Form zusammenfügt, sieht er die Realität als ein Ganzes wie die Engel oder wie sein Großvater. Rilke schrieb später an seinen polnischen Übersetzer, daß »Malte ... nicht umsonst der Enkel des alten Grafen Brahe, der alles, Gewesenes wie Künftiges einfach für ›vorhanden‹ hielt.«[31]

Maltes Bilder sind auf vielfältige Weise miteinander verknüpft und in Bezug gesetzt. Wie wir sehen werden, bestimmen Assoziations- und Komplementärprinzipien die Reihenfolge. Aber darüber hinaus und ungeachtet der additiven Anordnung der Episoden, verleihen sprachliche Parallelen, weitverzweigt und verschiedenster Art, dem Werk poetische Dichte. Ein typisches Beispiel findet sich in der Parabel vom Verlorenen Sohn, mit der das Werk schließt. Einige Seiten vorher, beim Erzählen eines Ereignisses aus dem Leben Karls VI. von Frankreich, hatte Malte das Attentat auf den aussätzigen König beschrieben:

> Das war damals, als von Zeit zu Zeit Männer fremdlings, mit geschwärztem Gesicht, ihn in seinem Bette überfielen, um ihm das in die Schwären hineingefaulte Hemde abzureißen, das er schon längst für sich selber hielt. Es war verdunkelt im Zimmer, und sie zerrten unter seinen steifen Armen die mürben Fetzen weg, wie sie sie griffen. Dann leuchtete einer vor, und da erst entdeckten sie die jäsige Wunde auf seiner Brust, in die das eiserne Amulett eingesunken war, weil er es jede Nacht an sich preßte mit aller Kraft seiner Inbrunst; nun stand es tief in ihm, fürchterlich kostbar, in einem Perlensaum von Eiter wie ein wundertuender Rest in der Mulde eines Reliquiars.[32]

Dieser Anblick, berichtet Malte, ist abstoßend genug, um auch die abgehärteten Mörder, die für dieses Unternehmen gedingt worden waren, abzuschrecken. Nach dieser Schilderung geht die Geschichte über einige Seiten weiter, und der Leser könnte diesen Abschnitt leicht vergessen, wenn nicht die packende Beschreibung der Fäulnis gewesen wäre. Dann aber, kurz vor Schluß, als Malte die Leiden des Verlorenen Sohnes anschaulich schildert, stoßen wir auf einen fast versteckten Hinweis darauf, des Inhalts, daß dies alles zu einer Zeit vorfiel, ». . . da sich überall an seinem Leibe Geschwüre aufschlugen wie Notaugen gegen die Schwärze der Heimsuchung.«[33] Erinnert sich der Leser nicht und zwar ganz wörtlich an die frühere Stelle, trotzt dieser Einschub jeder Auslegung oder Interpretation. Wenn wir uns aber ins Gedächtnis rufen, daß die Wunden Karls VI. abschreckend auf die Männer mit geschwärzten Gesichtern wirkten, die ihn bei Nacht anfielen, dann wird alles mit einem Male klar. Es wird sogar mehr als klar: indem die Sprache eine dichterische Beziehung herstellt zwischen Karl VI. und dem Verlorenen Sohn, die sonst nicht einleuchtend wäre, hebt sie die beiden Fälle in einen zeitlosen Bereich, wo solche Parallelen bedeutungsvoll sind.

Dies ist ein eindrucksvolles, aber keineswegs vereinzeltes Beispiel. Hier geht die breitere Beschreibung der Metapher voraus, welche von ihr abhängig ist. Es gibt andere Beispiele, in denen der umgekehrte Fall vorliegt. Zu Anfang des Romans, in der fünften Aufzeichnung, sieht Malte eine Frau in der Straße: in sich hineingefallen, mit dem Gesicht in den Händen. Im Näherkommen schrecken seine Schritte die Frau auf, »so daß das Gesicht in den zwei Händen blieb. Ich konnte es darin liegen sehen, seine hohle Form«.[34] Später, wenn Malte die Geschichte von Karl dem Kühnen wiedererzählt, wird diese großartige Metapher auf ihre Realität reduziert und vergegenständlicht. Nachdem Karl in der Schlacht bei Nancy gefallen war, war sein Gesicht »eingefroren, und da man es aus dem Eis herauszerrte, schälte sich die eine Wange dünn und spröde ab, und es zeigte sich, daß die andere von Hunden oder Wölfen herausgerissen war«.[35] In beiden Fällen ist — durch die Spannung zwischen Realität und Metapher — eine dichterische Relation zwischen Vorfällen oder Bildern entstanden, die sonst sehr wenig Gemeinsames haben. Auf Grund künstlerischen Gestaltens sind sie in Maltes Aufzeichnungen miteinander verbunden. Beziehungen gleicher Art lassen sich in Aufzeichnungen entdecken, die viel enger aufeinander folgen. Sie garantieren dem Werk, unabhängig von andren Bindungen zwischen den einzelnen Abschnitten, einen hohen Grad an Geschlossenheit in Sprache und Metaphorik.

Die Reihenfolge der Aufzeichnungen, von denen jede einzelne ein ästhetisches Ganzes darstellt, ist durch subtilste Assoziations- und Komplementärprinzipien bestimmt. Untersuchen wir als Beispiel die Anordnung der ersten acht Aufzeichnungen, die — fast wie ein musikalisches Werk aufgebaut — über eine Anzahl von Motiven allmählich zu Themen anschwellen.[36] Die beiden ersten Eintragungen gelten den fünf Sinnen. Einer nach dem andern ist dazu aufgerufen, Maltes Entsetzen über seine erste Begegnung mit Paris zu registrieren.[37] Die erste Eintragung zählt Wahrnehmungen des Auges, des Tast- und Geschmacksinns und die Gerüche in den Straßen bei Tage auf, während die zweite die Geräusche, die Malte in der Nacht von seinem Zimmer aus hört, wiederholt: Straßenbahnen, Automobile, klirrendes Glas, Stimmen, bellende Hunde, krähende Hähne. Kontrapunktisch, abrupt wendet sich die dritte Eintragung plötzlich der Stille zu, die »noch furchtbarer« ist. Nach Geräuschen und Stille wird in der vierten nun das Gesicht als Hauptthema eingesetzt: »Ich lerne sehen.« Malte nimmt den Wandel wahr, den das neue Sehvermögen in seinem Leben bewirkt, und führt dafür bestimmte Beispiele an. Die fünfte Aufzeichnung, welche mit der Beschreibung der Gesichter, die er sieht, beginnt, endet mit der Furcht vor dem Anblick der aufgeschreckten Frau (in der oben zitierten Passage), wenn diese ihr Gesicht aus den Händen heben würde: »Mir graute, ein Gesicht von innen zu sehen.« Das Motiv der Angst, eingeführt in der ersten Eintragung und allmählich durch verschiedene Variationen gesteigert, wird durch die fünfte zum Hauptthema des folgenden Teils. Diese Angst, ausgelöst durch die Tode, deren Zeuge Malte in den Straßen von Paris wird, stellt einen geschmeidigen Übergang zum siebenten Abschnitt her, in dem von der Trivialisierung des Todes in der modernen Stadt und ihren Krankenhäusern die Rede ist. Und schließlich beschreibt die lange achte Eintragung — von Moll zu Dur überleitend — den Tod des Großvaters von Malte, des Kammerherrn Brigge. Dieses erste Eindringen der Vergangenheit in Maltes Gegenwart in Paris hat sich mit absoluter dichterischer Konsequenz aus einem Teil des allerersten Satzes: ». . . ich würde meinen, es stürbe sich hier« entwickelt.

Es ist unnötig, diese Reihe von Assoziationen weiter zu führen. Jeder, der die Aufzeichnungen sorgfältig liest, erkennt sowohl die Bindeglieder zwischen den einzelnen Bildern — es sind im ganzen einundsiebzig — als auch das Gestaltungsprinzip, das ein jedes dieser Bilder bestimmt. Neben dem Assoziationsgesetz, das die Anfangsabschnitte beherrscht, beginnt nun jedoch etwas anderes eine Rolle zu spielen: dasselbe Komplementärprinzip nämlich, das die poetischen Zyklen Rilkes beeinflußt, z. B. die *Neuen Gedichte* und die *Duineser Elegien*. Rilkes Briefe und Gedichte sind voller Ausdrücke, die seinen Glauben an etwas, das er die »ordres complémentaires« oder das »sainte loi du contraste« nennt, bezeugen. Sein bevorzugtes Symbol für die unio mystica scheinbarer Gegensätze ist die Rose, welche — wie er in seinem eigenen Grabspruch sagt — ein »reiner Widerspruch« ist, weil sie niemandes Schlaf ist, trotz »soviel Lidern« (Blumenblättern):

> Rose, oh reiner Widerspruch. Lust
> Niemandes Schlaf zu sein unter soviel
> Lidern.

Dieses Thema, der Augenblick des Gleichgewichts entgegengesetzter Kräfte, fällt in Rilkes Dichtung auf und erklärt etwa, weshalb er oft Akrobaten als Metapher für das menschliche Dasein gebraucht (z. B. in der fünften Elegie).

Dieses Komplementärprinzip, welches eine Auflösung der Gegensätze impliziert, liegt nicht nur einzelnen Gedichten oder Zyklen zu Grunde, es bestimmt auch die Reihenfolge vieler Bilder in den Aufzeichnungen.[38] Malte ist vor allem vom komplementären Verhalten zeitlicher Stufen fasziniert. Ein Tod im zeitgenössischen Paris ruft durch den Kontrast die Erinnerung an den Tod des Großvaters wach. Die großartigen Tapisserien »Dame à la Licorne« im Museum Cluny lassen ihn an seine Cousine Abelone denken. Bei einer anderen Gelegenheit erinnert sich Malte an den Tod seines Vaters (eigene Vergangenheit); diese Erinnerung ruft die Geschichte vom Tod Christians IV. von Dänemark (historische Vergangenheit) hervor; und sie wiederum bringt Malte zu seinen eigenen Gedanken über den Tod in Paris zurück (Erfahrung der Gegenwart). Aber die letzte Wirkung dieser radikalen Gegenüberstellung verschiedener Zeitstufen ist sowohl für Malte als auch für den Leser ein Austilgen der Unterschiede, ein Aufheben der Zeit in einem Kontinuum. Wir werden uns der Dauer zutiefst bewußt, die den zeitlichen Phänomenen zu Grunde liegt, wenn bestimmte Figuren sich wiederholen, die sich komplementär oder gegensätzlich zueinander verhalten.[39]

Im ersten Drittel des Buches, in dem sich Malte vorwiegend mit seiner eigenen Existenz in Paris beschäftigt, sind die Assoziations- und Komplementärprinzipien, die die Struktur der Aufzeichnungen bestimmen, meistens im Präsens wirksam. Wenn Malte im zweiten Teil seine eigene Kindheit ausgräbt, werden diese Prinzipien — wie wir wissen — auf Grund der verschiedenen Zeitstufen verwickelter. Gegen Ende des Buches jedoch ist Malte so daran gewöhnt, in Assoziationen und Ergänzungen zu denken, daß er es sich wiederholt erlauben kann, die eine Hälfte eines Vorganges zu unterdrücken: seine eigene, gegenwärtige Existenz. Figuren aus der historischen Vergangenheit werden, ohne Bezugnahme auf die eigene Person, als reine Metaphern für sein Dasein eingesetzt, als »Vokabeln seiner Not«.[40] Es ist vollkommen falsch anzunehmen, der Sinn dieser Geschichten liege im Inhalt. Viele Jahre später schrieb Rilke an seinen polnischen Übersetzer, daß es irreführend sei zu versuchen, »die vielfältigen Evokationen« zu präzise festlegen zu wollen. »Der Leser kommuniziere nicht mit ihrer geschichtlichen oder imaginären Realität, sondern durch sie, mit Maltes Erlebnis.«[41] Und er gesteht, daß er in den dazwischenliegenden fünfzehn Jahren selbst einige der spezifischen Bezüge vergessen habe. Ihre Bedeutung liege aber in der »Spannung dieser Anonymitäten«, welche Maltes Geisteszustand metaphorisch wiedergebe.

Durch die historischen Gestalten werden Maltes eigene Emotionen in parabolischer Form verallgemeinert. Sobald aber die parabolische Bedeutung des historischen Lebens durch die künstlerische Form in den Aufzeichnungen offenbar wird, erhält Maltes eigenes Leben einen höheren Sinn. Er *ist* — metaphorisch — Johannes XXII., Karl VI. und all die andern Figuren, die er heraufbeschwört. Durch die historische Vergangenheit wird Malte von der Bedrohung durch die Zeitlichkeit erlöst: seine eigene Erfahrung wird in den Gestalten, deren Geschichte er erzählt, verkörpert und verewigt. Er kann abseits stehen und sein Leben objektiv betrachten, genau wie er die Gegenstände seiner Bilder kontempliert.

Dieses Aus-sich-Herausstellen, diese Objektivierung seines Lebens spiegelt sich im Stil der Erzählung wider. Wir stellten oben fest, daß die *Aufzeichnungen* mit einer radikalen Gegenüberstellung von Ich und Welt beginnen. Die erste Person Singular, die hartnäckig den ersten Teil des Buches beherrscht, als ob Malte seine eigene Existenz grammatikalisch angesichts der bedrohenden Welt durchsetzen müßte[42], weicht nach und nach der erzählenden dritten Person, bis Malte am Schluß von den Metaphern seines eigenen Ichs vollkommen absorbiert ist. Es ist charakteristisch, daß das Werk, das in der ersten Person beginnt, mit der Parabel vom Verlorenen Sohn endet. Mit anderen Worten: Am Schluß seiner Aufzeichnungen ist Malte hinter der Projektion seiner selbst verschwunden. Seine eigene private, zeitliche Existenz ist in die überzeitliche Existenz der Parabel subsumiert.

So stehen die *Aufzeichnungen* als Ganzes unter dem selben dichterischen Kompositionsgesetz wie die einzelnen Bilder. Hinter der Reihenfolge von individueller Existenz über Familie zu Geschichte erkennen wir ein deutliches Muster in Struktur und Entwicklung: von der ersten zur dritten Person, von Malte zum Verlorenen Sohn, von der Realität zur Metapher, von der Zeitlichkeit zu Zeitlosigkeit. Es gelang Malte, seinem eigenen Leben eine sinnvolle ästhetische Form zu geben, indem er das Erlebnismaterial durch assoziatives und komplementäres Denken bewältigte und es in den Zusammenhang der Kindheit und der historischen Vergangenheit stellte. Jede gemmenartige Szene wird so zum Stein in dem vollendeten Mosaik des Ganzen. Und wenn dieses Mosaik nicht das einfache Bild nach den Erwartungen einer konventionellen Erzählkunst zeigt, so präsentiert es uns eine abstrakte Zeichnung von der Art, die wir nun gewohnt sind, von der Dichtung zu erwarten. Das Werk vermeidet Handlung zugunsten von Struktur, epische Schilderung zugunsten von lyrischer Bedeutsamkeit.[43]

Der Übergang von der ersten zur dritten Person, den wir festgestellt haben, ist für die Interpretation des Romans von Wichtigkeit. In James Joyces *Jugendbildnis* erwähnt Stephan Dädalus genau dieselbe Art von Entwicklung.

> Die einfachste epische Form geht aus der lyrischen hervor, wenn der Künstler bei sich verweilt, über sich selbst nachgrübelt als das Zentrum eines epischen Ereignisses, und diese Form entwickelt sich weiter, bis das Zentrum emotioneller Gravität gleich weit entfernt ist vom Künstler und vom anderen. Jetzt ist die Erzählung nicht mehr rein persönlich. Die Persönlichkeit des Künstlers geht in die Erzählung selbst über, umgibt Personen und Handlung wie ein lebendiges Meer. Diesen Übergang kannst du leicht in der altenglischen Ballade von *Turpin Hero* konstatieren, die in der ersten Person beginnt und in der dritten endet.[44]

Das Hinübergleiten von der Lyrik zur Epik beweist stilistisch, daß Malte sich genügend von der Angstbesessenheit der ersten Seiten befreit hat, um sich objektiv mit der Realität zu befassen.

Wir haben gesehen, daß sich Malte zuerst das bescheidene Ziel setzte, Nacht und Krankheit zu überstehen, bevor er die schwierigere Aufgabe auf sich nahm, Liebe und Gott standzuhalten. In der ersten Hälfte der Aufzeichnungen, in der er sich vor allem mit den Erfahrungen der Gegenwart und dem Heraufholen seiner Kindheit beschäftigt, erzählt er nicht mit der ruhigen Stimme des objektiven Autors. Im Gegenteil. Er reagiert fast irr auf Erfahrung und Erinnerung beim Versuch, alles in ein dichterisches Bild zu fassen. In der Mitte des Buches stellt er fest: »Daß man erzählte, wirklich erzählte, daß muß vor meiner Zeit gewesen sein. Ich habe nie jemanden erzählen hören. Damals, als Abelone mir von Mamas Jugend sprach, zeigte es sich, daß sie nicht erzählen könne. Der alte Graf Brahe soll es noch gekonnt haben.«[45]

Die Bedeutung dieser Bemerkung kann nicht überbetont werden, da die Fähigkeit, Geschichten zu erzählen, mit einer erzählenden Stimme zu sprechen, ohne Zweifel mit der Vision einer einheitlichen Realität zusammenhängt, die Graf Brahe noch besaß. Die Unfähigkeit zu erzählen ist daher ein weiteres Symptom für den Zusammenbruch der Realität. Das Wiedererlangen dieser Fähigkeit deutet daher auf die Wiederherstellung — zumindest im Geiste des Erzählers — einer einheitlichen Vision hin. Wenn dies der Fall ist, muß daraus geschlossen werden, daß Malte am Schluß seiner Aufzeichnungen wieder zu einer Vision der Einheit gelangt ist. Denn in der Parabel vom Verlorenen Sohn erzählt er zum ersten Mal — wie Ernst Hoffmann festgestellt hat — eine Geschichte mit der Objektivität epischen Erzählens.[46] Die Entwicklung der Fähigkeit, Geschichten zu erzählen, ist im zweiten Teil der Aufzeichnungen mit den Themen Liebe und Gott verknüpft.

Malte beginnt seine Erzählung vom Verlorenen Sohn mit den Worten: »Man wird mich schwer überzeugen, daß die Geschichte des Verlorenen Sohnes nicht die Legende dessen ist, der nicht geliebt werden wollte.«[47] Diese scheinbar paradoxe Bemerkung wurde durch Maltes Erwähnung der »großen Liebenden«, z. Z. von Heloïse, Sappho, Marianna Alcoforado, Gaspara Stampa, Louise Labé, Julie Lespinasse und anderen, sorgfältig vorbereitet. Der zweite Teil hinwiederum wurde vorweggenommen durch die Beschreibung der Tapisserien der Dame à Licorne am Schluß von Teil I: denn das Einhorn ist das Tier, welches nur durch die Liebe bezwungen werden kann. Rilke hat die Reihenfolge der sechs Tapisserien in schlauer Absicht so angeordnet, daß die letzte die Dame zeigt, die dem Einhorn einen Spiegel entgegenhält.[48] Mit andern Worten: durch die Liebe erlangt der einzelne Selbstbewußtsein.

Wenn wir Rilkes Theorie von der Liebe auf ihre einfachste Form reduzieren, so können wir sagen, daß er die Liebe im konventionellen Sinn für eine zu überstehende Gefahr hält, denn gewöhnliche Liebe strebt danach, einen bestimmten Gegenstand zu erfassen und verlangt, daß er sich gleich bleibt. Geliebt zu werden beschränkt die Freiheit des einzelnen so, daß er sich nicht auf seine eigene Weise entwickeln kann. Lieben dagegen ist zeitlose Tätigkeit, denn wahre Liebe ist nur eine Richtung, sie ist auf keinen bestimmten Gegenstand, kein bestimmtes Ziel gerichtet. Sie ist sozusagen der positive Aspekt der Haltung, in die Malte während des ersten Teils seiner Aufzeichnungen hineinwächst: »Schlecht leben die Geliebten und in Gefahr. Ach, daß sie sich überstünden und Liebende würden. Um die Liebenden ist lauter Sicherheit.«[49]

Liebe ist in Maltes Sprachgebrauch die Bezeichnung für eine interesselose Haltung, die weder die Realität gierig zu haschen versucht, noch zwischen ihren Erscheinungen zu scharf unterscheidet. Liebe akzeptiert — wie die Engel und Graf Brahe — die Realität, wie sie ist. Liebe ist daher letztlich die Voraussetzung für das, was Malte »Erzählung« nennt, denn eine Erzählung ist unmöglich, bis der Verfasser gewillt und fähig ist, die Welt mit den klaren Augen des Liebenden zu schauen, bis er genügend Abstand von der Realität hat, um sich von ihren Erscheinungen nicht mehr bedroht oder verängstigt zu fühlen. Mit andern Worten: der Liebende hat sich aus dem Fluß der Zeitlichkeit gelöst. »Außen ist vieles anders geworden. Ich weiß nicht wie«, bemerkt Malte gegen Ende seines Buches. »Aber innen und vor Dir, mein Gott, innen vor Dir, Zuschauer: sind wir nicht ohne Handlung?«[50] Es ist charakteristisch, daß Rilke hier seine abstrakten Gedanken anhand konkreter Terminologie entwickelt, die er aus der damit nicht in Beziehung stehenden Welt des Theaters holt. Aber sein Anliegen ist klar: am Ende der Aufzeichnungen hat Malte in seinem eigenen Herzen ein zeitloses Reich »ohne Handlung« erlangt. Außen geht der zeitliche Ablauf weiter, aber im Innern ist er nun sicher vor der Angst vor Zeit und Tod, welche ihn während seiner ersten Wochen in Paris quälte.

In der Geschichte vom Verlorenen Sohn verschmelzen dann Stil und Thema der Aufzeichnungen. Jetzt vermag Malte zum ersten Mal, eine Geschichte zu erzählen, weil er selbst die Stufe abgeklärter Liebe erreicht hat. Und die Geschichte, die er erzählt, beschreibt gerade das Phänomen, das die Erzählung ermöglicht, weil sie — mit der Objektivität der Parabel — die Stadien von Maltes Entwicklung rekapituliert: von der Einsamkeit über die Liebe zu Gott.[51]

Maltes Verlorener Sohn verläßt seine Heimat, um den Bindungen der Liebe zu entfliehen. Er wird so sehr geliebt, sogar von den Hunden und den Fenstern des Hauses, daß er nicht frei ist. Jedes Mal, wenn er das Haus betritt, wird er in die Rolle zurückgedrängt, in der ihn alle anderen sehen. Während der Jahre der Trübsal jedoch entwickelt sich in ihm eine solche Festigkeit des Charakters, daß er endlich fähig ist, nach Hause zurückzukehren, ohne befürchten zu müssen, von denen, die vorgaben, ihn zu lieben, in eine Form gepreßt zu werden. »Was wußten sie, wer er war«, steht am Schluß des Romans. »Er war jetzt furchtbar schwer zu lieben, und er fühlte, daß nur Einer dazu imstande sei. Der aber wollte noch nicht.[52]« Was Malte hier vom Verlorenen Sohn schreibt, ist nur eine Metapher oder Parabel für sein eigenes Dasein.

Seit den ersten angstvollen Zeilen ist Malte einen langen Weg gegangen. Er hat die Nacht, die Krankheit und die Liebe überstanden. Es bleibt nur noch, Gott zu bestehen. »Der aber wollte noch nicht.« Das war die Aufgabe, die den *Duineser Elegien* vorbehalten blieb.

Kapitel 2

Franz Kafka: Der Prozeß

Zwei Turmuhren zieren das jüdische Rathaus in Prag, Franz Kafkas Geburtsort und Heimat für den größten Teil seines Lebens. Die eine, an der Spitze des Turms, zeigt die vergehenden Stunden in der konventionellen Weise an; ihre Zeiger bewegen sich im Uhrzeigersinn auf dem Zifferblatt. Aber die tieferliegende, eine hebräische Uhr aus dem 17. Jahrhundert, ist anders: die Stunden werden nicht nur durch hebräische Buchstaben markiert, sondern die Zeiger gehen rückwärts. Zuerst mag es eigenartig anmuten, daß Kafka, der fast täglich an diesem Sitz vorbeiging, die beiden Uhren in seinen schriftstellerischen Arbeiten nie erwähnt. Sie sind als Symbol so geeignet, daß Kafka sie sehr wohl zu eigenen Zwecken hätte erfinden können. Denn seine Werke sind voller Turm- und Taschenuhren, die nach verschiedenen Zeitmaßen gehen, um die Diskrepanz zwischen der inneren Zeit des Menschen und der mechanischen Zeit der Außenwelt aufzuzeigen. Aber Kafka hatte eine Abneigung gegen alles Überdeutliche und strich konsequent jede Stelle in seinen Werken, die seine Meinung zu plump wiedergab. Vielleicht vermied er aus diesem Grunde irgendwelche direkten Hinweise auf die Turmuhren des Rathauses. Trotzdem mag es legitim sein, an diese beiden Uhren zu denken, wenn wir von Kafkas Helden lesen, die durch die Straßenlabyrinthe seiner Welt irren, und immer zu spät zu ihren Verabredungen kommen: die eine Uhr tickt unwiderruflich weiter in der gewohnten Weise, die andere, auf ihre Art ebenfalls perfekt gehende, dreht sich immer in entgegengesetzter Richtung.

Kafka war, wie kaum ein anderer Schriftsteller, von diesem Auseinanderfallen seiner eigenen inneren Zeit und derjenigen der Umwelt besessen. 1922 erwähnt er in seinem Tagebuch dieses Gefühl. »Unmöglichkeit zu schlafen, Unmöglichkeit zu wachen, Unmöglichkeit, das Leben, genauer die Aufeinanderfolge des Lebens zu ertragen. Die Uhren stimmen nicht überein, die innere jagt in einer teuflischen und dämonischen oder jedenfalls unmenschlichen Art, die äußere geht stockend ihren gewöhnlichen Gang.«[1] Zwei Jahre zuvor, bald nach ihrer ersten Begegnung, entschuldigte sich Kafka bei Gustav Janouch dafür, daß er mehr als eine Stunde zu spät zu einer Verabredung kam. »Nie kann ich eine Vereinbarung genau einhalten. Immer komme ich zu spät. Ich will die Zeit beherrschen, ich habe den aufrichtigen guten Willen, die Vereinbarung der Zusammenkunft einzuhalten, aber die Umwelt oder mein Körper bricht immer diesen Willen, um mir meine Schwäche zu beweisen. Das ist wahrscheinlich auch die Wurzel meiner Krankheit.«[2]

Dieses Nichtübereinstimmen zweier Zeitordnungen wäre weder wichtig noch interessant, wenn es nicht in Kafkas Werken eine so auffällige Rolle spielte. Denn es wird dort zu einem eindeutigen Symbol für den Verlust der Beziehung zwischen Mensch und Welt. Das Schicksal des einzelnen, der aus dem Strom der Zeitlichkeit herausgerissen wird, ist in vielen Erzählungen gezeigt. In einer seiner ersten Skizzen zeichnet Kafka den Charakter des Junggesellen, einer symbolischen Figur in allen Werken. Die meisten Menschen, sagt er, werden gleichsam durch Vergangenheit und Zukunft gehalten und eingedämmt, »... ihm gehört nur der Augenblick, der immer fortgesetzte Augenblick der Plage, dem kein Funken eines Augenblicks der Erholung folgt...« Die meisten Menschen leben »im Strom der Zeiten«. Sobald wir ihn verlassen wie der Junggeselle, sind wir verloren. »Wir sind außerhalb des Gesetzes, keiner weiß es und doch behandelt uns keiner danach.«[3] Der Schritt aus der Zeitlichkeit — Kafkas »Strom der Zeiten« — bringt nicht die erhebende Freiheit der Zeitlosigkeit, die wir in Rilkes Bildern finden oder später in Hans Castorps Vision im Schnee. Er birgt eher eine furchtbare Stockung, eine »Paralysierung der Zeit«[4], in der es nichts gibt als sinnlose Wiederholung. So findet sich Kafkas Landarzt, der im Moment, da er einer nächtlichen Aufforderung Folge leistet, aus dem Strom der Zeiten gestoßen ist, am Ende der Erzählung erstarrt in eine ständige Bewegung ohne Fortschritt, wie ein Eichhörnchen auf der Tretmühle. »Niemals komme ich so nach Hause«, denkt er, »meine blühende Praxis ist verloren.«[5] Im zweiten Teil der *Verwandlung* läßt Kafka den Wecker auf unerklärte Weise vom Nachttisch verschwinden, um zu zeigen, wie unausweichlich Gregor Samsa in seine Rolle als Käfer verstrickt ist. So lange Gregor im Strom der Zeiten lebte, hatte die Uhr Bedeutung für ihn, jetzt wird sie sinnlos und verschwindet konsequenterweise. Solange der Hungerkünstler Kontakt mit der ihn umgebenden Welt hat, ist sein Käfig auffällig mit einer Uhr geschmückt, die die dahinfliegenden Stunden seines Fastens anzeigt. Aber sobald der Höhepunkt für Hungerkünstler vorbei ist, wird nicht einmal das Schild am Käfig, das die Tage des Fastens markiert, erneuert. Wenn man im bewegungslosen Zustand einer Paralyse gefangen ist wie er, läuft die Zeit nicht ab: er benötigt keine Uhren und keine Kalender, die das Datum festhalten.

Wenn Kafkas Protagonisten noch fähig sind zu handeln — im Unterschied zu Gregor Samsa und dem Hungerkünstler —, so sind ihre Taten nicht im Gleichschritt mit der Zeit der temporalen Welt, und diese Einsicht verstärkt deren Verwirrung. So rennt der Erzähler der Parabel *Gibs auf* am frühen Morgen durch die Straßen einer Stadt: »Als ich eine Turmuhr mit meiner Uhr verglich, sah ich, daß es schon viel später war, als ich geglaubt hatte, ich mußte mich sehr beeilen, der Schrecken über diese Entdeckung ließ mich im Weg unsicher werden, ich kannte mich in dieser Stadt noch nicht sehr gut aus . . .«[6] Wie man bemerkt hat, benützt Kafka die Zeit nur, um die persönliche Zeit mit dem normalen Lauf der Zeit zu kontrastieren. Eine vorsichtige Verallgemeinerung ist daher wohl erlaubt: Wenn Kafka in seinem Werk eine spezifische Zeit erwähnt, will er die Aufmerksamkeit auf dieses Nichtübereinstimmen lenken, denn seine Helden sind immer entweder zu früh oder zu spät.

Dies ist im *Prozeß* offensichtlich der Fall. Kurz nachdem er zu einem ersten Verhör vorgeladen worden ist, erzählt Josef K. dem Direktor-Stellvertreter der Bank, bei der er arbeitet: »Ich bin jetzt antelephoniert worden, ich möchte irgendwo hinkommen, aber man hat vergessen, mir zu sagen, zu welcher Stunde.« Wenn der Direktor-Stellvertreter vorschlägt zurückzurufen, um herauszufinden, wann er sich ein-

zufinden habe, antwortet K: »Es ist nicht so wichtig.« Er hält
es für vernünftig, am festgesetzten Morgen um neun Uhr zu
erscheinen, »da zu dieser Stunde an Werktagen alle Gerichte
zu arbeiten anfangen«.[8] Am verabredeten Morgen jedoch
verschläft sich K. beinahe. »Eilig, ohne Zeit zu haben, zu
überlegen und die verschiedenen Pläne, die er während der
Woche ausgedacht hatte, zusammenzustellen, kleidete er sich
an und lief, ohne zu frühstücken, in die ihm bezeichnete Vor-
stadt.«[9] Als er die richtige Straße erreicht hat, stellt er fest,
daß es kurz nach neun Uhr ist. Als er aber das Stockwerk findet, ist »das erste, was er in dem kleinen Zimmer sah ... eine
große Wanduhr, die schon zehn Uhr zeigte«.[10] Wenige Minuten später macht ihm der Untersuchungsrichter Vorwürfe
und betont die Verspätung, indem er zweimal sagt: »Sie hätten vor einer Stunde und fünf Minuten erscheinen sollen.«[11]
Von diesem Augenblick an ist K.s Zeitempfinden gestört oder
nicht richtig eingestellt. In der darauffolgenden Woche geht
er wiederum zum Verhörsaal, aber bei dieser Gelegenheit findet er niemanden dort: zu früh oder zu spät, er kommt zur
falschen Zeit.

Diese Verzerrung der Zeit greift auch die Menschen an, die
K. umgeben. Wenn er mit seinem Onkel den Rechtsanwalt
Huld besucht, beklagt sich jener: »Acht Uhr, eine ungewöhnliche Zeit für Parteienbesuche. Huld nimmt es mir aber nicht
übel.«[12] In der Bank wird K.s ganzer Zeitplan umgewor-
fen. Früher das Vorbild für Pünktlichkeit, läßt er nun Kunden warten: »Es waren gerade sehr wichtige Kundschaften
der Bank, die man eigentlich auf keinen Fall hätte warten
lassen sollen.«[13] Sie hatten vorgesprochen »zu ungelegener
Zeit«, obschon K. selbst den ganzen Morgen fast gar nichts
zustande gebracht hatte. »Es war elf Uhr, zwei Stunden,
eine lange, kostbare Zeit, hatte er verträumt und war natürlich noch matter als vorher.«

Umgekehrt sind die für K. wichtigsten Begegnungen oft zufällig. So ist die entscheidende Szene in der Kathedrale, wo
K. die Parabel vom Mann vom Land vernimmt und mit dem
Geistlichen diskutiert, ein Zufall. »Es war unsinnig, daran zu
denken, daß gepredigt werden sollte, jetzt um elf Uhr, an
einem Werktag, bei gräßlichstem Wetter.«[14] K.s Anwesenheit in der Kathedrale beruht höchstwahrscheinlich auf einem

Mißverständnis. Der Direktor der Bank hatte K. gebeten, einen auf Besuch weilenden Kollegen aus Italien auf einem Rundgang durch die Stadt zu begleiten. Am frühen Morgen kommen die beiden Herren überein, sich um zehn Uhr in der Kathedrale zu treffen; da aber K. große Schwierigkeiten hat, das schnelle Italienisch des Besuchers zu verstehen, ist es durchaus möglich — und aus dem Kontext des Romans sehr wahrscheinlich —, daß er die angegebene Zeit falsch verstanden hat. Auf alle Fälle wartet er, nachdem er sich beeilt hat, die Kathedrale rechtzeitig zu erreichen, eine volle Stunde, ohne den italienischen Besuch zu treffen. Dafür hörte er die Parabel, die der Priester erzählt.

Weder Josef K. noch die andern Helden Kafkas sind in dieses Mißverhältnis zur normalen Zeit hineingeboren worden. Sie verlieren die Beziehung zur Realität durch einen einfachen Fehler, durch einen Akt plötzlichen Erwachens, wie in der Kafka-Forschung öfters bemerkt wurde.[15] Der Landarzt z. B. ist dazu verurteilt, ewig zu wandern, weil er es sich erlaubte, dem Ruf der Nachtglocke zu folgen, d. h. aus der normalen Sphäre täglicher Wirksamkeit herausgenommen zu sein. Der Jäger Gracchus kann keinen Frieden finden, weil die Barke, die ihn zum Jenseits führen sollte, in eine falsche Richtung drehte und nie mehr auf den rechten Weg zurückfindet. Ähnlich überlegt Josef K., daß er einfach aus Versehen verhaftet worden ist. »In der Bank zum Beispiel bin ich vorbereitet, dort könnte mir etwas derartiges unmöglich geschehen«, erzählt er seiner Vermieterin, »ich habe dort einen eigenen Diener, das allgemeine Telephon und das Bürotelephon stehen vor mir auf dem Tisch, immerfort kommen Leute, Parteien und Beamte, außerdem aber und vor allem bin ich dort immerfort im Zusammenhang der Arbeit, daher geistesgegenwärtig, es würde mir geradezu ein Vergnügen machen, dort einer solchen Sache gegenübergestellt zu werden.«[16]

Im *Prozeß* ist der symbolische Akt des Erwachens in die Wirklichkeit verlegt. Wie Gregor Samsa, der eines Morgens erwacht, um sich, wie er glaubt, in ein großes Insekt verwandelt zu finden, erfährt Josef K. beim Erwachen an seinem dreißigsten Geburtstag, mit anderen Worten, zu einer Stunde, in der er nicht im Zusammenhang des alltäglichen Lebens geborgen ist, daß er verhaftet ist. In einem Abschnitt, der später aus dem Roman gestrichen wurde, weil er wohl zu direkt, zu klar war, analysiert Kafka die Gefahren des Erwachens:

> Jemand sagte mir — ich kann mich nicht mehr erinnern, wer es gewesen ist —, daß es doch wunderbar sei, daß man, wenn man früh erwacht, wenigstens im allgemeinen alles unverrückt an der gleichen Stelle findet, wie es am Abend gewesen ist. Man ist doch im Schlaf und im Traum wenigstens scheinbar in einem vom Wachen wesentlich verschiedenen Zustand gewesen, und es gehört, wie jener Mann ganz richtig sagte, eine unendliche Geistesgegenwart oder besser Schlagfertigkeit dazu, um mit dem Augenöffnen alles, was da ist, gewissermaßen an der gleichen Stelle zu fassen, an der man es am Abend losgelassen hat. Darum sei auch der Augenblick des Erwachens der riskanteste Augenblick im Tag; sei er einmal überstanden, ohne daß man irgendwohin von seinem Platze fortgezogen wurde, so könne man den ganzen Tag über getrost sein.[17]

Diese Besessenheit von den Gefahren des Erwachens kann biographisch erklärt werden. In seinen Briefen und Tagebüchern kehrt Kafka mit anhaltender Faszination zu den Problemen des Schlafens und Erwachens zurück. 1922 notiert er z. B.: »Der Mensch reiner als am Morgen, die Zeit vor dem müden Einschlafen ist die eigentliche Zeit der Reinheit von Gespenstern, alle sind vertrieben, erst mit der fortschreitenden Nacht kommt sie wieder heran, am Morgen sind sie sämtlich, wenn auch noch unkenntlich, da, und nun beginnt wieder beim gesunden Menschen ihre tägliche Vertreibung.«[18] Dieser Abschnitt von nahezu umgedrehtem Freudianismus — er enthält keine kathartische Befreiung von Verdrängtem durch die Träume oder irgendwelche Prozesse der Sublimierung, sondern eher Stauung von Bedrückendem im Unterbewußtsein — mag für psychoanalytisch orientierte Wissenschaftler von großem Interesse sein. Für uns ist er jedoch nur insofern wichtig, als er uns die ungeheure Bedeutung verrät, die Kafka dem kritischen Augenblick des Erwachens am Morgen beimißt. Halten wir zwei Punkte fest: Was den Inhalt betrifft, so können wir zunächst die »Gespenster« als die Gefühle von Schuld und Verantwortung deuten, die Kafka dauernd bedrücken. Dann bietet der Augenblick des Erwachens eine symbolische Form, womit Kafka das neue Bewußtsein ausdrückt, das den Menschen plötzlich über die Realität hinaushebt, die er bisher kannte, und ihm die Welt in einem neuen erschreckenden Licht zeigt. In beiden Sinnen steht der *Prozeß* paradigmatisch da unter Kafkas Werken.

Der *Prozeß* handelt von Schuld und Freiheit, von der unausweichlichen Verstrickung des Menschen in Schuld und von der Freiheit des Menschen, die Verantwortung für diese Schuld auf sich zu nehmen. Schuld und Freiheit sind eng miteinander verflochten. Freisein heißt bei Kafka die eigene Schuld einsehen und akzeptieren. Es gibt keinen Zustand der Unschuld. Es gibt nur den freien Menschen, der seine Schuld eingesteht, und den tierischen Zustand derjenigen, die diese Stufe der Bewußtheit nicht erreicht haben oder sich weigern, die Tatsache der Schuld anzunehmen. Dies ist kurz und bündig in einer rätselhaften Bemerkung der Skizze *Er* ausgedrückt, wo Kafka versichert: »Die Erbsünde, das alte Unrecht, das der Mensch begangen hat, besteht in dem Vorwurf, den der Mensch macht und von dem er nicht abläßt, daß ihm ein Unrecht geschehen ist, daß an ihm die Erbsünde begangen wurde.«[19] Wie die meisten von Kafkas Paradoxa fordert dieses auch die Alltagslogik heraus, aber es erklärt Josef K.s Dilemma. Er ist von dem Augenblick an schuldig, in dem er meint, widerrechtlich angeklagt zu sein. Seine Sünde besteht nach den Worten des Paradoxons darin, daß er darauf besteht, es sei ihm ein Unrecht geschehen. Das Paradoxon enthält weitere Implikationen. Der Mensch wird erlöst im Moment, da er die Verantwortung für seine Schuld auf sich nimmt, anstatt zu meinen, daß er zu Unrecht von einer feindseligen Welt angeklagt wird. Aber die meisten Menschen nehmen ihre Freiheit nicht wahr. Statt dessen versuchen sie — wie Kafka es nennt — durch *Motivation* ihre Schuld auf die Außenwelt zu projizieren und dadurch zu verneinen.[20]

In *Betrachtungen über Sünde, Leid, Hoffnung und den wahren Weg* behauptet Kafka, daß die Menschen seit dem Sündenfall im wesentlichen die gleiche Fähigkeit haben, Gut und Böse zu erkennen. Sie unterscheiden sich nur in der Reaktion auf diese Erkenntnis. Denn niemand gibt sich mit Erkenntnis allein zufrieden; der Mensch fühlt sich gedrängt, seinem Wissen gemäß zu handeln. Da ihm aber die Kraft, entsprechend vorzugehen, fehlt, läuft der Mensch Gefahr, sich selbst zu zerstören, indem er zu handeln sucht. Schließlich zieht er es vor, seine Erkenntnis von Gut und Böse zu verneinen oder zu wiederrufen. Aber die Erkenntnis kann weder verleugnet noch annulliert, sie kann nur verborgen werden. »Zu diesem Zweck entstehen die Motivationen. Die ganze Welt ist ihrer voll, ja die ganze sichtbare Welt ist vielleicht nichts anderes als eine Motivation des einen Augenblick lang ruhenwollenden Menschen. Ein Versuch, die Tatsache der Erkenntnis zu fälschen, die Erkenntnis erst zum Ziel zu machen.«[21] Hier gibt es keine Unklarheit. Kafka hebt deutlich hervor, daß der Mensch von Gut und Böse weiß, daß er aber, da es ihm an Kraft gebricht, dementsprechend zu handeln, sein Wissen verleugnet. Der Mensch, der einsieht, daß er schuldig ist, tut normalerweise das einzig Angemessene nicht: er anerkennt seine Schuld nicht freiwillig. Statt dessen überträgt er durch eine Reihe von Motivationen seine Schuld auf seine Umwelt und versucht so, seiner eigenen Verantwortung zu entfliehen.

Diese Auffassung von Motivationen erklärt das, was man das Alptraum-Element in Kafkas Erzählkunst genannt hat. Was wir im *Prozeß* vorfinden, ist — einfach gesagt — keine Widerspiegelung der Realität, sondern eher eine Verzerrung der Realität, die dadurch hervorgerufen wird, daß das Schuldgefühl des Helden die Realität erfüllt. Daher die Atmosphäre voller Bosheit und Bedrohung: K. schreibt jedem anderen Menschen seine eigene Schuld zu. Daher das bedrückende Gefühl, immer bewacht zu sein: K. weiß, nachdem er sich seiner Schuld bewußt geworden ist, daß er es verdient, unter Beobachtung zu stehen.[22] Daher der Gerichtshof, der nur zusammentritt, wenn er einberufen ist: Er ist eine konkrete Projektion von K.s innerem Zustand, der die Schuld erkennend verlangt, gerichtet zu werden.

Es ist diese Motivation, die letztlich den charakteristischen Stil von Kafkas Erzählungen hervorbringt. Auf Grund des Textes läßt sich annehmen, daß Kafka ursprünglich vorhatte, den ganzen Roman als Traum von Josef K. darzustellen.[23] Später hat er aber die Teile, die ihn so festgelegt hätten, gestrichen, indem er es vorzog, K.s Welt als Parabel der Realität wiederzugeben. Kafka erreicht dieses Ziel durch den Gebrauch eines Erzähler-Standpunktes, der andauernd so nahe an dem des Helden liegt, daß der Leser jeden Augenblick die Realität vom Gesichtspunkt Josef K.s aus sieht, also durch die Motivation der Welt durch K. verzerrt.

Es ist wichtig, diesen Sachverhalt festzuhalten. In einer konventionellen Erzählung in erster Person wie z. B. den *Aufzeichnungen des Malte Laurids Brigge* ziehen wir automatisch die Subjektivität des Erzählers in Betracht. Wir sehen die Welt so, wie sie Malte durch seine Sensibilität erfährt. Wenn wir im Gegensatz dazu einen Roman in der dritten Person wie den *Zauberberg* lesen, nehmen wir an, wir hätten es mit einem objektiven Erzähler zu tun, der zwischen uns und dem Bewußtsein des Helden steht. Es ist eine Situation also, die uns normalerweise eine unparteiische Sicht auf das Romangeschehen sichert. Aber Kafkas Technik, die als »erlebte Rede« oder »style indirect libre« bezeichnet wird, liegt zwischen diesen beiden genannten Methoden. Kafka erzählt zwar in der dritten Person, was die Erwartung auf schriftstellerische Objektivität aufkommen läßt. Aber er schließt sich als Erzähler so nahe dem Standpunkt seines Helden an, daß daraus eine in der dritten Person erzählte Ich-Erzählung resultiert. Kafkas eigener Persönlichkeit ist es nicht gegönnt, sich auch nur mit einem gelegentlichen Adverb oder Adjektiv einzudrängen. Wir beginnen den Roman so zu lesen, als handelte es sich um einen konventionellen, wirklichkeitsnahen Bericht; nur allmählich stellen wir fest, daß die ganze Erzählung, vom ersten bis zum letzten Satz, durch das Schuldgefühl des Josef K., das er andauernd auf seine Umwelt überträgt, gefärbt ist. Der Effekt dieser Technik darf nicht mißverstanden werden. Eine Erzählung in der dritten Person läßt uns zunächst glauben, die Stimme des Erzählers repräsentiere die Stimme der Objektivität. Tatsächlich zeigt sie uns jedoch die Realität aus dem Blickwinkel des Mannes, der durch seine Bewußtheit der Gemeinschaft entfremdet ist und daher allein steht.

Die meisten Menschen erfahren den Augenblick des Erwachens nie und werden sich daher ihrer Schuld nie eigentlich bewußt. Sie leben von Tag zu Tag im Strom der Zeiten, sie schauen nie zurück wie der früher erwähnte Junggeselle. Sie halten nie inne und überlegen, auf wie viele Arten der einzelne schuldig werden kann. Gefangen in ein System, betrachten sie alles als vollkommen natürlich. Aus diesem Grund halten auch die meisten Gestalten in Kafkas dichterischer Welt die Realität, die ihnen dort geboten wird, für vollkommen natürlich. Diese Situation wird in der *Strafkolonie* graphisch wiedergegeben. Der erzählerische Standpunkt ist derjenige des Reisenden, der — da er von auswärts kommt — über die Travestie der Justiz, die von den Eingeborenen der Insel fraglos hingenommen und sogar glorifiziert wird, entsetzt ist. Hier haben wir keine Schwierigkeit: Die Struktur der Erzählung legt nahe, die Welt der Strafkolonie als fremd zu betrachten, und wir neigen dazu, den Standpunkt des Reisenden zu teilen, der aus unserer eigenen Welt kommt. Im *Prozeß* (und in den meisten anderen Erzählungen Kafkas) ist die Situation eine andere, denn der Held bleibt in seiner eigenen Welt; nur sein innerer Standpunkt hat sich geändert. Nur der Held ist durch das neue Gesicht, das die Realität ihm plötzlich durch sein Erwachen entgegenhält, verwirrt. Er ist irgendwie aus dem Zusammenhang des alltäglichen Lebens herausgestoßen und sieht die Realität von einem — wie Kafka ihn einmal nannte — »Archimedischen Punkt« außerhalb der Welt aus, von einer Perspektive, aus der jede Realität problematisch wird.[24] Daher ist Josef K. die einzige Figur im *Prozeß*, der das Verfahren des Gerichts fremd ist; alle andern nehmen es als selbstverständlich, so wie er es ebenfalls tat vor dem Augenblick des Erwachens.

Es hat keinen Sinn zu fragen, weshalb Josef K. als einziger dieses Erwachen erlebt. Es ist einfach die Prämisse des Romans, der *terminus ab quo*, welcher die ganze Dichtung möglich macht. Um es ganz plump zu sagen: Kafka ist nicht an der Frage interessiert, warum oder wie der Mensch sich seiner Schuld bewußt wird. Seine ganze gespannte Aufmerksamkeit richtet sich auf das Benehmen des Menschen, der plötzlich diese Erkenntnis erlangt hat. Es genügt zu sagen, daß ein Mann wie Josef K. beim Erreichen einer bestimmten Lebensstufe plötzlich und zum erstenmal beginnt, nach dem Sinn seines eigenen Lebens zu fragen. Bis dahin lebte er im System, geborgen in der Sicherheit seines Berufs, seiner Kunden und Bürodiener, seiner Freunde und seines Stammgasthauses.

Aber eines Morgens beim Erwachen stellt er sich auf einmal die Frage: »Warum?« Und diese Frage setzt den ganzen Roman in Gang.

Die eben erwähnte Frage: »Warum?« liegt selbstverständlich außerhalb des Rahmens des Romans, da sie zeitlich den ersten Worten des Werks voraus geht. Sie ist, in die Romanhandlung übertragen, künstlerisch dadurch wiedergegeben, daß K. beim Erwachen verhaftet wird, denn das Gericht kommt nur zu denen, die seiner bedürfen, die sich ihrer Schuld bewußt geworden sind, die die Welt mit ihrem eigenen Schuldgefühl *motivieren*. Vom allerersten Satz an wissen wir daher, daß Josef K. schuldig ist. »Jemand mußte Josef K. verleumdet haben, denn ohne daß er etwas Böses getan hätte, wurde er eines Morgens verhaftet.« Schon hier sehen wir die Lage vom Standpunkt K.s aus. Gemäß Kafkas Theorie der Motivation ist K.s Versuch, seine Schuld auf »jemand« zu projizieren, der ihn verleumdet hat, ein sicheres Zeichen seiner Schuld.

Aber wir brauchen nicht weit nach Schuldbeweisen zu suchen. Mit jeder Seite des Romans wächst K.s Bewußtsein der eigenen Schuld. Selbst wenn die Vorkommnisse, die seine Schuld offenbaren, unbedeutend sind, so dient gerade ihre Trivialität dazu, die Unvermeidlichkeit der Schuld zu bestätigen. Daher findet es K. nötig, sich bei seiner Wirtin für die Störung, die er ihr an diesem Tag verursacht hat, zu entschuldigen, wenn er am Abend nach der Verhaftung heimkommt. Er beschließt die Unterredung, indem er ausruft: ». . . wenn Sie die Pension rein erhalten wollen, müssen Sie zuerst mir kündigen.«[25] Kurz darauf entschuldigt er sich bei Fräulein Bürstner dafür, daß ihr Zimmer zuvor für sein Verhör gebraucht worden war: »Ihr Zimmer ist heute früh, gewissermaßen durch meine Schuld, ein wenig in Unordnung gebracht worden, es geschah durch fremde Leute gegen meinen Willen und doch, wie gesagt, durch meine Schuld; dafür wollte ich um Entschuldigung bitten.«[26]

Von diesem Zeitpunkt an wird K., der selten, wenn überhaupt je Grund gehabt hat, sich für das Unglück anderer verantwortlich zu fühlen, dauernd an seine Schuld erinnert. Nachdem er sich vor Gericht für das Benehmen der beiden Wärter am Morgen der Verhaftung beklagt hat, stellt er fest, daß er für die Schläge, die der »Prügler« den beiden verabreichte, die Verantwortung trägt. Später weist sein Onkel darauf hin, daß er mit seinem Verhalten der ganzen Familie schade: »Josef, lieber Josef, denke an dich, an deine Verwandten, an unsern guten Namen! Du warst bisher unsere Ehre, du darfst nicht unsere Schande werden.«[27] Und er erfährt, daß er für die Krankheit von Rechtsanwalt Huld verantwortlich ist: »Du hast wahrscheinlich zu seinem vollständigen Zusammenbrechen beigetragen und beschleunigst so den Tod eines Mannes, auf den du angewiesen bist.«[28] Da er ihr den Hof macht, gefährdet K. die Frau des Gerichtsdieners. In der Bank ist er nachlässig in bezug auf die Geschäfte seiner Kunden. Ist einmal das Bewußtsein von Schuld geweckt, so stellt der einzelne fest, daß er in der Tat dauernd und innerhalb jeder menschlichen Bindung schuldig oder verantwortlich ist.[29]

Nun beginnt K. über sein ganzes Leben nachzudenken. Bis jetzt hatte er nie das Bedürfnis, sein Benehmen oder seine Existenz zu rechtfertigen. Er glitt im »Strom der Zeiten« dahin und benahm sich daher, wie es die Umstände verlangten. Jetzt jedoch fängt er an, alle seine Taten zu rationalisieren.[30] »Öfters schon hatte er überlegt, ob es nicht gut wäre, eine Verteidigungsschrift auszuarbeiten und bei Gericht einzureichen. Er wollte darin eine kurze Lebensbeschreibung vorlegen und bei jedem irgendwie wichtigeren Ereignis erklären, aus welchen Gründen er so gehandelt hatte, ob diese Handlungsweise nach seinem gegenwärtigen Urteil zu verwerfen oder zu billigen war und welche Gründe er für dieses oder jenes anführen konnte.«[31] In diesem Augenblick hat K. den Wendepunkt erreicht. Hat er einmal die Möglichkeit von Schuld eingestanden, ist er auch frei, die volle Verantwortung für seine Handlungsweise zu übernehmen — oder jede Schuld abzuleugnen. Hier steht K. vor einer grundsätzlichen Entscheidung, die sein Benehmen für den Rest des Romans bestimmt. »Vor allem war es, wenn etwas erreicht werden sollte, notwendig, jeden Gedanken an eine mögliche Schuld von vornherein abzulehnen.«[32] Von nun an bestreitet K. eher die geringste Schuld, anstatt sie zu akzeptieren und dementsprechend zu handeln — trotz aller Beweise im ersten Teil des Buches, daß er verurteilt ist.

Aus diesem Grunde ist es etwas müßig, darüber zu diskutieren, ob K. schuldig ist oder nicht. Er ist es vom ersten Satz an; und er weiß es. Eigentlich leidet jeder Mensch, mit dem er in Kontakt gekommen ist, direkt oder indirekt, wegen seines Vergehens. Doch er entschließt sich, die Möglichkeit von Schuld kategorisch abzulehnen, um seinen Prozeß zu gewinnen. Diese eine Entscheidung ist schrecklich. Bis zu diesem Augenblick hatte K. zumindest theoretisch die Möglichkeit gehabt, menschenwürdig zu handeln. Nun entsagt er der menschlichen Freiheit, die nur erlangt werden kann, wenn man die Verantwortung als Mensch auf sich nimmt. Denn der Mensch hat zwei Alternativen: er kann entweder die Verantwortung für seine Taten freiwillig anerkennen oder versuchen, diese Verantwortung zu umgehen und damit unfrei werden.

K.s Entscheidung wird durch die schreckliche Qual der Ungewißheit veranlaßt. Es ist, wie Fräulein Montag es gegenüber K. ausdrückt: »... denn selbst die kleinste Unsicherheit in der geringfügigsten Sache ist doch immer quälend, und wenn man sie, wie in diesem Falle, leicht beseitigen kann, so soll es doch besser sofort geschehen.«[33] Die meisten Ungewißheiten K.s können nicht so leicht zerstreut werden wie diejenige, ob Fräulein Bürstner ihm eine Unterredung unter vier Augen gewähren wird oder nicht. Aber das Prinzip ist gültig: Würde K. für einen Augenblick die Möglichkeit einer Schuld zugeben, setzte er sich unverzüglich der Qual endloser Ungewißheit aus. Es ist gerade die Ungewißheit, dieses Grübeln über den Sinn von Worten und Taten, welches große Teile des Romans, und zwar die für Kafka so typischen, stilistisch bestimmt. Sie sind von der Art, die sich wiederholt auch in den Tagebüchern und Briefen findet, wo ein einfaches Wort um und um gedreht, von allen möglichen Gesichtspunkten her betrachtet und nach seinen möglichen Bedeutungen befragt wird.

So entscheidet sich K. einfach dafür, die Möglichkeit einer Schuld gänzlich auszuschließen. Damit begibt er sich auch der Möglichkeit der Freiheit, die, wie wir gesehen haben, in der Bereitwilligkeit besteht, Schuld anzuerkennen. Rechtsanwalt Huld sagt in diesem Zusammenhang zu K.: »... es ist oft besser, in Ketten, als frei zu sein.«[34] Denn ein Mensch in Ketten ist nicht von Ungewißheit gepeinigt; sein Geist ist beruhigt, sein Bewußtsein entlastet. Dennoch ist diese Ruhe illusorisch: »Freiheit ist Leben. Unfreiheit ist immer tödlich.«[35], bemerkt Kafka bei anderer Gelegenheit. So begeht Josef K. moralischen Selbstmord, indem er seine Freiheit als Mensch verleugnet. Und dieser moralische Selbstmord findet bald genug sein Gegenstück in äußeren Ereignissen, nämlich in der Ermordung K.s am Ende des Romans. In der Zwischenzeit aber hat K.s Entschluß, seine Verantwortung auf andere zu schieben und der menschlichen Freiheit zu entsagen, bedeutenden Einfluß sowohl auf die Struktur als auch auf die Metaphorik des Textes.

Da K. nicht gewillt ist, Verantwortung zu übernehmen und sich dem Gesetz direkt zu unterstellen, sucht er dauernd Helfer, die ihm in seinem Prozeß beistehen sollen. Hier haben wir eine direkte Parallele zum Thema der Motivation: genau wie er seine Schuld auf die Welt außerhalb wirft, so verfährt er auch mit seiner Verantwortung. Er umgibt sich mit einer Vielfalt von vermittelnden Figuren, die sozusagen zwischen ihm und seiner eigenen Verantwortung stehen. Dies fällt um so mehr in die Augen, als K. am Anfang eine deutliche Abneigung zeigt, Hilfe von außen anzunehmen. Als er sich z. B. zum ersten Verhör begeben soll, entschließt sich K. zu gehen. ». . . es war irgendein Trotz, der K. davon abgehalten hatte, zu fahren, er hatte Abscheu vor jeder, selbst der geringsten fremden Hilfe in dieser seiner Sache, auch wollte er niemanden in Anspruch nehmen und dadurch selbst nur im allerentferntesten einweihen . . .«[36] Aber je tiefer er verwickelt und verwirrt wird, macht sein anfänglicher Impuls zu unabhängigem Handeln dem Wunsch Platz, Hilfe von außen heranzuziehen, vor allem weibliche Hilfe.

Schon im ersten Kapitel ist er zum Schluß gekommen, Fräulein Bürstner könnte von Nutzen sein, aus dem sehr fadenscheinigen Grunde, daß sie bald Sekretärin in einem juristischen Büro werden sollte. Später wendet er sich nicht direkt an den Gerichtsdiener, sondern an dessen Frau. Und während er den Rat des Rechtsanwalts Huld zurückweist, hofft er mit Hilfe von dessen Dienstmädchen Leni irgend etwas zu erreichen. »Ich werbe Helferinnen, dachte er fast verwundert, zuerst Fräulein Bürstner, dann die Frau des Gerichtsdieners und endlich diese kleine Pflegerin, die ein unbegreifliches Bedürfnis nach mir zu haben scheint.«[37] Beständig wählt er die indirekte Annäherung und hofft dadurch seine Verantwortung jemandem andern auf die Schultern laden zu können. Auf diese Weise tritt er auch an den Maler Titorelli heran, dessen Name ihm (wieder indirekt und zufällig) von einem Geschäftskollegen in der Bank gegeben worden war. »Waren die Richter durch persönliche Beziehungen wirklich so leicht zu lenken, wie es der Advokat dargestellt hatte, dann waren die Beziehungen des Malers zu den eitlen Richtern besonders wichtig und jedenfalls keineswegs zu unterschätzen. Dann fügte sich der Maler sehr gut in den Kreis von Helfern, die K. allmählich um sich versammelte.«[38] So geht es weiter bis zum Erlebnis in der Kathedrale:

> »Was willst du nächstens in deiner Sache tun«, fragte der Geistliche. »Ich will noch Hilfe suchen«, sagte K. und hob den Kopf, um zu sehen, wie der Geistliche es beurteile. »Es gibt noch gewisse Möglichkeiten, die ich nicht ausgenützt habe.« »Du suchst zuviel fremde Hilfe«, sagte der Geistliche mißbilligend, »und besonders bei Frauen. Merkst du denn nicht, daß es nicht die wahre Hilfe ist?« »Manchmal und sogar oft könnte ich dir recht geben«, sagte K., »aber nicht immer. Die Frauen haben eine große Macht. Wenn ich einige Frauen, die ich kenne, dazu bewegen könnte, gemeinschaftlich für mich zu arbeiten, müßte ich durchdringen. Besonders bei diesem Gericht, das fast nur aus Frauenjägern besteht.«[39]

Dieser Abschnitt enthält verschiedene Interpretationsschwierigkeiten; die Forscher sind sich nicht einig über die Gültigkeit der Ratschläge des Geistlichen. Trotzdem können wir ruhig zwei allgemeine Feststellungen machen. Erstens: Dieses Suchen nach Helfern bestimmt im großen ganzen den Aufbau des Buches. (Wir werden in einem anderen Zusammenhang in bezug auf die Struktur mehr zu sagen haben.) Denn es ist klar, daß K.s Haltung nicht durch irgendeinen Versuch, direkt vor das Gericht zu gelangen oder die Verantwortung in der Welt auf die eigenen Schultern zu tragen, determiniert ist. Er schleicht eben statt dessen von einem Helfer zum andern. An Stelle einer organischen Entwicklung zeigt die Handlung daher eine Folge von Episoden, die sich einzeln auf einen Helfer oder eine Gruppe potentieller Helfer konzentrieren.

Zweitens: Kafka läßt keinen Zweifel darüber aufkommen, daß er mit dem Priester übereinstimmt und K.s Suche nach Hilfe verurteilt. Denn in der Parabel, die kurze Zeit später erzählt wird, sind die Helfer des Mannes vom Lande, die dieser für seine Kampagne gegen den Türhüter aufbietet, die Flöhe im Pelzkragen des Türhüters! Es ist nun leicht zu beweisen, daß in Kafkas Skala der metaphorischen Bedeutungen die Tierbildlichkeit vor allem zur Charakterisierung von Menschen gebraucht wird, die auf ihre Freiheit verzichten. Nur derjenige, der voll und ganz die Verantwortung für seine Taten übernimmt, verdient, ein wahrer Mensch genannt zu werden; andere sind im besten Fall Tiere oder niedrige Lebewesen. Im Einklang damit stellt Kafka seine Überzeugung so dar, daß er Tier-Metaphern für Menschen verwendet, die ihre Freiheit nicht nützen.[40]

Im *Prozeß* nimmt der Gebrauch von Tier-Metaphern proportional zur wachsenden Abhängigkeit K.s von äußerer Hilfe zu. Wenn K. Fräulein Bürstner verläßt, kurz nachdem er sich ihrer zukünftigen Hilfe versichert hat, »faßte (er) sie, küßte sie auf den Mund und dann über das ganze Gesicht, wie ein durstiges Tier mit der Zunge über das endlich gefundene Quellwasser hinjagt«.[41] Und unmittelbar, nachdem er die Frau des Gerichtsdieners um Beistand angefleht hat, balgt er sich mit seinem Rivalen, dem Studenten: »(K.) legte die Hand auf die Schulter des Studenten, der mit den Zähnen nach ihr schnappte.«[42] Während der Liebelei mit Leni entdeckt er, daß der Mittel- und der Ringfinger ihrer rechten Hand durch Häutchen verbunden sind: »Was für eine hübsche Kralle!«[43] ruft er aus. (Im allgemeinen ist Leni durch Verben charakterisiert — kratzen, beißen, anfallen und schlagen — die typischer für eine Katze als für ein menschliches Wesen sind.)

Kaufmann Block ist das elendeste Beispiel eines Menschen, der ganz ins Tierische gesunken ist, da er der persönlichen Verantwortung total abgeschworen hat und in seinem Prozeß vollkommen von der Hilfe des Rechtsanwalts abhängig ist: »So bewirkte also die Methode des Advokaten, welcher K. glücklicherweise nicht lange genug ausgesetzt gewesen war, daß der Klient schließlich die ganze Welt vergaß und nur auf diesem Irrweg zum Ende des Prozesses sich fortzuschleppen hoffte. Das war kein Klient mehr, das war der Hund des Advokaten. Hätte ihm dieser befohlen, unter das Bett wie in eine Hundehütte zu kriechen und von dort aus zu bellen, er hätte es mit Lust getan.«[44] Dieses letzte, recht spät vorkommende Bild ist das wichtigste von allen, und deshalb widmet ihm Kafka — falls der Leser die Bedeutung der früheren Tier-Metaphern übersehen hätte — besondere Aufmerksamkeit. Er unterstreicht den Umstand, daß K. prüfend zuhörte, als sei er beauftragt, »alles, was hier gesprochen wurde, genau in sich aufzunehmen, an einem höheren Ort die Anzeige davon zu erstatten«. Denn Kaufmann Block ist nicht nur ein Symbol für die Erniedrigung des Menschen, sondern auch die typologische Vorwegnahme von K.s eigenem Schicksal.

Es ist selbstverständlich kein Zufall, daß K. selbst »wie ein Hund« stirbt, wie es in der letzten Zeile des Buches heißt. Da er sich bis zum Schluß weigert, die Verantwortung für seine Taten auf sich zu nehmen, ignoriert er die letzte Gelegenheit, erlöst zu werden. Wie sich die beiden Männer das Fleischmesser über seinem Kopf hin und her reichen, fühlt er, daß er verpflichtet wäre, sich das Messer selbst ins Herz zu stoßen, um im letzten Moment die Verantwortung für sein Leben zu übernehmen. Aber K. lehnt es ab. ». . . die Verantwortung für diesen letzten Fehler trug er, der ihm den Rest der dazu nötigen Kraft versagt hatte.«[45] Sogar hier fährt K. fort, seine Schuld zu übertragen, zu *motivieren*. Er nimmt auch im nächsten Augenblick, beim flüchtigen Aufblicken, im Fenster eines nahen Hauses eine Gestalt wahr, und schon sind alle Fragen der äußeren Hilfe wieder heraufbeschworen: »Wer war es? Ein Freund? Ein guter Mensch? Einer, der teilnahm? Einer, der helfen wollte? War es ein einzelner? Waren es alle? War noch Hilfe?« K. hat während des Prozesses von einem Jahr den Zustand der menschlichen Freiheit und Verantwortung nicht erreicht. Dieses Finale, eine sehr bemerkenswerte Parallele zur Eröffnungsszene, unterstreicht, wie wenig sich K. verändert hat und wie sehr diese letzte Szene nur eine Repetition der ersten ist. K. klammert sich immer noch an die falsche Hoffnung, das Verfahren gegen ihn könnte aufgeschoben werden, und noch immer wälzt er die Verantwortung auf andere ab. Daher stirbt er »wie ein Hund«, im Bewußtsein, daß seine Schande ihn überleben wird.

K.s Fehler besteht darin, daß er die Freiheit und die mit ihr zusammenhängende Belastung im zeitlichen Leben ablehnt. Denn Freiheit kann nur in der Zeit, nicht in einem Zustand sinnloser Wiederholung außerhalb der Zeit erlangt werden. Nach dem ersten Erwachen, das zur Anerkennung der Schuld erforderlich ist, wird es dringend notwendig, mit diesem neuen Bewußtsein in das zeitliche Leben zurückzukehren und die Verantwortung, die dieses Wissen einschließt, zu übernehmen. Ingeborg Henel hat diese Paralyse angemessen als ein »Stillstehen der Zeit vor der Entscheidung« beschrieben.[46] Dieser Zustand soll aber nicht andauern. Der ganze Roman ist eigentlich nichts anderes als eine erweiterte Metapher für oder eine Parabel von dem Augenblick des Überlegens, während dessen ein Mensch seine Lage abschätzt und sich entschließt zu handeln. K. erhält durch sein Erwachen die beneidenswerte Gelegenheit, ein freier Mann zu werden, indem er die Verantwortung für seine Schuld in der zeitlichen Realität anerkennt. Da er jedoch ablehnt, stürzt er sich noch tiefer in die Schande als vor seinem Erwachen.

Für ein ganzes Jahr ist K. in den circulus vitiosus der Verleugnung gefangen. Er meidet Zeitlichkeit genau so gewissenhaft wie Malte Laurids Brigge, obschon seine Gründe dafür anderer Art sind. Vom Augenblick des Erwachens an existiert er in einer Dimension der paralysierten Zeit, außerhalb des zeitlichen Stroms der Realität also, wo Freiheit möglich ist. Kafkas anspruchsvolle Aufgabe als Erzähler besteht darin, den Sinn dieses Stehenbleibens, welches das dreißigste Lebensjahr seines Helden charakterisiert, einleuchtend zu gestalten.

Heinz Politzer hat auf elegante Weise dargetan, daß der Kreis einer der eindrücklichsten bildlichen Ausdrücke in Kafkas Werken ist.[47] Der einzelne, gefangen in einen Zirkel der Wiederholungen, bewegt sich weder vorwärts noch rückwärts, sondern tritt auf der Stelle fortwährend, wie der Held in Kafkas späterem Roman immer um das Schloß kreist. Verschiedene Tagebucheintragungen zeigen, daß Kafka das Leben als einen Kreis betrachtete. Er spricht schon 1910 davon, daß sich dieser Kreis fast schließt, »an dessen Rand wir entlang gehen. Nun, dieser Kreis gehört uns ja, gehört uns aber nur so lange, als wir ihn halten ...«[48] Und zwölf Jahre später bemerkt er, indem er meint, die Fehler seines eigenen Lebens zusammenzufassen: »Es war so, als wäre mir wie jedem andern Menschen der Kreismittelpunkt gegeben, als hätte ich dann wie jeder andere Mensch den entscheidenden Radius zu gehn und dann den schönen Kreis zu ziehn. Statt dessen habe ich immerfort einen Anlauf zum Radius genommen, aber immer wieder gleich ihn abbrechen müssen ... Es starrt im Mittelpunkt des imaginären Kreises von beginnenden Radien, es ist kein Platz mehr für einen neuen Versuch ...«[49] Achten wir hier besonders auf den Hinweis auf die vielen fruchtlosen Versuche, einen gegebenen Radius zu vervollständigen, d. h. auf das Versäumnis Josef K.s, direkt zum Mittelpunkt aller Dinge vorzustoßen und den »schönen Kreis« zu ziehen. Diese Kreisform, auf der man dem Zentrum nie näher kommt, sondern dauernd zum Ausgangspunkt zurückkehrt, ist — wie es sich herausstellt — das Strukturprinzip des *Prozeß*.

Wir werden uns zum ersten Mal des Umstandes bewußt, daß die Zeit stille steht, wenn K. in einer unheimlichen Szene in den Raum zurückkehrt, in dem er der Bestrafung Franzens und Willems durch den »Prügler« zugesehen hat. »Vor dem, was er statt des erwarteten Dunkels erblickte, wußte er sich nicht zu fassen. Alles war unverändert, so wie er es am Abend vorher beim Öffnen der Tür gefunden hatte.«[50] Die Realität ist hier aus dem Fluß der Zeit herausgenommen und zu einem erschreckenden Bild erstarrt. Dieser Vorfall ist für die andern Episoden des Buches mustergültig. Wenn auch kein vollkommenes Stehenbleiben eintritt — die Jahreszeiten scheinen sich zu verändern, eine Art Entwicklung scheint sich zu vollziehen —, so sind die Szenen doch wesentlich Wiederholungen von einander.[51] Obschon die Gestalten wechseln, bleibt sich die zugrunde liegende Konstellation in jeder Episode gleich.

Diese Wiederholung wird sofort deutlich, wenn wir das ›Dreiermuster‹, das durch das ganze Werk wiederkehrt, betrachten. In fast jeder Szene scheinen wir mit dem gleichen Modell konfrontiert zu werden. Im Eröffnungskapitel wird

K. von einem Aufseher und zwei Wächtern verhört. Die Verhandlungen werden (durchs Fenster) von drei Nachbarn im gegenüberliegenden Haus beobachtet. K. wird am Morgen von drei untergeordneten Beamten der Bank aus seinem Haus begleitet, und in folgenden Szenen erscheinen die drei wieder. In seiner Pension ist er von drei Frauen umgeben: Frau Grubach, Fräulein Bürstner und ihrer Freundin, Fräulein Montag. Während des ersten Verhörs wird K. wiederum mit drei Personen konfrontiert: mit dem Untersuchungsrichter, mit der Frau des Gerichtsdieners selbst, der ihn zum Auskunftgeber und dessen Assistentin bringt. In der Prügelszene ist die Dreiheit durch Franz und Willem gewährleistet. Wenn K. mit seinem Onkel Rechtsanwalt Huld besucht, besteht die Gruppe aus seinem Onkel, Huld selbst und dem Kanzleidirektor, der den Rechtsanwalt aufgesucht hat. Im Empfangsraum der Bank warten drei Kunden auf K. Wenn K. Titorelli besucht, sieht er drei Klempner, die in einem Geschäft im Erdgeschoß arbeiten. In all diesen Gruppierungen ist K. der Fremde, ein Außenseiter, denn seit seinem Erwachen lebt er außerhalb des Zusammenhanges von Zeit und Leben. Im letzten Kapitel ist er jedoch nicht mehr Beobachter. Als ihn die beiden Männer zur Exekution führen, ihn nochmals in die Zeitlichkeit verwickeln, wird er zum dritten Glied der Gruppe.[52]

Wir begegnen dieser Dreierkonstellation überall und die mit ihr verbundenen komischen Untertöne können nicht bestritten werden. Diese Gruppen scheinen oft die Funktion eines Komödiantenteams zu haben, wie z. B. die Marx Brothers. Diese Assoziation wird im letzten Kapitel durch die Reaktion K.s auf die beiden Urteilsvollstrecker, die ihn abholen, unterstützt. »Alte, untergeordnete Schauspieler schickt man um mich«, sagte sich K. und sah sich um, um sich nochmals davon zu überzeugen. »Man sucht auf billige Weise mit mir fertig zu werden.« K. wendete sich plötzlich ihnen zu und fragte: »An welchem Theater spielen Sie?«[53] Wir dürfen die komischen Einschläge im Prozeß nicht übersehen, indem wir nur die im Grunde tragische Konzeption ins Auge fassen. Max Brod berichtet, daß Kafka, während er einer Gruppe von Freunden das erste Kapitel des Prozeß vorlas, so sehr lachen mußte, daß es Augenblicke gab, in denen er nicht mehr weiterlesen konnte.[54] Sicherlich hat die Häufung der Dreiergruppen im Anfangskapitel zu dieser Wirkung komischer Absurdität beigetragen.

Die wichtigste Funktion der Dreiheit besteht jedoch darin, die Wirkung des déjà vu von Szene zu Szene zu steigern. Wir merken, daß wir nichts Neues erfahren, sondern eher Zeugen von Variationen eines Grundthemas sind. K. wechselt im Laufe eines Jahres von einem Ort zum andern: Mietwohnung — Bank — Gerichtssaal — Hulds Wohnung — Titorellis Studio — Kathedrale. Aber diese Aufenthaltsorte, die keinen Zusammenhang miteinander haben, bedeuten überhaupt keinen Fortschritt. Jeder erweist sich als ein in sich geschlossener Kreis, der K. seinem Ziel nicht näher bringt. Jeder ist gewöhnlich durch drei Gestalten charakterisiert. Und aus jedem sucht sich K. einen Helfer aus, weist den Helfer dann zurück und betritt den nächsten Kreis. Wir können uns diese Struktur veranschaulichen, indem wir uns eine Reihe konzentrischer Kreise oder vielleicht besser ein Muster von Umlaufbahnen der in gleichem Abstand um einen nuklearen Kern rasenden Elektronen vorstellen: das Gesetz, das nie erreicht wird.

Als ob er ein solches Bild noch etwas vertiefen wollte, nahm Kafka es noch einmal in fast schematischer Form auf, in der Parabel nämlich, die der Geistliche gegen Ende des Romans erzählt. Die Parabel ist von höchster thematischer Bedeutung, da sie die beiden Themenbereiche Schuld und Freiheit mit all ihrer Doppeldeutigkeit zusammenfaßt. Sie ist eine Potenzierung der Romanhandlung, da sie die Erfahrungen des Individuums K. ins Mythische überträgt.[55] Die Struktur der Situation: Der Mann vom Lande nähert sich dem Gesetz und findet einen Hüter vor der Tür stehend. Wie K. wagt der Mann nie eine direkte Annäherung; er versucht nie, durch die Tür zu gehen, die, wie wir später erfahren, nur für ihn allein da ist. Er übernimmt weder die Verantwortung einzutreten, noch macht er von seiner Freiheit Gebrauch einzutreten. Er setzt sich statt dessen, den Türhüter beim Wort nehmend, vor die Tür und verharrt dort bis zu seinem Tod. Er läßt sich in endlose Diskussionen mit dem Türhüter ein und fleht sogar die Flöhe im Pelzkragen des Hüters um Hilfe an.

Aus der Konversation erfahren wir, daß der Hüter nur für

diese erste Tür verantwortlich ist: ». . . ich bin nur der unterste Türhüter. Von Saal zu Saal stehen aber Türhüter, einer mächtiger als der andere. Schon den Anblick des dritten kann nicht einmal ich mehr vertragen.«[56] Der Horizont des Türhüters — bzw. des Mannes — reicht nicht weiter als bis zur dritten Tür.[57] Wenn wir aus diesen Worten die Topographie der Situation rekonstruieren, so scheint es klar zu sein, daß das Gesetz eine allerinnerste Kammer ist, die von Sälen zunehmender Größe umgeben ist. Jeder Saal wird von einem andern Hüter bewacht und jeder stellt ein in sich geschlossenes Ganzes dar. Das heißt: Auch wenn wir uns das Gebäude eher als eine Reihe von Kammern vorstellen, die zum Gesetz führen, denn als konzentrische Kreise, die es umgeben, so gibt dieser Bau doch symbolisch die Struktur der Romankapitel wieder. Denn jede Kammer, jeder Hüter ist eine Wiederholung des Vorangehenden. Es gibt keine Entwicklung und keinen Fortschritt, bloß andauernde Repetition. Aus der Struktur der Parabel läßt sich meines Erachtens für den Aufbau des Romans auch noch eine andere Folgerung ziehen.

Der *Prozeß* ist, wie Kafkas andere Romane, ein Fragment. Kafka schrieb den größten Teil davon in den Jahren 1914 und 1915, nachher arbeitete er, wenn überhaupt, nur noch sporadisch daran. Jedenfalls hinterließ er nach seinem Tod kein vollständiges Manuskript, sondern nur einen wilden Haufen von Kapiteln, gestrichenen Teilen und Notizen. Daraus ergeben sich zwei Fragen, die schon oft erörtert worden sind. Wie verhält es sich mit der Anordnung der vorhandenen Kapitel? Und: Bis zu welchem Grad ist der Roman vollständig? Man ist allgemein der Ansicht, daß die Anordnung der Kapitel in der Standardausgabe, die Max Brod produziert hat, Verbesserungen bedarf.[58] Es scheint z. B. sicher zu sein, daß nach dem ersten Kapitel sofort der Teil mit der Überschrift »Die Freundin des Fräulein Bürstner« folgen müßte (Brods 4. Kapitel). Es geht deutlich aus dem Text hervor, daß diese Unterredung nur fünf Tage nach den Ereignissen des ersten Kapitels, das erste Verhör (Brods 2. Kapitel) dagegen zehn Tage nach der Verhaftung stattgefunden hat. Diese kleine Umstellung hat unserer Meinung nach einen Vorteil. Sie läßt die Kapitel beisammen, die einzelne Episoden umfassen oder Kreise bilden, und hebt dadurch K.s sprunghaften Wechsel von einer Gruppe von Helfern zur nächsten deutlich hervor.[59] Wenn K. also, um es mit andern Worten zu sagen, den Kreis verläßt, der sein Untermieterdasein verkörpert, ist die Episode zu Ende. Er bewegt sich weiter zum nächsten Kreis, und das grundlegende Muster wird mit einer neuen Konfiguration von Gestalten wiederholt.

Der zweite, umstrittenere Vorschlag zu einer Neuordnung muß von unserem Standpunkt abgelehnt werden. Uyttersprot legt ausführlich dar, daß die Szene in der Kathedrale (9. Kapitel) vom vorletzten Platz wegzunehmen und vor dem 7. Kapitel einzusetzen sei (Advokat, Fabrikant, Maler). Er bringt dafür drei Argumente vor. Erstens: Die Abfolge der Jahreszeiten scheine die Disposition zu rechtfertigen. Zweitens: K. sei im siebten oder achten Kapitel psychisch reifer als in der Kathedralen-Szene. Drittens: Die Gestalt Titorellis hätte entwickelt und zu K.s bedeutendstem Helfer werden sollen, um so im ganzen zweiten Teil des Romans zu dominieren. Diese Argumente wurden von verschiedenen Kritikern einleuchtend widerlegt.[60] Es besteht daher kein Anlaß, ihre Gründe zu rekapitulieren. Ich möchte, aus strukturellen Erwägungen, eher ein weiteres Argument gegen den Wechsel anführen. Einmal würde man eine laufende Episode, einen ganzen Kreis unterbrechen, nämlich die Konstellation Huld-Leni, schöbe man die Kathedralen-Szene zwischen das 6. und 7. Kapitel. Dann — und das ist bedeutungsvoller — besteht der Roman bis zum Punkt, wo der Priester die Wirksamkeit dieser Helfer verneint, aus einer Reihe von Episoden, in die Helfer einbezogen sind. Daher müssen die repräsentativen Helfer, die die sprunghafte Bewegung im Roman von Episode zu Episode aufrecht erhalten, *vor* diesem Punkt ausprobiert und zurückgewiesen sein.

In bezug auf den Grad der Vollendung ist zu sagen, daß die Parabel auch da die Struktur des Romans wiedergibt. Der *Prozeß* hat einen absoluten Anfang und einen absoluten Schluß. K. wird an seinem dreißigsten Geburtstag verhaftet und stirbt genau ein Jahr später. Diese beiden Punkte stehen fest, aber die Zeit dazwischen darf fast unermeßlich ausgedehnt werden. Wenn wir dieses zeitliche Schema auf die Topographie der Parabel übertragen, so stellen wir fest, daß die

Möglichkeiten grenzenlos sind. Der Mann vom Land steht vor der äußersten Tür des Gesetzes, am andern Extrem befindet sich das Gesetz selbst: Dies entspricht dem absoluten Anfang und dem absoluten Schluß des Romans. Aus der Parabel geht jedoch hervor, daß die Zahl der Kreise, die das Gesetz umfangen oder die der Kammern, die zu ihm führen, unendlich ist. Auch wenn der Mann beschließen sollte, am Türhüter vorbeizugehen, so wäre er mit einer Situation ähnlich der des Landarztes konfrontiert, der durch die Schneelandschaft fährt und fährt und sein Heim nie erreicht. Auf gleiche Weise kann die Zahl der Episoden im Roman ins Unermeßliche ausgedehnt werden. Daher wird es fast zwecklos, danach zu fragen, inwieweit der Roman vollendet sei. Es handelt sich um einen Roman, der nie abgeschlossen werden kann, oder um einen, der im Grunde vollendet ist, sobald die erste Episode geschrieben ist. Da K. nie Fortschritte macht oder eine Entwicklung erfährt, sondern immer wieder das gleiche Handlungsmuster wiederholt, so sind die Variationsmöglichkeiten endlos.[61] Kafka hätte noch jahrelang solche Episoden ausdenken können, aber keine hätte K. einer Lösung des Dilemmas auch nur ein bißchen näher gebracht, denn die einzig mögliche Lösung, K.s Tod »wie ein Hund«, ist bereits im letzten Kapitel festgelegt. Diese Tatsache verhindert jegliche Entwicklung in den vorangehenden Kapiteln.

Auch wenn sich Kafka auf den zeitlichen Rhythmus der ersten Einheit beschränkt hätte, wäre das Buch ein Monstrum geworden. Denn die ersten fünf Kapitel, die mehr oder weniger zusammengehören, gelten, grob gerechnet, nur dem ersten Monat. Ein Roman, der so K.s ganzes dreißigstes Lebensjahr umfaßt hätte, wäre auf einige sechzig Kapitel angewachsen, wäre also sechsmal so lang geworden wie das gegenwärtige Fragment. Vielleicht war diese Vorstellung der Grund dafür, daß Kafka den Roman weglegte und ihn unvollendet und ungeordnet hinterließ. Wie Beda Allemann bemerkt hat, versuchte Kafka in all seinen Werken, den Eindruck von Lückenlosigkeit zu erzielen.[62] Es ist einleuchtend, daß dies gerade in einem Werk, dessen Struktur die zeitliche Ausdehnung eines Kalenderjahres verlangt, unmöglich ist. (In *Das Schloß* reduzierte Kafka die äußere Zeit auf sieben Tage und vermochte dadurch eine Kontinuität in der Darstellung aufrecht zu erhalten.) Im Grunde ist aber die Vollständigkeit und sogar die Anordnung der Kapitel irrelevant für den Sinn des Buches. Denn im Moment, da K. aus dem Kreis der stehengebliebenen Zeit in den Fluß der Zeitlichkeit tritt, muß er hingerichtet werden. Indem er seine Schuld nicht akzeptiert, begeht er moralischen Selbstmord; und dieser metaphorische Tod wird in Realität umgesetzt, sobald er in die Welt der Zeit und Tat zurückkehrt. Im *Prozeß* wie in wenigen anderen Dichtungen reflektiert die Struktur die Besessenheit des Autors mit dem *circulus vitiosus* der Zeit. Nur in der Zeitlichkeit erlebt sich der Mensch in seiner Freiheit; aber die Zeitlichkeit ist ja auch der Bereich von Schuld und Tod. Der Versuch, der Schuld zu entgehen, indem man in den konzentrischen Kreisen der statischen Betrachtung verharrt, schützt den Menschen vor dem Tod; aber der einzelne wird dadurch daran verhindert, seine Freiheit auszuüben. Im *Prozeß* finden wir dasselbe grundlegende Dilemma, dem alle Schriftsteller von Kafkas Generation gegenüberstehen, aber Kafkas Reaktion ist anders. Im Gegensatz zu Malte Laurids Brigge erlangt Josef K. weder Freiheit noch Erlösung, indem er die Zeit erstarren läßt. Er weicht zwar dem Tod aus, solange er innerhalb der statischen Kreise der Wiederholung bleibt. Aber dieser Zustand birgt keine Genugtuung, denn er hindert ihn daran, in Freiheit Menschlichkeit zu erreichen und macht ihn schließlich zum Tier. Dennoch darf man Kafka nicht des Nihilismus' anklagen. Josef K. wird allerdings nicht erlöst, aber das ist sein eigener Fehler: Er nimmt die Bürde der Freiheit nicht auf sich. Und wenn auch weder er noch sein Schöpfer je das Gesetz zu Gesicht bekommen, so bedeutet das gar nicht, daß es kein Gesetz gibt, sondern nur, daß wir es nicht kennen können.

Selbstverständlich ist es ein Fehler, Kafka mit seinem Helden zu identifizieren. Denn Kafka erlangt als Künstler bis zu einem gewissen Grade die Erlösung, die Josef K. versagt bleibt. In einer Tagebuchnotiz aus der Zeit unmittelbar vor der Ausarbeitung des *Prozeß* schreibt Kafka, daß er sich »hilflos und außenstehend« fühle wie Josef K. »Die Festigkeit aber, die das geringste Schreiben mir verursacht, ist zweifellos und wunderbar.«[63] Kafka ist, mit andern Worten, ein Repräsentant seiner Generation, einer Generation von Schriftstellern, die in der Kunst einigermaßen Erholung von der Zeitlichkeit fand. Das äußerste Paradoxon in Kafkas Werk ist vielleicht die Einsicht, daß die vollkommene Wiedergabe von Hoffnungslosigkeit an sich schon eine Geste der Hoffnung sein kann.

Kapitel 3

Thomas Mann: Der Zauberberg

Die *Aufzeichnungen des Malte Laurids Brigge* handeln von einem jungen Mann, der nach Paris kommt, sich unter dem Eindruck einer erschreckenden Realität seiner Werte bewußt wird und ein Tagebuch zu schreiben beginnt, um der bedrohenden und unordentlichen Welt wenigstens den Anschein ästhetischer Ordnung zu geben. Der *Prozeß* handelt von einem jungen Mann, der durch seine Verhaftung zum Problem der persönlichen Schuld erweckt wird und, nachdem er moralischen Selbstmord begangen hat, weil er seine Schuld verleugnete, hingerichtet wird. Und der *Zauberberg* handelt von einem jungen Mann, der in einer Lungenheilstätte in der Schweiz für drei Wochen seinen Vetter besuchen will und — und was? Für sieben Jahre bleibt? Sich in eine Russin verliebt, die ihn an einen Freund aus der Kindheit erinnert? Endlosen philosophischen Diskussionen zwischen einem italienischen Humanisten und einem jüdisch-jesuitisch-kommunistischen Terroristen zuhört? Physiologie, Botanik und Astronomie studiert? Freundschaft mit einem undeutlich artikulierenden holländischen Plantagenbesitzer, einer imposanten Persönlichkeit, schließt? Während Schneestürmen mit Skiern unterwegs ist? Séancen beiwohnt und Musik hört?
Diese einfache Aufgabe — die Darlegung des Themas —, die von jedem einigermaßen begabten Studenten verlangt werden kann, zeigt eine der Schwierigkeiten, die mit jeder Untersuchung von Thomas Manns Meisterwerk verbunden ist. In den Romanen von Rilke und Kafka klingt das Thema in der Handlung an: Da gibt es eine Korrelation zwischen Gehalt und Inhalt. Der *Zauberberg* dagegen handelt von bestimmten Dingen und sagt etwas vollkommen anderes aus. Das ganze ideologische Gerüst dieses vielleicht größten Ideenromans ist letztlich irrelevant für den Sinn des Romans. Die-

se Losgelöstheit des Inhalts ist kein Mangel, sie liegt vielmehr, wie wir sehen werden, im Sinn des Werkes. Sie unterstreicht nur den Umstand, daß wir es hier mit einem symbolischen Roman par excellence zu tun haben, mit einem absoluten Roman, mit einem hermetischen Roman. Dies unterscheidet ihn von Werken wie dem *Prozeß*, den man eine erweiterte Metapher nennen könnte. Der symbolische Roman besitzt im Unterschied zum metaphorischen und parabolischen Roman nicht die Eigenschaft des Verweisens. Im symbolischen Roman kommt es ja nicht auf den Stoff an. Um es ganz kurz zu sagen: Die Ingredienzen sind im Prinzip auswechselbar, sie sind als solche unwichtig. Nur die Spannungen und die Beziehungen *zwischen* ihnen spiegeln die Intention des Autors wider. Dies kann wohl ganz klar aufgezeigt werden, wenn wir eine Methode anwenden, die einige Leser für naiv halten: eine altmodische Unterscheidung zwischen Form, Inhalt und Gehalt des *Zauberbergs*. Es geht mir dabei ganz einfach um den Aufbau und die Struktur der Kapitel, um die ideologische Beschaffenheit des Werks und die Entwicklung des Helden. Diese drei Aspekte sind — wie es sich zeigen wird — nur zufällig miteinander verbunden, ihre wahre Beziehung tritt in einem tertium comparationis in Erscheinung. Das Thema der Zeitlosigkeit ist in jedem Fall das verbindende Glied zwischen den sonst ungleichartigen Elementen.

Kritiker hatten oft etwas gegen die intellektuelle Aufladung der Romane Thomas Manns — vor allem des *Zauberbergs* — einzuwenden. Sie behaupteten, die Ideologien seien abgeleitet und verzögerten nur die Bewegung der Handlung. Dies ist nicht der richtige Ort, um darüber zu diskutieren, in welchem Ausmaß der intellektuelle Gehalt der Werke vieler großer Dichter — von Dante bis Sartre — letztlich derivativ sei. Im Fall von Thomas Mann ist es selbstverständlich höchst irrelevant, ob wir bei ihm etwas oder nichts Neues erfahren. Nur der Umstand zählt, daß die Ideologien den intellektuellen Rahmen bilden, durch den und innerhalb dessen sich die Entwicklung des Helden vollzieht. Es sind nicht die Ideen an sich, die Hans Castorps geistige Entwicklung bestimmen, sondern die Spannungen zwischen ihnen.
Für den Leser mit einer Vorliebe für Gelehrsamkeit und »zi-

vilisierte« Unterhaltung — der zudem, das sei zugegeben, mit der Zeit und der Geduld ausgestattet ist, so gemächlich zu lesen, wie es die Romane Thomas Manns verlangen — gibt es nichts Köstlicheres als das geistig spritzige und höchst vielseitige ideologische Feuerwerk, das sich in den Konversationen zwischen Settembrini und Naphta entlädt. Allerdings werden wahrscheinlich nur wenige Leser nachher die wichtigsten Punkte der Argumentation rekapitulieren können. Eine gewisse Stellungnahme tritt natürlich klar zutage. Settembrini, der Humanist, verteidigt die Klassiker und die Renaissance gegen die fanatische Schwärmerei Naphtas, des Juden-Jesuiten, für das Mittelalter. Er hält Naphtas Verteidigung von Glauben und Disziplin die Vernunft, dessen Dualismus den Monismus, dem kommunistischen Bekenntnis den Nationalismus und dem blinden Terrorismus in Naphtas Stellungnahme den Humanismus entgegen. In diesen intellektuellen Duellen gewinnt meistens das aufblitzende Stilett Naphtas über das zierliche Rapier Settembrinis. Aber der Leser ist ebensowenig von der einen oder andern Seite überzeugt wie Hans Castorp, der während der Debatte den Kopf rasch von einem Streitenden zum anderen wendet und von Zeit zu Zeit schelmisch eine scheinbar harmlose Bemerkung macht, welche das intellektuelle Feuer der beiden nur noch mehr anfacht. Diese Auseinandersetzungen sollen aber eigentlich weder Hans Castorp noch den Leser überzeugen: sie existieren um ihrer selbst, um des dialektischen Spieles willen. Daher bilden sich die Feinheiten der Argumentation in des Lesers Gedächtnis bald zu einem bloßen Rhythmus von Spannungen zurück.

Die sorgfältige Strukturierung der Ideologien wird deutlich sichtbar, wenn wir Feinheiten übersehen und uns auf die Hauptvertreter dieser Ideologien in beiden Teilen des Romans konzentrieren.[1] Die erste Hälfte ist vor allem durch die Spannung zwischen den orientalischen Reizen von Clawdia Chauchat mit den träumerischen Augen und dem westlichen Rationalismus von Settembrini bestimmt, der das hellste Licht andreht, wenn er einen Raum betritt und Hans Castorp dauernd in seiner Ergebenheit gegenüber den Verführungskünsten des Ostens »stört«. Hier scheinen die dialektischen Positionen auf einen Gegensatz zwischen Ost und West abzusinken, also zwischen Gefühl und Vernunft, zwischen Passivität und Aktivität.

In der zweiten Hälfte werden die Grundlagen neu aufgeladen und komplizierter, denn Naphta und Peeperkorn kommen noch ins Spiel. Verschiedene geometrische Verbindungen werden sichtbar.[2] Denn vor der Größe von Peeperkorns imposanter »Kulturgebärde« und vor dem gewaltigen Kult des Gefühls schrumpfen alle losen und subtil abgegrenzten Unterscheidungen von Naphta und Settembrini, die Peeperkorn scherzhaft und geringschätzig »Cerebrum, cerebral« nennt,[3] zusammen. Die völlige Irrelevanz ihres gelehrten Tuns kommt nirgends deutlicher zum Vorschein als in der herrlichen Szene, in der Mynheer — vor einem tosenden Wasserfall stehend — eine schwülstige Rede hält, die niemand verstehen kann, die aber dank seiner starken Persönlichkeit trotzdem mehr Eindruck macht als alle Finessen der zwei Disputanten. Die Spannung, die ursprünglich aus dem Aufeinanderprallen von Ost und West hervorging, dann zum Kampf zwischen Vernunft und Glaube wechselte, wird schließlich zu einem Gegensatz zwischen Intellekt und Gefühl gesteigert. Angesichts dieses Spannungsrhythmus werden die Einzelheiten der Ideologien unbedeutend.

Sämtliche Positionen halten einander in Schach und heben sich gegenseitig auf. Am Schluß des Romans ist keine Ideologie mehr heil und ganz. Peeperkorn, der Advokat des blinden Gefühls, der sich selbst für »Gottes Hochzeitsorgan« hält, begeht Selbstmord, weil seine sexuellen Kräfte entschwanden. Naphta, der Terrorist des Glaubens und der Disziplin, schießt sich in einem Anfall von Enttäuschung und Rache eine Kugel in den Kopf. Settembrini, der Verfechter von Arbeit und Fortschritt, ist durch seine Krankheit geschwächt und bettlägrig. Und Madame Chauchat, deren Orientalismus sich in einer solchen Passivität äußert, daß sie nie handelt, sondern nur auf andere reagiert, geht nach dem Tod Peeperkorns einfach weg.

Es wurde schon viel über diese Gestalten geschrieben. Es ist faszinierend zu vernehmen, daß Settembrini den intellektuellen Standpunkt von Manns Bruder Heinrich vertritt, daß Naphta gewisse Charaktereigenschaften des marxistischen Wissenschaftlers Georg Lukács besitzt, daß Peeperkorn seine

Erscheinung und sein Benehmen teilweise Gerhart Hauptmann und Leo Tolstoi verdankt. Kritiker haben die aus den verschiedensten intellektuellen Quellen geborgten Ideen und Ausdrücke, die Thomas Mann zu überzeugenden und plausiblen Figuren gestaltet, sorgfältig belegt. Hermann J. Weigand hat z. B. gezeigt, daß Settembrinis Gespräche eine bunte Sammlung von Leihgaben aus Goethes Mephisto, Schiller, dem jungen Nietzsche, Giuseppe Mazzini und der deutschen Aufklärung ist.[4] Diese einzelnen Teile zu entdecken und aufzuspüren entzückt den Wissenschaftler und den gebildeten Leser. Sie offenbaren besser als irgend etwas anderes, wie brillant sich Thomas Mann auf epische Integration und Charakterisierung versteht.

Hinsichtlich der Struktur sind diese Elemente irrelevant: einmal weil viele von ihnen verborgen und nur als Leckerbissen für einige Leser gedacht sind, und dann, weil die intellektuellen Positionen nicht nur dahin tendieren, sich gegenseitig aufzuheben, sondern sich auch selbst entkräften. Was letztlich zählt, ist nicht etwa, daß Naphta in einer bestimmten Streitfrage gegen Settembrini gewinnt oder daß Hans Castorps Ergebenheit im Kapitel »Walpurgisnacht« von Settembrini zu Clawdia Chauchat pendelt. Überblickt man die tausend Seiten des Romans, so erkennt man, daß es hier keinen dialektischen Fortschritt gibt, daß kein wahrer Glaube in Erscheinung tritt. Statt dessen sehen wir die verschiedenen ideologischen Möglichkeiten ausgebreitet wie die Kräfte eines magnetischen Feldes. Hans Castorp beginnt, mit anderen Worten, nicht als unbeschriebenes Blatt und schreitet nicht einfach von Settembrini zu Clawdia und über Naphta zu Peeperkorn. In diesen symbolischen Gestalten begegnet er vielmehr verschiedenen möglichen inneren Kräften des Daseins, die ewig bleiben. Sie wecken in ihm den Sinn für bestimmte menschliche Möglichkeiten. Er erfährt eine Erweiterung, eine Erhöhung, eine — in Thomas Manns eigenen Worten — *Steigerung,* aber keinen Fortschritt im Sinne von Bewegung in der Zeit.

Dieser zentrale Gedanke liegt — wie wir sehen werden — der Auffassung von Hans Castorps *Bildung* in diesem Entwicklungsroman zugrunde. Er zeigt auch den Unterschied zwischen Thomas Manns Werk und anderen Ideenromanen.

In vielen dieser Romane, z. B. in denjenigen von Malraux und Sartre, Hermann Broch oder Graham Greene, ja sogar in Thomas Manns späterem *Doktor Faustus* werden die Ideen tendenziös präsentiert, um sie zu veranschaulichen oder zu beweisen. Hier dagegen ist es eher ihre ständige Präsenz, die behauptet oder hervorgehoben wird. Die Ideologien sind in diesem Buch intellektuelle Pfänder, die eingesetzt werden — und zwar um des Aufbaus willen. Hinsichtlich Thomas Manns eigener Anschauung bedeuten sie nichts. Und nichts wäre verfehlter, als aus den im Buch geäußerten Ideen etwas in bezug auf seine eigene Haltung ableiten zu wollen.

Um dies zu verdeutlichen, wollen wir einen bestimmten Fall untersuchen. Zu den vielen technischen Tricks, von denen Thomas Mann pfiffig und virtuos Gebrauch macht, gehört das Zitat bzw. das Selbstzitat. In einem Gespräch mit Naphta hat Settembrini Gelegenheit, die Literatur gegen Naphtas geringschätzigen Zynismus zu verteidigen. Er preist »die reinigende, heilende Wirkung der Literatur, die Zerstörung der Leidenschaften durch die Erkenntnis und das Wort, die Literatur als Weg zum Verstehen, zum Vergeben und zur Liebe, die erlösende Macht der Sprache, der literarische Geist als edelste Erscheinung des Menschengeistes überhaupt, der Literat als vollkommener Mensch, als Heiliger.«[5] Es ist verwirrend zu entdecken, daß die gleiche Passage, nicht nur dem Sinn nach, sondern im Wortlaut schon zwanzig Jahre früher in der Erzählung *Tonio Kröger* vorkommt.[6] Dort aber, seltsam genug, werden die Worte von Lisaweta Ivanovna, der Frau aus dem Osten, gesprochen und zwar mit dem Hinweis auf das, was Tonio Kröger die »heilige« russische Literatur nennt!

Der Roman enthält viele Beispiele von solchen Selbstzitaten. Dabei werden Teile aus dem Zusammenhang herausgenommen und in einem vollkommen anderen wieder gebraucht. Aber dieser eine Fall beleuchtet den springenden Punkt genügend deutlich. Thomas Mann ist vor allem Schriftsteller und nicht Ideologe. Seine *Betrachtungen eines Unpolitischen* (1918) enthalten eine Anzahl von entsprechenden Beobachtungen. »Alle Wahrheiten sind Zeit-Wahrheiten. Der Intellekt ist ein Höfling des Willens, und die Bedürfnisse, die Notdürfte einer Zeit stellen sich ihr als ›Einsichten‹, als

›Wahrheiten‹ dar«, sagt Mann einmal.[7] Aber er befaßt sich nicht bloß mit dem allgemeinen Relativismus der Werte; seine eigene Erfahrung, derer er sich beim Durchsehen einiger alter Aufsätze bewußt wird, zeigt ihm, daß er »zur selben Zeit auch gerade umgekehrt denken konnte«.[8] Intellektuell existieren alle Wahrheiten und alle Bekenntnisse gleichzeitig, Seite an Seite: so, wie Naphta und Settembrini im selben Haus in Davos wohnen. »Nie werde ich der Sklave meiner Gedanken sein, denn ich weiß, daß nichts nur Gedachtes und Gesagtes wahr ist, und unangreifbar nur die *Gestalt*«,[9] schrieb Mann an seinen Freund Paul Amann. Im gleichen Brief heißt es: »Ich bin so weit entfernt, mich durch meine écrits geistig festzulegen, daß die schriftstellerische Erledigung meiner Gedanken vielmehr das einzige und sichere Mittel ist, sie loszuwerden, über sie hinaus zu anderen, neuen, besseren und womöglich ganz gegenteiligen zu gelangen — *sans remords!*«

Diese geistige Wandlungsfähigkeit kennzeichnet einen fundamentalen Unterschied zwischen dem Schriftsteller und den übrigen Menschen. Thomas Mann unterstreicht ihn in einem anderen Essay: »Man muß durchaus verstehen, daß jemand, der nicht gewohnt ist, direkt und auf eigene Verantwortung zu reden, sondern gewohnt, die Menschen, die Dinge reden zu lassen, daß jemand, der *Kunst* zu machen gewohnt ist, das Geistige, das Intellektuelle *niemals ganz ernst nimmt,* da seine Sache vielmehr von jeher war, es als Material und Spielzeug zu behandeln, Standpunkte zu vertreten, Dialektik zu treiben, den, der gerade spricht, immer recht haben zu lassen ... Der intellektuelle Gedanke im Kunstwerk wird nicht verstanden, wenn man ihn als Zweck seiner selbst versteht; er ist nicht literarisch zu werten ... er ist zweckhaft in Hinsicht auf die Komposition, er will und bejaht sich selbst nur in Hinsicht auf diese, er kann banal sein, absolut und literarisch genommen, aber geistreich innerhalb der Komposition.«[10]

Diese ästhetische Haltung, die Mann, einen Ausdruck Strindbergs borgend, eine »stereoskopische« Vision nennt, begründet die eigentliche Überlegenheit der Kunst über den bloßen Intellekt. Die Kunst gewährt eine gewisse geistige Freiheit und Beweglichkeit, die der Intellektuelle, der an seinen eigenen, unumstößlichen Standpunkt gebunden ist, nicht genießen kann.[11] In diesem Licht müssen wir also den ideologischen Rahmen des *Zauberbergs* sehen. Keiner der Standpunkte repräsentiert den des Autors, aber alle versinnbildlichen Möglichkeiten seines Geistes, die als ewige geistige Kräfte zeitlos existieren. Was jedoch bedeutsamer ist: die stereoskopische oder ästhetische Vision charakterisiert auch den Romanhelden Hans Castorp, der von allen Ansichten, mit denen ihn die verschiedenen Romanfiguren überschütten, Kenntnis nimmt, sich aber keiner verschreibt. Denn der wesentlichste Grundzug seiner Persönlichkeit ist ein ausgeprägter Sinn für Freiheit.[12] ›Entwicklung‹ besteht in seinem Fall nicht in einer Bereicherung durch neue Ideen, sondern eher in einer Reihe von Befreiungen. Und was die Struktur betrifft, so ist der ganze Roman derart konstruiert, daß er des Lesers Erlebnis der Freiheit vergrößert, welche den zeitlosen Zustand charakterisiert, in dem Hans Castorp sieben Jahre auf dem Zauberberg verbringt.

Erich Heller bemerkte einmal, daß Hans Castorp keine andere Wahl geblieben wäre, als Schriftsteller zu werden, hätte er den Krieg überlebt.[13] Es wäre ihm sicher nicht mehr möglich gewesen, in seinen Beruf als Schiffsbauingenieur zurückzugehen, nachdem er Hamburg verlassen hatte, um eine kurze Visite auf dem Zauberberg zu machen. Diese Bemerkung deckt den Zusammenhang zwischen der Ideologie oder dem Inhalt des Romans und der Entwicklung des Helden oder dem Gehalt des Romans auf. An Hans Castorp wird nach den sieben »hermetischen« Jahren eine Haltung sichtbar, die ganz der stereoskopischen Sicht entspricht, die Thomas Mann für den Schriftsteller verlangt. Es stimmt vollkommen, wie Weigand zeigt, daß Hans Castorps Entwicklung in einem Ausgesetztsein gegenüber der Welt in der konzentrierten, gesteigerten Dichte der fiebrigen Atmosphäre eines Sanatoriums besteht. Und es stimmt ebenso, daß die ideale Erziehung durch die verschiedenen Mentoren ihn nach und nach von allen Bindungen und Verpflichtungen befreit und ihn gegen Ende des Romans zur vollkommenen Freiheit führt. Da aber diese absolute Freiheit durch die Aufhebung der Zeit symbolisiert ist, kann Hans Castorps Entwicklung auch als Bewegung aus der Zeit in die Zeitlosigkeit gesehen werden.

In diesem Zusammenhang ist das Milieu, in dem der Roman spielt, von zentraler Bedeutung. Isoliert von der Welt »unten«, beinahe in einem verschiedenen Zeitsystem existierend, ist das Sanatorium ein Reich, in dem der Monat als kleinste Zeiteinheit anerkannt wird und dessen Jargon sogar die Spanne von einem Jahr auf den Diminutiv »Jährchen« reduziert. Settembrini beklagt sich über den »Zeitverbrauch« in »asiatischem Stil« in einer Formulierung, die selbst die Zeit ideologisch auffaßt.[14] Die Jahreszeiten, die sich kaum unterscheiden, »halten sich nicht an den Kalender«.[15] Es ist eine Welt mit eigenen Gesetzen, eine Welt, in der — wie Mann bemerkt — die Temperatur und der Flirt die Hauptsorgen sind. Der Berg ist ein »Zauber«-Berg, nicht nur weil er von den Gesetzen des alltäglichen Lebens unabhängig ist, unabhängig von der Realität, die die Welt unten im Tal gefangen hält. Am ersten Tag erfährt Hans Castorp von Joachim, daß die jungen Leute im Sanatorium frei sind. »Ich meine, es sind ja junge Leute, und die Zeit spielt keine Rolle für sie, und dann sterben sie womöglich. Warum sollen sie da ernste Gesichter schneiden? Ich denke manchmal: Krankheit und Sterben sind eigentlich nicht ernst, sie sind mehr so eine Art Bummelei, Ernst gibt es genaugenommen nur im Leben da unten.«[16] Nur in einer solchen Atmosphäre kann Hans Castorp im oben erwähnten Sinne befreit werden. Denn im Leben »da unten« nehmen die Sorgen und die Verpflichtungen des alltäglichen Lebens des Menschen Zeit und Aufmerksamkeit in Anspruch; der einzelne ist im Strom der Zeitlichkeit gefangen und unfähig der reinen Reflexion, wie sie die hermetisch abgeschlossene Welt des Sanatoriums garantiert.[17]

Von Anfang an klingt das Motiv des Losgelöstseins an und antizipiert in einem beachtlichen Maße den dritten Band von Brochs *Schlafwandlern*. Da spielt sich die Handlung ebenfalls in einer »Ferienzeit« von sechs Monaten ab, während welcher der Held Huguenau »wie unter einer Glocke voll Unbekümmertheit« durchs Leben wandert. Für Hans Castorp ist die Zeit auf dem Zauberberg gleichfalls eine Ferienzeit: sowohl im wörtlichen als auch im übertragenen Sinne. Nach dem Abschluß seiner Studien macht er drei Wochen Urlaub, bevor er das Praktikum in den Werften beginnen soll, einmal, um wieder zu Kräften zu kommen und dann, um seinen kranken Vetter zu besuchen. Sein Aufenthalt auf dem Berg ist wortwörtlich ein Urlaub. Dieser Umstand läßt den Erzähler auf der zweiten Seite des Romans sagen: »Zwei Reisetage entfernen den Menschen — und gar den jungen, im Leben noch wenig fest wurzelnden Menschen — seiner Alltagswelt, all dem, was er seine Pflichten, Interessen, Sorgen, Aussichten nannte ... Der Raum, der sich drehend und fliehend zwischen ihn und seine Pflanzstätte wälzt, bewährt Kräfte, die man gewöhnlich der Zeit vorbehalten glaubt ...«.

Auch nachdem Hans Castorp Dauergast geworden und sein angeblicher Besuch zu Ende ist, erscheint das Motiv durch den ganzen Roman immer wieder. Der Erzähler spricht von Hans Castorp wiederholt als von einem »Bildungsreisenden«, d. h. einem Mann, der um der Kultur und um der Bildung willen reist. Und wiederholt taucht auch das Wort »Ferien« auf, um uns an die besonderen »Ferienlizenzen«[18], derer sich Hans Castorp erfreut, zu erinnern. An einem bestimmten Punkt zum Beispiel betrachtet Hans Castorp seine ganze Beziehung zu Clawdia Chauchat als »ein Ferienabenteuer, das vor dem Tribunal der Vernunft — seines eigenen vernünftigen Gewissens — keinerlei Anspruch auf Billigung erheben konnte«.[19] Bei einer andern Gelegenheit überlegt er, was ihn befähigt, Settembrinis Diskursen zuzuhören: »Etwas wie Pflichtgefühl war dabei, außer jener Ferien-Verantwortungslosigkeit des Reisenden und Hospitanten, der sich gegen keinen Eindruck verhärtet und die Dinge an sich herankommen läßt, in dem Bewußtsein, daß er morgen oder übermorgen wieder die Flügel lüften und in die gewohnte Ordnung zurückkehren wird ...«[20] Diese ferienhafte Stimmung und Wandlungsfähigkeit erlaubt es Hans Castorp, aus seinen Erfahrungen auf dem Zauberberg Nutzen zu ziehen. Und gleichzeitig — dies sollte im Gedächtnis behalten werden — antizipiert diese Stimmung seine plötzliche Rückkehr ins Flachland und in den Krieg am Ende des Romans. Denn alle Ferien gehen einmal zu Ende, auch die geistigen wie diejenigen von Hans Castorp.

Hans Castorp erliegt den »Vorteilen der Schande«, die er in Davos wahrnimmt, nicht sofort. Seine ganze bürgerliche Erziehung zwingt ihn vorerst, dem lockeren Leben, dessen

Zeuge er in den ersten Tagen und Wochen wird, zu widerstehen. Einerseits ist er all das, was Madame Chauchat von ihm sagt: »... un petit bonhomme convenable, de bonne famille, d'une tenue appétissante, disciple docile de ses précepteurs...«[21] Gerade diese Spannung zwischen Freiheit und Enthaltsamkeit im Werdegang von Hans Castorp erzeugt manche komische Situation, über die der Erzähler mit köstlicher Ironie berichtet. Andererseits verstecken sich in tieferen Schichten seines Charakters Eigenschaften, die spontan auf die Ausstrahlung des Zauberbergs ansprechen. Weigand spricht in diesem Zusammenhang von vier Urerlebnissen, von frühesten Erfahrungen, die im Innersten von Hans Castorps Existenz verwurzelt sind: Kontinuität, Tod, Freiheit und Eros.[22] Genau so wie die schon besprochenen ideologischen Inhalte existieren diese Erfahrungen gleichzeitig in einem Zustand der Spannung, der dialektischen Wechselwirkung. Der Sinn für Kontinuität ist in Hans Castorps Denken mit der Erinnerung an seinen Großvater verknüpft, der, die Taufschale der Familie haltend, die Silben »Ur-Ur-Ur-Ur-« murmelt, um anzuzeigen, wie viele Generationen der Familie schon mit Wasser aus der gleichen Schale getauft worden waren. Diese Denkungsart macht Castorp auf dem Berg hellhörig für die ganze kulturelle Tradition, die durch Settembrini, Naphta und Peeperkorn vor ihm ausgebreitet wird; irgendwie spürt er, daß sie zu seinem Erbe gehört. Diese Haltung gewährleistet gleichzeitig eine gewisse Loyalität gegenüber seinem Ursprung — auf den »Ebenen« unten — und eine Verantwortung gegenüber dem Leben. Dieses Gefühl für Kontinuität und Tradition wirkt als eine zeitlose Konstante, ist ewige Präsenz von Werten, die sich von der bürgerlichen Beschäftigung mit der Zeitlichkeit abhebt.

Dieselbe Ambivalenz liegt in seiner Auffassung vom Tod. Es sei vermerkt, daß der Tod, der Hans Castorp im Alter von acht Jahren zur Waise macht, die Handlung zu begründen hilft. Da Hans Castorp keine engere Familie hat und finanziell unabhängig ist, kann er es sich *leisten*, sieben Jahre auf dem Berg zu verbringen. An ihn werden keine direkten Ansprüche gestellt wie an seinen Vetter Joachim oder an viele andere Bewohner des Sanatoriums, die sich dann aus diesem oder jenem Grunde danach sehnen, in die Wirklichkeit unten zurückzukehren. Da er seit seinen frühesten Jahren dem Tod ausgesetzt war, fühlt er sich einerseits durch eine romantische Neigung zu ihm hingezogen, anderseits erfüllt ihn Respekt. Auf alle Fälle erlaubt ihm seine Haltung nicht, den Tod zu ignorieren, wie es die meisten Patienten des Sanatoriums tun. Er sucht sogar die »Moribundi« in der Hoffnung auf, ihnen in ihren letzten Tagen und Stunden ein wenig Trost bringen zu können. Der Tod ist in seiner Erinnerung mit Zeitlosigkeit verbunden. Wenn Naphta in einer Diskussion über alchimistische Transmutationen vom Grab als einem Symbol für hermetische Läuterung spricht, kommen Hans Castorp die luftdichten Gefäße auf den Gestellen zu Hause in Hamburg in den Sinn, in denen Früchte und Fleisch aufbewahrt werden. »Sie stehen Jahr und Tag, und wenn man eines aufmacht, nach Bedarf, so ist der Inhalt ganz frisch und unberührt, weder Jahr noch Tag hat ihm was anhaben können, man kann ihn genießen, wie er da ist. Das ist nun allerdings nicht Alchimie und Läuterung, es ist bloß Bewahrung, daher der Name Konserve. Aber das Zauberhafte daran ist, daß das Eingeweckte der Zeit entzogen war; es war hermetisch von ihr abgesperrt, die Zeit ging daran vorüber, es hatte keine Zeit, sondern stand außerhalb ihrer auf seinem Bort. Na, soviel von den Weckgläsern.«[23]

Selbst Eros zeigt in Hans Castorps Denken eine gewisse zeitlose Irrealität. Das tritt in den Termini klar zutage, mit denen er gegenüber Peeperkorn seine einzige Liebesnacht mit Madame Chauchat erklärt und rechtfertigt. Er meint nämlich, daß jener bestimmte Abend »ein aus aller Ordnung und beinahe aus dem Kalender fallender Abend war, ein hors d'oeuvre, sozusagen, ein Extraabend, ein Schaltabend, der neunundzwanzigste Februar . . .«[24]

Die frühesten Erfahrungen mit Tradition und Tod, mit Freiheit und Eros wirken als Gegenimpulse zu den oberflächlichen Eindrücken in der Zeit der Ausbildung und des Heranwachsens. Sie wecken in ihm eine im Unterbewußtsein schlummernde Sympathie für die kommenden Erfahrungen auf dem Zauberberg. Zuerst versucht Hans Castorp sich dem Einfluß zu entziehen. Sein allmähliches Eingewöhnen ist gekennzeichnet durch eine Reihe von trivialen »Befreiungen«, die ihn aus seiner eigenen Vergangenheit lösen. So ist er bei seiner Ankunft bestürzt, daß Joachim und die anderen Bewohner des Sanatoriums ohne Hut ausgehen — ohne das Zeichen der Zivilisation. Aber bald findet er es selbst angenehm, baren Hauptes herumzugehen. Er nimmt wahr, daß es wirklich erholsam und einfacher ist, sich bei Tisch in den Sessel fallen zu lassen, als die ganze Zeit vollkommen aufrecht dazusitzen. Zuerst verwirrt von den gelegentlichen Verallgemeinerungen der Zeit durch die Patienten, ertappt er sich plötzlich dabei, daß er Wörter wie »neulich« verwendet, wenn er Ereignisse beschreiben will, die Wochen oder Monate zurückliegen. Gegen den Schluß des Romans benützt er dieses Vokabular mit einer solchen Virtuosität, daß er den Terminus sogar für das Zeitalter der Chaldäer benützt. Jede von diesen kleineren Befreiungen gibt seine Fieberkurve wieder. Sie zeichnet, wenigstens in der ersten Hälfte des Romans, die Schwankungen seines inneren Zustandes auf.

All diese unwichtigeren Dinge, obwohl sie ebenfalls zur Struktur des Romans gehören und Thomas Manns Meisterschaft in bezug auf Beobachtung und Detail bezeugen, spiegeln auf einer bloß realistischen Ebene die subtileren Transformationen, die sich in Hans Castorps Innerem abspielen, wider. Die erste endgültige Befreiung vollzieht sich in der siebenten Woche seines Besuches. Erst zu diesem Zeitpunkt entschließt er sich zu einem unbegrenzten Aufenthalt im Sanatorium — als Patient. Und in seinem dritten Brief an seinen Onkel trifft er Anordnungen, um regelmäßig jeden Monat eine bestimmte Summe geschickt zu bekommen. Das Kapitel trägt den Titel »Freiheit«, und dieses Wort erfüllt sein Bewußtsein, als er die schicksalhaften Zeilen schreibt. Bis dahin war seine Zukunft in der Schwebe. Er hätte sich leicht dazu entscheiden können, Settembrinis Warnungen Gehör zu leihen und nach Hause in seine Existenz im Flachland zurückzukehren. Aber die Kostprobe von Freiheit auf dem Zauberberg übt ihre Wirkung aus, und er beschließt, dort zu bleiben.

Es wurde oft bemerkt, daß in diesem »hermetischen« Roman, welcher in Anspielungen auf mythische Weiheiten schwelgt, die Zahl sieben und ihr Vielfaches eine zentrale Rolle als Symbol spielen.[25] Hans Castorp kommt für drei Wochen (einundzwanzig Tage) nach Davos und bleibt sieben Jahre.

Viermal pro Tag mißt er sich während sieben Minuten die Temperatur. Er bewohnt Zimmer 34 (drei plus vier), und während der Dauer seines Aufenthaltes sitzt er an jedem der sieben Tische im Speisezimmer. Der ganze Roman hat sieben Kapitel, und der erste Teil (Kapitel 1 bis 5) umfaßt den Zeitraum von sieben Monaten. Sein Vetter Joachim stirbt im 28. Monat seines Besuches. Daher überrascht es nicht herauszufinden, daß der innere oder mystische, symbolische Rhythmus des Romans von Intervallen der Zahl sieben bestimmt ist. So bringt Hans Castorp in einer Vision am siebenten Tag in Davos Madame Chauchat mit seinem Jugendfreund Hippe in Verbindung. Am Ende von drei Wochen (21 Tagen) entdeckt er, daß er Fieber hat, und ist sofort davon überzeugt, daß er um der Diagnose willen drei Wochen länger bleiben und sich der Bettruhe unterziehen müsse.

Nach sieben Wochen also hat Hans Castorp seine erste Befreiung hinter sich. Er hat sich von seiner Heimat getrennt und sich dem hermetischen Leben im Sanatorium hingegeben, einem Leben unter dem Motto, das Settembrini aus Petrarca zitiert: *Placet Experiri*. Die ideologische Konfrontation spielt sich, wie wir gesehen haben, in der ersten Hälfte des Romans zwischen Settembrini und Madame Chauchat ab. Der Kulminationspunkt dieser Phase stimmt vorzüglich mit dem inneren Rhythmus des Romans überein: er tritt am Ende des siebenten Zauberberg-Monats von Hans Castorp ein: in der »Walpurgisnacht« der Fastnachtsdienstag-Festlichkeiten, an jenem zeitlosen 29. Februar, über den Hans Castorp später mit Peeperkorn diskutiert. Denn bei dieser Gelegenheit befreit er sich von dem glatten Rationalismus seines Mentors und »kostet den Granatapfel« des Eros. Liebe, argumentiert er in seinem Französisch zu inspirierter Stunde, muß »une aventure dans le mal« sein.[26] Es ist aber wichtig zu erkennen, daß diese Episode mehr Befreiung als Verpflichtung bedeutet.[27] Clawdia und ihre Moral der Sünde — »Il nous semble qu'il est plus moral de se perdre et même de se laisser dépérir que de se conserver«[28] — helfen ihm, sich vom sterilen Humanismus Settembrinis zu befreien. Aber auch wenn er den gleichen Satz später wiederholt,[29] so ist nicht anzunehmen, daß er ihn akzeptiert. Er zitiert ihn in einem nachfolgenden Gespräch mit Clawdia, um einen rhetorischen Effekt zu erzielen, um sie zu beeindrucken. Absolut gesehen, steht er in direktem Gegensatz zu Hans Castorps früher Erfahrung hinsichtlich Kontinuität und Tradition.

In den ersten Teilen der zweiten Romanhälfte verkörpern Naphta und Settembrini die gegensätzlichen Ideologien. Zwischen ihren vollkommen antithetischen Standpunkten in bezug auf Geist und Natur, Leben und Tod, Gesundheit und Krankheit, Freiheit und Ehrfurcht stehend, vermag jedoch Hans Castorp während seiner Vision im Schnee zu einer eigenen Haltung zu gelangen. Obschon das zeitliche Element in diesem Abschnitt des Romans keine wesentliche Rolle spielt, so ist es doch nicht unwahrscheinlich, daß diese Episode in Hans Castorps einundzwanzigstem Monat auf dem Berg, im April seines zweiten Jahres stattfindet; auf alle Fälle spricht nichts gegen diese Annahme, denn es ist spät im Winter, noch liegt Schnee, als er schließlich auf Skiern den Weg zu den Bergen auf sich nimmt. Da diese Vision den Höhepunkt des ganzen Werks bildet, sollen die Begleitumstände ins Gedächtnis gerufen werden. Zuerst ist es wichtig zu sehen, daß der Aufstieg durch den Schnee ihn höher hinaufführt als irgendein anderer Spaziergang während seines Aufenthaltes, das heißt, weiter weg von allen Bindungen der Vergangenheit. Darüber hinaus bringt er ihn außerhalb der Peripherie des Sanatoriums, an einen symbolischen Ort hoch oben, wo er befreit ist von den Ideen, die unten vorgetragen werden, und daher über ihnen steht. Und letztlich ist die Vision symbolisch verwandt mit den dahinfliehenden Phantasiegebilden im Augenblick des Todes: Hans Castorp ist in Gefahr, vor Erschöpfung umzukommen und — angesichts der Offenbarung — wegen seines Ausgesetztseins zu sterben.

Die Vision — ein apollonisches Sonnenvolk geht seinen heiteren Tätigkeiten nach, während sich an seiner Seite das Gesetz blutigsten dionysischen Horrors erfüllt — führt ihn intuitiv zur Einsicht, daß all die gelehrten Unternehmungen von Settembrini und Naphta unfähig sind, etwas zu erreichen. »Ich will es mit ihnen halten (mit den ›Sonnenleuten‹) in meiner Seele und nicht mit Naphta — übrigens auch nicht mit Settembrini, sie sind beide Schwätzer.«[30] Hans Castorp gelangt dazu, den Menschen als »Herrn der Gegensätze« zu sehen, durch Freiheit und Ehrfurcht fähig, beidem Ergebenheit zu erweisen, dem Tod und dem Leben. »Die Liebe steht dem Tode entgegen, nur sie, nicht die Vernunft, ist stärker als er«, folgert er. Die Liebe des Menschen führt über das Spiel der Ideologien hinaus, einer Lösung entgegen. »*Der Mensch soll um der Güte und Liebe willen dem Tode keine Herrschaft einräumen über seine Gedanken*«,[31] lautet die Maxime, die Thomas Mann in Kursivschrift setzt. Damit hebt er sie als einzig möglichen Standpunkt im Roman hervor. Um dieser Vision willen bedurfte Hans Castorp der absoluten Freiheit des Zauberbergs, benötigte er alle Auseinandersetzungen mit den Ideologien, die Erfahrungen mit Liebe und Tod, die vorangingen. Sie lieferten die Materialien für eine eigene große Synthese. Es handelt sich um eine Synthese, die nur in absoluter Freiheit erreicht und aufrecht erhalten werden kann. So verblaßt schon auf der Heimkehr zum Sanatorium, durch einen lichten Abend, die ekstatische Vision in seinem Gedächtnis, und er vermag sich nur noch vage an die errungene Einsicht zu erinnern. Das ganze Traumgebilde spielte sich außerhalb der Zeit ab. Als Hans Castorp auf die Uhr sieht, stellt er fest, daß der Vorgang nur zehn Minuten gedauert hat.

Im fallenden Rhythmus des letzten Kapitels jedoch sind selbst die positiven Werte, Liebe und Freiheit, durch die Dialektik des Buches aufgehoben. Die dominierende Gestalt ist nun Peeperkorn, der — halb Clown, halb Priester — in seiner eigenartigen Mischung von Dionysos und Christus eine Travestie der Vision im Schnee darstellt. Es ist, als ob die absolute Wahrheit, die Hans Castorp aufgenommen hat, nur in der vollkommenen Abgeschlossenheit der Bergeshöhen möglich, als ob eine solche Wahrheit in der Wirklichkeit nicht haltbar sei, wo alles Absolute degradiert und relativiert wird.

In dem Maße, wie er die Vorherrschaft von Leben und Liebe über das rein Zerebrale verkörpert, ist Peeperkorn eine positive Gestalt. Mit einer gewaltigen Geste seiner Pranke macht er alle nutzlosen Spitzfindigkeiten von Settembrini und Naphta belanglos. Da Mynheer Peeperkorn teilweise seine Vision verkörpert, wird Hans Castorp von dieser großartigen Persönlichkeit stark angezogen. Aber in Wirklichkeit ist das Ideal, das die Vision versinnbildlicht, nicht so bewunderungswürdig. Ironie strebt denn danach, das Ideal aufzuheben: »Sonnenleute« sind tatsächlich manchmal etwas dumm und pompös. Die Verzweiflung Naphtas und Settembrinis ist wenigstens teilweise gerechtfertigt. Daher vermeidet Hans Castorp eine vollständige Identifikation sogar mit Peeperkorn. Die Zeit ihrer ersten Begegnung ist unbestimmt, aber sie findet jedenfalls im Kapital mit dem Titel »Vingt et un« (wieder drei mal sieben) statt. Erst später bietet Peeperkorn, der in dem jungen Deutschen eine verwandte Seele erkennt, Hans das brüderliche »Du« enger Kameradschaft an. Aber Hans Castorp bedient sich der sorgfältigsten und amüsantesten grammatikalischen Umschreibungen, um diese intime Form zu vermeiden. Trotz all seiner Verehrung für die »undeutliche« Persönlichkeit großen Formats kann er sich nicht zu dieser endgültigen Übereinstimmung überwinden.

Die letzten Jahre auf dem Zauberberg verlieren jegliche Zeitstruktur. Die Ereignisse sind nicht deutlich zu unterscheiden. Das »ewige Einerlei« hat seine Vorherrschaft vollends angetreten. Nach dem Höhepunkt, der Vision im Schnee, hat sogar die zeitlose Freiheit für den Helden an Reiz verloren. Hans Castorp sieht sich um, »und er wußte, was er sah: Das Leben ohne Zeit, das sorg- und hoffnungslose Leben, das Leben als stagnierend betriebsame Liederlichkeit, das tote Leben«.[32]

Hans Castorp hat seit langem die Zeitrechnung aufgegeben. Er trägt keine Uhr mehr. Sie ist eines Tages beim Fall vom Nachttisch zerbrochen. Die Vision im Schnee war nicht nur ein Höhe-, sondern auch ein Wendepunkt. Alles, was nachher geschieht, zeigt Hans Castorp die negative Seite seiner positivsten Einsichten. Nun gewahrt er, daß selbst die absolute Freiheit, die er erreicht hat, auch als Tod und Stagnation gesehen werden kann. Die Wechselwirkung der Ideen ist so komplex geworden, daß keine einfachen ideologischen Positionen mehr herausgearbeitet werden können. Gegen Ende erlaubt uns Mann statt dessen, die Gefühle des Helden nachzuvollziehen, indem wir mit ihm zusammen die verworrenen Assoziationen, die verschiedene Musikwerke in ihm wecken, erleben. In *Aida* hört er das Echo seiner eigenen verwirrten Gefühle: Rhadames hat um der Liebe willen seinen Treueid gegenüber Vaterland und König gebrochen und muß nun mit seiner Geliebten lebendigen Leibes begraben werden. In diesem Netz von Assoziationen erkennen wir intuitiv den Konflikt zwischen Liebe und Pflicht, zwischen Leben und Tod in Hans Castorps eigener Seele. Die geheimnisvollen Harmonien von *L'Après-midi d'un faun* scheinen ihm die »Unschuld der Zeitlosigkeit« gutzuheißen, wogegen *Carmen* wiederum die fast kriminelle Verantwortungslosigkeit einer Freiheit anprangert, die auf Kosten von Ehre und Pflicht erlangt wird. Im einfachen Volkslied »Unterm Lindenbaum« von Schubert hört er den Ruf der Heimat, des Vaterlandes und des Todes.

Solche verschwommenen Assoziationen wie diese rufen Hans Castorp schließlich dazu auf, nach sieben Jahren den Berg zu verlassen, um heimzukehren und seinem Land im Krieg zu dienen, der unten ausgebrochen ist. Alle miteinander kollidierenden Ideologien haben sich gegenseitig ausgelöscht. Sogar das Ideal des Lebens wird angesichts des Chaos und des Schreckens irgendwie trivialisiert durch seine Verkörperung in der Person Peeperkorns. Und das Ideal der zeitlosen Freiheit enthüllt seine Rückseite: Langeweile und kriminelle Verantwortungslosigkeit. Derjenige Hans Castorp, der den Berg verläßt, ist nicht im geringsten reicher an festen Überzeugungen als derjenige, der heraufkam. In gewissem Sinne ist er sogar ärmer, denn die innere Gewißheit seiner Kindheit, der Glaube an die einfachen Dinge des bürgerlichen Lebens sind beseitigt. Dies wird am Schluß durch die Haltung des Autors angezeigt. Er wagt keine Voraussage der Zukunft, er fragt bloß zögernd: Wird aus diesem Weltfest des Todes einmal die Liebe steigen? Der Roman hat jede Illusion, jede Gewißheit, jedes Ideal zerschlagen. Er läßt nur unheilvolle Fragen zurück.

Aber Hans Castorp ist unermeßlich viel reicher an Einsicht und Bewußtheit. Er durchschaut die Welt, die ihn umgibt, mit all ihren Gegensätzlichkeiten. Obwohl er an keine einzige Position gebunden ist, vermag er all diese Widersprüche kritisch zu betrachten. Er übersteht sein intellektuelles Abenteuer auf ähnliche Weise wie Franz Biberkopf, der »mit offenen Augen« in die Wirklichkeit zurückkehrt. Oder wie Huguenau in Brochs *Schlafwandlern:* er repräsentiert eine »Objektivität«, die alle traditionellen Werte zurückweist und die Welt mit einem nüchternen Sinn für Realität schaut.[33] So hat der Gehalt des Romans, die Erziehung des Helden, den traditionellen Bildungsroman tatsächlich travestiert. Denn Hans Castorp wird nicht bewogen, ein Ideal anzunehmen; er wird eher zu einer Haltung neutraler Objektivität, jenseits von jeglicher ideologischer Festgelegtheit, geführt.[34]

Was wir über Gehalt und Inhalt des *Zauberberg* sagten, bliebe nur Wortschwall, und die Einwände vieler Kritiker hinsichtlich übertriebener Neigung zum Intellektuellen wären gerechtfertigt, gäbe es nicht die vollkommene Verwirklichung der Intention in der Struktur des Werkes. Der *Zauberberg* ist *der* Zeitroman des 20. Jahrhunderts. Wie Thomas Mann hervorvorhob[35], ist er in verschiedener Hinsicht ein Zeitroman. Er ist einer, da er die Zeit zwischen 1907 und dem Ausbruch des Ersten Weltkrieges wiedergibt. Er ist einer, da er eine Vielzahl von Gedanken über die Zeit enthält. Allerdings sind diese Gedanken weniger wichtig — sie sind auch nicht sehr neuartig —, weil sie zusammen mit den entwickelten Ideologien zum Romaninhalt gehören. Der *Zauberberg* ist jedoch vor allem ein Zeitroman auf Grund der Brillanz, mit der der Autor seine Erzählung aufbaut. Es ist die Zeit und nur die Zeit, die den Rahmen bildet, in dem alles andere sinnvoll wird. »Die Zeit ist das Element der Erzählung, wie sie das Element des Lebens ist«, bemerkt der Autor zu Beginn des ausgedehnten und ausladenden Exkurses über die Zeit im Kapitel »Strandspaziergang«. Die Erzählung braucht die Zeit zu ihrer Erscheinung, »selbst, wenn sie versuchen sollte, in jedem Augenblick ganz da zu sein . . .« Hier haben wir den Grundgedanken, aus dem sich die Spannung innerhalb des Aufbaus ergibt. Der Inhalt, die Handlung nimmt ihren Fortgang durch die Zeit, durch die sieben Jahre von Hans Castorps Aufenthalt auf dem Berg. Gleichzeitig möchte der Autor den Verlust der Zeit künstlerisch wiedergeben, die Bewegung auf die Zeitlosigkeit zu. Er tut es, indem er versucht, den ganzen Roman im Geiste des Lesers als immerwährende Gegenwart wachzuhalten. Auf diese Weise entsteht eine Spannung zwischen Zeitlichkeit und Zeitlosigkeit, zwischen Bewegung und Beharrung innerhalb der Struktur sowohl als im Inhalt. Diese Spannung ist das unentbehrliche Bindeglied zwischen Inhalt, Gehalt und Form. Nur die Spannung zwischen Zeit und Zeitlosigkeit bewahrt die Romanstruktur davor, einzig eine Angelegenheit technischer Brillanz, nur ein künstlerisches Bravourstück zu sein.

Anhand des Aufbaus des Romans gelangt der Leser zu einem vielfältigen Erlebnis mit der Zeit. Der Grundgedanke, nach dem die Kapitel angeordnet sind, ist alles andere als tiefgründig. Er beruht auf der simplen Erkenntnis, daß unsere Aufmerksamkeit — wenn wir einer neuen Situation gegenüberstehen — auf eine Menge von Einzelheiten gelenkt wird, die sich dann allmählich, sobald wir uns der neuen Umgebung angepaßt haben, auf ein gleichförmiges Muster vereinfachen. In dieser Beziehung sind die beiden ersten Kapitel nichts als ein Präludium. Das erste Kapitel berichtet über Hans Castorps Ankunft auf dem Zauberberg an einem Dienstagabend im frühen August, von seinem Wiedersehen mit Vetter Joachim, vom späten Abendessen der beiden im Restaurant, von den ersten Anzeichen der Verwirrung und des Fiebers bei unserem Helden. Das zweite Kapitel, das die konfusen Träume Hans Castorps in seiner ersten Nacht auf dem Berg wiedererzählt, informiert uns mittels einer Rückblende über seine Vorgeschichte.

Die zeitlichen Stufen beginnen mit dem dritten Kapitel, welches einen in Einzelheiten gehenden Bericht über den ersten Tag im Sanatorium enthält. Das Kapitel beginnt mit Hans Castorps Erwachen und schließt am Abend desselben Tages, als er sich zurückzieht. Es ist unterteilt durch die fünf Mahlzeiten im Speisesaal des Sanatoriums Berghof: erstes Frühstück um acht Uhr, zweites Frühstück um elf Uhr, Mittagessen um ein Uhr, Tee um vier und Nachtessen um sieben Uhr. Die Zwischenzeiten werden meistens durch Spaziergänge oder Ruhepausen auf dem Balkon ausgefüllt. Wir sehen — nein, da alles vom Standpunkt Hans Castorps aus erzählt ist, erleben wir —, wie sehr sich die neue Umgebung und vor allem die vielen Menschen erst als trübe Masse sich seinem Bewußtsein aufdrängen, und wie dann, bei der Mahlzeit am Ende des Tages, einzelne allmählich mit schärferen Konturen hervortreten. Gleichzeitig erhalten wir einen sehr eingehenden Bericht über den täglichen Ablauf der Dinge, welcher — wie immer versichert wird — unveränderlich ist.

Dieser Umstand ist äußerst wichtig. Einmal trägt er dazu bei, die Zeit in einen Zyklus von unaufhörlichen Wiederholungen zu verwandeln und damit die Bewegung auf die Zeitlosigkeit hin einzuleiten. Und zweitens liefert er den Hintergrund für die vielen hundert Seiten, die folgen. Denn der Leser weiß nach diesem Kapitel immer genau, was zu einer gegebenen Tageszeit vor sich geht, die der Autor als Kontext für die folgenden Szenen auswählt.

Während das dritte Kapitel die Ereignisse von einem Tag im Rhythmus von Stunden erzählt, behandelt das vierte drei Wochen in einem Rhythmus von Tagen. Trotzdem braucht es nur die doppelte Seitenzahl des einen ersten Tages, um diese drei Wochen zu beschreiben. Die Erlebnisse der einzelnen Tage treten hier in den Hintergrund, indem wir die wöchentliche Routine mit Sonntagskonzert und, im Fall von Joachim und Hans Castorp, Samstag-Untersuchung miterleben. Im fünften Kapitel ist die zeitliche Ausgleichung weiter geführt: Die Vorgänge der ersten sieben Monate (die ersten drei Wochen ausgenommen) sind in einem Rhythmus von Wochen vor uns ausgebreitet. Über einzelne Tage wird kaum etwas gesagt. Statt dessen liegt Hans Castorp im Bett für die verordneten drei Wochen, eine Woche später folgt eine zweite Untersuchung. Die szenische Beschreibung, bis anhin hauptsächlich Erzähltechnik, gibt hier über mehrere Kapitel einer iterativ-durativen Form den Weg frei. Zum Beispiel wird eine bestimmte Szene — Hans Castorp bei Nacht auf dem Balkon lesend — als repräsentativ beschrieben, als wiederhole sie sich jede Nacht; und darauf berichtet der Erzähler über den Gegenstand seiner Lektüre während eines vollen Monats. Je größer die Zeitspanne wird, desto mehr weicht die szenische einer iterativ-durativen Erzählform.

Das fünfte Kapitel und somit der erste Teil schließen mit einem Schaltjahr. Hans Castorps erste sieben Monate auf dem Zauberberg enden also in diesem Schaltjahr. Wir haben den ersten Tag in einem Rhythmus von Stunden, die ersten drei Wochen in einem Rhythmus von Tagen und die ersten sieben Monate in einem Rhythmus von Wochen erlebt. Das gleiche Muster setzt sich in den zwei langen Kapiteln des zweiten Teiles fort. Das sechste Kapitel schließt das auf das Schaltjahr folgende Jahr und neun Monate ein und geht somit bis zum November von Hans Castorps drittem Jahr im Sanatorium. Hier erleben wir die Zeit in einem Rhythmus von Monaten: Naphta wird im Juni vorgestellt, Onkel James Tienappel kommt im Oktober und so weiter. Die Folge der Monate wird ganz deutlich eingehalten bis zum zweiten Winter. Nun wird sogar die Gliederung der Monate im ewigen Winter, wie er im Kapitel »Schnee« anschaulich dargestellt ist, unklar. Das Verwischen der Monatsgrenzen leitet schließlich über zu einem Rhythmus von Jahren: das siebente Kapitel erzählt von den viereinhalb letzten Jahren vor dem Ausbruch des Ersten Weltkrieges und Hans Castorps Abreise.

Thomas Mann hat diese zeitliche Abfolge mit höchster künstlerischer Bewußtheit konstruiert. Offensichtlich beginnt sich am Ende eines jeden Kapitels der Zeitrhythmus (Stunden, Tage, Wochen, Monate) zu verwischen, um dann zum Rhythmus des nächsten Kapitels zu werden. So entsteht allmählich der Eindruck des »ewigen Einerleis«, von dem in den verschiedenen weitschweifigen Gesprächen über die Zeit die Rede ist. Die Tendenz des Romans, andauernd präsent zu sein, wird selbstverständlich durch Thomas Manns vieldiskutierte Verwendung von Leitmotiven unterstützt. Settembrinis karierte Hose, Frau Stöhrs Wortverdrehungen und ihre entblößten Zähne, Hans Castorps Angewohnheit, mit offenem Mund, den Kopf auf eine Seite geneigt, vor sich hin zu starren und Dutzende von wohldurchdachten Beschreibungen dieser Art tauchen vom Anfang bis zum Schluß immer wieder auf. Bei jeder Erwähnung rufen sie gleichartige Vorkommnisse von früher ins Gedächtnis und betonen die sich wiederholende Struktur des Lebens im Sanatorium. Auf einem solchen Hintergrund wird sogar Hans Castorps Lieblingszigarre namens Maria Mancini zum Symbol. Durch ihr fortwährendes Wiedererscheinen (sie wird im Roman sechzehnmal erwähnt) wird die Maria-Mancini-Zigarre zum Leitmotiv; sie ruft in der Vergangenheit liegende Vorgänge wieder in Erinnerung. Und insofern sie ein Schlüssel zu Hans Castorps Gefühlen ist — einmal schmeckt sie besser, einmal schlechter und schließlich gibt er sie zugunsten einer einheimischen Marke auf —, hat sie eine symbolische Funktion, die der Fieberkurve gleicht. (Die Maria Mancini und die tägliche Temperatur sind selbstverständlich innerhalb des knapperen Rhythmus des ersten Teils wichtiger; im zweiten Teil werden sie weniger häufig erwähnt.)

Auf struktureller Ebene finden sich wesentliche Anordnungen, die dem Wiederhol-Charakter des Leitmotivs entsprechen. »Abgewiesener Angriff«, das heißt Onkel James Tienappels Versuch, Hans Castorp davon zu überzeugen, daß er nach Hamburg zurückkehren müsse, ist sorgfältig aufgebaut und zwar so, daß er parallel zu den Ereignissen im ersten und dritten Kapitel — Hans Castorps Ankunft und erster Tag auf dem Berghof — läuft. Das ganze Kapitel kann als knappe Rekapitulation der beiden früheren Kapitel aufgefaßt werden. Das gleiche gilt für Joachims Rückkehr ins Sanatorium, ein Jahr nach seiner Flucht. Die Ereignisse wiederholen sich, allerdings wechselt hier die Stimmung auf Grund der Begleitumstände von Joachims Rückkehr gleichsam von Dur zu Moll. Indes haben wir ja bereits vermerkt, daß der ganze zweite Teil in hohem Maße ein paralleles Gefüge zum ersten ist.

Und schließlich wird der Eindruck, die Zeit sei aufgehoben und alles kehre ewig wieder, durch die Bezugnahme auf weite Gebiete außerhalb des Romans vertieft. So bringt zum Beispiel die Walpurgisnacht, die sorgfältig um Zitate aus Goethes *Faust* aufgebaut ist, den Roman plötzlich in einen ganz anderen Assoziationszusammenhang. Ähnlich verhält es sich mit den Bibelzitaten. Hier werfen vor allem diejenigen der Szene Gethsemane ein vollkommen anderes Licht auf die Gestalt Peeperkorns.[36] Gleiches gilt für die Einweihungsriten, die Settembrini und Naphta besprechen; deutlich geht hervor, daß Hans Castorp — zumindest dem Typ nach — in dieser Hinsicht zu einer langen Reihe von Erscheinungen gehört. All diese Kunstgriffe, denen schon oft Beachtung geschenkt wurde, bewirken letzten Endes, daß man an eine Aufhebung der Zeit glaubt: man spürt, daß die Vorgänge, die sich eben abspielen, keine einzigartigen Ereignisse sind, die sich dieses eine Mal, in dieser bestimmten Situation zutragen, sondern daß sie eher Teile von Mustern sind, die ihrerseits einem sich wiederholenden, ewigen Geschehen angehören.

Selbstverständlich ist in all diesen Dingen die Rolle des Erzählers von zentraler Bedeutung. Ein allwissender Erzähler würde diese sieben Jahre auf dem Zauberberg als einen bestimmten Zeitabschnitt betrachten, dem andere geschichtliche Ereignisse vorangegangen und gefolgt wären, die Hans Castorps Aufenthalt in einen zeitlichen Ablauf eingeordnet hätten. Hier ist dies nicht der Fall. Thomas Mann hat für diesen Roman einen Erzähler geschaffen, der die besonderen Aufgaben, die dieses ungewöhnliche Werk mit seinem Fortschreiten in Richtung Zeitlosigkeit stellt, sehr genau erfüllt. Der Erzähler weiß freilich mehr, als er uns erzählt, aber er weiß nicht alles. Sein Blickwinkel ist streng begrenzt auf die Ereignisse auf dem Berg. Was er uns aus Hans Castorps früherem Leben erzählt, vor allem im zweiten Kapitel, ist so dargestellt, daß wir annehmen müssen, es handle sich um eine zusammenhängende Wiedererzählung von Hans Castorps wirren Träumen. Auf ähnliche Weise wird die andere Exkursion in die Ebene — die Episode mit Hippe auf dem Schulhof — wiedergegeben, als Vision des am hellichten Tage träumenden Hans Castorp nämlich. Am Ende des Werks, als Hans Castorp ins Tal zurückkehrt und in den Krieg zieht, verliert der Erzähler seinen Helden ebenfalls aus den Augen. Er behauptet nicht zu wissen, was seinem Helden, dessen »hermetische« Geschichte zu Ende ist, noch widerfährt. Mit andern Worten: die Allwissenheit des Erzählers ist auf die sieben hermetischen Jahre auf dem Zauberberg beschränkt. Er ist an den lokalen Schauplatz gebunden. Er ist der genius loci.

Gerade die Eigenschaft des Erzählers, »hermetisch« zu sein, verleiht der Zeitlosigkeit der erzählten Ereignisse Glaubwürdigkeit: sie sind auf keine Weise durch den Erzähler mit Vorgängen, die sich auf irgendeiner anderen Ebene von Zeit und Leben abspielen, verbunden. Und obschon der Erzähler seine Geschichte »kennt«, bevor er sie zu erzählen beginnt, beschränkt er seinen Blickwinkel sorgfältig auf den des Helden. Alles, was geschieht, erleben wir durch Hans Castorps Augen und Ohren. Wenn Joachim sich in den Räumen des Souterrains einer Untersuchung unterziehen muß, lernen wir die Resultate erst dann kennen, wenn er wieder heraufgekommen ist und seinem Vetter berichtet. Bevor Hans Castorp an den Séancen teilnimmt, die Krokowski leitet, hören wir von ihnen nur aus zweiter Hand: aus Meldungen, die Hans Castorp erreichen. Dieser Standpunkt ist selbstverständlich wesentlich für den Bereich der Zeit in dieser Geschichte. Denn würde der Erzähler zu irgendeinem Zeitpunkt den Ereignissen vorgreifen und sie dank seiner Allwissenheit vorwegnehmen, so wäre der sorgfältig aufgebaute Rhythmus der Darlegung, der von Stunden zu Tagen, Wochen, Monaten und Jahren fortschreitet, zerstört — nicht so sehr für Hans Castorp selbst als für den Leser. Daher ist die Haltung des Erzählers eher im Hinblick auf den Leser und die Wirkung der Geschichte auf diesen konzipiert als auf Hans Castorp. Durch den Erzähler ist es uns möglich, die Entwicklung der Zeit genau wie Hans Castorp zu erleben.

Gleichzeitig besitzt der Erzähler auf Grund seiner ironischen Haltung eine bemerkenswerte innere Distanz und Objektivität. Er kritisiert, kommentiert und schiebt auch ein ganzes Kapitel (»Strandspaziergang«) eigener Betrachtungen ein. Allerdings verändert sich seine Rolle im Laufe des Romans sichtbar. Während der ersten Kapitel hält er sich fast auffällig zurück. Seine gelegentlichen, ironischen Bemerkungen sind meistens in Klammern gesetzt. Erst vom siebenten Kapitel an erscheint er im vollen Glanze seiner erzählerischen Souveränität. Er läßt den spröden Klammern-Stil fallen und wirft sich kühner ins Erzählen. Und im letzten Kapitel ist es dann nur noch der Erzähler, der die Geschichte zusammenhält. Dafür gibt es gute Gründe. Der zeitliche Rahmen des Romans beginnt im letzten Kapitel zusammenzubrechen. Der Rhythmus der Jahre löst sich — übereinstimmend mit der Gestaltung des Werks — auf. Die Zeit wird unbestimmt und allmählich aufgehoben. Das adäquate Symbol für diesen Zusammenbruch der Struktur ist übrigens die »vage« Persönlichkeit von Mynheer Peeperkorn, dessen Konturen zwar imposant, aber verschwommen sind, wogegen der präzise Umriß Settembrinis die klare Disposition der Ereignisse in den von ihm beherrschten Kapiteln widerspiegelt. Um die Situation zu retten, muß der Erzähler eine immer größere Rolle spielen. Er wird hier zu einer viel klarer umrissenen Gestalt als früher, indem er durch die Macht seiner Persönlichkeit das Gerüst der sich sonst auflösenden Handlung gewährleistet. Selbstverständlich ist die Rolle des Erzählers so angelegt, daß er die Illusion von der Aufhebung der Zeit, die

Thomas Mann während der tausend Seiten anstrebt, vervollständigt, ja tatsächlich verwirklicht. Es ist schließlich der Erzähler, der dem nun zeitlos gewordenen Roman die Struktur seiner eigenen Persönlichkeit verleiht.

Können wir an diesem Punkt zufrieden sein und meinen, wir hätten dem Roman mit unserer Analyse von Inhalt, Gehalt und Struktur und deren Zusammenwirken auf das gemeinsame Ziel — die Aufhebung der Zeit — hin Gerechtigkeit widerfahren lassen? Ganz und gar nicht. Denn dieser Roman ist ein feiner gewirktes Gewebe als die meisten anderen. Ziehen wir an einem Faden, um ihn bis zu seinem Ende verfolgen zu können, so zupfen wir eher das gesamte Gewebe in Fasern und bleiben statt mit einem sinnvollen Ganzen mit einem sinnlosen Haufen von Material zurück. Der *Zauberberg* existiert nicht nur auf Grund des bestimmten Rhythmus einer Entwicklung, die sich über das magnetische Feld polarer Ideologien auf eine Aufhebung der Zeit zu bewegt und von einem ironischen Geschichtenerzähler präsentiert wird. Frau Stöhr bleibt. Hofrat Behrens bleibt. Die erzählerische Schönheit von der Vision im Schnee und Hans Castorps Anblick von Sonne und Mond im Abendhimmel bleibt. Kurz: nachdem sich die Ideologien gegenseitig aufgehoben haben, nachdem sich das Ideal von Liebe und der Einklang von Leben und Tod in der Verwirklichung von der armseligen Seite gezeigt haben oder bestenfalls von fragwürdigem Wert für Hans Castorps Zukunft waren, und nachdem sogar die Freiheit der Zeitlosigkeit als bloße Lizenz der Trägheit entlarvt wurde — nach all dem bleibt der Roman als das einzig Absolute bestehen. Sicher hatte Thomas Mann so etwas im Sinn, als er bemerkte, daß nur die Form unantastbar sei.
Vielleicht liegt die letzte Ironie dieses ironischen Werkes darin, daß überhaupt keine Haltung unangefochten bleibt. Nur das Werk selbst besteht. Und es erreicht als Kunstwerk einen Perfektionsgrad, der kaum je in so hohem Maße erreicht wurde. Auf seine Weise also hat der *Zauberberg* ein ähnliches Verhältnis zur Realität wie die verschiedenen Prosagedichte von Malte Laurids Brigge. Obwohl die im Roman dargestellte Welt sich letztlich als bedeutungslos erweist, verleiht der *Zauberberg* dieser Welt einen Sinn, indem er sie auf

Grund von werkimmanenten Aufbauprinzipien ordnet. In einer, ideologisch gesehen, bedeutungslosen Welt kann nur eine ästhetische Ordnung sinngebend sein. So ist Erich Heller völlig im Recht, wenn er annimmt, Hans Castorp hätte nur noch Romanschriftsteller werden können, denn nur ein Schriftsteller wäre imstande, sich mit der Wirklichkeit, der er auf dem Zauberberg begegnete, auseinanderzusetzen.

Wir erkennen also, daß es sich hier nicht nur um einen symbolischen Roman handelt, sondern auch um den Roman als Symbol. Denn wenn irgend etwas intakt geblieben ist, nachdem wir die letzte Seite gelesen und den Band geschlossen haben, so ist es das Buch selbst. Es besteht. Seine ästhetische Bedeutung liegt hermetisch verschlossen zwischen seinen Deckeln, wie die zeitlose Atmosphäre des Sanatoriums auf dem isolierten Berg. Das Buch ist Symbol für die ästhetische Haltung, die fähig ist, Gegensätze auszugleichen, welche die im Roman einzeln beschriebenen Kräfte nicht zu beheben vermögen.[37] Aus diesem Grund wird seine Bedeutung nie durch eine Zusammenstellung von Themen und Handlung oder durch eine Analyse der Struktur oder des Inhalts erschöpfend behandelt. Das Buch ist als ein Ganzes ein Symbol für das im Buche dargestellte Leben. Wie dieses Leben ist es hermetisch und zeitlos; wie dieses Leben existiert es unabhängig von der Wirklichkeit; wie dieses Leben repräsentiert es eine Steigerung und eine Intensivierung des Lebens selbst.

Kapitel 4

Alfred Döblin: Berlin Alexanderplatz

Wahrscheinlich hebt nichts die entscheidenden Unterschiede von *Zauberberg* und *Berlin Alexanderplatz* so wirkungsvoll hervor wie der Kontrast zwischen Hans Castorps Fieberkurve und den Wetterberichten, die Döblin in seinem Roman verstreut anbringt. In beiden Fällen haben wir es mit einer sinnbildlichen Darstellung zu tun: Durch physikalische Messungen werden die psychischen Schwankungen der Erzählung angezeigt. Aber es gibt wenig Intimeres als eine Fieberkurve. Das Fieber gehört Hans Castorp allein, sein Steigen und Fallen überliefert den Rhythmus seiner Entwicklung völlig unabhängig von den Veränderungen der allgemeinen Atmosphäre im Sanatorium. Desgleichen ist wenig »öffentlicher« als das Wetter: Wenn die häufigen meteorologischen Berichte die Höhen und Tiefen des Helden zuverlässig wiedergeben, so zeigen sie auch stillschweigend an, wie sehr er Teil der Stadt ist und wie eng sein Leben mit der Umwelt verknüpft ist. Während Hans Castorp vom gewöhnlichen Ablauf von Leben und Zeit vollkommen ausgeschlossen ist wie ein Einmachglas auf dem Gestell, wird Franz Biberkopf in eine sehr enge Beziehung zum wimmelnden Leben der Metropole gebracht. Und die Wetterberichte erinnern uns durch das ganze Buch hindurch daran, daß Franz Biberkopf nur in diesem Netz von Spannungen, das ihn während des Jahres 1928 an Berlin bindet, verstanden werden kann.

Es gibt aber noch einen andern charakteristischen Unterschied. Die Fieberkurve hält fest, was tatsächlich geschehen, während der Wetterbericht teils Analyse, teils Voraussage ist. Dieser Unterschied hat gewisse Folgen für die Erzähler, die diese Sinnbilder verwenden. Die Fieberkurve existiert. Sie ist eine Tatsache. Hans Castorp kann mit seinem Vetter darüber reden, man kann bei Tisch Bemerkungen darüber fallen lassen und sie objektiv mit den Fieberkurven anderer Patienten vergleichen. Hofrat Behrens kann sie in seiner Diagnose zu Hans Castorps Krankheit berücksichtigen und der Erzähler kann mit so viel Sicherheit auf sie zurückgreifen wie zum Beispiel auf die Röntgenaufnahmen. Es gibt sie einfach, ein Gegenstand historischer Aufzeichnung. Bis zu einem gewissen Grad trifft dies auch für den Wetterbericht zu, insofern nämlich, als er den gegenwärtigen Stand des Wetters skizziert, das Fieber der Welt. Der Erzähler aber, der sich mit Wettervorhersagen befaßt, befindet sich in einer vollkommen anderen Situation: er steht auf unsicherem Boden, die Voraussage ist eine Prophezeiung, die auf einigen veränderlichen Größen beruht. Sie ist, mit andern Worten, eine Mutmaßung in bezug auf die Wirklichkeit *in statu nascendi*, nicht einfach die Aufzeichnung einer Gegebenheit. Die Fieberkurve ist die Prärogative eines Schriftstellers, der sein Material vollkommen übersieht und aus historischer Perspektive betrachtet. Die Wettervorhersage ist sozusagen das künstlerische Mittel eines Schriftstellers, der noch so sehr in seine Umgebung verstrickt ist, wie seine eigenen Gestalten in die ihre sind und die Handlung im Entstehen sieht. Das heißt, einfach gesagt, daß die Fieberkurve das epische Präteritum erlaubt, während der Wetterbericht und die Vorhersage oft das Präsens oder sogar das Futur verlangen.

Ein drittes Merkmal sei noch hervorgehoben. Von Zeit zu Zeit erwähnt der Erzähler das Wetter nur beiläufig: »Es ist Monat Juni geworden in Berlin trotz alledem. Das Wetter bleibt warm und regnerisch.«[1] Öfter jedoch zieht sich der Erzähler zurück und gibt einfach den Text eines Wetterberichtes wieder, wie er in einer Zeitung oder einer Radiosendung vorkommen könnte.

»Wechselndes, mehr freundliches Wetter, ein Grad unter Null. Für Deutschland breitet sich ein Tiefdruckgebiet aus, das in seinem ganzen Bereich dem bisherigen Wetter ein Ende bereitet hat. Die geringen vor sich gehenden Druckveränderungen sprechen für langsame Ausbreitung des Tiefdrucks nach Süden, so daß das Wetter weiter unter seinem Einfluß bleiben wird. Tagsüber dürfte die Temperatur niedriger liegen als bisher. Wetteraussichten für Berlin und weitere Umgebung.«[2] Anstatt sein Material durch ein zentral ordnendes Bewußtsein zu filtern (wie z. B. Thomas Mann es in den Kapiteln über Hans Castorps ausgedehnte Lektüre tut), läßt Döblin die Gegebenheiten für sich sprechen, indem er sie in der Form einer Montage oder Collage wiedergibt.

Der Wetterbericht enthüllt eigentlich drei charakteristische Eigenschaften von Döblins Roman. Er ist Symbol für das Verhängtsein des einzelnen in das kollektive Schicksal der Stadt und spiegelt daher ein zentrales Thema von *Berlin Alexanderplatz* wider. Er betont die eingeschränkte Rolle des Erzählers, der im wesentlichen in der Zeitform der Gegenwart schreibt und den Handlungsablauf seiner Geschichte so erlebt, wie er sich entfaltet. Und er unterstützt die Montagetechnik, anhand derer Döblin in gedrängter Form ein vielfältiges Bild von Berlin im Jahre 1928 zusammenzusetzen vermag.

Döblin war von Fakten fasziniert, und Fakten jeder denkbaren Art fanden Eingang in seine Romane. Sein Erzähler und seine Gestalten greifen zeitgenössische Ereignisse auf: Reden im Reichstag, internationale Politik, Sport, lokale Theateraufführungen. Sie singen Bruchstücke von populären Melodien, erzählen die Witze des Tages und. nennen bekannte Produkte des Handels. Selbst darüber hinaus hat Döblin seinem Text große Brocken unverwandelten Materials einverleibt. Er verzeichnet z. B. alle Haltestellen von verschiedenen Straßenbahnen, und seine topographischen Angaben sind so genau, daß ein Leser mit einem ausführlichen Stadtplan von Berlin die Romanhandlung jederzeit von Straße zu Straße verfolgen kann. Er verwendet sowohl die Geburten- und die Sterbestatistik als auch die Börsenkurse von 1928. Wir werfen einen flüchtigen Blick auf Schaufensterreklamen, Gasthaus-Speisezettel, Schlagzeilen von Zeitungen. Döblin zitiert Polizeirapporte und amtliche Meldeformulare; er kopiert Artikel aus dem Konversationslexikon und Informationen aus dem Telefonbuch von 1928 und schildert die Arbeit im Berliner Schlachthaus sehr eingehend. Zu Beginn des 2. Buches reproduziert er die Abzeichen der öffentlichen Stellen der Stadt Berlin. Und aus all diesen und zahlreichen andern Fakten ersteht das überaus lebhafte und objektive Bild von Berlin zwischen den beiden Weltkriegen.

Es bildet — nach dem allgemeinen Urteil der Kritik — die Grundlage für den besten Großstadtroman der deutschen Literatur.

Döblin war in allen seinen Romanen der von Fakten Besessene. »Ich gebe zu, daß mich noch heute«, schrieb er 1929 *(Berlin Alexanderplatz* erschien in diesem Jahr), »Mitteilungen von Fakta, Dokumente beglücken, aber Dokumente, Fakta, wissen Sie, warum? Da spricht der große Epiker, die Natur, zu mir, und ich, der kleine, stehe davor und freue mich, wie mein großer Bruder das kann. Und es ist mir so gegangen, als ich dies oder jenes historische Buch schrieb, daß ich mich kaum enthalten konnte, ganze Aktenstücke glatt abzuschreiben, ja ich sank manchmal zwischen den Akten bewundernd zusammen und sagte mir: besser kann ich es ja doch nicht machen . . . das ist alles so herrlich und seine Mitteilung so episch, daß ich gänzlich überflüssig dabei bin.«[3] Die Faszination durch Fakten und die Montagetechnik waren damals nichts Neues. Jeder Leser, der Döblins frühere Werke kannte, hat wohl erwartet, diese Elemente auch in *Berlin Alexanderplatz* zu finden. In *Die Drei Sprünge des Wang Lun* (1915), einem Roman, der sich mit der Revolte von 1774 in China befaßt, hatte Döblin Listen von chinesischen Namen, Edelsteinen, Tieren, Pflanzen, Städten abgeschrieben. Er baute Auszüge aus Nachschlagewerken über Bräuche, Tänze und Kostüme jener Zeit und jenes Ortes ein. Neu in *Berlin Alexanderplatz* ist nicht die völlige Besessenheit von Fakten, sondern die Verwendung ihrer Quellen.

Döblin war ein produktiver Schriftsteller. Da aber *Berlin Alexanderplatz* ein so großer und rascher Erfolg beschieden war — großenteils dank des Schocks, den das dargestellte Verbrecher-Milieu auslöste —, glaubten die meisten Leute, er habe nur dieses eine Buch verfaßt. ». . . man nagelt mich auf den (als Schilderung der Berliner Unterwelt mißverstandenen) ›Alexanderplatz‹ fest«, beklagte sich Döblin später.[4] Dieser Roman war das erste Werk aus einer Reihe von Jahren, in dem er sich mehr mit der Gesellschaft der Gegenwart als mit der historischen Vergangenheit oder mit Utopien befaßte. »Ich kam damals sozusagen frisch aus Indien, damals, um die Mitte der zwanziger Jahre«, schrieb Döblin in einem Nachwort zu einer Neuauflage seines Romans (1955). »Ich kam aus Indien, d. h.: Ein indisches Thema hatte mich eine Zeitlang beschäftigt, das in dem epischen Werk ›Manas‹ seinen Niederschlag fand.«

»Wie rätselhaft: Da hatte ich mein ganzes Leben im Berliner Osten zugebracht, hatte die Berliner Gemeindeschule besucht, war aktiver Sozialist, übte eine kassenärztliche Praxis aus — und schrieb von China, vom Dreißigjährigen Krieg und Wallenstein und zuletzt gar von einem mythischen und mystischen Indien.«[5]

In *Berlin Alexanderplatz,* den er mit fast fünfzig Jahren schrieb, wandte sich Döblin der Stadt zu, die er gut kannte und so sehr liebte: hier wurden die Fakten nicht aus den Bibliotheken und Dokumenten geliefert, sondern von der Stadt selbst, die ihn von allen Seiten bedrängte. Und die Menschen seines Romans waren nicht historische oder fiktive Gestalten aus entlegenen Kulturen, sondern Verbrecher, Zuhälter, Dirnen und andere Gestalten aus den unteren Ständen, mit denen Döblin so vertraut war. »... mein ärztlicher Beruf hat mich viel mit Kriminellen zusammengebracht«, äußerte Döblin 1932 vor einem Lesezirkel. »Ich hatte auch vor Jahren eine Beobachtungsstation für Kriminelle.«[6] Mehr ist aber von Döblins Interesse am Verhalten der Kriminellen in anderem Zusammenhang zu bemerken: hier gilt es ganz einfach festzustellen, daß *Berlin Alexanderplatz* unmittelbar aus seinen eigenen Erfahrungen heraus geschrieben wurde. Döblin wandte sich mit jener gleichen Faszination und Objektivität dem Alltag des zeitgenössischen Berlin zu, die ihn packte, als er in den Lesesälen von Bibliotheken und Archiven Materialien über China und Indien zusammentrug.

Alfred Döblin wurde 1878 in Stettin geboren; er war der Sohn eines Schneiders. Als Döblin noch sehr jung war, verließ sein Vater die Familie und wanderte nach Amerika aus. Döblins Mutter übersiedelte bald mit ihren fünf Kindern nach Berlin, wo Döblin mit kurzen Unterbrechungen bis zu seiner Emigration im Jahre 1933 lebte. Nach der Volks- und Oberschule in Berlin studierte er Medizin und promovierte 1905 in Freiburg im Breisgau. Für weitere sechs Jahre betrieb er in verschiedenen Laboratorien neurologische Forschungen und war als Assistenzarzt an den psychiatrischen Kliniken von Buch und Regensburg tätig. Aber 1911 kehrte er nach

Berlin zurück und übte während der nächsten zweiundzwanzig Jahre seinen Doppelberuf aus.

»Vom Schreibtisch besessen war ich früh«, erinnert sich Döblin in seinem autobiographischen *Epilog*.[7] Um 1900 lernte er einen andern Schriftsteller aus dem Berliner Osten, Herwarth Walden, kennen und durch ihn wiederum viele andere junge Schreibende. Sie stimmten in ihrer Ablehnung alles dessen, was irgendwie nach Klassizismus oder Traditionalismus schmeckte, überein. Sie lehnten das nach ihrer Ansicht Unaufrichtige ab: vorab die Werke der großen Drei der vorhergehenden literarischen Generation: Gerhart Hauptmann, Stefan George und Thomas Mann. Ihre Vorbilder waren bestimmte ältere Dichter, deren Werke die neue Stimmung des Expressionismus schon ahnen ließen: der Lyriker Richard Dehmel und der Dramatiker Frank Wedekind. Döblins erste Versuche waren der Einakter »Lydia und Mäxchen« (1906), welcher eine gewisse Ähnlichkeit mit Stücken Pirandellos hat, und der Essay »Gespräche mit Kalypso über die Liebe und die Musik« (1910). Einen literarischen Namen machte er sich aber erst mit einer Reihe Erzählungen, die ursprünglich in Waldens expressionistischer Zeitschrift »Der Sturm« publiziert und später unter dem Titel »Die Ermordung einer Butterblume« (1913) zusammengefaßt erschienen. Aber Döblins »expressionistische« Phase war nicht von langer Dauer. Die »Sturm-Gruppe« war perplex, als sein erster Roman, *Die Drei Sprünge des Wang-Lun*, erschien. Und andere Vorfälle entfernten ihn von seinen literarischen Verbündeten. »Wir blieben aber freundschaftlich verbunden. Sie entwickelten sich ganz zu Wortkünstlern, überhaupt zu Künstlern. Ich ging andere Wege. Ich verstand die drüben gut, sie mich nicht.«

Zuerst kam die physische Trennung durch die Jahre des Krieges. Döblin verbrachte sie an der Westfront in Hörweite der Kanonen von Verdun. Wesentlicher war aber, daß Döblin nicht nur ein Schriftsteller war; er war Psychiater und Neurologe und führte eine gutgehende Praxis im proletarischen Osten Berlins. Und schließlich war er wie andere seiner Zeitgenossen — Gottfried Benn, Robert Musil, Hermann Broch — Intellektueller mit echtem Verantwortungsbewußtsein gegenüber der Wissenschaft. »Ich hielt Literatur und Kunst überhaupt nicht für sehr ernst. Man hat sich, war meine Auffassung, der Worte und der Literatur zu bedienen für andere Zwecke, für wichtige Zwecke.« Die Romane, die Döblin in diesen Jahren produzierte, waren daher Variationen über das zentrale Thema, das er in »Das Ich über der Natur« (1927), seinen Gedanken zur Naturphilosophie, formulierte. Er untersuchte darin die überaus komplizierte Lage des Menschen, der von der Gewalt der Natur und der Gesellschaft bedroht wird. Diese Probleme drängten sich Döblin täglich auf, da er sich mit den Kranken und Minderbemittelten einer der dichtesten Großstädte Europas während der Inflationsjahre beschäftigte: »Ich fand meine Kranken in ihren ärmlichen Stuben liegen; sie brachten mir auch ihre Stuben in mein Sprechzimmer mit. Ich sah ihre Verhältnisse, ihr Milieu; es ging alles ins Soziale, Ethische und Politische über.«[8] Diese Erfahrungen hatten direkten Einfluß auf Döblins politische Aktivität. Nach der Revolution von 1918/19 trat er aus der Sozialdemokratischen Partei aus und publizierte einen Band politischer Satiren (*Der deutsche Maskenball*, 1921), in dem er für einen vom Marxismus und kommunistischen Regiment befreiten Sozialismus plädierte. Döblin kümmert sich als Arzt, als Wissenschaftler, als politischer Mensch, als Schriftsteller um den einzelnen Menschen, der den Gewalten und dem Undurchschaubaren einer technischen Gesellschaft gegenübersteht und in Gefahr ist, von ihr überwältigt zu werden. Nirgends wurde dieses Ausgeliefertsein so deutlich wie im Berlin der zwanziger Jahre. Daher wurde Döblin immer mehr davon überzeugt, daß der Schriftsteller eine Verantwortung gegenüber der Gesellschaft trage und verpflichtet sei, für eine bessere Gesellschaft zu arbeiten, indem er die gegenwärtigen Mißstände aufdecke.

All diese Gedanken finden sich in *Berlin Alexanderplatz*. Döblins Faszination durch die Stadt muß teilweise zwar als Zug der Zeit verstanden werden. Die Stadt spielte bereits in einigen früheren Werken eine gewisse Rolle. So wirkt sie zum Beispiel in den *Aufzeichnungen des Malte Laurids Brigge* als Katalysator für die Angst Maltes und sein späteres Suchen nach einem Sinn des Daseins. Aber *Berlin Alexanderplatz* war in der deutschen Literatur die erste und bleibt vielleicht die größte Evokation einer Stadt um ihrer selbst willen.⁹ Das neue bewußte Erleben der Stadt, die Gewalt über das Leben des Menschen hat, tritt bei den bildenden Künstlern und den Schriftstellern des Expressionismus und des Kreises um den *Sturm* deutlich in Erscheinung: bei Oskar Kokoschka, Ernst Ludwig Kirchner, George Grosz und Max Beckmann. Es ist evident in Brechts frühen Stücken (z. B. in *Im Dickicht der Städte*, 1923) und in den Gedichten von Georg Heym. Aber Döblin entwickelt für seine Präsentation der modernen, großstädtischen Hölle einen vollkommen neuartigen und eigenen Stil.

Von der Romantechnik her gesehen, bestehen gewisse Parallelen zwischen Döblins Werk und John Dos Passos' *Manhattan Transfer* (1925, deutsche Übertragung 1927) oder Joyces *Ulysses*, den Döblin 1928, als er schon tief in der Arbeit an seinem eigenen Roman steckte, las und besprach.¹⁰ Die Technik der Montage und Collage, das Einführen des inneren Monologs, die Anteilnahme am Kampf des Menschen gegen die Stadt und andere gemeinsame Anliegen lassen diese drei Werke der gleichen allgemeinen Kategorie angehören. Und doch bestehen — wie wir sehen werden — gewaltige Unterschiede zwischen ihnen. Es ist angemessen, Döblins eigenes, entrüstetes Dementi der Joyce-Imitation, die Kritiker bei ihrem ersten Versuch, den Roman einzuordnen, ihm unterstellten, zu akzeptieren: ».. . also wenn ich schon einem folgen und etwas brauchen soll, warum muß ich zu Joyce gehen, zu dem Irländer, wo ich die Art, die Methode, die er anwendet (famos, von mir bewundert), an der gleichen Stelle kennengelernt habe wie er selbst, bei den Expressionisten, Dadaisten und so fort.«¹¹ Döblin war wahrlich tiefer von nichtliterarischen Mitteln beeinflußt: vom Montageeffekt, von den Kurzszenen und den raschen Perspektivenwechseln des Films, von den neuen akustischen Wirkungen des Rundfunks, mit denen er schon früh und mit Feuereifer experimentierte¹² und von den dadaistischen Kollagen zum Beispiel eines Kurt Schwitters, den Döblin von Blättern des *Sturm* kannte.¹³

Einer der überwältigenden Eindrücke, den *Berlin Alexanderplatz* hervorruft, ist die Diskontinuität. Der rasche Wechsel des Blickwinkels von Buch zu Buch, von Abschnitt zu Abschnitt, ja sogar im selben Satz stellt den Versuch dar, den vollständigen Spielraum der Stadt abzustecken, alle Aspekte zu berücksichtigen und durch die Simultaneität ihr Chaos wiederzugeben.

Der horizontale Schnitt wird durch einen vertikalen ergänzt. Döblin ist nicht allein daran interessiert, diese Simultaneität des Stadtlebens zu vermitteln, er glaubt vielmehr, daß der gegenwärtige Augenblick notwendig und geheimnisvoll Rückstände anderer Kräfte, Keime neuer Zeitalter in sich trägt. »Eine Zeit ist immer eine Symbiose vieler Seelen; die führende sucht sich die andern einzuverleiben.«[14] Vergangenheit und Zukunft sind daher in die Gegenwart, in die Simultaneität aller zeitgenössischen Ereignisse einbezogen, schrieb Döblin an anderer Stelle.[15] Diese Haltung erklärt solche Vorwegnahmen der Zukunft, wie sie der Erzähler zum Beispiel im Falle eines vierzehnjährigen Jungen, der eine Straßenbahn besteigt, vornimmt. Wir erfahren da, daß der Knabe Klempner, Vater von sieben Kindern werden und im Alter von fünfundfünfzig Jahren sterben wird. Man liefert uns sogar den Text der Todesanzeige, die vierzig Jahre später in einer Zeitung erscheinen wird.[16] Wichtiger aber ist, daß Döblins Sinn für die vertikale Simultaneität häufig Passagen vermittelt, in denen die Vergangenheit sinnvoll in die Gegenwart eingeflochten ist. So sind sowohl Teile der biblischen Geschichte als auch der griechischen Mythologie als Spiegelbilder der Gegenwartshandlung eingebaut. Das Motiv des Opfers, welches wir später untersuchen wollen, erscheint zuerst in einer Reihe von Abschnitten, in denen die Geschichten Hiobs mit Schilderungen aus dem Berliner Schlachthaus abwechseln.

Diese Auffassung von der horizontalen und vertikalen Gleichzeitigkeit birgt wichtige Konsequenzen für die Form des Romans in sich. In seinem aufschlußreichen Essay »Der Bau des epischen Werks« verficht Döblin im Gegensatz zu den herkömmlichen ästhetischen Theorien den Standpunkt, epische Dichtung habe nicht über vergangenes Geschehen zu berichten, sondern die Gegenwart darzustellen oder wiederzugeben. Aus diesem Grunde ist die verwendete Zeitform nebensächlich, sie kann nach Belieben variiert werden.[17] (Döblin springt in der Tat innerhalb eines einzigen Abschnittes von der Vergangenheit zur Gegenwart und zurück.) Der Erzähler muß die Ereignisse immer so schildern, als fänden sie eben in diesem Augenblick statt. Es ist ihm nicht erlaubt, über allem zu stehen wie der alles wissende Erzähler der traditionellen epischen Dichtung, der im voraus den Verlauf und das Ende seiner Geschichte kennt.

Diese Konzeption hat für die Rolle des Erzählers weitgehende Folgen. Es gibt in diesem Roman keinen einheitlichen erzählerischen Standpunkt, sondern vielmehr Dutzende von erzählenden Stimmen. Zeitweise zieht sich der Erzähler hinter die Wiedergabe bloßer Fakten zurück: Wetterberichte, Reklametexte, Zeitungsschlagzeilen usw. Dann wieder wendet er sich höflich, in mustergültigem Hochdeutsch, an den Leser. Im nächsten Atemzug schwatzt er mit seinem Helden im Jargon. Er zitiert in einem Augenblick statistische Angaben und im nächsten parodiert er den Ton der alttestamentlichen Klagelieder oder der griechischen Tragödien. Das heißt: Während Döblin den Verlauf seines ganzen Romanes wohl kennt, gewahrt der *Erzähler* nichts außerhalb des Stoffes, den er gerade in diesem Abschnitt darlegt. Mit andern Worten: Jeder Abschnitt erlangt in und durch die ihm gemäße Sprache eine eigene Stimme. Denn Sprache ist an sich schöpferisch, schrieb Döblin einmal. Sie stimuliert, ist sie gut gewählt, die Einbildungskraft. »Die größte formale Gefahr für den epischen Autor liegt darin, wenn er auf ein falsches Sprachniveau springt.«[18] Döblin hat unbedingtes Vertrauen zur Sprache, die — wie er es nennt — ein Spannungsnetz erzeugt, das sich über das ganze Werk erstreckt. Im Gegensatz zu den meisten Schriftstellern, die einen ihnen zusagenden Sprachstil gefunden und beibehalten haben, springt Döblin von einer Ebene zur andern und versieht jede mit der ihr gemäßen Sprache. Einmal ist es die Gerichtssprache, einmal die Sprache der Bibel. Einmal ist sie lyrisch, einmal ist es der Jargon des Alltags. Und jede Sprache ruft in einem bestimmten Abschnitt eine eigene Erzähl-Stimme hervor.

Das bedeutet selbstverständlich, daß sich die Stadt uns selbst als Chaos präsentiert. Sie wird von keiner auktorialen Einsicht gelenkt, die uns mit den Dingen in Beziehung setzt und sie uns erklärt. Das Werk drängt uns die Wirklichkeit gewaltsam und in rohester Form auf. Die Sprache selbst und die Anlage des Buches spiegeln das Chaos der Stadt wider.[19] Die stilistische Radikalität fordert den Leser dazu heraus, die Stadt so zu erleben wie der Held, Franz Biberkopf. Wir erfahren nicht nur, daß er sich vor dem Chaos fürchtet, sondern wir erhalten Gelegenheit, dieses Chaos mit ihm zusammen zu erleben.

Ursprünglich gab Döblin seinem Buch einfach den Titel *Berlin Alexanderplatz*, aber seine Verleger hielten diesen Titel für unangemessen (da er bloß der Name einer Straßenbahnhaltestelle war) und bestanden darauf, daß ein konventionellerer Untertitel hinzugefügt wurde: *Die Geschichte vom Franz Biberkopf*. Döblin war selbstverständlich im Recht. Der von ihm gewählte Titel unterstreicht den Umstand, daß sein Buch sich mit einem Kollektiv beschäftigt und kein traditioneller Roman über einen einzelnen Helden ist. Franz Biberkopf wird wiederholt als exemplarische Figur bezeichnet, so zu Beginn des sechsten Buches: »Denn der Mann, von dem ich berichte, ist zwar kein gewöhnlicher Mann, aber doch insofern ein gewöhnlicher Mann, als wir ihn genau verstehen und manchmal sagen: wir können dasselbe erlebt haben wie er.« Der volle Titel allerdings zeigt die Spannung an, die dem ganzen Roman Straffheit verleiht: die Stadt besteht und wird hier als Widersacher von Franz Biberkopf dargestellt.
Aus diesem Grunde muß die Stadt als eine so vitale und lebendige Macht wiedergegeben werden. Natürlich hat der chaotische, ja dämonische Aspekt, unter dem die Stadt erscheint, nur dann einen Sinn, wenn uns bewußt wird, daß sich die Stadt Biberkopf auf diese Weise gewaltsam aufdrängt. Ein Held anderen Charakters, mit größerer analytischer Intelligenz, würde die Stadt nicht auf diese Art erleben. Wir haben zum Beispiel gesehen, wie Malte Laurids Brigge danach strebt, die Stadt in seinem Bewußtsein ästhetisch — in geordneten Bildern — zu bewältigen. Der Stil von Döblins Buch hängt direkt mit dem Charakter des Helden, dieses spezifischen Helden, zusammen. Dieser Umstand unterscheidet Döblins Roman von denjenigen Dos Passos'. Dos Passos kennt nicht nur eine Hauptfigur, sondern mehrere. Er erzielt seine Breite, indem er den verschiedenen Gestalten durch die Stadt folgt. Bei Döblin ist alles reduziert auf den grundlegenden Konflikt zwischen Biberkopf und der Stadt Berlin. Sein Roman, sagte Döblin einmal, sei, im Unterschied zu Dos Passos' Polyphonie, homophon.[20]

»Die Frage, die mir der ›Manas‹ zuwarf, lautete: Wie geht es einem guten Menschen in unserer Gesellschaft? Laß sehen, wie er sich verhält und wie von ihm aus unsere Existenz aussieht.« So faßt Döblin das Problem, das seinem Buch zugrunde liegt, in seiner autobiographischen Schrift *Epilog* von 1948 zusammen.[21] Der »gute Mensch«, den Döblin für sein literarisches Experiment auswählte, heißt Franz Biberkopf. Biberkopf kämpfte als Soldat der deutschen Armee in den Schützengräben des Ersten Weltkrieges. Während der Tage der Revolution im November 1918 aber desertierte er mit einigen Freunden, die später Mitglieder der Kommunistischen Partei wurden. Biberkopf, ein großer, starker Mann von begrenzter Intelligenz, fand eine Stelle als Möbeltransport- und Zementarbeiter. Aber innerhalb sehr kurzer Zeit kam er auf unerklärte Weise mit der Unterwelt in Berührung. Einer seiner Freunde, Herbert, war der Anführer einer Zuhälter- und Betrügerbande. Und Eva, Herberts Geliebte zu Beginn des Romanes, war in den ersten Jahren nach dem Krieg für eine Weile Biberkopfs Freundin. 1923 traf und verführte Franz dann das Mädchen Ida. Eine Zeitlang lebte er zufrieden von ihren Einkünften als Prostituierte. Als er aber argwöhnte, sie würde ihn um eines andern Mannes willen verlassen, schlug er sie in einem Wutanfall so schwer, daß sie fünf Wochen später an den Verletzungen starb. Biberkopf wurde wegen Totschlag zu vier Jahren Gefängnis verurteilt. Diese Vorgeschichte läßt sich nach und nach aus verschiedenen Hinweisen im Text zusammentragen. Wir begegnen aber Biberkopf erst im Herbst 1927, am Tage seiner Entlassung aus dem Gefängnis Tegel, und wir begleiten ihn im ersten Kapitel auf seiner Fahrt mit der Straßenbahn von der Peripherie zum Herzen der Stadt. Biberkopf ist zu dieser Zeit ungefähr dreißig Jahre alt.

Trotz seiner kriminellen Vergangenheit ist Biberkopf eigentlich ein guter Mensch mit einem rührend naiven Verlangen nach Ordnung und Sicherheit. Er ist, wie Robert Minder hervorhebt[22], ein säkularisierter und proletarisierter »Deutscher Michel«, Prototyp des einfachen jungen Deutschen, der von Parzifal bis Hans Castorp in der deutschen Literatur in verschiedenen Hypostasen die Rolle des Helden einnimmt.

Beim Verlassen des Gefängnisses beschließt Biberkopf, ein

neues Leben zu beginnen. Er macht keinen Versuch, mit Herbert, Eva und seinen anderen alten Freunden in Kontakt zu kommen. Er will noch einmal beginnen, und das Motto, das er fortwährend wiederholt, lautet: »Sei anständig und unabhängig.« Aber die Stadt zeigt sich Biberkopf gegenüber alles andere als ordentlich. Sie ist ein furchtbares, gärendes, gefährliches Chaos — die große Hure Babylon, um eines der eindrücklichsten Bilder des Buches zu nennen. So vermag sich Biberkopf im ersten Abschnitt kaum von der roten Mauer des Gefängnisses loszureißen. Schon zu diesem frühen Zeitpunkt ist das Gefängnis ein Symbol für die Ordnung, zu dem Franz in Gedanken oft zurückkehrt. Bei zwei Gelegenheiten — die Dinge stehen schlecht für ihn — nimmt er die Elektrische nach Tegel hinaus und verbringt einige Stunden im erquickenden Schatten des großen Gebäudes. Nach vier Jahren Ordnung muß Franz dem Chaos der Stadt gegenübertreten.

Die ersten Stunden, die er mit dem wimmelnden Straßengesindel verbringt, sind so niederschmetternd, daß Franz von einer Halluzination befallen wird: die Dächer scheinen von den Häusern zu rutschen. Verzweifelt rast er durch ein offenes Tor in den Hof eines Gebäudes und beginnt Verse des Liedes »Die Wacht am Rhein« zu singen. Diese Hymne, welche als Leitmotiv durch den ganzen Roman eingesetzt ist, hat eine wichtige Funktion: sie unterstreicht ebenfalls Biberkopfs Sehnsucht nach einer geordneten Welt.

Dieser grundlegende Konflikt zwischen Chaos und Ordnung läßt eine Reihe von symbolischen Leitmotiven erstehen, die, in fast unendlicher Vielfalt ineinander verstrickt, verschiedene Bedeutungsebenen erzeugen. Betrachten wir einige charakteristische Beispiele.[23] Um die Naivität von Franzens Vision von Ordnung wiederzugeben, führt der Autor zu Beginn des zweiten Buches zwei Motive ein: Adam und Eva im Paradies und den kleinen Refrain aus Humperdincks Oper *Hänsel und Gretel:* »Mit den Händchen klapp, klapp, klapp, mit den Füßchen trapp, trapp, trapp, einmal hin, einmal her, ringsherum, es ist nicht schwer.« Diese beiden Motive werden wiederholt heraufbeschworen, um die kindlichen Erwartungen Biberkopfs zu unterstreichen, wenn es ihm gut geht. Es heißt z. B., wenn Biberkopf beschließt, Zeitungen zu verkaufen, um seinen Unterhalt ehrlich zu verdienen, und seine neue Freundin ihm dabei helfen kann: »Sie haben ihm davon erzählt, Lina kann helfen, und es ist was für ihn. Einmal hin, einmal her, ringsherum, es ist nicht schwer.«[24] Dieses Zitat aus dem Liedchen bedarf nicht des geringsten Kommentars.

Aber die verschiedenen Verbindungen wirken oft trivial. Denn Franz beginnt zuerst mit dem Vertrieb von homosexuellen Magazinen — ein absurder Kontrapunkt zur kindlichen Einfalt des Humperdinckschen Librettos. Er wechselt jedoch bald zu der einträglicheren Nazizeitung *Der Völkische Beobachter*. »Er hatte nichts gegen die Juden, aber er ist für Ordnung. Denn Ordnung muß im Paradiese sein, das sieht ja wohl ein jeder ein.«[25] Nur eine einfältige Seele vermag groteskerweise Nazipropaganda, Vorstellungen vom Paradies und ein Kinderlied zu *einer* Vision zu vereinigen. Es ist jedoch so, daß Döblin hier ohne jegliches Dozieren oder Psychologisieren den Finger auf etwas zutiefst Wahres gelegt hat: der Wunsch nach Ordnung, der in diesen einfachen Idyllen zum Ausdruck kommt, erklärt die Bereitwilligkeit, mit der viele Deutsche der Heuchelei der Nazipropaganda erlagen.[26] Döblin zeigt mit raffinierten Mitteln dieses naive Verlangen nach Ordnung auf, das Hand in Hand geht mit einer Weigerung, der Realität offen ins Auge zu blicken und eine persönliche Verantwortung auf sich zu nehmen.

Franz ist völlig unpolitisch. Er handelt mit Nazizeitungen, wie er sagt, nicht weil er gegen die Juden, sondern weil er für Ordnung ist. Wenn seine Freunde aus den Schützengräben, die nun zur Kommunistischen Partei gehören, ihm Vorwürfe machen, er verkaufe sich an die Nazis, ist Franz entrüstet. Diese Möglichkeit ist ihm nie eingefallen. Er vermag aber den Vorwürfen nicht mit rationalen Argumenten zu entgegnen. Er singt statt dessen »Die Wacht am Rhein«, seine irrationale Antwort auf eine vollkommen rationale Frage. Seine bevorzugte Zeitung ist die »Grüne Post«, die ihm am besten gefällt, weil da nichts Politisches drinsteht.[27] Wenn er in den von ihm besuchten Kneipen auf politisch orientierte Leute stößt, so weigert er sich, an ihren Unterhaltungen teilzunehmen, weil Politik ihn nicht interessiert. Sein Bedürfnis unabhängig zu sein, sitzt so tief, daß er überhaupt kein Solidaritätsgefühl anerkennt. Hört er, wie ein Arbeiter sich für die

Organisation der Massen einsetzt, kichert er in sich hinein: »Es rettet uns kein höheres Wesen, kein Gott, kein Kaiser, kein Tribun, uns von dem Elend zu erlösen, können nur wir selber tun.«[28] Und das Leitmotiv, das dieses naive Selbstvertrauen anzeigt, ist die Kobra. Biberkopf wünscht Ordnung als Bollwerk gegen das Chaos. Er hebt seine eigene Unabhängigkeit über jede Gruppensolidarität. Aber die Sprache der Leitmotive macht uns im voraus darauf aufmerksam, daß Biberkopf selbst die Schlange in seinem Paradies ist. Denn es ist letztlich sein blindes Beharren auf Unabhängigkeit, das den totalen Zusammenbruch seiner kindlichen Vision von Ordnung herbeiführt.

Der Roman konfrontiert uns auf verschiedenen Ebenen mit Problemen: Menschen contra Stadt, Ordnung contra Chaos, Unabhängigkeit contra Solidarität. Und die meisten Leitmotive und Symbole des Werks sind in irgendeiner Weise in dieses Spannungsnetz verstrickt. So wie Franz zwischen Erfolg und Versagen baumelt, wie er von der Vision vom Paradies und derjenigen vom Niedergleiten der Dächer hin und her gerissen wird, so pendelt er aus einer glücklichen und vertrauensvollen Stimmung in die Verzweiflung und wieder zurück.

Der Roman ist jedoch mehr als eine Montage aus Bestandteilen des zeitgenössischen Stadtlebens oder eine Symphonie von Symbolen und Leitmotiven. Er ist ebenso eine profunde Charakterstudie, die bis ins einzelne Döblins technische Beherrschung der Theorien seiner Zeit aufdeckt. Denn Franz Biberkopfs Persönlichkeit kann ganz konzis und präzis auf Grund der Kategorien, die Ernst Kretschmer in seinem epochemachenden Buch *Körperbau und Charakter* (1921) vorgeschlagen hat, beschrieben werden.[29] Kretschmers Buch war nicht nur ein Markstein innerhalb der Psychiatrie der zwanziger und dreißiger Jahre; es wurde in Deutschland sofort zum einflußreichsten Werk für die Kriminologie. Diese Studie, die er in seiner Eigenschaft als Neurologe und Erforscher der Kriminalität gut gekannt hat, müßte deshalb für Döblin aus wenigstens zwei Gründen von brennendem Interesse gewesen sein. Aber ob sich Döblin bewußt an Kretschmers Typenlehre hielt oder ob seine Charaktere einfach einer weithin anerkannten Theorie der Zeit entsprachen oder ob er die Gestalt Biberkopfs nach keinem im voraus konzipierten Muster schuf: Biberkopf zeigt, betrachtet man ihn im Lichte der Kretschmerschen Theorie, eine auffallende Folgerichtigkeit in der Charakteranlage.

Kretschmer teilt die Menschen auf Grund des Körperbaus in drei — asthenische oder leptosome (schmächtige), athletische und pyknische (zu Fettansatz neigende) — und auf Grund des Charakters in zwei Hauptkategorien, nämlich in schizothyme (zwischen Empfindsamkeit und Kälte schwankende) und zyklothyme (zwischen Fröhlichkeit und Trauer schwankende) Menschen ein. Obgleich Kretschmer keinen Versuch unternahm, die Typen scharf zu umreißen, weisen seine Statistiken darauf hin, daß Pykniker am häufigsten zu einem zyklothymen Charakter neigen, während asthenische und athletische Typen sich mehr zu schizothymen Wesen entfalten. Es fällt sofort auf, daß Franz Biberkopf, »ein grober, ungeschlachter Mann von abstoßendem Äußern«[30], dessen Epitheta »der Dicke« und »stark wie eine Kobra« sind, zur Kategorie der zyklothymen Pykniker gehört. Seine fast ungestüme und arglose Dreistigkeit und Fröhlichkeit wechseln mit Depressionen und gewollter Einsamkeit. Wenn ihm ein Strich durch die Rechnung gemacht worden ist, zieht er sich trüben Sinnes auf sein Zimmer zurück.

Gerade dieser Menschenschlag ist sehr anfällig für manischdepressiven Wahnsinn. Das Bild dieser Krankheit paßt genau auf Biberkopf, dessen akute Depression ihn endlich in die psychiatrische Abteilung des Krankenhauses Buch bringt. Während des depressiven Zustandes ist der Patient tiefer Melancholie ausgesetzt und keiner Tat fähig. Er ist von hypochondrischen Ideen und Halluzinationen besessen. All dies mag erklären, weshalb Franz häufig über seinen körperlichen Zustand nachdenkt: am Anfang des Buches hat er Angst vor Impotenz, er hat Kummer wegen ungenügenden Gewichts, er ist verzweifelt und hat ein Gefühl von Untauglichkeit nach dem Verlust des Armes. Ähnliche Symptome sind leicht zu finden. Es erlaubt auch eine überzeugende Interpretation der Halluzinationen, an denen er während seiner Depressionen leidet. Sie reichen von der Vision der von den Häusern gleitenden Dächer bis zu den heftigen Anfällen im Irrenhaus, wo er in einem Zustand katatonischen Wahnsinns daliegt. Im ganzen stellt Franz Biberkopf fast einen Lehrbuch-Fall des zyklothymen Pyknikers dar, dessen Gefühlszustand sich zu einem manisch-depressiven Wahnsinn entwickelt.

Nun zeigen die Kriminalitätsstatistiken, die Kretschmer aus Quellen der ganzen Welt gesammelt hat, daß weniger abgefeimte Verbrecher, solche also, die einer Rehabilitierung am zugänglichsten waren, eher zum Typ der zyklothymen Pykniker, harte Verbrecher dagegen meistens zum Typ der schizothymen Astheniker gehörten. (Diese Schlüsse werden von Statistiken, die später in den Gefängnissen der Vereinigten Staaten zusammengestellt wurden, nicht bestätigt.) Die ersteren begehen ihre Verbrechen in plötzlichen Anfällen von Wut und werden nachher von tiefer Reue geplagt — genau wie Franz Biberkopf, als er Ida tötet. Der ruchloseste Verbrecher des Romans dagegen ist in jeder Hinsicht der klassische Typ eines asthenischen Schizothymen: dünn bis zur Hagerkeit, kalt hassend und berechnend plant Reinhold die Entführung von Mieze als einen Racheakt gegen Biberkopf. Nach der Ermordung zeigt er nicht die leiseste Spur von Reue, sondern kalkuliert nur kalt die eigenen Chancen, auf Ehrenwort frei zu werden. Im Falle dieser beiden Hauptfiguren besteht eine erstaunlich enge Korrelation zwischen Kretschmers theoretischen Typen und der Physis bzw. dem Charakter der Romangestalt. Einfluß wäre nicht das richtige Wort, um die Beziehung Döblin-Kretschmer zu kennzeichnen. Die Relation müßte negativ gesehen werden: Döblin scheint in seiner Charakterisierung jeden physischen und jeden psychischen Zug vermieden zu haben, der mit der führenden psychiatrischen und der kriminologischen Theorie der Zeit unvereinbar gewesen wäre. Biberkopf ist aber als Gestalt zu konsequent und zu überzeugend, um nur die Verkörperung einer Theorie zu sein. Er erhebt sich sozusagen aus dem Buch selbst, aus dem Milieu und der Sprache von Berlin. Und doch ist die Parallele so frappant und für die Interpretation und das Verständnis seines Charakters und seines Nervenzustandes so nützlich, daß es ganz sachdienlich scheint, Kretschmers Terminologie einzuführen.

Kehren wir zum Roman zurück: Wir haben beobachtet, daß die innere Spannung des Buches eine Spannung zwischen

Chaos und Ordnung darstellt. Biberkopf kehrt aus dem Gefängnis in die Freiheit zurück, entschlossen, ein neues Leben aufzubauen, anständig und unabhängig zu sein. »Aber da hatte sich draußen nichts verändert, und er selber war der gleiche geblieben. Wie sollte da ein neues Resultat entstehen?« So fragt Döblin in seinem Nachwort zur Ausgabe von 1955. »Offenbar nur, indem einer von den beiden zerstört wurde, entweder Berlin oder Franz Biberkopf. Und da Berlin blieb, was es war, so fiel es dem Bestraften zu, sich zu verändern. Das innere Thema also lautet: Es heißt opfern, sich selbst zum Opfer bringen.«[31] Das Thema Opfer ist, wie wir bereits bemerkt haben, in gewissen Szenen des Romans vorweggenommen, z. B. im Schlachthaus, in Hiobs Bittgebeten und Leiden, in den Hinweisen auf Abraham und Isaak. Diese Montage-Elemente unterstreichen die Notwendigkeit des Opfers, lange bevor es Biberkopf bewußt wird. Aber es gibt einen andern Komplex von Montagebestandteilen, der im Hinblick auf den Rhythmus der Entwicklung im Roman mehr enthüllt.

Verhältnismäßig früh im Roman wird der Begriff der klassischen Tragödie als ironischer Kontrast zur alltäglichen Realität eingeführt. Franz Biberkopf hat sich ein neues Leben aufgebaut. »Er ist stark wie eine Kobraschlange und wieder Mitglied eines Athletenklubs.«[32] Darauf fragt sich der Erzähler seltsamerweise: »Hetzen ihn, von früher her, Ida und so weiter, Gewissensbedenken, Albdrücken, unruhiger Schlaf, Qualen, Erinnyen aus der Zeit unserer Urgroßmütter? Nichts zu machen. Man bedenke die veränderte Situation.« Und dann gibt er kurz die Geschichte von Orests Mord an Klytämnestra und Orests Verfolgung durch die Erinnyen wieder. »Ich sage, veränderte Zeiten. Hoi ho hatz, schreckliche Bestien, Zottelweiber mit Schlangen, ferner Hunde ohne Maulkorb, eine ganze unsympathische Menagerie, die schnappen nach ihm, kommen aber nicht ran, weil er am Altar steht, das ist eine antike Vorstellung . . . Franz Biberkopf hetzen sie nicht.« An diesem Punkt fügt der Erzähler mit einer der eindrucksvollsten Montagen des Romans die Wiedererzählung von Idas Ermordung ein. Er benützt zu diesem Zweck eine weitschweifige Diskussion über Newtons Axiome und die passenden Symbole aus der Physik. »Bei solcher zeitgemäßen Betrachtung kommt man gänzlich ohne Erinnyen aus«, folgert er selbstgefällig.

Der Leser amüsiert sich über die Nebeneinanderstellung von klassischer Tragödie und physikalischen Formeln. Döblin ist sich des humoristischen Effekts wohl bewußt, wenn er verschiedene Spracharten mischt, wenn er die Begebenheiten, die sich auf einer bestimmten Ebene abspielen, mit dem von einer andern Stufe geborgten Vokabular beschreibt.[33] Aber der Leser fragt sich gleichzeitig, ob dies alles nur Parodie sei. Denn dieses Nebeneinanderstellen von Antikem und Modernem, von Tragödie und Realität erscheint im Laufe des Romans zu oft, um aus bloßem Mutwillen da zu sein. So wird zu Beginn des siebenten Buches der gemeine Mord an einer Prostituierten — die Begleitumstände sind denen von Franzens Mord an Ida nicht unähnlich — ausdrücklich eine »Schicksalstragödie« genannt. Und der Terminus weckt ganz bestimmte Assoziationen an eine Gruppe von deutschen Dramen der Romantik, die auf Grund einer gänzlich falschen Auffassung der griechischen Tragödie den Niedergang des Helden als von einem äußeren Schicksal herbeigeführt betrachteten. Bei anderer Gelegenheit bemerkt eine weniger bedeutende Figur: »Man soll sich nicht dicke tun mit seinem Schicksal. Ich bin Gegner des Fatums. Ich bin kein Grieche, ich bin Berliner.«[34]

Verhält sich aber nicht Franz Biberkopf gerade so? Wenn immer ihm etwas Widriges zustößt, lehnt er laut jede Schuld und Verantwortung ab und jammert, das Schicksal habe ihm einen gemeinen Schlag versetzt. Er will ehrbar sein, aber er geht mit geschlossenen Augen durchs Leben, völlig unfähig oder nicht willens, die Realität zu erkennen. Er ist ein vollkommener Zyklothyme: ein offenes Buch für die Umwelt, jovial, arglos, blind für die Charaktereigenschaften anderer. Erst auf den letzten Seiten des Buches, nach seiner Entlassung aus der neurologischen Klinik, vermag Franz die Welt wie ein »Berliner« zu betrachten: »Da werde ich nicht mehr schrein wie früher: das Schicksal, das Schicksal. Das muß man nicht als Schicksal verehren, man muß es ansehen, anfassen und zerstören.«[35] Franz Biberkopfs Entwicklung — wenn es erlaubt ist, den Terminus Entwicklung anzuwenden, um eine

Wandlung, die so plötzlich und erst ganz zum Schluß des Romans eintritt, zu beschreiben — führt von der griechischen Konzeption des Schicksals zu einer modernen Sicht der Wirklichkeit.

Wenn aber Biberkopfs Haltung bis zu den letzten Seiten eher der eines »Griechen« als der eines modernen Städters ist, so halten die Dementis des Erzählers, was eine Tragödie betrifft, der Wahrheit nicht mehr stand. Eine Tragödie im Sinne von Verhängnis ist bei einem Menschen mit nüchternem, realistischem Blick für die Welt unmöglich. Aber von Biberkopfs Gesichtspunkt her ist eine solche Tragödie durchaus denkbar, weil er bis zuletzt an ein unabwendbares Schicksal *glaubt*. Objektiv betrachtet, ist das, was Biberkopf widerfährt, das Resultat seiner Naivität, seiner Albernheit und seiner Unverschämtheit. Diese Charakteranlagen machen ihn unfähig, sich mit der Welt auseinanderzusetzen. Von einem »inneren« Gesichtspunkt her aber weist der Roman — man darf es wohl so nennen — den Rhythmus der klassischen Tragödie auf. Und gerade dieser Rhythmus scheint sowohl die Bewegung, als auch die Handlung des Romans aufrecht zu erhalten. Das Spannungsnetz, von dem Döblin spricht, wird durch die Montage der Stadt, durch die Sprache ihrer verschiedenartigen Bewohner und durch den Charakter Biberkopfs geliefert. Das sind sozusagen die Konstanten. Die eigentliche Bewegung der Handlung kommt dem Rhythmus einer Tragödie sehr nahe. Es handelt sich allerdings um eine Tragödie, die der Erzähler andauernd und am Ende sogar der Held nicht anerkennt. Verneint wird aber der Sinn, nicht die Form der Tragödie. Form ohne Sinn ist nichtsdestoweniger Form. *Berlin Alexanderplatz*, glaube ich, erhält seine Einheit der Handlung durch eine bewußte Travestie der Tragödie mit all ihren charakteristischen Bestandteilen. Wir erkennen dies sehr deutlich, wenn wir den Aufbau des Romans bis ins einzelne untersuchen.

Der Roman besteht aus neun Büchern. Sie sind durch die drei Rückschläge, die Franz Biberkopf erleidet, unterteilt. Dieser innere Rhythmus wird durch die Vorbemerkungen des Erzählers vorweggenommen. »Dann aber wird er, obwohl es ihm wirtschaftlich leidlich geht, in einen regelrechten Kampf verwickelt mit etwas, das von außen kommt, das unberechenbar ist und wie ein Schicksal aussieht. Dreimal fährt dies gegen den Mann und stört ihn in seinem Lebensplan.«[36] Ordnen wir die neun Bücher des Romans gemäß diesem Dreierrhythmus, so hebt sich ein bestimmtes Muster ab. Das erste Buch, welches von Biberkopfs Entlassung aus dem Gefängnis und seinen ersten Anstrengungen, das Gleichgewicht wieder zu gewinnen (ungefähr eine Zeit von fünf Wochen umfassend), erzählt, ist wenig mehr als ein Auftakt zur ersten Episode. Die drei Hauptereignisse verteilen sich dann auf je ein Paar von Büchern (zwei und drei, vier und fünf, sechs und sieben). Jede Gruppe zeigt den gleichen Rhythmus, allerdings steigert sich die Intensität. Das erste Buch jedes Paares zeichnet Biberkopf, wie er sich von einem vorangegangenen Rückschlag erholt, während das zweite den nächsten vorbereitet, der dann regelmäßig am Ende der Bücher drei, fünf und sieben eintritt. Das achte und neunte Buch stellen zusammen eine andere Gruppe dar. In ihnen ist von Biberkopfs Erholung von einem Schlag, den er am Ende des siebenten Buches erhalten hat, die Rede, und hier ist der Wendepunkt geschildert: Biberkopfs Hinwendung zu einer völlig neuen Sicht. Er realisiert, daß das Leben nicht ein geordnetes Paradies ist und daß es sich für einen Mann geziemt, mit offenen Augen durch die Welt zu gehen, ohne sich über irgendein »Schicksal« zu beklagen, das unfreundlich mit ihm verfahren war.

Die Umstände, die zu den drei hervorragenden Ereignissen führen, weichen stark voneinander ab, zeigen jedoch eine auffallende Gleichheit in bezug auf die Motivation. Am Schluß des zweiten Buches hat sich Biberkopf vollkommen erholt: er ist »stark wie eine Kobraschlange« und will im Märchenparadies seiner Einbildung unbedingt ehrlich und unabhängig sein. Er hat eine neue Freundin, Lina; er hat aus seinen Zeitungen ein angenehmes Einkommen, und in den Kneipen des Berliner Ostens ist er im allgemeinen ein gerngesehener Gast, der es mit jedem aufnehmen kann. Weihnachten kommt näher. Franz wechselt das Geschäft. Er zieht mit Linas Onkel, Otto Lüders, von Tür zu Tür und verkauft Kurzwaren. Eines Tages trifft er eine einsame junge Witwe, der er viel mehr verkauft als nur seinen Koffer voller Ware. Er kommt vergnügt in seine Stammkneipe zurück und prahlt bei Lüders von diesem vielversprechenden neuen Geschäft.

Als er eine Woche später zu seiner kleinen Witwe zurückkehrt, erfährt er, daß Lüders, durch Biberkopfs Frohlocken
ermuntert, in der Zwischenzeit bei ihr gewesen war, um aus
der Situation Kapital zu schlagen. Die Witwe weigert sich,
Biberkopf zu empfangen. Er ist dann durch Lüders' Betrug,
der ganz und gar nicht in seine naive Paradies-Vorstellung
von der Welt paßt, so verwirrt, daß er für mehr als einen
Monat von der Bildfläche verschwindet. »Er wollte anständig
sein, aber da sind Schufte und Strolche und Lumpen, darum
will Franz Biberkopf nichts mehr sehen und hören von der
Welt . . .«[37]

In dieser ersten Episode sehen wir, wie in Biberkopf eine
vollkommene Wandlung vorgeht: aus einem anfänglichen
Depressionszustand schwingt er sich auf den Gipfel manischer
Überschwenglichkeit und fällt dann in eine noch größere
Depression zurück. In jedem Fall ist seine Reaktion typisch:
er zieht sich voller Selbstmitleid von der Welt zurück. Im
Vergleich zu den folgenden Ereignissen scheint die Provokation hier ganz trivial zu sein. Jeder vernünftige, klar sehende
Mensch hätte Lüders auf den ersten Blick als Schurken erkannt. Eines ist aber interessant: an der ganzen Bestürzung
ist einzig Franzens Prahlerei schuld. Hätte er den Mund gehalten und seine Angelegenheiten für sich behalten, hätte Lüders keine Gelegenheit gehabt, ihn zu betrügen. Sein Zusammenbruch steht in einem direkten Zusammenhang mit einem
Charakterfehler, nämlich mit dem Zwang zu prahlen und
dem Willen, andere von der eigenen Klugheit zu überzeugen.
Genau dieselbe Kombination von Umständen führt zum
nächsten, weit ernsteren Vorfall. Nachdem sich Franz allmählich von Lüders' Betrug erholt hat, bewegt er sich ein
paar Häuserblocks weiter, er zieht vom Rosenthaler Platz in
einen andern Teil Berlins: zum Alexanderplatz des Romantitels. Hier findet er eine neue Freundin und eine neue Gruppe von Freunden. Aber ohne es wahrzunehmen, ist Franz
unter eine Diebesbande geraten. Er ist fähig, einigen der
schlimmsten Verbrecher von Berlin ins Gesicht zu sehen und
zu glauben, daß die Gruppe, wie sie sagt, mit »Obst« handelt. Sein zweiter Zusammenbruch hat mit einem Mitglied
dieser Bande zu tun, dessen Charakter Franz nicht zu beurteilen vermag.

Reinholds Persönlichkeit setzt sich aus anscheinend widersprüchlichen Eigenschaften zusammen; sie zeichnen aber den Typ des asthenischen Schizothymen aus. Er ist ein Mann von kalter Grausamkeit, der aber gefühlvollen Stimmungen unterliegt und dann — wenn sie ihn befallen — Zusammenkünfte der Heilsarmee besucht. Eigentlich ist er Abstinent, schlürft Kaffee und Limonade, aber gelegentlich trinkt er sich in Wut, um seine Freundinnen loszuwerden. Er hat einen offensichtlichen Hang zur Homosexualität, braucht aber hin und wieder eine Frau; nur erträgt er keine Geliebte länger als einen Monat.[38]

Vom ersten Augenblick an ist Franz von Reinhold fasziniert. Aus dem psychologisch gesehen komplexen Verhältnis der Männer lassen sich zumindest drei Elemente deutlich erkennen. Einmal paßt Reinholds betonter Sadismus zu gewissen unbewußten masochistischen Tendenzen von Franz: Franz liebt es, mit sich selbst Mitleid haben zu können. Dann stimmt Reinholds stramme Selbstdisziplin mit Franzens Verlangen nach Ordnung überein: der einfache »Deutsche Michel« ist empfänglich für den »Führer«-Typus. Und schließlich tritt, wie Robert Minder hervorgehoben hat, in dieser zweifelhaften Kameradschaft der beiden deutlich ein Zug von Homoerotismus zutage.[39]

Aber es ist hauptsächlich das Verhältnis zu den Frauen, das Reinhold an Biberkopf bindet, denn Franz hat mit seiner offenherzigen Art leichter Zugang zum weiblichen Geschlecht als Reinhold, der nur die Gewalt kennt. So schlägt Reinhold einen »Mädchenhandel« vor. Franz soll jeden Monat Reinholds Freundin übernehmen und sie dann abschieben, um nach vier Wochen bereit zu sein, das nächste Mädchen zu übernehmen. Zuerst stimmt Franz dem Plan zu, aber als das zweite Mädchen bei ihm wohnt, beginnt es ihm unbehaglich zu werden. Er hat Cilly gern und darüber hinaus hält er es für falsch und unordentlich, Mädchen auf diese Weise zu behandeln. So beschließt er, Reinhold zu »erziehen«. Als Reinhold der momentanen Freundin müde zu werden beginnt, treten Franz und Cilly mit ihrem Plan an diese Freundin heran. Im geheimen erklärten sie auch der »neuen Frau«, auf die Reinhold ein Auge geworfen hat, die Situation. Auf diese Weise vermögen sie den *status quo* viel länger aufrecht zu erhalten, als es je der Fall gewesen war. Reinhold ist zwar durch den Umstand, daß er viel länger, als es seiner Gewohnheit entspricht, mit dem selben Mädchen zusammengelebt hat, etwas aus der Fassung gebracht, er nimmt jedoch nicht bewußt wahr, was eigentlich geschieht. Aber Franzens unüberwindbares Bedürfnis zu prahlen und seine Prinzipien an die Leute zu bringen, verdirbt die Situation. Die Menschen sollen ihn und seine »Anständigkeit« bewundern. So hänselt er Reinhold eines Abends in Gegenwart ihres Freundes Meck. »Das ist ja sein Erziehungsobjekt, das ist ja sein Zögling, den kann er mal jetzt seinem Freund Meck servieren.«[40] Schalkhaft läßt er Reinhold ahnen, was vor sich geht. »Das hat er geschafft. Wer denn, als wie icke. Und strahlt seinen Meck an, der ihm Bewunderung nicht versagt. ›Was, Meck, wir schaffen Ordnung in der Welt‹ . . .« Diese Prahlerei löst Reinholds Gewalttätigkeit gegenüber Franz aus.

Eines Abends begleitet Franz die Bande zur Arbeit. Er ist noch immer einfältig genug zu glauben, daß sie rechtmäßige Ware und Lieferung hinaustrügen. Erst in letzter Minute wird ihm bewußt, daß es sich um einen Einbruch handelt und daß er, Franz, Schmiere zu stehen hat. Als Franz mit der Bande in eines der Fluchtautos, das von einem andern Wagen verfolgt wird, geklettert ist, lacht er vergnügt in sich hinein und denkt, es würde ihnen recht geschehen, wenn sie gefaßt würden, er selbst habe nichts mit der Sache zu tun. Reinhold gerät angesichts dieser Haltung in Wut und erinnert sich an Franzens früheres Benehmen. » . . . das ist Biberkopf, der ihn hat sitzen lassen, der ihm die Weiber abtreibt, das ist ja bewiesen, dieses freche, dicke Schwein, und dem hab ick auch mal alles erzählt von mir. Plötzlich denkt Reinhold nicht an die Fahrt.«[41] In seinem Zornesausbruch stößt Reinhold Franz aus dem fahrenden Wagen. Biberkopf wird vom nachfolgenden Auto erfaßt und verliert durch die Verletzung seinen rechten Arm. Das ist der zweite Schlag. Aber wiederum interpretiert er ihn als Schicksalsschlag. Nachdem er sich dank der Hilfe von Eva und Herbert wieder erholt hat, weigert er sich, ihnen den Grund für den Verlust seines Armes zu nennen. »Ich habe noch keenen verpfiffen«, hatte er einmal bei ähnlicher Gelegenheit gesagt.[42] Seine naive Vorstellung von Unabhängigkeit gelangt mit seinem Wunsch nach einer geordneten Welt in Konflikt. Es mangelt ihm an Verständnis dafür, daß letztlich seine eigene Prahlerei und seine Schadenfreude Beweggründe für Reinholds Tat waren. Diese Blindheit setzt Reinhold in den Stand, das Werkzeug für einen dritten, noch schrecklicheren Schlag zu werden.

Nach dem Verlust des Arms im April erholt sich Franz nur langsam. Allmählich baut er sich ein neues Leben auf, zum drittenmal mit Hilfe seiner neuesten Freundin, der Prostituierten Mieze. Aber es geht Franz in seinem neuen Leben so gut, daß er wiederum nicht schweigen kann. Während des Augusts wird er dazu getrieben, seinen alten Schicksalsgott, Reinhold, aufzusuchen und vor ihm mit seiner wunderbaren Wiederherstellung zu prahlen. An dieser Stelle fügt Döblin eine Episode ein, die so deutlich die Züge einer berühmten deutschen Tragödie trägt, daß sie eigentlich die zugrunde liegende Idee und den Rhythmus der Tragödie bekundet.

Da Franz unfähig ist, sich der ihm erwiesenen Wohltaten allein zu erfreuen, sondern dafür öffentlichen Beifall braucht, heckt er einen Plan aus, nach dem Reinhold Zeuge seiner märchenhaften Wonnen sein darf. Reinhold ist einverstanden, Franz in seine Wohnung zu begleiten; dort versteckt ihn Franz hinter den Bettvorhängen, damit Reinhold Zeuge der großen Liebe von Mieze zu Franz werden kann. Wie es sich herausstellt, wird die kleine Farce zur Katastrophe. Franz und Mieze haben ihren ersten Streit, und Reinhold beobachtet das ganze Fiasko. Der Vorgang ist interessant, denn er legt den Grund zum nachfolgenden Ablauf der Handlung und zugleich travestiert er ganz deutlich die zentrale Szene in Friedrich Hebbels *Gyges und sein Ring.* Kandaules, der König der Lydier, leidet unter dem gleichen Zwang wie Franz. Obwohl seine Gattin die schönste Frau der Welt ist, kann er keine Ruhe finden, bis er einen Zeugen seines Glückes hat. Die Worte des Königs könnten sehr wohl — in den Berliner Jargon übertragen — von Biberkopf geäußert werden:

> Ich brauche einen Zeugen, daß ich nicht
> Ein eitler Tor bin, der sich selbst belügt,
> Wenn er sich rühmt, das schönste Weib zu küssen . . .[43]

Mit Hilfe eines Ringes, der den Träger unsichtbar macht, läßt Kandaules Gyges in sein Schlafzimmer, damit dieser die

Schönheit Rhodopes bewundern kann. Beide Zeugen — Gyges und Reinhold — sind von der Schönheit, die sie aus der Ferne schauen sollen, ergriffen. Und daraus wachsen die tragischen Ereignisse. Als ob die Parallelen an sich nicht klar genug wären, fügt Döblin dieser Szene noch Anspielungen auf die »Perser und die Perserteppiche« bei, damit die Beziehung zur lydischen Tragödie nicht fehle. »Und dann ist es drei Uhr nachmittags, über die Straßen gehen Franz und Reinhold, Emailleschilder jeder Art, Emaillewagen, deutsche und echte Perserteppiche, auf 12 Monatsraten, Läuferstoffe, Tisch- und Diwandecken, Steppdecken, Gardinen, Stores Leisner und Co., lesen Sie die Mode für Sie, wenn nicht, fordern Sie postwendend kostenlose Zustellung, Achtung Lebensgefahr, Hochspannung.«[44]

Wieder einmal führt Franzens Prahlerei direkt zu seinem Zusammenbruch. Er ist noch immer zu blind, um Reinholds Bosheit zu erkennen — trotz aller Schilder entlang des Weges (»Achtung, Lebensgefahr, Hochspannung«). Reinhold entscheidet sich, Biberkopf mittels dessen kostbarstem Gut, Mieze, anzugreifen. Als seine Verführungskünste scheitern, ermordet er das Mädchen. Dieser Angriff stürzt Franz — nicht allein wegen des Verlusts von Mieze, sondern auch wegen seiner Einsicht in den wahren Charakter Reinholds — in die dritte, tiefste Depression. Nach seiner Haft wegen Mordverdachts verbringt er in einem Zustand von Wahnsinn Wochen in psychiatrischer Pflege im Krankenhaus Buch. Aber bevor wir die Schlußszene betrachten, wollen wir unsere Feststellungen rekapitulieren.

In allen drei Fällen geht Franzens Zusammenbruch auf sein eigenes Unvermögen, den Charakter anderer zu erkennen bzw. auf seine Prahlerei zurück. Wenn wir zur Analogie der klassischen Tragödie zurückkehren, so scheinen Franzens Probleme durch etwas hervorgerufen zu werden, das Aristoteles *hamartia* genannt hätte. Die gleiche grundlegende Situation wird wiederholt, aber mit jeder Wiederholung erreicht er einen höheren Gipfel von manischem Glück und Selbstgefälligkeit, von dem (Peripetie) er in immer tiefere Abgründe von Depressionen stürzt (Katastrophe). In bezug auf die zeitliche Struktur des Werks ist folgendes zu sagen: die erste Genesungszeit, nach dem Betrug von Lüders, beträgt nur ungefähr einen Monat (Januar 1928), die zweite dauert wohl vom April bis in den Juli und die dritte von der Ermordung Miezes Ende August bis zum Winter 1928/29.

Dieser Entwicklungsrhythmus wird durch den zweifachen Aspekt des Buches kompliziert und undeutlich: die Beschreibung der Stadt nimmt knapp das halbe Buch in Anspruch, und die Handlung wird andauernd durch eingefügte Passagen, die nicht direkt mit ihr in Beziehung stehen, unterbrochen und aufgelockert. Daher geschieht es leicht, daß man den Blick für den tragischen Rhythmus, der die Struktur der Handlung bestimmt, verliert. In einer viel dichteren Version, die Döblin 1930 für den Rundfunk vorbereitete, tritt der wesentlich dramatische Umriß fast paradigmatisch zutage.[45] Der Montageeffekt ist durch den schnellen Wechsel der Szenen bewahrt, aber die Teile, die fast ganz der Stadt an sich gewidmet sind (erstes und viertes Buch), sind ganz gestrichen. Geblieben ist die eigentliche Handlung, genau wie wir sie gezeichnet haben: eine Reihe von tragischen Rückschlägen. In der Rundfunkversion steht die dritte Episode im Zentrum der Handlung. Von den 31 Szenen gelten nur 13 dem Fall Lüders und Franzens Verlust des Arms. Die Szenen 14—23 befassen sich mit Mieze und die letzten acht berichten über die allmähliche Genesung von Franz. Die Schwerpunkte der Handlung wurden so gesetzt, daß die tragische Struktur zum Vorschein kommt: *hamartia*, Peripetie, Katastrophe.

Das Hörspiel gibt auch einem andern Aspekt neue Bedeutung, nämlich der chorusartigen Funktion der verschiedenen erzählenden Stimmen. Im Roman übernimmt der Erzähler, wie wir sahen, viele Stimmen. Jede Stimme bestimmt den Stil des jeweiligen Abschnittes. Erst am Schluß sind diese Stimmen — wir werden darüber noch zu sprechen haben — zur einen, der des Todes, zusammengefaßt. In der Rundfunkversion sind im Gegensatz dazu die meisten dieser gleichartigen Passagen von Anfang an in chorushafte Aussagen zusammengefaßt, die die drei Rückschläge erläutern. Diese Kommentare spricht eindeutig der Tod. Seine Stimme sichert die erzählerische Kontinuität zwischen den Dialogen. Diese Chorus-Funktion findet sich im Roman ebenfalls.[46] Die entsprechenden Abschnitte sind dort aber durch die Verschiedenheit der Stimmen und Objektivität der Montage, hinter die sich der Erzählende zurückzieht, etwas verborgen. So betrachtet, erhalten die verschiedenen Aspekte des Romans eine größere Einheit, die früher nicht zum Vorschein kam. Die Vorbemerkung des Erzählers kann nun als ein der tragischen Handlung vorangehendes Argumentum gelesen werden. Heraufbeschworen durch die *hamartia* des Helden, d. h. durch seine Blindheit für die menschliche Natur und seine Prahlerei — (beide Eigenschaften, die mit seiner zyklothymen Veranlagung übereinstimmen) — wendet sich das Glück dreimal von ihm ab: das ist die Haupthandlung. Diese Handlung wird von einem Chor von Stimmen begleitet, der den Sinn von Biberkopfs Schicksal bedenkt und die tieferen Zusammenhänge all seines Tuns, all seiner Erfahrungen besser erkennt als er selbst. Der letzte Wechsel von einem romantischen Schicksalsglauben zu einer modernen Erkenntnis der Realität ist eine Art Katharsis, die auf Grund einer Reihe von Szenen herbeigeführt wird, die einen künstlerischen Sinn nur dann haben, wenn man in ihnen eine Verfolgung durch die Erinnyen erkennt. Auf diese klassische Analogie wird der Leser ja von den frühen Kapiteln an durch des Autors parodierende Hinweise vorbereitet.

Biberkopfs dritter Rückschlag hat so schwere psychische Konsequenzen, daß Franz sich im Krankenhaus von Buch in psychiatrische Pflege begeben muß. (Döblin war dort einige Zeit als Hilfsarzt tätig.)[47] Von außen betrachtet, bildet er einen Lehrbuch-Fall manisch-depressiven Wahnsinns schwerster Art. Für Wochen liegt er reaktionslos da, er wird künstlich ernährt, ist kontaktunfähig und ein Rätsel für den diensttuenden Schwarm von Ärzten. (Döblin nimmt hier die Gelegenheit wahr, seinen eigenen Beruf zu geißeln: auf der einen Seite sind da die konservativen Professoren, die allen psychogenen Erklärungen mißtrauisch gegenüberstehen und an Schwitzbäder als Heilmittel für Katatonie glauben, auf der andern Seite die jungen Assistenzärzte, die sich den modernen Theorien Freudscher Psychiatrie verschrieben haben.) Die objektive Beschreibung von Biberkopfs Benehmen sowie der Therapie, die während dieser Wochen manischer Depressionen angewandt wird, ist so präzise, wie man sie von einem erfahrenen Neurologen, der viele Jahre Patienten mit den gleichen Symptomen behandelt habe, erwartet. Die dichterische Wiedergabe von Franzens Halluzinationen aber wird von den Gesetzen der Tragödie bestimmt, die sich im Verlaufe des Romans allmählich durchsetzen. In diesen schwierigen Szenen sind Mythos und Psychiatrie virtuos miteinander verknüpft, um ein unwiderstehliches und überzeugendes Bild einer neurotischen Halluzination wiederzugeben.

Der Leser wird sogleich feststellen, daß verschiedene Bilder dieser Szenen schon an früheren Stellen vorweggenommen worden sind. So wurden z. B. die Axtschläge im Schlachthaus gehört, während der Krach der riesigen Bohrmaschinen aus dem Schacht für die neue Untergrundbahn am Alexanderplatz dröhnt. Die Beschreibungen der Halluzinationen sind technisch ein Meisterstück an Leitmotivik und Collage. Bevor Biberkopf durch Leid und Tod Erkennungsvermögen erlangt, muß sein Bewußtsein erst erwachen:

> Wumm Schlag, wumm Schlag, wumm Sturmbock, wumm Torschlag. Im Wuchten und Rennen, Krachen, Schwingen kommen die Gewaltigen des Sturms zusammen und beraten, es ist Nacht, wie man es macht, daß Franz erwacht, nicht daß sie ihm die Glieder zerbrechen wollen, aber das Haus ist so dick, und er hört nicht, was sie rufen, und würde er näher bei ihnen draußen sein, dann würde er sie fühlen und würde Mieze hören schrein. Dann ginge sein Herz auf, sein Gewissen würde erwachen, und er stünde auf, und es wäre gut . . .[48]
> »Schwing hoch, fall nieder, hack ein, schwing hoch, schlag nieder, hack ein, schwing, fall, hack, schwing fall hack, schwing hack, schwing hack.
> Und im Blitzen des Lichts und während es schwingt und blitzt und hackt, kriecht Franz und tastet die Leiter, schreit, schreit, schreit Franz. Und kriecht nicht zurück. Schreit Franz. Der Tod ist da.«[49]

Diese Szenen können meines Erachtens am besten interpretiert werden, wenn wir sie als moderne Wiedergaben der Verfolgung durch die Erinnyen aus der griechischen Tragödie betrachten. Hier sind es Rachegeister, die die Psychiatrie des 20. Jahrhunderts gestattet hat, und ihre Bildersprache stammt aus der technologischen Welt von 1928. Aber es sind Erinnyen. Mit andern Worten: das Werk hat von Anfang bis zum Ende die Struktur der Tragödie. Diesen Rachegeistern gelingt es schließlich, Franz dazu zu bringen, seine Schuld einzugestehen und seine Verantwortung anzuerkennen, indem sie ihn von seiner *hamartia* heilen. Dies wirft ein neues Licht auf die häufigen Hinweise auf die Griechen, vor allem auf die Orest-Sage. Denn Orest wurde, wie Döblin in einem früheren Abschnitt hervorhebt, von den Erinnyen gejagt, aber im Unterschied zu den meisten Helden der griechischen Tragödien wird er ja am Ende erlöst und von den Rachegeistern befreit. Obgleich der Sinn der klassischen Tragödie trivialisiert wird, bleibt die Form in erstaunlich hohem Maße bewahrt. Sie bestimmt in der Tat die Bewegung und die Bildlichkeit des ganzen Romens sehr wesentlich.

Franz ist nun, nachdem er von den Fallhämmern und Beilen der modernen Erinnyen zu Brei gestampft worden ist, für den Dialog mit dem Tod bereit, der die Entwicklung abschließt. Der Tod, der jetzt in Berliner Dialekt spricht, zeigt Franz, wie einfältig er war:

> Ich sag, du hast die Augen nicht aufgemacht, du krummer Hund! Schimpfst über Gauner und Gaunerei und kuckst dir die Menschen nich an und fragst nich, warum und wieso. Was bistu fürn Richter über die Menschen und hast keene Oogen. Blind bist du gewesen und frech dazu, hochnäsig, der Herr Biberkopf aus dem feinen Viertel, und die Welt soll sein, wie er will. Ist anders, mein Junge, jetzt merkst dus.[50]

In einer Reihe von Visionen breitet der Tod vor Franz die zentralen Episoden seiner Vergangenheit wieder aus, indem er ihm zeigt, wie oft er Unrecht hatte und wie dumm er sich benommen hat. Endlich gibt Franz seine Schuld zu: »Gestorben ist in dieser Abendstunde Franz Biberkopf, ehemals Transportarbeiter, Einbrecher, Ludewig, Totschläger. Ein anderer ist in dem Bett gelegen. Der andere hat dieselben Papiere wie Franz, sieht aus wie Franz, aber in einer anderen Welt trägt er einen neuen Namen.«

Eines der zentralen Symbole für die Stadt als bedrohendes Chaos war die Hure Babylon. Im Augenblick nun, in dem Franz erlöst wird, beschreibt Döblin in einer Szene von lebhafter Bildlichkeit den Rückzug der Hure Babylon vor der Macht des Todes. Denn nun hat Franz gelernt, die Welt mit neuen Augen wahrzunehmen. Er betrachtet die Stadt nicht mehr mit den Augen eines Griechen: er sieht in ihr nicht mehr das namenlose Schicksal oder Gefahr. Die allerletzten Seiten des Romans schildern zum Schluß die ersten Schritte dieses »neuen« Biberkopfs, der nun — im Unterschied zu seinem alten Ich — Franz Karl Biberkopf heißt. Während des Prozesses bemerken seine Freunde, auch Reinhold, den neuen Blick seiner Augen: klug, objektiv, abwägend. Biberkopf hat eindeutig eine Wandlung durchgemacht.

Nun schiebt der Erzähler wiederum eine kleine Notiz ein, und zwar in einer Montage von Sätzen aus einem Zeitungsbericht. Sie erinnert uns daran, daß wir Zeugen einer tragischen Handlung waren. »Der einarmige Mann erweckt allgemein Interesse, großes Aufsehen, Mord an seiner Geliebten, das Liebesleben in der Unterwelt, er war nach ihrem Tode geistig erkrankt, stand im Verdacht der Mittäterschaft, tragisches Schicksal.«[52] Das Wort »tragisch« ist hier natürlich zweifach ironisch gebraucht. Einmal parodiert die Passage den Schlagzeilenstil, der dazu neigt, das Wort »tragisch« gewissenlos und oft in groteskem Sinne zu verwenden. Gleichzeitig wird eine zweite Stufe von Ironie erreicht, weil der Leser etwas weiß, was der Journalist nicht erfahren hat, nämlich daß Biberkopfs »Schicksal« wirklich »tragisch« war, und zwar auf eine viel wesentlichere Art, als der Reporter überhaupt ahnen kann.

Der Roman zeigt also verschiedene Bedeutungsebenen. Aus künstlerischer Sicht stellt er eine moderne »Tragödie« dar, die vollkommen mit den Gesetzen der klassischen griechischen Tragödie übereinstimmt; dies bestimmt den Rhythmus der Handlung. Aus psychologischer Sicht zeigt er Krise und Heilung eines Falles von manisch-depressivem Wahnsinn; dies bestimmt den Charakter von Biberkopf. Aus soziologischer Sicht zeichnet er die Rehabilitation eines Kriminellen, der im Frühjahr 1929 als Portier einer Fabrik endet; dies steht in Zusammenhang mit Döblins sozialem Gewissen. Aus politischer Sicht schildert er die Enttäuschung eines »Deutschen Michels« über einen diktatorischen Führer, der eine Zeitlang dessen masochistisches Verlangen nach Ordnung und Gehorsam zu stillen schien: dieser Aspekt — von der Geschichte ungültig gemacht — wurde von Kritikern am meisten attackiert (vor allem die Hymne auf die Solidarität auf den letzten zwei Seiten des Buches). Und das ganze menschliche Tun mit seinen vielen Bedeutungsschichten ist auf dem Hintergrund einer lebensvollen Montage gesehen, die auf den Seiten des Romans die Stadt Berlin im wesentlichen wiedergibt.

Biberkopf hat eingesehen, daß »die Welt aus Zucker und Dreck«[53] und nicht nur aus Lieblichkeit und Licht gemacht ist, wie er damals glaubte, als er die »Wacht am Rhein« sang und sich nach einer nie zu erreichenden Ordnung in der Welt sehnte. Seine Vision vom Paradies und kindlicher Glückseligkeit ist zwar verblaßt. Aber seine Halluzinationen quälen ihn nicht länger. Durch diesen Wechsel muß sich natürlich auch die Schilderung der Stadt verändern. Ihre Dämonen werden von Biberkopfs neuer Objektivität gebannt. Die Dächer drohen nicht mehr, von den Häusern zu gleiten; die Bürgersteige rutschen nicht mehr unter seinen Füßen weg, der Raum dreht sich nicht mehr um ihn. Daher wird die Stimme des Erzählers während der letzten Seiten viel ruhiger, weniger frenetisch als die Stimmen, die größtenteils vorherrschten. Seit Biberkopf mit der Stadt in Harmonie lebt und sich mit seinem Nächsten solidarisch fühlt, deckt sich die Stimme des Erzählers mit der des Helden: »Aber es ist auch schöner und besser, mit andern zu sein. Da fühle ich und weiß ich alles noch einmal so gut. Ein Schiff liegt nicht fest ohne Anker, und ein Mensch kann nicht sein ohne viele andere Menschen. Was wahr und falsch ist, werd ich jetzt besser wissen.«[54] Diese Aussage schließt keine naive Bejahung der Welt in sich, sie zeigt der Realität gegenüber eher eine Haltung kritischer Objektivität, die im Gegensatz steht zu Franzens früherem romantischem Versuch, die Welt in ein System oder ein Muster eigener Prägung zu zwingen. Durch seine »Tragödie« hat Biberkopf gelernt, das Schicksal zu verneinen und die Wirklichkeit anzunehmen. Wie die Stimme zu Beginn des Romans könnte er nun ausrufen: »Ich bin kein Grieche, ich bin ein Berliner.«

Döblins Einstellung gegenüber dem Roman unterscheidet sich — wie *Berlin Alexanderplatz* offenbart — gründlich von derjenigen Thomas Manns. Jeder Romancier sieht sich im wesentlichen mit dem gleichen Problem konfrontiert: Wie kann er der Totalität der Welt gerecht werden und gleichzeitig eine künstlerische Einheit bewahren — die erste Voraussetzung für jedes Kunstwerk? Der *Zauberberg* versucht, diese Ziele zu erreichen, indem er bestimmte Elemente der Wirklichkeit isoliert, sie dann bis zu einem Punkt steigert, an dem sie symbolisch repräsentativ für die Welt als Ganzes werden. Totalität ist gewährleistet durch die exemplarische Gültigkeit der Gestalten und Begebenheiten. Und Einheit wird erreicht durch die Kontrolle, die der Autor innerhalb der »hermetischen« Isolation des Werks auszuüben vermag.

Berlin Alexanderplatz läßt alles ein: wir werden an unsere anfängliche Unterscheidung von Fieberkurve und Wetterbericht erinnert. Mit andern Worten: Döblin versucht Totalität zu geben, indem er alle Möglichkeiten einbezieht, nicht durch symbolische Selektivität. Aber um in dieser chaotischen Vielfalt einen Grad von Einheit zu erlangen, ist er gezwungen, seinem Werk eine feste Struktur zugrunde zu legen. Er benützt daher das Gerüst der klassischen Tragödie, um alles darin festzuhalten. Thomas Mann strebt nach einer völligen epischen Integration; auch der minuziöseste Teil steht, wie der kleinste Stein eines Mosaiks, in bezug zum Ganzen. Im Gegensatz dazu hat Döblin diese Integration aufgelockkert. Er hat einen breiten und fast mythischen Rahmen gesetzt, um seinen Roman zusammenzuhalten, aber innerhalb dieses Rahmens schweben die einzelnen Teile frei und unabhängig wie ein Spiegelbild der Wirklichkeit selbst. Die letzte Stufe in diesem Prozeß epischen Zerfalls war jedoch schon unterwegs: Als *Berlin Alexanderplatz* 1929 erschien, hatte Hermann Broch eben mit der Ausarbeitung seines Romans *Die Schlafwandler* begonnen.

Kapitel 5

Hermann Broch: Die Schlafwandler

Wenige Werke der Literatur wurden so programmatisch konzipiert und so selbstbewußt angekündigt wie *Die Schlafwandler,* die 1931 und 1932 in drei Bänden erschienen. Sowohl in Dutzenden von Briefen an seinen Verleger, seine Übersetzer, seine Freunde als auch in einem »methodologischen Prospekt«, den er zur Erbauung seiner Herausgeber geschrieben hat, zeichnete Broch Genesis und Intentionen seines, wie er es schließlich nannte, »Novum« der Romanform.[1] 1931, ein halbes Jahr vor der Vollendung seines Manuskriptes, verkündete er seinem Verleger stolz: *»Die Zeit des polyhistorischen Romans ist angebrochen.«*[2] Broch, sich von Anfang an seiner Stellung innerhalb der Weltliteratur bewußt, suchte sich als Verleger den Rhein-Verlag in Zürich aus, vor allem weil dieser Verlag kurz zuvor die deutsche Übersetzung von Joyces *Ulysses,* den er als Gegenstück zu seinem eigenen Werk betrachtete, herausgebracht hatte. Und es war ihm angenehm, daß Edwin und Willa Muir seinen Roman ins Englische übertragen wollten, da sie der englischsprechenden Welt Kafka vorgestellt hatten. Noch bevor die Druckerschwärze trocken war, hoffte Broch, daß sein Roman in den Vereinigten Staaten auf die Liste des Book of the Month Club gesetzt werde. (Natürlich geschah dies nicht, wie jeder Leser leicht verstehen wird.) Er eröffnete auch eine langwierige Korrespondenz mit Warner Brothers in der wieder höchst unrealistischen Hoffnung, die Verfilmung seines Werks in die Wege zu leiten.

Unser anfängliches Schmunzeln über das Selbstvertrauen dieses Romanciers, der mit fünfundvierzig Jahren seinen Erstling schrieb und kurz vorher eine leitende Stellung in der Industrie zugunsten der Literatur aufgegeben hatte, schwindet angesichts der Tatsache dahin, daß sich dieses Selbstvertrauen später in hohem Maße als berechtigt erwies. Broch, der 1951 in einem New Havener Logierhaus starb, erlebte den Erfolg nicht mehr. Aber in den letzten Jahren sind allein über die *Schlafwandler*, abgesehen von zahlreichen Aufsätzen und unveröffentlichten Dissertationen, mehrere Bücher geschrieben worden.[3] Wenn auch Brochs Werke noch nicht auf jedem Büchergestell stehen, zögern namhafte Kritiker nicht mehr, ihn in Zusammenhang mit denjenigen Autoren seiner Generation zu diskutieren, die er selbst immer wieder erwähnte und denen er sich nahe verwandt fühlte: Joyce, Kafka, Gide, Dos Passos und Aldous Huxley.

Bis zu seinem 42. Lebensjahr verbrachte Broch, der 1886 in Wien geboren wurde, die größte Zeit seines Lebens damit, die Textilfabriken seiner Familie in Österreich zu leiten und die Rolle eines »Industriekapitäns«, wie er sich später mit mehr als einer Spur von Selbstironie nannte, zu spielen.[4] Er hob hervor, daß er wenigstens eines mit Franz Kafka und Robert Musil gemeinsam habe: »Wir haben alle drei keine eigentliche Biographie; wir haben gelebt und geschrieben, und das ist alles.«[5] Broch widmete sich seiner Arbeit so emsig und gewissenhaft, wie sich Kafka um seine Versicherungsreklamationen kümmerte: er meldete Patente zu Fabrikationsverfahren an, nahm 1907 an einer internationalen Konferenz der Baumwollpflanzer, -käufer und -spinner in Atlanta (Georgia) teil, diente der Regierung als Berater, leitete während des Ersten Weltkrieges ein Militärkrankenhaus und wirkte als geachteter und gewandter Schiedsrichter in komplizierten Fragen des Arbeitskampfes. Gleichzeitig gab er sich leidenschaftlich seinen intellektuellen Interessen hin, indem er Kurse — vor allem in Mathematik und Philosophie — an der Universität Wien besuchte und für verschiedene Zeitschriften eine Reihe von Essays und literarischen Rezensionen schrieb. 1928 jedoch wurde das Doppelleben untragbar. Überzeugt davon, daß eine Wirtschaftskrise im Anzug war — die Geschichte bestätigte ihn —, verkaufte Broch die Spinnereien und verkündete seiner überraschten Familie, daß er die Absicht habe, nur noch Schriftsteller zu sein.

Broch gelangte zu diesem anscheinend übereilten Entschluß durch nüchtern konsequente Überlegungen. Natürlich war er schon so etwas wie ein Schriftsteller: abgesehen von den publizierten Essays, Rezensionen und kleinen Erzählungen hatte er Schubladen voll von Manuskripten jeder Art, die heute, zum größten Teil unkatalogisiert, in den Archiven der Universitätsbibliothek von Yale liegen.[6] Broch traf diese Entscheidung in erster Linie aus intellektuellen Erwägungen, nicht aus einem romantischen Wunsch »zu schreiben«. Der Hauptimpuls seines Lebens war »Erkenntnis« — ein Wort, das in seinem schriftstellerischen Oeuvre öfter vorkommt als jedes andere. Zu Anfang versuchte er diese Erkenntnis, unter der er vorwiegend Wissen um das menschliche Sein und ethisches Verhalten verstand, auf dem konventionellen Weg über die Philosophie zu erlangen. Aber seine Studien überzeugten ihn nach und nach, daß die Literatur paradoxerweise die einzige Möglichkeit bot, diese Erkenntnis zu erreichen. Die Philosophie der zwanziger Jahre, vor allem der logische Positivismus, der die Wiener Schule beherrschte, hatte die Metaphysik zu Gunsten von mathematischen Problemstellungen, die auf Grund von Demonstrationen geklärt werden konnten, aufgegeben. (Hunderte von Seiten mit Übungen in symbolischer Logik, die in Yale liegen, zeugen von Brochs anfänglichen Bemühungen in dieser Richtung.) Die Befreiung der Ethik durch die Existenzphilosophen war noch nicht im Gange. Mit andern Worten: die Philosophie lieferte ihm das Rüstzeug für die Lösung der Probleme, mit denen er sich am leidenschaftlichsten auseinandersetzte, nicht mehr. Und er hatte nicht den Wunsch, Theologe zu werden. »... jene Gebiete der Philosophie, welche für die mathematische Behandlung unzugänglich sind, vor allem also die Ethik oder die Metaphysik, werden bloß im Theologischen ›objektiv‹, d. h. werden ansonsten relativistisch und im letzten ›subjektiv‹, und eben diese Subjektivität drängt mich dorthin, wo sie radikal legitim ist, nämlich ins Dichterische.«[7]

Wenn die Philosophie seinen Ansprüchen nicht entsprechen konnte, hatte die Literatur den Dienst zu versehen. In diesem Zusammenhang schrieb er seinem Verleger über gewisse überraschende Aspekte der *Schlafwandler*. »Sie kennen meine Theorie, daß der Roman und die neue Romanform die Aufgabe übernommen haben, jene Teile der Philosophie zu schlucken, die zwar metaphysischen Bedürfnissen entsprechen, gemäß dem derzeitigen Stande der Forschung aber heute als ›unwissenschaftlich‹ oder, wie Wittgenstein sagt, als ›mystisch‹ zu gelten haben.«[8] Aus diesem Grunde sagte Broch oft, seine Dichtung bedeute eine »Ungeduld der Erkenntnis«.[9] Die Literatur geht mit ihrem intuitiven Erkennen über die Wissenschaft hinaus. Daher muß Literatur in einer ganz besonderen Weise zur »Prophezeiung« werden: sie muß bemüht sein, eine Erkenntnis zu erlangen, die später von der langsamer fortschreitenden Wissenschaft und der systematischen Philosophie nachgewiesen und bestätigt wird.

Diese Auffassung rechtfertigt Hannah Arendts Satz, Broch sei ein »Dichter wider Willen«.[10] Trotz einer auffallenden Begabung für schlichtes Erzählen und einiger eindrucksvoller Landschaftsschilderungen empfand Broch nur Verachtung für ein l'art pour l'art, und er widerstand unentwegt jeder »Verführung zum Geschichtel-Erzählen«, wie er es nannte.[11] Er wies vielmehr mit Nachdruck darauf hin, das Zeitalter der ethischen Kunst sei erreicht. In seinem bedeutenden Essay über James Joyce (1936), der eigentlich ein getarnter Kommentar zu seinem eigenen Roman ist, führt er diesen Gedanken weiter aus, indem er sagt, die Literatur habe die »Mission einer totalitätserfassenden Erkenntnis«.[12]

Auf Grund dieser Auffassung schuf Broch die *Schlafwandler*. Sie sollten den ersten Versuch eines »erkenntnistheoretischen« Romans darstellen im Gegensatz zu dem eben modischen psychologischen Roman. Er strebte nach einem »Roman, in dem hinter der psychologischen Motivation auf erkenntnistheoretische Grundhaltungen und auf die eigentliche Wertlogik und Wertplausibilität zurückgegangen wird«.[13] Um einen Menschen zu begreifen, bedürfen wir vor allem einer Einsicht in die Werte, auf Grund derer er sein Leben gestaltet. Denn Broch betrachtet das psychologische Verhalten nur als Manifestation einer unbewußten metaphysischen Angst. Daher sind seine Romanhandlungen selbst, wie wir sehen werden, ein Versuch, bestimmte typische Situationen zu erklären, indem ihre metaphysischen Muster aufgedeckt werden: das Leben wird zum Mythos gesteigert.

Um Brochs Haltung ganz begreifen zu können, müssen wir kurz die Geschichtsphilosophie betrachten, die sich während der zwanziger Jahre entwickelte und die nachher als eines der Kapitel zum »Zerfall der Werte« dem dritten Band der

Schlafwandler einverleibt wurde.[14] Broch lag daran, Mittel und Wege zu finden, das Wesentliche einer historischen Epoche, vor allem das unseres eigenen modernen Zeitalters, festzustellen. In Zeiten kultureller Einheit ist dies relativ einfach, denn alle ethischen Entscheidungen werden einer anerkannten zentralen Instanz überlassen. Auf diese Weise konnte im hohen Mittelalter unter Berufung auf die ewigen, von Gott gesetzten und von der unfehlbaren Autorität der Kirche verwalteten Werte beurteilt werden, ob menschliches Tun gut oder böse, richtig oder falsch war. Der einzelne war mit keinem ethischen Dilemma konfrontiert und litt daher nicht unter moralischen Krisen. Sein Leben wurde von einer Reihe höchster Werte bestimmt, die er fraglos anerkannte. Aber »jene verbrecherische und rebellische Zeit, die die Renaissance genannt wird, jene Zeit, in der das christliche Weltgebilde in eine katholische und eine protestantische Hälfte zersprengt wurde«, vollzog jäh den Zerfall der Werte, indem sie die ursprüngliche kulturelle Einheit zerstörte.[15] Sie eröffnete den »Prozeß der fünfhundertjährigen Wertauflösung«, die an Stelle des einfachen, ganzheitlichen Systems von früher viele Teilsysteme erzeugte, von denen jedes nach Anerkennung und Billigung trachtete. Dieser Prozeß führte nach Brochs Meinung zur geschichtlichen Situation am Ende des 19. Jahrhunderts: zu einem ethischen Pluralismus, den er mit Schlagwörtern wie »Geschäft ist Geschäft«, »Krieg ist Krieg« und »l'art pour l'art« veranschaulicht.

Der moderne Mensch erlebt das Ende eines historischen Zeitabschnittes. Zwischen einem alten Wertsystem, das nicht mehr adäquat ist, und einem zukünftigen, das sich noch nicht herauskristallisiert hat, hängend, befindet er sich in einem Zustand von Frustration, Einsamkeit und Verzweiflung. Denn die Teilsysteme, nach denen die Menschen zu leben versuchen, sind weltlicher Art. Der Mensch, der nach der Maxime »Geschäft ist Geschäft« lebt, findet keine Zuflucht bei einer höheren Instanz, wenn er eine Situation bewältigen soll, die den engen Rahmen seiner Werte übersteigt. Die Menschen nehmen jedoch nicht wahr, daß die Quelle ihrer Angst letzten Endes metaphysisch ist und nur überwunden werden kann, indem ein neues System irdischer Werte aufgestellt wird, das der modernen Welt entspricht.

Nur wenige Menschen sind gewillt, die ganze Bürde ihrer Einsamkeit und Verzweiflung auf sich zu nehmen, sie bis zu ihrem Ende zu tragen, bis dorthin also — nach Broch —, wo eine neue Zukunft ersteht. Statt zu versuchen, neue menschliche Werte zu finden, versuchen sie zu entkommen. Sie bemächtigen sich einerseits eines Sündenbocks, das heißt, sie schieben die Schuld des Zusammenbruchs der Werte anderen Menschen zu — ein Prozeß, der Kafkas »Motivation« ähnlich ist. Sie reduzieren mit anderen Worten ein metaphysisches Dilemma auf ein psychologisches Problem. (In seinen späteren Essays zur Massenpsychologie zeigt Broch solche Erscheinungen wie die Judenverfolgungen als Beispiele für diese Verwandlung von Angst in Schuld.) Anderseits suchen sie in ihrem Leid nach Trost. Da aber transzendentaler Glaube fehlt, bemühen sie sich, irdische Phänomene zu absoluten zu erheben — ein Prozeß, den Broch »Romantik« nennt. Sie suchen göttliche Erlösung in irdischer Liebe; sie streben in jämmerlichen Sekten nach göttlicher Wahrheit, denn Religion war nach dem Verlust einer zentralen Autorität zersplittert. Diese Flucht vor der Wirklichkeit schließt jedoch unweigerlich Schuld in sich, da sie einer Ablehnung der grundlegenden metaphysischen Verantwortung des Menschen gleichkommt, sie bedeutet Errichtung von neuen weltlichen Werten an Stelle der transzendentalen, die im allgemeinen Zusammenbruch des alten Systems untergingen. (Übrigens hat Broch die letzten zehn Jahre seines Lebens der Aufgabe gewidmet, ein sogenanntes Bill of Duties aufzustellen.) Das Malaise des modernen Menschen ist also eigentlich letztlich ein metaphysisches Dilemma. Da er versucht, seiner metaphysischen Verantwortung auszuweichen, ist der Mensch auf psychischer Ebene von Schuldgefühlen geplagt. Und er vergrößert seine Schuld, indem er sie andern Menschen zuschiebt, die zum Sündenbock oder — in einem religiösen Sinn — zum Antichristen gemacht werden.

Die »Schlafwandler«, auf die der Titel hinweist, sind just solche Menschen, die zwischen zwei Wertsystemen und zwei historischen Zeitabschnitten leben. Ihr Leben wurde durch das störende Eindringen dieses Irrationalen, das Broch oft den »Einbruch von unten« nennt, in Unordnung gebracht, d. h. etwas beeinträchtigte ihr bis anhin ruhiges und anscheinend rationales Lebenssystem. Weder die Werte der Vergangenheit noch ihr gegenwärtiges Teilsystem vermögen ihnen Kraft zu geben. Und noch haben sie keinen befriedigenden Ersatz oder Gegenwert gefunden. Sie leiden, um einen andern Schlüsselsatz Brochs zu verwenden, am Dilemma des »Nicht mehr und Noch nicht«. »Literatur ... umfaßt«, schrieb Broch in seinem »methodologischen Prospekt« von 1930, »den ganzen Bereich des irrationalen Erlebens, und zwar in dem Grenzgebiet, in welchem das Irrationale als Tat in Erscheinung tritt und ausdrucksfähig und darstellbar wird.«[16] In den Metaphern des Romans zeigt sich dieser ambivalente Zustand sowohl als »Sehnsucht nach der Heimat« — als Heimweh und Bedauern des Menschen, der sich der Totalität der Vergangenheit erinnert — als auch als »die Sehnsucht nach dem gelobten Land« — als Vorwegnahme einer neuen geschichtlichen Wirklichkeit in der Zukunft.[17] Brochs Gestalten sind »Schlafwandler«, weil sie zwischen zwei ethischen Systemen oder historischen Perioden pendeln, so wie sich die Schlafwandler zwischen Schlafen und Wachen befinden, und an beidem teilhaben, indem sie von der entschwundenen Vergangenheit träumen oder sich nach einer immer noch ungewissen Zukunft sehnen.

Wenn Leser manchmal der theoretischen Teile in Brochs Werken überdrüssig werden, so ist zu sagen, daß ironischerweise gerade diese Passagen Broch selbst am meisten bedeuten, da sie die »erkenntnistheoretische« Funktion des Romans am deutlichsten aufzeigen. Obgleich natürlich das Werk nicht von diesem erkenntnistheoretischen Vorhaben abgetrennt werden kann, so ist es als Roman doch viel lebensvoller und vielseitiger als Brochs Postulat den Leser glauben läßt. Broch hat drei voneinander unabhängige und doch miteinander verwandte Handlungen erdacht, um zu zeigen, wie vier repräsentative Menschen auf den Zerfall der Werte reagieren. Alle werden mit der gleichen Situation, mit der Unordnung der Welt, konfrontiert. Und jeder geht in anderer, charakteristischer Weise auf sie ein. *Pasenow oder die Romantik* spielt im Jahre 1888 in Berlin und der Provinz Brandenburg und beschäftigt sich mit Mitgliedern des preußischen Adels. Mit *Esch oder die Anarchie* wechselt die Szene nach dem Köln und Mannheim von 1903, wobei die Hauptfiguren Repräsentanten des städtischen Proletariats sind. Und schließlich zeichnet *Huguenau oder die Sachlichkeit* die bürgerliche Gesellschaft einer Kleinstadt an der Mosel in den Monaten vor der November-Revolution von 1918.

Es ist hier unmöglich, die Vielschichtigkeit dieser drei Haupthandlungen, in denen Broch, trotz bester Absichten, »der Verführung zum Geschichtel-Erzählen« erlegen ist, gerecht zu werden. Aber wir können aus jeder die Hauptelemente der »erkenntnistheoretischen« Situation herauslösen. Auf den einfachsten Nenner gebracht, ist *Pasenow* die Geschichte eines jungen Offiziers, der in eine Liebesaffäre mit einem Schankmädchen verstrickt ist. Als es für ihn notwendig wird, eine junge Dame seiner Gesellschaftsschicht zu heiraten, vermag er mit Hilfe eines Bekannten, Eduard von Bertrand, für das Mädchen Ruzena zu sorgen. Nach den kurzen Komplikationen eines Dreiecksverhältnisses, in das Eduard verwickelt wird, heiratet Pasenow schließlich Elisabeth. Es zeugt von Brochs erzählerischem Können, daß er aus diesem konventionellen Stoff eine fesselnde Geschichte zu formen vermochte. Der wahre Sinn des Romans liegt aber weder in der Handlung noch in der »Psychologie« der Romanfiguren, sondern in den Bildern, die die Werte widerspiegeln, auf Grund derer die Figuren leben. Im wirren Geist dieser Gestalten vollzieht sich Denken nicht in rationalen Gedanken, sondern in unbewußten Bildern.

Joachim von Pasenow ist ein »Romantiker«, und kein besonders kluger. Angesichts des Chaos in der Welt (das seinen eigenen wirren Geist spiegelt), trachtet er nach einer, allerdings äußerst fragwürdigen, Sicherheit: er erhebt den einzigen Wert, den er anerkennt, den militärischen Kodex nämlich, wie er vor allem in der Uniform versinnbildlicht ist, zu einer Absoluten. Wird er mit einer Situation außerhalb seines Teilsystems konfrontiert, dreht er nervös an den Knöpfen seiner Jacke, um sich zu versichern, daß er fest umhüllt und geschützt gegen die Mächte der Unordnung ist. Die Möglichkeit, ins Zivilistische hinabgezogen zu werden, in dem sein Militärkodex nicht gültig und er durch die Uniform nicht mehr geschützt ist, hält er für die schwerste Bedrohung seiner Existenz.

Pasenows Schlafwandel wird durch eine »Sehnsucht nach der Heimat« charakterisiert, durch seine Bindung an die soliden Werte der preußischen Aristrokratie. (Gleichzeitig zeigt seine Entfremdung vom Vater, der ihn schließlich zu enterben droht, wie weit er sich von dieser Welt entfernt hat.) Seine Haltung zeigt sich in der »Trägheit des Gefühls«. Sie ist der vorherrschende Charakterzug, der seiner Persönlichkeit eine altmodische Schlichtheit verleiht. Sie macht es ihm aber auch vollkommen unmöglich, mit irgendeiner Situation, die Wendigkeit und Anpassungsfähigkeit verlangt, fertig zu werden. Diese Haltung ist auch der Grund dafür, daß die Welt für ihn in zwei große Gruppen von Bildern geteilt ist. Ordnung und traditionelle Werte sind mit dem Land, mit dem Grundbesitz zu Hause und vor allem — in zahlreichen Abschnitten — mit dem Kuhstall, dem Inbegriff von Wärme und Sicherheit, in Verbindung gebracht. Die entgegengesetzten Bilder werden von der Stadt, genauer von Berlin und vor allem — wir erinnern uns hier an Franz Biberkopf — vom Alexanderplatz hervorgerufen, der im ersten Teil zu verschiedenen Malen als das düstere Herz des Chaos angesprochen wird. Fast alle anderen Bilder und Werte des Buches können dieser ursprünglichen Dichotomie von Ordnung und Unordnung, Land und Stadt zugeordnet werden.

Ruzena, das Schankmädchen, ist ein Wesen der Stadt. Mit ihren schwarzen Haaren — Symbol für das sinnliche Verlangen — stellt sie die Stadt mit all ihren verwirrenden Attraktionen und Versuchungen dar. Joachim kann sich in ihren Umarmungen wohl vergessen, gleichzeitig ist ihm aber bewußt, daß er, wenn er Ruzena unterliegt, die Zusammengehörigkeit mit allem, was er schätzt, verliert, daß er hinuntergezerrt wird »ins Zivilistische«. Im Gegensatz dazu ist die blonde Elisabeth in seinen Augen das Symbol für die göttliche Frau; er sieht sie immer »auf ihrer silbernen Wolke« und hält es für unmöglich, etwas so Ungeheuerliches wie Geschlechtsverkehr mit ihr in Betracht zu ziehen. Als Joachim Ruzena aufgibt, versucht er sie dadurch zu entschädigen, daß er sie in einem Weißwarengeschäft etabliert. Die Sprache der Bilder zeigt aber deutlich, daß er eigentlich danach trachtet, sie vom Chaos der Stadt zu erlösen. »Spitzen« sind das bedeutsamste Symbol für Elisabeth und ihre reine Welt der

Ordnung. Das schwarze Haar ist anderseits das erste Charakteristikum von Ruzena, das im Roman erwähnt wird. Wenn wir einen letzten flüchtigen Blick auf Joachim — in seiner Hochzeitsnacht — werfen und sehen, daß er vollkommen angekleidet neben seiner Braut liegt und nervös die Jacke seiner Uniform zurechtstreicht, als diese sich öffnet und seine *schwarze* Hose enthüllt, verstehen wir daher auf Grund der Symbole, weshalb er impotent sein muß: sein Anstandskodex ist nicht flexibel genug, um den Einbruch des Geschlechtlichen in seine Welt des Lichtes und der Ordnung zu meistern. Er ist unfähig, durch die romantische Verherrlichung Elisabeths hindurchzusehen und sie als Frau zu behandeln. Für Joachim bedeutet die Ehe nicht eine Verbindung zweier Individuen, sondern eher »Rettung aus Pfuhl und Sumpf . . . und . . . Verheißung der Gläubigkeit . . . auf dem Weg zu Gott«.[18]

Wenn Joachims Reaktion eine Flucht aus der Unordnung in eine naive, romantische Verherrlichung irdischer Dinge ist, so verhält es sich mit der zweiten Hauptfigur des ersten Bandes genau umgekehrt. Eduard von Bertrand ist ein ehemaliger Offizier, der das Unerhörte vollbrachte: er entsagte der Uniform zugunsten der Geschäftswelt. Daher betrachtet ihn Joachim mit Argwohn, Mißtrauen, ja sogar mit Feindseligkeit. Er neigt dazu, in Brochs Worten, die Schuld für seine metaphysische Angst auf Bertrand zu schieben und ihn irgendwie für den unordentlichen Zustand der Welt verantwortlich zu machen. Joachims schlimmste Verdächtigungen werden bestärkt, als er entdeckt, daß einer von Bertrands Geschäftsbeauftragten sein Kontor ausgerechnet am Alexanderplatz hat. Da aber Bertrand die Welt kennt und ein gewiegter Realist ist, vermag er Joachim in zahlreichen Situationen beizustehen — vor allem in Zusammenhang mit Ruzena, die Bertrands ungeordneter Welt angehört.

Bertrands Position ist letztlich jedoch genau so anfällig wie Joachims »Romantik«. Bertrand wird freilich nicht durch Fesseln der Vergangenheit eingeengt. Er hält Duelle und den ganzen Militärkodex für lächerlich. Aber im Gegensatz zu dem späteren »wertfreien« Menschen hat Bertrand die Werte eher *verneint* als zerstört. Es ist ihm möglich, mit großer Objektivität auf die Welt zu blicken. Da er aber in seiner ästhetischen Beziehung zur Welt mehr über als in ihr steht, da er ihr nicht verpflichtet ist, ist er ebenfalls ein Opfer des Dilemmas der Schlafwandler. Da er zu sachlich denkt, um die bestehenden Werte anzuerkennen, und zudem intelligent genug ist, um einzusehen, daß sie durch keine besseren ersetzt worden sind, ist er die einsamste Gestalt des ganzen Romans. Für ihn gibt es nicht einmal den Trost einer romantischen Verklärung, die Joachim bleibt. Daher schrieb Broch in seinem »methodologischen Prospekt«, Bertrand müsse »als Symbol dieses ganzen Aufbaus« als »eigentlicher Held des gesamten Romans« betrachtet werden. »Symbolisiert er also in seinem Schicksal auf höherer Ebene das Gesamtgeschehen des Romans, d. h. das Fiasko der alten Werthaltungen, so ist andererseits seine Person der Form nach Symbol für das Anwachsen des dunklen und traumhaften Elements, das mit jedem der drei Teile das Geschehen immer deutlicher durchsetzt.«

Bertrand ist die einzige Figur, die den ersten Teil der Trilogie mit dem zweiten verbindet: wir hören hier von ihm, aber er tritt nie mehr selber in Erscheinung. Er ist der Besitzer der Schiffahrtsgesellschaft, die August Esch anstellt. Esch, in der »Anarchie« des modernen Pluralismus stehend, hängt nicht mehr wie Pasenow und die Vertreter seiner Generation an altmodischen Werten. Im Gegensatz zu Pasenows »Trägheit des Gefühls« ist Esch ein »Mensch impetuoser Haltungen«, dessen Verhalten nicht einmal von den Konventionen bestimmt wird, die Pasenow Halt gaben. Wie Biberkopf sehnt sich Esch vor allem nach Ordnung und »Anständigkeit« in der Welt. Wie Biberkopf versucht auch er, immer den unangenehmen Problemen der Wirklichkeit auszuweichen. Er zieht es vor, ihnen den Rücken zuzuwenden und sie zu ignorieren. (Es ist kein Zufall, daß er im dritten Band durch einen Dolchstoß in den Rücken stirbt.) Esch lebt zwar nicht in der Vergangenheit, aber er stellt sich auch der Realität der Gegenwart nicht. Indem er in die Zukunft blickt, ist er ein Schlafwandler mit einer »Sehnsucht nach dem gelobten Land«. Daher ist sein Symbol nicht der Soldatenrock der Vergangenheit, sondern eine Reproduktion der Freiheitsstatue, die seiner Ansicht nach das Versprechen einer neuen Zukunft in Amerika verkörpert. (Broch hat hier eine der ein-

drucksvollsten literarischen Mythifizierungen der europäischen Emigrantenmentalität geschaffen.)

Esch hat, wenn wir ihm 1903 begegnen, immer nach dem ir-
dischen Motto »Geschäft ist Geschäft« gelebt. Er ist Buchhalter, und in seinem Beruf funktioniert dieses partielle
Wertsystem ganz zufriedenstellend. Dann verliert er eines
Tages seine Stelle in einer Weingroßhandlung. Esch weiß,
daß ihm in seinen Büchern keine Fehler unterlaufen sind. Er
stellt fest, daß er entlassen wurde, damit die Unterschlagung
eines Vorgesetzten, Nentwig, vertuscht werden konnte. Er
wurde für das Vergehen eines anderen Menschen bestraft.
Zum erstenmal mit einer irrationalen Erfahrung konfrontiert, für die es in seinem Schema von Soll und Haben keinen
Platz gibt, hebt Esch seine Buchführung auf eine kosmische
Stufe: jedes Unrecht muß durch ein Rechtes ausgeglichen
werden, soll Ordnung erhalten bleiben. Eschs wirre Versuche,
die kosmische Harmonie wieder herzustellen, halten das ganze Geschehen des Buches im Gange. So hält er zum Beispiel
Ilona, die Partnerin eines Messerwerfers in einem Varieté-
theater, für das Symbol des Göttlichen, das jeden Abend wegen der ungesühnten Schuld der Welt die Kreuzigung erlebt.
»Und ohne Ordnung in den Büchern gab es auch keine Ordnung in der Welt, und so lange keine Ordnung war, würde
Ilona weiter den Messern ausgeliefert sein, würde Nentwig
sich weiterhin frech und gleißnerisch der Sühne entziehen . . .«[19]

Esch wird wie Pasenow zwischen zwei Frauen hin und her
gerissen. Aber sein Gemüt voller Sehnsucht nach dem gelobten Land läßt ihn gerade die entgegengesetzte Wahl treffen.
In seiner Welt verkörpert Ilona auf Grund der Assoziationen
mit der Kreuzigung die Vergeistigung der Liebe bzw. eine
Unschuld, die unbefleckt bleiben muß. So wendet sich Esch
Mutter Hentjen zu, die ihm einfach Vergessen in der eroti-
schen Vereinigung gewährt. In seinem wirren Geist entwick-
kelt sich jedoch gleichzeitig die Idee, daß er Ilona erlösen
kann, wenn er Mutter Hentjen, die sieben Jahre älter ist als
er, heiratet und mit ihr nach Amerika, seiner säkularisierten
Version des gelobten Landes, auswandert.

So stehen die Dinge, als Esch zufällig erfährt, Eduard von
Bertrand, der Besitzer der Schiffahrtsgesellschaft, bei der er

soeben als Zahlmeister angestellt worden ist, sei Homosexueller. Plötzlich zerfällt die Welt in Kategorien, die Eschs wirrer religiöser Geist verstehen kann: Bertrand ist der Antichrist, seine Homosexualität ist das Ärgernis, das ursprünglich die kosmische Ordnung gestört hat. Esch glaubt, er könne das kosmische Konto wieder ausgleichen, indem er Bertrand ermorde. Er unternimmt eine Reise nach Bertrands Landsitz, trifft ihn aber nicht persönlich. Statt dessen hat er eine traumartige Auseinandersetzung mit Bertrand, in deren Verlauf dieser ihn überzeugt, daß die von ihm gesuchte Erlösung nicht durch den Tod erlangt werden kann, sondern allein durch Geburt neuen Lebens. Diese Auslegung liefert Esch einen neuen Grund, Mutter Hentjen zu heiraten, einen sogar, der seiner mystischen Denkweise entgegenkommt. Vielleicht, so spekuliert er, wird aus ihrer Vereinigung ein Kind hervorgehen, das das neue Zeitalter einleiten wird. Kurz nach seiner Rückkehr erfährt Esch, daß Bertrand Selbstmord begangen hat. Dieser Akt stellt die kosmische Ordnung anscheinend wieder her.

Eschs Vision in Bertrands Garten ist der Höhepunkt des zweiten Bandes. Die Wirklichkeit dagegen ist nicht so erfreulich. Mutter Hentjen ist unfruchtbar, es wird kein Kind geboren. Hier eine Wendung der Ereignisse, die ebenso ironisch ist wie die Ankündigung, Joachim sei — nach seiner Hochzeitsnacht, in der er sich impotent zeigte — nach achtzehn Monaten »dennoch« Vater eines Kindes geworden. Außerdem bringt ein Betrüger Esch und seine Freunde um das Geld, mit dem die Reise nach Amerika bestritten werden sollte. Traurig stellt er fest, daß sein Ideal in dieser Welt nicht in Wirklichkeit umgesetzt werden kann und nimmt eine neue Stelle als Buchhalter an. Er lebt mit Mutter Hentjen — ohne Erlöser, fern vom gelobten Land.

Im letzten Band beschließen Pasenow und Esch ihr Leben in einer kleinen Gemeinde an der Mosel. Pasenow ist Stadtkommandant, Esch Besitzer und Herausgeber der lokalen Zeitung. Es ist bezeichnend, daß nun die obskuren religiösen Regungen, die in den beiden Männern früher latent vorhanden waren, jetzt in den Vordergrund treten. Da keiner fähig ist, in seiner Art Liebe Trost zu finden, finden sie in einer religiösen Sekte, deren Andachten sie besuchen, zusammen.

Als aber Wilhelm Huguenau auf der Szene erscheint, ist die Harmonie des Ortes gestört. Symbol für Huguenaus Objektivität, für seinen vollkommenen Bruch mit den Werten der Vergangenheit, ist seine Fahnenflucht. Während der sechs Monate vor der Novemberrevolution ist er ein völlig befreiter oder »wertfreier« Mensch, der in keiner Weise durch alte Schemata gebunden ist.

Broch unterstellt nicht, Huguenau sei ein bewundernswerter Mann. Er ist weit davon entfernt. Viele seiner Taten sind gemein. Broch nennt ihn jedoch »das adäquate Kind seiner Zeit«,[20] da er während dieser sechs Monate der Aufhebung jeglichen Wertsystems — wiederholt »eine Ferienzeit« genannt — die Einstellung verkörpert, die es braucht, um die unnützen Ideale der Vergangenheit zu überwinden. Denn Revolutionen bedeuten, Freiwerden von irrationalen Kräften, wenn jeglicher Zwang eines Wertsystems wegfällt. Und der wertfreie Mensch ist ihr Werkzeug. Huguenau ist so, in einem metaphysischen Sinn, »Rächer« von Eschs und Pasenows Schuld.[21] Beide Männer wurden schuldig, indem sie sich weigerten, neue irdische Werte aufzustellen: Pasenow, indem er sich an die Wertformen der Vergangenheit hielt; Esch, indem er sich in Erotizismus und religiöses Sektierertum zurückzog. (Der scharfsichtigere Bertrand hat die durch seine ästhetische Haltung entstandene Schuld durch seinen Selbstmord im zweiten Band bereits eingestanden.)

Huguenaus wendiges, bedenkenloses Auftreten macht es ihm möglich, ohne einen Pfennig in der kleinen Stadt anzukommen und in kurzer Zeit zu einem führenden Mann zu werden. Er bringt Esch um seinen Zeitungsverlag und schüchtert Pasenow so ein, daß der Kommandant nicht wagt, seine Fahnenflucht zu melden. Während der Revolution ermordet er Esch durch einen Dolchstoß in den Rücken und schändet Mutter Hentjen. Am Ende der Revolution ist Esch tot und Pasenow nahe am Tode. Irrationalismus hat alle Überreste der Vergangenheit weggeschwemmt. Die Welt ist für eine neue Gesellschaft, für ein neues Wertsystem bereit. Aber Huguenau ist nicht der Mann für die neue Welt. Am Schluß des Romans — in einer andern Stadt — schleicht er sich in ein beliebiges Teilsystem der Geschäftswelt zurück. Er war genauso ein »Schlafwandler« wie die anderen, da er eine Zeitlang ohne Werte gelebt hat, von den Kräften des Irrationalen oder der Revolution beherrscht.

Wenn wir an diesem Punkt zurückblicken, so stellen wir fest, daß Broch für alle drei Geschehen dieselbe Technik verwendet. Broch schrieb einmal: »Either poetry is able to proceed to myth, or it goes bankrupt.« (»Entweder vermag die Dichtung zum Mythos zu werden oder sie wird bankrott.«)[22] Indem er abgedroschene psychologische Situationen auf ihren metaphysischen Ursprung zurückführte, ist es Broch gelungen, sie zum Mythos zu erheben. Broch hat dies dreimal vollbracht, indem er jeweils die archetypische Struktur aufdeckt: die Liebesaffäre eines jungen Offiziers und die sich daraus ergebende Impotenz, die Mentalität eines europäischen Emigranten und die Wurzellosigkeit eines Deserteurs in der Nachkriegsrevolution.

Unser kurzer Abriß der drei Handlungen der Trilogie konzentrierte sich ausschließlich auf die »erkenntnistheoretische« Bedeutung der Hauptfiguren. Er tat es auf Kosten der erzählerisch zwingenden und tief poetischen Struktur des Werks. Und obschon jeder der drei Teile ein unabhängiges Ganzes ist, bildet die Trilogie eine erzählerische Einheit, die durch eine Vielzahl von Parallelen, Symbolen, Bildern und Leitmotiven gewährleistet ist.

Was die äußere Struktur von Brochs Roman betrifft, so ist er so wissenschaftlich angelegt wie ein in Zolas strengstem Sinne gebauter *roman expérimental*. Seine Helden sind absichtlich alle gleichen Alters — dreißig Jahre —, und die Handlung dauert in jedem Teil genau sechs Monate, vom Frühling bis zum Herbst der Jahre 1888 respektive 1903 und 1918. Zu Beginn eines jeden Bandes ist das partielle Wertsystem, die bisherige Lebensgrundlage des Helden, zerrüttet. Und die Position jedes Protagonisten ist durch seine Haltung gegenüber zwei Frauen gekennzeichnet.

Die Bedingungen aber — die historischen, geographischen und sozialen — unterscheiden sich in jedem Geschehen sehr deutlich. Erstens liegen jeweils fünfzehn Jahre zwischen den Episoden. *Pasenow* spielt in einer Zeit, in der die Krise der Werte noch nicht so offenbar ist, in der Zeit des unbekümmerten Selbstvertrauens, der erfolgreichen und energischen

Jugend des Kaiserreiches, die als die *Gründerzeit* bekannt ist. Im Gegensatz dazu wandert Esch durch die verworrene Welt der Jahrhundertwende, als Arbeiteraufstände und Meuchelmorde den scheinbaren Frieden der Wilhelmischen Ära schon störten. Huguenau schließlich tritt zur revolutionären Zeit am Ende des Ersten Weltkrieges in Erscheinung, zu einer Zeit also, in der die alten Systeme offen zusammengebrochen waren. Zweitens stellt die Bewegung innerhalb der Trilogie von Preußen durch das Rheinland in das Tal der Mosel symbolisch ein Fortschreiten vom östlichen romantischen Mystizismus zum westlichen Rationalismus dar. — Dieser Einfall wäre Thomas Mann kaum entgangen, da er im *Zauberberg* eine ähnliche geographische Symbolik verwendet. — Und drittens läuft parallel zur zeitlichen und geographischen Bewegung der Trilogie die soziale von der weichenden preußischen Aristokratie über das emporkommende Proletariat zur Bourgeoisie des dritten Teiles. In allen drei Bänden treffen wir das Geschlechtliche oder — angemessener — die Unzulänglichkeit der geschlechtlichen Funktion als Symbol für die menschliche Reaktion auf die Wirklichkeit. Pasenow ist in seiner Hochzeitsnacht impotent, da er seine romantische Verherrlichung Elisabeths nicht zu überwinden und sie nicht als Frau zu sehen vermag. Esch wirft sich mit vollkommener Ungezwungenheit in sexuelle Abenteuer. Er versucht dabei, die Unordnung der Welt und seine Enttäuschung über den Verlust des gelobten Landes zu vergessen. Die Sterilität von Bertrands ästhetischer Haltung wird anhand seiner Homosexualität dargestellt: im ersten Band verliebt er sich in Elisabeth wegen ihrer knabenhaften Eigenschaften. Und als Esch fünfzehn Jahre später von ihm hört, ist er in verschiedene Affären mit den Matrosen seiner Rhein-Jacht verwickelt. (Damit läßt sich überdies teilweise sein Selbstmord motivieren, nämlich mit Angst vor Erpressung.) Huguenau ist genauso unfähig, das Geschlechtliche sinnvoll zu bewältigen. Er geht aus hygienischen Gründen einmal in der Woche in ein Bordell; Zugang zu Mutter Hentjen findet er einzig durch Notzucht (genauso wie er Esch nur als Mörder überwindet). Und das einzige weibliche Wesen, zu dem er eine echte Beziehung hat, ist das Kind Marguerite, das noch zu jung ist, um sexuelle Wünsche zu erfüllen. In diesem streng strukturierten Werk ist es selbstverständlich kein Zufall, daß Huguenau zwischen dem »Nicht mehr« und dem »Noch nicht« zweier Frauen steht, die eine zweiundzwanzig Jahre älter, die andere zweiundzwanzig Jahre jünger als er; die eine repräsentiert die Vergangenheit, die er vergewaltigt hatte, die andere repräsentiert die Zukunft, die er nicht hoffen kann zu bestehen. (Nach seinen sechsmonatigen »Ferien« heiratet Huguenau übrigens und hat Kinder.)

Die drei Bände sind auf vielfältige Weise untereinander verbunden. Was die Handlung betrifft, so ist die Beziehung allerdings gering: Ruzena wird im zweiten Band einmal kurz erwähnt, und Bertrand schwebt überall im Hintergrund. Im dritten Band stellen sowohl Pasenow als auch Esch Bezüge zur Vergangenheit her. Aber es sind vor allem die Bildersprache und die Leitmotive, die die Verbindungen aufrecht erhalten. So wird Pasenow z. B. durchwegs mit seiner »Trägheit des Gefühls« charakterisiert, während Esch sich durch die »impetuose Haltung«, mit der er auf die Anarchie seiner Umwelt reagiert, kennzeichnet. Bertrands Ungebundenheit wird im ersten Band mit der »wegwerfenden Handbewegung« dargestellt, mit der er romantische Attitüden ablehnt. Diese Geste führt ein eigenes Leben: Pasenow übernimmt sie von Bertrand. Im zweiten Band bleibt Bertrand nach der Vision so lebhaft in Eschs Erinnerung, daß er sich diese Bewegung ebenfalls zu eigen macht. Und im dritten Band, obwohl Bertrand schon tot ist, lebt die Geste weiter, bis sich schließlich auch Huguenau ihrer bedient.

Das Symbol der Uniform, das im ersten Band von zentraler Bedeutung ist, tritt auch in den andern Teilen zutage, ist aber abgenutzt, entromantisiert und dem Milieu angepaßt. So stolziert Zollinspektor Korn, den die Unordnung, die Esch stört, nicht beunruhigt, voller Vertrauen auf die Macht seiner Uniform durch den zweiten Band. (Wie Pasenow, fünfzehn Jahre zuvor, kann er es nicht fassen, daß Bertrand die Offiziersuniform an den Nagel hängte.) Ähnlich sind die Heilsarmeeleute des dritten Bandes, die eine Art von Halt in ihrem Sektierertum finden: sie tragen eine Uniform. Der Verlust der Wirklichkeit wird dagegen mit dem Verlust der Uniform angedeutet, z. B. im Falle der geistig verwirrten Patienten des Militärkrankenhauses im dritten Band.

In allen drei Teilen ist Reisen ein Symbol für Flucht vor der gegenwärtigen Wirklichkeit und Unordnung. Pasenows Sehnsucht nach der Heimat und nach der Vergangenheit spiegelt sich im ersten Band in seinem Traum von Indien, dem traditionellen Symbol der deutschen Romantik für den mystischen Orient. Esch reist nicht weit, aber sein vages Verlangen nach dem gelobten Land manifestiert sich in seinem bestimmten Wunsch, nach Amerika auszuwandern. Die Miniaturreproduktion der Freiheitsstatue, die er hegt und pflegt, ist das Symbol für diesen Wunsch. Geschäfte führen Bertrand in der Welt herum, sowohl nach Indien als auch nach Amerika, aber für ihn enthalten diese Orte nichts Mystisches wie für Pasenow und Esch. Sie stellen nicht mehr als eine vielversprechende Möglichkeit zukünftiger Geschäftsinvestitionen dar. Da sich Bertrand außerdem nie völlig von der Vergangenheit zu befreien vermag, kehrt er immer nach Deutschland zurück und stirbt auch dort. Huguenau unternimmt keine langen Reisen. Er spottet andauernd über die Freiheitsstatue, die Esch aus den Jahren in Köln und Mannheim noch aufbewahrt. Aber seine Fahnenflucht an der Westfront zeigt sogar einen tieferen inneren Bruch mit der Vergangenheit an, als es Bertrands Weltbummelei zu tun vermag.

Diese in die Augen fallenden Leitmotive und Symbole verleihen zusammen mit vielen anderen, die in den drei Bänden vorkommen, der Trilogie als Ganzer eine konsequente Architektonik und erwecken den Eindruck einer Totalität, die Broch so sehr anstrebte.[23] Sie werden sogar auf stilistischer Ebene durch eine ausgesuchte Rhetorik der Metaphern, die den Sinn des Buches widerspiegelt, betont. So werden Bilder der Kälte und der Lähmung immer gebraucht, um das Gefühl der Einsamkeit, das die Romanfiguren beherrscht, und den Zusammenbruch, der die moderne Welt kennzeichnet, darzustellen. So sehnt sich Joachim nach der Stallwärme, wenn die eisige Drohung der Entfremdung spürbar wird. Das Thema einer zerfallenen Welt wird in der Bildersprache des Romans überall zum Ausdruck gebracht, von der Beschreibung von Joachims Vater, der mit seinem Stock, wie »ein Hund, der auf drei Beinen hinkt«, durch die Gegend humpelt, bis zum verwundeten Veteranen im Militärkrankenhaus, dessen linker Arm amputiert werden mußte, und der sich seiner »Asymmetrie« als Mensch voller Bitterkeit bewußt ist.[24]

In seinem »methodologischen Prospekt« sprach Broch von der »choreographischen Symmetrie«, die das Werk beherrscht, die sich »nicht zuletzt auch im Stil, der andererseits wieder von den drei Zeitepochen bestimmt ist«, ausdrückt. *Pasenow* ist eine raffinierte Parodie auf die Prosadichtung des späten neunzehnten Jahrhunderts: in den Geschichten und Romanen eines Arthur Schnitzler oder eines Theodor Fontane treffen wir auf im wesentlichen gleiche Handlungsabläufe. Die frühen Kritiker haben in ihren Versuchen, Broch einzuordnen, dies auch gleich vermerkt. Aber sie haben übersehen, wie geschickt Broch in seinem Werk diesen Stil veränderte. Durch sorgfältige und konsequente Verwendung der Erzähl-Perspektive hat er sich selbst als Erzähler von der Geschichte ausgeschlossen, wobei das ganze Geschehen durch verschieden eingestellte Objektive betrachtet wird. Der Roman beginnt mit der folgenden Beschreibung von Joachims Vater:

> Im Jahre 1888 war Herr von Pasenow siebzig Jahre alt, und es gab Menschen, die ein merkwürdiges und unerklärliches Gefühl der Abneigung verspürten, wenn sie ihn über die Straßen Berlins daherkommen sahen, ja, die in ihrer Abneigung sogar behaupteten, daß dies ein böser alter Mann sein müsse ... Sah er in den Spiegel, so erkannte er jenes Gesicht wieder, das ihm dort vor fünfzig Jahren entgegengeblickt hatte. Und war Herr v. Pasenow solcherart mit sich nicht unzufrieden, so gibt es eben doch Menschen, denen das Äußere dieses alten Mannes mißfällt und die es auch nicht begreifen, daß je eine Frau sich gefunden hatte, die diesen Mann mit begehrenden Augen betrachtet haben sollte, ihn begehrend umfing, und sie werden ihm höchstens die polnischen Mägde auf seinem Gute zugestehen und daß er sich ihnen mit jener etwas hysterischen und doch herrischen Aggression genähert haben dürfte, die kleinen Männern öfters eigentümlich ist. Mochte dies stimmen oder nicht, es war jedenfalls die Meinung seiner beiden Söhne, und es versteht sich, daß er diese Meinung nicht geteilt hätte.

Dieser Abschnitt vermittelt uns eine Menge von Informationen. Untersuchen wir sie näher, so stellen wir fest, daß es hier keine Erzähler-Stimme gibt, mit der wir uns wie im konventionellen Roman identifizieren können.[25] Wenn der Abschnitt auch einfache Gegebenheiten enthält, so hängt doch jede Angabe, die irgendein ethisches Urteil impliziert, von einem begrenzten persönlichen Subjekt ab: »es gab Menschen, die«; »Sah er in den Spiegel«; »so gibt es Menschen, denen«; »sie werden ihm . . . zugestehen«; »es war jedenfalls die Meinung seiner beiden Söhne«. Die Gestalt des traditionellen Erzählers, den wir im *Zauberberg* noch finden, ist verschwunden. Und an Stelle der vollkommenen Objektivität, die durch die Montagetechnik von *Berlin Alexanderplatz* erreicht wird, steht uns eine Vielfalt von subjektiven Standpunkten gegenüber. Sie sollen auf stilistischer Ebene den Pluralismus der Werte widerspiegeln, der in unserer Zeit überhandnimmt. Wir haben in diesem ersten Teil also eine relativ einfache und konventionelle Handlung, die aber von vielen Standorten aus betrachtet wird.

In *Esch* verläuft der Prozeß umgekehrt. Die Handlung, in Stimmung, Milieu und Charakter von großer Ähnlichkeit mit *Berlin Alexanderplatz,* so daß man glaubt, wiederum eine bewußte Parodie vor sich zu haben, ist recht kompliziert (und im einzelnen viel ausgearbeiteter als unsere Übersicht es ahnen läßt). Aber die ganze Erzählung wird hier wie in Kafkas Romanen durch das Bewußtsein des Helden filtriert. Die stilistische Skala reicht vom nüchternen Bericht über hektisch expressionistische Prosa bis zu lyrischen Höhepunkten. Die Vision von der Welt wird aber sorgfältig kontrolliert durch wiederholte Hinweise auf die Wertvorstellungen, die August Eschs wirren Geist beherrschen. Der Stil in *Pasenow* gibt den aufkommenden Pluralismus wieder, während der in *Esch* einen so weit fortgeschrittenen zeigt, daß das Individuum sich verzweifelt an sein eigenes, begrenztes partielles Wertsystem klammert.

In *Huguenau* schließlich wird die vollkommene Desintegration der Wirklichkeit durch den völligen Zusammenbruch von Stil und Form aufgedeckt. Da Huguenau, der »wertfreie« Mensch, keinen eigenen ethischen Standpunkt hat, können wir die Welt nicht mit seinen Augen sehen. Die lyrischen, dramatischen, erzählerischen und essayistischen Elemente, die in der Prosa von *Esch* noch miteinander verbunden sind, zerfallen in Einzelteile und erscheinen als separate Kapitel. Die Wirklichkeit zeigt sich uns Lesern so, wie sie ist, wenn kein zentrales, auswählendes Bewußtsein dazwischentritt. Um aber diese Entwicklung zu verstehen, müssen wir kurz die Genesis des Romans betrachten.

Broch begann 1928 mit der Arbeit an seinem Roman. Wir haben guten Grund anzunehmen, daß er zuerst *Huguenau* schrieb und *Pasenow* und *Esch* erst später hinzufügte, um die beiden andern Hauptfiguren des dritten Bandes stärker zu profilieren.[26] (Noch 1929 beabsichtigte Broch das ganze Werk *Huguenau* zu nennen, nach seinem repräsentativsten Helden also.) Als der Rhein-Verlag das Werk 1930 zur Publikation annahm, bestand es aus drei Manuskripten, jedes knapp 150 Seiten stark. Wie haben wir den Umstand zu erklären, daß der Roman, der 1931 und 1932 in drei Bänden erschien, etwa 650 Seiten umfaßte? *Pasenow* wurde in einer Form veröffentlicht, die dem dem Verleger 1930 übergebenen Manuskript recht ähnlich war. *Esch* wuchs während der Phase des Überarbeitens und Ausfeilens ungefähr um fünfzig Seiten; Broch sprach in diesem Zusammenhang mit grimmiger Ironie, die seinen Verleger erzürnt haben muß, von den »katastrophalen Esch-Korrekturen«.[27] Faszinierend aber ist die Geschichte des *Huguenau*-Manuskripts, das in einem Jahr von hundertfünfzig auf über fünfhundert Seiten anschwoll.

Bis zu diesem Punkt haben wir den Roman, so wie er vor dem Anschwellen existierte, besprochen. Die Handlung der drei Teile blieb sich nämlich während des Arbeitsprozesses gleich. D. h.: die *erkenntnistheoretische Basis* des Romans veränderte sich von 1928 bis zur Vollendung des Buches im Jahre 1932 nicht. Aber die äußere Form des dritten Bandes wurde während der letzten Monate der künstlerischen Gestaltung radikal verändert. Neben der Huguenau-Geschichte enthält dieses Buch auch eine Anzahl von scheinbar unzusammenhängenden Bestandteilen: parallele Handlungen, Essays, Gedichte usw. Brochs Arbeitsmanuskript ist ein unglaubliches Durcheinander. Ganze Kapitel wurden hinzugefügt, Seiten herausgeschnitten, andere zusammengefaltet angeheftet. An den Rändern und auf den Rückseiten stehen Korrekturen und Erweiterungen in verschiedenfarbiger Tinte. Doch das Manuskript gibt zusammen mit den Briefen, die Broch während dieser schwierigen Monate schrieb, die fesselnde Geschichte des Prozesses der künstlerischen Integration. Sie ist es wert, wiedererzählt zu werden.[28]

Am 27. September 1930, als er begonnen hatte, sein 150 Seiten starkes Manuskript für die Publikation zu überprüfen, schrieb Broch: »Jetzt habe ich mich derart in den Huguenau hineingelebt, daß ich einen Roman von 300 Seiten daraus machen könnte. Ich muß unaufhörlich bremsen, daß es nicht zuviel wird.«[29] Bis Januar 1931 hatte Broch erst vier Kapitel hinzugefügt, diejenigen nämlich, die sich mit dem Kind Marguerite befassen und daher mehr oder weniger zur Huguenau-Handlung gehören. Aber am 5. Juni des gleichen Jahres war der Band »auf 300 Seiten angeschwollen« und »von Tag zu Tag komplizierter in seiner Architektonik« geworden, schreibt Broch verwundert.[30] Neben dem Huguenau-Stoff enthält das Manuskript nun parallele Handlungen. Sie befassen sich mit Ärzten und Patienten des Militärkrankenhauses in der Gemeinde an der Mosel und mit Hanna Wendling, einer jungen Frau aus dieser Stadt.

Brochs Gründe für diese Erweiterungen sind leicht einzusehen: Diese untergeordneten Figuren zeigen die Krankheit der Zeit viel drastischer als die Hauptprotagonisten. So beschäftigt sich eine der unabhängigen Erzählungen mit dem von einer Kriegsneurose befallenen Veteranen Gödicke, der sein eigenes Ich mühsam aus den ungleichartigen Fetzen, die er beim Erwachen aus dem Koma in seinem Bewußtsein findet, wieder aufbauen muß. (Dieser besondere Teil, eine von Brochs eindrücklichsten Schilderungen, erinnert an die Passagen in *Berlin Alexanderplatz*, die Franz Biberkopfs Katatonie im Sanatorium zu Buch darstellen.) Die geistige Unausgeglichenheit der Zeit wird durch den verwundeten Leutnant Jaretzki verkörpert, der, Architekt von Beruf (d. h. ein Symbol für makellose Proportionen), einen Arm verloren hat und sich nun an ein künstliches Glied, d. h. an einen Mangel an physischer Symmetrie gewöhnen muß. Und die zunehmende Vereinsamung wird anhand der Geschichte der Hanna Wendling gezeigt. Während ihr Gatte an der Ostfront ist, wird er ihr mehr und mehr fremd. Dieser untergeordnete Stoff, der eine unabhängige Novelle darstellt, wurde zuerst als ein Ganzes geschrieben und geformt und dann Stück für Stück in die Huguenau-Handlung eingefügt. Broch hat in dieser Geschichte eine treffende Metapher für das Hereinbrechen des Irrationalen gefunden: ein Einbrecher steigt bei Nacht in Hanna Wendlings Haus ein und löst bei ihr jäh Ängste aus.

Fragen wir weiter, weshalb Broch diese fast aufsehenerregende Überarbeitung unternahm, so finden wir einen Aufschluß in eben diesem Brief vom 27. September 1930, in dem er erstmals von der Versuchung, den Roman zu erweitern, spricht: »Haben Sie schon den neuen Dos Passos gelesen? Kein Joyce, aber virtuos.« Fürwahr, die Methode, die Dos Passos in seinen Romanen (*Manhattan Transfer*, 1925 und *Der 42. Breitengrad*, 1930) verwendet, entspricht genau der »additiven Technik«[31], die Broch für die Erweiterung von Huguenau wählt. Bei beiden finden wir eine Reihe von unabhängigen, parallelen Erzählungen, die nur gelegentlich in einen losen Zusammenhang gebracht werden. Später schätzte Broch die Romane des amerikanischen Schriftstellers nicht mehr so hoch ein, aber in dieser Schaffensperiode ist die von ihm angewandte Technik wahrlich nichts anderes als — wie er es später nannte — »eine Erweiterung des alten naturalistischen Romans ... wie etwa bei den Kontinentsquerschnitten Dos Passos«.[32] Und das Ergebnis ähnelte *Manhattan Transfer* viel mehr, als das beim *Berlin Alexanderplatz* der Fall gewesen war. Während der Monate, da Broch seinem Buch die Parallel-Stränge einbaute, ist es nicht unangemessen, von literarischem »Einfluß« im eigentlichen Sinne zu sprechen.

Brochs Vorbehalte gegenüber Dos Passos, vor allem wegen dessen — nach Brochs Auffassung — Mangel an Durchgeistigung, zeitigten bald Konsequenzen.[33] Am 18. Juni 1931 meinte Broch, seinen Roman abgeschlossen zu haben und schrieb an seinen Verleger: »Mir fehlen noch ein paar Seiten zum Huguenau, allerdings sehr schwierige.« Er versprach das Manuskript »in ein paar Tagen«.[34] Aber aus den wenigen Tagen wurden sechs Monate, und die paar Seiten wurden so etwas wie zweihundert Seiten. Gerade als sein Verleger zu hoffen wagte, endlich mit dem Druck des Buches, das er mehr als ein Jahr zuvor käuflich erworben hatte, beginnen zu können, werden Brochs Briefe plötzlich von einer neuen Erregtheit erfüllt. Er beginnt sein Buch »ein Novum« zu nennen und vermag zum erstenmal das Werk in seiner späteren, uns bekannten endgültigen Form zu beschreiben. »Das Buch besteht aus einer Reihe von Geschichten, die alle das gleiche Thema abwandeln, nämlich die Rückverweisung des Menschen auf die Einsamkeit.«[35] Soviel wissen wir natürlich bereits. Aber Broch fährt fort: »sie steigen aus dem völlig Irrationalen (Geschichte des Heilsarmeemädchens) bis zur vollständigen Rationalität des Theoretischen (Zerfall der Werte). Zwischen diesen beiden Polen spielen die übrigen Geschichten auf gestaffelten Zwischenebenen der Rationalität.« Vom Zeitpunkt dieser Aussage an bis zum vollständigen Abschluß im Januar 1932 erfuhr dann das Werk eine zweite Überarbeitung und Erweiterung. Während die erste Stufe durch die additive Technik Dos Passos' angeregt wurde, ist die zweite ein Versuch, das Ganze durch die Einfügung dieser zwei angedeuteten, völlig neuen Elemente zu vervollständigen: zehn Kapitel eines Essays über den »Zerfall der Werte« und sechzehn lyrische Kapitel der »Geschichte des Heilsarmeemädchens in Berlin«.

Um die Lockerheit der additiven Konstruktion auszugleichen, beschloß Broch, die Gestalt des Erzählers, der den Roman schreibt, einzuführen: das »Ich« der »Geschichte des Heilsarmeemädchens in Berlin«. Broch hatte sich ursprünglich von der Philosophie ab- und der Literatur zugewandt, weil er zum Schluß gekommen war, daß die Literatur das einzige Gebiet darstellte, auf dem Subjektivität »radikal legitim« war. Broch, nie ein Mann, der vor Konsequenzen zurückschreckte, übertrug nun diese Subjektivität auf den Roman selbst. Sein Erzähler, der in den ersten Fassungen des Manuskripts namenlos ist, erhält den Namen Bertrand Müller. Der Name ist selbstverständlich kein Zufall. Wie man bereits bemerkt hat, ist Bertrand in mehr als einem Sinn sein Vorname.[36] Wie Eduard von Bertrand ist dieser Erzähler ein Ästhet, der unendlich an seiner Unfähigkeit leidet, der Realität dieser Stadt Berlin, wo er in einem einsamen Zimmer sitzt und schreibt, Herr zu werden.

In lyrischer Sprache, die sich in fünf von sechzehn Kapiteln zu reiner Dichtung aufschwingt (d. h. zu reiner Subjektivität), erzählt Bertrand Müller die Geschichte der Liebe zwischen Marie, einem Heilsarmeemädchen, und Nuchem, dem

Juden. Aus den geschichtsphilosophischen Erklärungen geht hervor, daß die Heilsarmee und das Judentum extreme symbolische Positionen in Brochs Denken darstellen. Der Jude ist der »progressivste Mensch«, das entschiedenste Beispiel eines modernen Menschen, da er seine irdische Wirksamkeit am konsequentesten, ohne Bezug auf eine transzendentale Instanz zur Absoluten erlebt. Die Heilsarmee dagegen versucht, in der Art der katholischen Kirche des Mittelalters, noch einmal alle Werte in einer höheren Instanz zu zentralisieren. Die Liebe zwischen Nuchem und Marie ist zum Scheitern verurteilt, da keiner fähig ist, seinen Standpunkt preiszugeben, um eine dauernde Vereinigung zu erreichen. So verkörpern sie in einem epischen Bericht, der mit der Handlung des Romans nicht das geringste zu tun hat, den extremsten Fall menschlicher Entfremdung.

Aber sie sind noch mehr: sie enthüllen deutlicher als irgend etwas anderes die mißliche Lage des Autors, Bertrand Müller. Da er die Geschichte seiner andern Gestalten in eine ästhetisch und erkenntnistheoretisch zufriedenstellende Form brachte, vermochte er immerhin die Illusion zu erwecken, sie sei sinnvoll: Pasenow, Esch und Huguenau sind am Ende seine Geschöpfe, er konnte ihr Leben gestalten, wie er wollte. Die Nichtigkeit seiner Position wird ihm aber bewußt, als er wahrnimmt, wie hilflos er im Falle von Nuchem und Marie ist. »Denn selbst Nuchem und Marie sind mir fremd, sie, denen meine letzte Hoffnung gegolten hat, die Hoffnung, daß sie meine Geschöpfe seien, die unerfüllbare süße Hoffnung, daß ich ihr Schicksal in die Hand genommen hätte, es zu bestimmen. Nuchem und Marie, sie sind nicht meine Geschöpfe und waren es niemals. Trügerische Hoffnung, die Welt formen zu dürfen!«[37] Der Höhepunkt von Bertrand Müllers eigener Angst wird in jenem Gedicht offenbar, in dem er sich und seine ganze Generation als geistige Erben des verfluchten Wanderers Ahasvers apostrophiert.[38] (Dieses Gedicht ist selbstverständlich eine Variation über das Thema Flucht durch Reise, von dem wir schon gesprochen haben.) Bertrand Müller stellt also mit seiner eigenen Person die Angst seiner Geschöpfe dar und damit die Unmöglichkeit echten Verstehens in einer Zeit, die zwischen dem Zusammenbruch des einen ethischen Systems und der Geburt des nächsten liegt. Der einzige Trost, den er dem modernen Menschen, der zwischen zwei Perioden des Geschehens hängt, anzubieten vermag, ist der Gedanke an die menschliche Solidarität, wie sie in den Worten des Apostels Paulus eingeschlossen ist, mit denen der Roman endet: »Tu dir kein Leid! denn wir sind alle noch hier!« (Apostelgeschichte 16/28.) Trotz dieser Ernüchterung verkörpert Müller noch immer den verbindenden Geist, der nicht nur die verschiedenen Fäden des *Huguenau* miteinander verknüpft, sondern — stillschweigend — alle drei Bände der Trilogie.

Halten wir wiederum inne, um die literarische Quelle dieses Kunstgriffes zu notieren: André Gide.[39] Im August 1931, zur Zeit seiner entscheidenden Wandlung also, erwähnt Broch Gide oft in seinen Briefen. In *Die Falschmünzer*, einem Roman, den Broch während dieser Periode las und sehr bewunderte, nimmt das einheitschaffende Prinzip auch die Gestalt eines Schriftstellers an, der die verschiedenen Teile der Erzählung integriert, indem er sie erläutert und interpretiert. Broch hatte das Bedürfnis nach einer souveränen Figur, in Gides Sinn, um den zentrifugalen Kräften der vielen parallelen Handlungen entgegenzuwirken. Der Gedanke findet sich natürlich auch in seinen eigenen literaturtheoretischen Äußerungen. Aber in den spezifisch technischen Mitteln wurde Broch sicherlich von Gide beeinflußt. Broch bemerkte einmal, daß Gide außer Joyce der einzige Schriftsteller sei, dem er sich wirklich geistig verwandt fühle.[40]

Aber trotz der Einführung einer Romangestalt, die für das ganze Geschehen die Anordnung trifft, war das Werk noch nicht vollkommen. Es fehlte ihm immer noch der eine Bestandteil, der es völlig abrundet; er hatte die reine Subjektivität der lyrischen Stellen auszugleichen. So begann Broch noch während der Arbeit an den Kapiteln der »Geschichte des Heilsarmeemädchens in Berlin« seinem Roman innerhalb von Wochen ein letztes Moment, ein Muster an purem Rationalismus, einzufügen, nämlich eine Reihe von Essays über den »Zerfall der Werte«, von denen Bertrand Müller wiederum der Verfasser sein soll. Der Kreis hat sich geschlossen. Das Versagen der Philosophie hatte Broch der Literatur zugeführt. Nun, auf der letzten Stufe der Gestaltung, brachte die Literatur Broch noch einmal zur Philosophie zurück.

Broch hatte zu dieser Zeit schon lange Jahre an seiner Werttheorie gearbeitet.[41] Und es ist für eine korrekte Akzentsetzung wichtig, im Auge zu behalten, daß er gerade während der Arbeitsjahre an seinem Roman fortfuhr, seine Theorie weiterzuentwickeln. Er hatte also eine bereits vorhandene Masse an Material in eine Form zu gießen, die dem Roman angemessen war. Denn die zehn Kapitel über den »Zerfall der Werte« sind nicht nur als Gegenstimmen zur »Geschichte des Heilsarmeemädchens in Berlin« geschrieben worden; sie beziehen sich auch auf Ereignisse und Personen aus den anderen Strängen der Romanhandlung.

Brochs Geschichtsphilosophie, die wir schon erwähnt haben, erscheint als 7. Kapitel der Abhandlung »Zerfall der Werte« unter dem Titel »Historischer Exkurs«. Um aber zum Schluß festzustellen, wie Broch die Theorie seines Romans in den Roman selbst einbaut, wollen wir kurz die drei Thesen des »Erkenntnistheoretischen Kurses«, die das 9. Kapitel des »Zerfall der Werte« beinhaltet, untersuchen.[42] Gemäß Brochs erster These besteht »die Geschichte ... aus Werten«, »weil das Leben bloß unter der Wertkategorie zu erfassen ist, — aber diese Werte können nicht als Absoluta in die Wirklichkeit eingeführt werden, sondern können bloß im Zusammenhang mit einem ethisch handelnden wertsetzenden Wertsubjekt gedacht werden«. Aus dieser schwerfälligen Sprache, dem lebhaften Stil der Erzählung so unähnlich, lesen wir eine theoretische Rechtfertigung der stilistischen Technik des ersten Buches, in dem jedes Werturteil verbunden ist mit einem »wertsetzenden Wertsubjekt«. Die zweite These versucht, dieses »wertsetzende Wertsubjekt« näher zu präzisieren: Es kann nicht konkret, es kann »bloß in der Einsamkeit seines Ichs imaginiert werden«. Von nun an spricht Broch nicht mehr von den individuellen Stilsubjekten des ersten Teils, sondern von dem allgemeineren »wertsetzenden Wertsubjekt« des ganzen Romans, d. h. Bertrand Müller. Um die Beziehung zwischen diesen beiden Arten von Subjekten präzise zu bestimmen, müssen wir uns Brochs dritte These ansehen, deren Schlußfolgerung lautet, die ganze Welt sei »eine Setzung des intelligiblen Ichs«.

Wir haben, mit andern Worten, eine relative Wirklichkeit, die wir indirekt erfahren können und ein intelligibles Ich, das — in seiner Isolation — nicht erlebt werden kann. Wie können wir denn mit dieser Wirklichkeit bekannt werden? Hier treten nun die wertsetzenden Wertsubjekte des ersten Bandes in Funktion. Die Welt ist nach Broch »eine relativistische Organisation«, da sie nicht direkt, sondern nur mittelbar durch das intelligible Ich entsteht. Das intelligible Ich führt dann weitere wertsetzende Subjekte ein (z. B. die stilistischen des ersten Teils), »die ihrerseits die Struktur des intelligiblen Ichs widerspiegeln und ihrerseits ihre eigenen Wertsetzungen, ihre eigenen Weltformungen vornehmen«. Diese dazwischenliegenden Wertsubjekte spielen eine unerhört wichtige Doppelrolle. Wie wir in unserer Analyse gezeigt haben, relativieren sie die Wirklichkeit, die wir im Roman wahrnehmen, denn jedes Werturteil ist mit einem ihrer zahllosen Standpunkte verknüpft. Wir sehen die Wirklichkeit nicht direkt, sondern nur mit den Augen von Pasenow oder Esch, »von den Leuten, die...« Und zugleich spiegeln all diese Standpunkte in ihrer Vielfalt die Struktur des intelligiblen Ichs.

Diese letzte Funktion ist eine Überraschung, denn bis zu diesem Zeitpunkt, fünfzig Seiten vor dem Romanende, wußten wir nichts von einem intelligiblen Ich. Erst jetzt vermögen wir ganz zu verstehen, weshalb Broch es für nötig erachtete, die scheinbar herausfallenden lyrischen Teile und die theoretischen Essays einzufügen: Bertrand Müller repräsentiert das intelligible Ich, das ethische Zentrum des Romans, um das sich alles dreht. Der dreistufige Prozeß ist nun abgeschlossen. Gemäß Brochs Erkenntnistheorie setzt das intelligible Ich wertsetzende Wertsubjekte, die wiederum ihre eigenen Weltformungen einführen. In den Termini des Romans: Bertrand Müller setzt stilistische oder strukturelle Gesichtspunkte, die wiederum ihre eigene fiktive Welt hervorrufen. Die Erkenntnis, die wir durch diesen erkenntnistheoretischen Roman erlangen, ist dann letztlich eine Erkenntnis Bertrand Müllers, der in sich alle Möglichkeiten Pasenows, Eschs, Huguenaus und Bertrands vereinigt.

Erst am Schluß wird uns bewußt, daß es einen überragenden Erzähler gibt, der die vielen vermittelnden Stimmen in sich schließt. Wir haben allerdings in der »Geschichte des Heilsarmeemädchens in Berlin« mit dem Erzähler bereits Bekanntschaft gemacht — *innerhalb* der fiktiven Welt. Wenn wir aber schließlich feststellen, daß diese Figur ebenso der Erzähler des Geschehens aller drei Bände ist, sind wir gezwungen, umzudenken und alles Aufgenommene auf Grund dieser Wahrnehmung geistig neu zu ordnen. Alles, was wir für gesicherte Wirklichkeit hielten, wird durch die Einführung dieses idealen Beobachters, der ohne unser Wissen schon immer anwesend war, plötzlich relativiert. Was absolut gültige Wirklichkeit war, offenbart sich als ein weiteres relatives System, abhängig von Bertrand Müller, dem intelligiblen Ich des Romans.[43]

Die zehn Essays über den »Zerfall der Werte« haben zwei wichtige Aufgaben innerhalb des Romans. Erkenntnistheoretisch gesehen liefern sie die Theorie, auf die der ganze Roman aufgebaut ist. Und mit ihnen wird dieser Dichtung ihre eigene Theorie einverleibt. Von der Romanstruktur her gesehen bilden sie mit ihrer nüchternen Sachlichkeit das Gleichgewicht bzw. den Kontrapunkt zum rein lyrischen Charakter der »Geschichte des Heilsarmeemädchens in Berlin«. Das rationale Denken gehört ebenso zu Bertrand Müllers Bewußtsein wie die Subjektivität der »Geschichte des Heilsarmeemädchens in Berlin«. Wir haben letzten Endes einen absoluten Roman vor uns; er umfaßt den ganzen geistigen Bereich von Bertrand Müller: vom Rationalen bis zu den Abgründen des Irrationalen, vom analytischen Geist, der die Ursachen seiner Angst klar erkennt, bis zur bebenden Seele, die unter dieser Angst mit der gleichen Intensität leidet wie irgendein Geschöpf seiner Einbildungskraft. Die Gesamtstruktur läßt sich in der Form von drei konzentrischen Kreisen veranschaulichen: Der innerste umfaßt die »Geschehnisse« aller drei Bände, die Geschichten, die Bertrand Müller schreibt. Der nächste enthält die Essays über den »Zerfall der Werte«. Er enthält auch die Geschichten insofern, als er auf sie verweist. Den äußersten Kreis bildet dann die »Geschichte des Heilsarmeemädchens in Berlin«, die alles andere in sich enthält und als der subjektivste Teil des Werkes in eine subjektive Form gegossen ist: rein lyrische Äußerung.

Broch war vor allem auf diese Leistung seines Werkes stolz. »Die Polyhistorisierung des Romans macht allenthalben Fortschritte«, schrieb er am 3. August 1931 an Willa Muir mit be-

sonderen Hinweisen auf Joyce, Gide, Thomas Mann, Aldous
Huxley und Robert Musil.[44] Aber mit Ausnahme von Joyce,
fuhr er fort, versuchten die anderen Schriftsteller »Bildungs-
elemente« in ihre Prosa einzubauen, um ihre Dichtung zu gar-
nieren. Nur er und Joyce, glaubte Broch, hätten »gewagt«,
Wissenschaft in ihren Werken »produktiv« zu verwerten, indem sie jene auf »immanente« Weise als Grundlage von Handlung und Charakterisierung gebrauchten. Es ist hier nicht der
Ort, um Brochs Meinung über Joyce zu diskutieren. Wir wollen weder über das intuitive Verständnis für die Technik
Joyces, noch über das subjektive Mißverständnis von Joyces
Absichten sprechen. Aber man kann ruhig sagen, daß die
Schlafwandler in der »Polyhistorisierung« weiter gehen als irgendein anderer Roman des 20. Jahrhunderts. Das macht ihre
Größe aus, rechtfertigt aber nicht ihre manchmal ermüden-
den Zumutungen an den Leser. Zuweilen läuft Broch Gefahr,
gerade die Fehler zu begehen, die er dem Naturalismus, dem
Impressionismus und dem Expressionismus vorwirft. »Wenn
in all diesen Formen (Künsten) die Wirklichkeit unserer Zeit
wiedergegeben werden soll, dann kann diese Form nur Anarchie, die Anarchie widerspiegelt, sein.«[45] Broch erreicht seinen
Höhepunkt, wenn er »der Versuchung, Geschichtel zu erzählen«, erliegt. Dann vermag er tatsächlich eine fiktive Wirklichkeit zu schaffen, die Psychologie in Mythos verwandelt.
Schreiben heiße, »Erkenntnis durch die Form gewinnen«, liebte Broch zu bemerken.[46] Er hoffte, durch die gründliche
Überarbeitung des dritten Bandes der *Schlafwandler* dieses
Ziel zu erlangen. Da er nicht davon überzeugt war, daß die
erkenntnistheoretische Grundlage seiner Trilogie genügen
würde, um seine Intention zu verwirklichen, schuf er nach
und nach ein Werk, dessen Form selbst den Zerfall, den er
im Bewußtsein des modernen Menschen wahrgenommen hatte, wiedergab. Mit für Broch charakteristischer Konsequenz
argumentierte er folgendermaßen: Ist die Welt entzweit, so
ist jedes literarische Werk, das versucht, eine harmonische
Welt darzustellen, unaufrichtig. Daher sind die scheinbar unzusammenhängenden Teile der *Schlafwandler* ein sorgfältig
berechnender Versuch, durch ästhetische Form den Zerfall der
Wirklichkeit innerhalb der Prosadichtung zu veranschaulichen.

Dieser künstlerische Ehrgeiz deckt jedoch eine Doppeldeutung innerhalb des Romans auf. Broch war ja damals schon von den nagenden Zweifeln befallen, die später in so harten Formulierungen wie »die Unmoralität des Kunstwerks« zum Ausdruck kamen. In einem Brief von 1947 kommt er z. B. zum Schluß, daß »das Spielerische des Kunstwerks ... in einer Zeit der Gaskammern unstatthaft« sei.[47] Zehn Jahre zuvor bemerkte er, daß die Erfahrungen, die er während der Haft und Gefangenschaft bei den Nazis und seiner nachfolgenden Flucht aus Österreich gesammelt habe, »der vollgültige Beweis« für seine These »von der Überflüssigkeit jeglicher künstlerischer oder sonstwie geistiger Arbeit« seien.[48] *Der Tod des Vergil* (1945), den er während der Jahre schrieb, in denen er von seinem amerikanischen Exil aus Zeuge der verheerenden Wirkungen des Nazi-Terrors wurde, ist das Resultat der immer wachsenden und lähmenden Überzeugung eines Schriftstellers, daß ein der Kunst gewidmetes Leben in einer kulturellen Endzeit vergeudet, ja sogar unmoralisch sei. Broch vermochte in der Tat seine Zweifel wegen der Publikation eines Romans, dessen zentrale Aussage lautete, Literatur sollte nicht geschrieben und nicht bewahrt werden, nie völlig zu überwinden.

Diese Behauptungen und Gefühle resultierten nicht aus den Erfahrungen mit den Nazis, sie wurden durch diese nur mehr bestätigt. Denn genau das gleiche Mißtrauen gegenüber Literatur und Philosophie schlich sich schon gegen Ende der *Schlafwandler* ein. Es gibt dem Werk die letzte, faszinierende Dimension. Als Bertrand Müller am Schluß seiner Betrachtungen einsieht, daß er nicht vermag, Nuchem und Marie zu helfen, zwingt ihn diese Frustration seiner Kräfte durch die Wirklichkeit, die Frage nach der Gültigkeit des ganzen Romans, dem er sein Leben gewidmet hat, zu stellen. »Ich versuche zu philosophieren, — doch wo ist die Würde der Erkenntnis geblieben? ist sie nicht längst erstorben, ist die Philosophie angesichts des Zerfalls ihres Objektes nicht selber zu bloßen Worten zerfallen?«[49] Wörtlich verstanden entkräftet dieses Zugeständnis die ganze Essay-Reihe über den »Zerfall der Werte«. Aber Bertrand Müller geht noch weiter: »Selbst das Philosophieren ist zu einem ästhetischen Spiel geworden, einem Spiel, das es nicht mehr gibt ...« Broch scheint damit andeuten zu wollen, daß die philosophischen Auseinandersetzungen des Romans nicht mehr und nicht weniger Bedeutung hätten als irgendein anderer Bestandteil der Dichtung, daß sie — wie die Ideologien des *Zauberbergs* — keine absolute Gültigkeit haben. So veränderte sich Brochs anfängliche Einstellung gegenüber seinem Roman radikal. 1928 benützte er ihn als Träger philosophischer Spekulationen, da die Literatur der Bereich war, in dem subjektive Gedanken immer noch zugelassen waren: die Dichtung galt als Weg zur Erkenntnis. Am Schluß des Romanes jedoch ist Bertrand Müller zum trüben Ergebnis gekommen, seine Philosophie sei »bloß« ästhetisch, und die Beschäftigung mit der Ästhetik sei angesichts der ihn umgebenden Weltwirklichkeit recht zwecklos. Ist die Philosophie aber sinnlos geworden, so fällt jede Rechtfertigung für eine Prosadichtung dahin, die sie enthält und unterstützt. Bertrand Müller entpuppt sich als ein Schriftsteller, der die Hauptstütze seiner ganzen Existenz verloren hat: er selbst tritt als das erschütterndste Symbol der Entfremdung, Vereinsamung und Verzweiflung hervor.

Gerade diese ambivalente Einstellung zur Literatur, die sich während der Entstehung des Werks nach und nach bemerkbar macht, bestimmt schließlich unser Verständnis: Einerseits gewinnt der Roman rührende Überzeugungskraft als menschliches Dokument. Wie Hermann Hesses *Glasperlenspiel* (1943) sind die *Schlafwandler* eines der seltenen Werke, in denen wir den Autor beobachten können, der allmählich erkennt, daß er die ursprünglichen ästhetischen Prinzipien des Werks aufgeben muß.[50] Menschliche Aufrichtigkeit dieser Art weist auf eine gewisse Vornehmheit des Charakters, die wir bewundern.

Anderseits hat diese Unsicherheit in bezug auf den Wert der Ästhetik fraglos die Qualität des Romans als Kunstwerk beeinträchtigt. Da er nicht gewillt war, sich mit vollem Vertrauen entweder der »Polyhistorisierung« von Joyce oder den Parabeln Kafkas zu verschreiben, schuf Broch formal eine Synthese. Und es ist nicht abzuleugnen, daß diese Form etwas vom Glanz beider Vorbilder an sich hat. Daher sind die *Schlafwandler* sicher eines der Prosa-Meisterwerke des 20. Jahrhunderts. Wegen seiner alles in Frage stellenden Rationalität, die ihn während der Arbeit die Gültigkeit der Kunst bezweifeln ließ, vermochte Broch aber nicht das egozentrische ästhetische Vertrauen zu haben, das Joyces und Kafkas Unternehmungen beseelte. Diese Denkweise unterminiert auch den Glauben des Lesers: Wir sind nicht imstande, ein Kunstwerk bedenkenlos als Kunst zu akzeptieren, wenn der Autor uns mit seinen eigenen Zweifeln ansteckt. Das Resultat: Trotz der brillanten Konzeption erreichen die *Schlafwandler* in der Ausführung nie die bewunderten Muster *Ulysses* und den *Prozeß*.

Trotz des Risikos, als übertriebener Schematiker zu gelten, würde ich nun doch wagen anzudeuten, Brochs Roman sei die logische Folge und vielleicht der Schlußpunkt einer Entwicklung, die mit Rilke und Kafka begann. Mit sicherem Instinkt haben diese beiden Hochbegabten durch ihre Bemühungen, aus der Wirklichkeit, die sie schreckte, ein geschlossenes Kunstwerk zu formen, die Grenzen des modernen Romans abgesteckt. Bei beiden Dichtern wird die Totalität der Welt durch das Bewußtsein eines erlebenden Subjekts filtriert: beide geben uns eine selektive Totalität. Und jeder präsentiert diese Totalität von einem gegensätzlichen Standpunkt aus, daher kommt auch je eine unterschiedliche Art von Einheit zustande.[51]
Rilkes »Aufzeichnungen« erreichen ihre Einheit, indem sie die einzelnen Teile der Welt aus ihren Zusammenhängen reißen, um sie dann zu einem sinnvollen, dank der Einbildungskraft des Dichters völlig bewältigten Ganzen zusammenzufügen: es handelt sich hier um die Einheit der ästhetischen Gestaltung. Ein solches Werk kann eigentlich nur in einer hoch lyrischen Sprache gehalten und in der ersten Person geschrieben sein. Bei Kafka dagegen gibt es keine ästhetische Gestaltung der Welt. Er erzielt eine Einheit, indem er die Welt auf bloße Handlung reduziert, deren Einfachheit durch Wiederholungen intensiviert wird. Es handelt sich um die Einheit der mythischen Handlung. Kafkas Sprache, die so getreu wie möglich und ohne störende Subjektivität die erlebte Wirklichkeit seines Helden wiedergibt, ist die nüchterne Rede der dritten Person.
Da es unmöglich ist, über Rilke und Kafka hinauszugehen, ohne entweder zur poésie pure oder zum reinen Mythos zu-

rückzukehren, waren die nachfolgenden Schriftsteller vor die Aufgabe gestellt, die Leistungen irgendwie zu vereinigen. Thomas Mann wählte den Mittelweg. Wie Rilke und Kafka gab sich Thomas Mann mit einer selektiven Totalität zufrieden. So schwingt er sich gelegentlich zu einer zart lyrischen Prosa auf, dann wieder neigt er zur Essay-Form. Seine Sprache selbst zeigt, wie er vor den Extremen — Subjektivität und Objektivität — zurückschreckt: Das Bewußtsein eines Erzählers, der zwischen dem Helden und dessen Welt steht, ist der Filter für die Wirklichkeit. Was wir schließlich vor uns haben, ist weder Dichtung noch Mythos, sondern ein realistischer Roman, der seine Einheit durch eine raffinierte Steigerung der selektiven Totalität gewinnt: es handelt sich um die Einheit des symbolischen Modells.

Während Rilke, Kafka und Thomas Mann eine Totalität durch Auslese erlangen, wählen Döblin und Broch das andere Extrem: beide wollen Totalität durch Vielfalt. Die Montagen in *Berlin Alexanderplatz* stellen einen äußersten Versuch dar, die Welt für sich selbst sprechen zu lassen und absolute Objektivität zu gewähren. Und doch offenbart der zugrunde liegende Rhythmus der Tragödie den Wunsch des Autors, seinen Stoff zu ordnen und zu formen. Das Ergebnis ist die Einheit der mythischen Handlung — derjenigen Kafkas gleichartig.

Broch strebt auf ähnliche Weise nach Totalität durch Vielfalt. Auch er läßt alles zu: In den Balladen nähert er sich der lyrischen Haltung Rilkes. Hier gestaltet das dichterische Bewußtsein seine eigene Welt. In den Essays schwingt er zurück zum Pol der absoluten Objektivität und Verallgemeinerung. Die rein erzählerischen Passagen hinwiederum halten den symbolischen Mittelweg Thomas Manns inne. Betrachten wir aber Brochs Antwort auf die formalen Anforderungen des Romans, so erkennen wir, daß die von ihm erreichte Einheit im Grunde eine Einheit ästhetischer Gestaltung ist. Die endgültige Struktur der *Schlafwandler* wird durch ein Bewußtsein (Bertrand Müller) bestimmt, das anhand des Zerfalls seiner eigenen Persönlichkeit den Zustand der Welt, die es erfährt, reflektiert.

Diese fünf Werke zeigen, wie ich glaube, die grundlegenden Möglichkeiten des modernen Romans, Totalität wiederzugeben und Einheit zu erreichen. Grenzen des Romans bilden die reine Subjektivität (selektive Totalität und Einheit der ästhetischen Gestaltung) und die reine Objektivität (selektive Totalität und Einheit der mythischen Handlung). Zwischen diesen Extremen liegt die Mitte der selektiven Totalität und der Einheit des symbolischen Modells. Die andern beiden Möglichkeiten sind: Totalität durch Vielfalt innerhalb einer Einheit mythischer Handlung und Totalität durch Vielfalt innerhalb einer Einheit der ästhetischen Gestaltung. (Theoretisch besteht selbstverständlich eine sechste Möglichkeit: Totalität durch Vielfalt innerhalb einer Einheit des symbolischen Modells. Aber die Begriffe Vielfalt und symbolisches Modell scheinen sich gegenseitig zu entkräften.)

Es gibt wenige moderne Romane, deutsch oder fremdsprachig, die sich letztlich nicht einer dieser Kategorien oder Kombinationen zuordnen lassen. Joyces *Ulysses* z. B. repräsentiert die Totalität der Vielfalt innerhalb der Einheit mythischer Handlung. Gides *Falschmünzer* deuten auf eine Totalität der Vielfalt innerhalb der Einheit ästhetischer Gestaltung hin. Virginia Woolfs *Die Wellen* gelangen zu einer selektiven Totalität innerhalb der Einheit ästhetischer Gestaltung. Die meisten Romane neigen allerdings zum symbolischen Realismus Thomas Manns. Im zehnten Kapitel werden wir Gelegenheit haben, die Konsequenzen zu bedenken, denen sich die Prosa aussetzt, die eine dieser notwendigen Bedingungen — Totalität und Einheit — mißachtet.

Unsere Betrachtung dieser Marksteine in der Entwicklung des modernen deutschen Romans hat sich vorwiegend auf die Reaktion des Schriftstellers auf die Totalität der Welt und seine Versuche, sie als ästhetische Einheit wiederzugeben, konzentriert. Sie hat notwendigerweise die Unterschiede zwischen fünf bedeutenden und repräsentativen Werken betont. Um ihre Ähnlichkeiten zu bestimmen, müssen wir nun zurücktreten und die großen Konturen der modernen Literatur näher prüfen: sowohl die Merkmale, die ihre Verwandtschaft zeichnen, als auch ihre Einzigartigkeit, wenn man sie auf dem größeren Hintergrund der Vergangenheit betrachtet.

II. Europäische Zusammenhänge

Kapitel 6

Aufruhr der Uhren

Als Ingmar Bergman in *Wilde Erdbeeren* eine Todeswarnung ausdrücken wollte, konnte er diese Stimmung unmittelbar in der packenden Szene erzeugen, die den Film einleitet. Sein alternder Held träumt, er mache seinen üblichen Morgenspaziergang am Laden eines Optikers vorbei. Schon immer war ihm das etwas seltsame Ladenschild vor dem Geschäft aufgefallen: eine große Uhr, unter der eine riesige Brille mit starrenden Augen hing. Doch diesmal heißt es im Drehbuch weiter:

> Zu meinem Erstaunen war der Uhrzeiger verschwunden, das Zifferblatt war blind, und die beiden Augen waren zerbrochen; sie starrten jetzt wie wässerige, eiternde Wunden.
> Unwillkürlich zog ich meine eigene Uhr hervor, um festzustellen, wie spät es war, und sah, daß auch sie, meine alte, zuverlässige Begleiterin, ihre Zeiger verloren hatte. Ich hielt sie ans Ohr, hörte aber nur den sehr schnellen und unruhigen Schlag meines Herzens; zugleich stieg eine sehr unangenehme, fast unwirkliche Hitze in mir auf.[1]

Diese kurze, wortlose Szene macht dem Zuschauer augenblicklich deutlich, daß Professor Isak Borg von der allgemein gültigen Zeit abgeschnitten und durch das Näherkommen des Todes auf seine eigene, innere Zeit zurückgeworfen ist. Doch die Wirkung entgeht nur knapp der Trivialität, denn 1957 war sich Bergman wohl bewußt, daß er mit einer unmittelbaren, vorgeprägten Reaktion seines Publikums rechnen konnte. Die Literatur aus fünfzig Jahren hatte dafür gesorgt.

Der moderne Roman ist ein Aufruhr der Uhren. Man denke an James Joyce. In der Erzählung »Counterparts« (aus den *Dubliners)* verpfändet Farrington in mürrischem Trotz gegen den von seinem Arbeitgeber im Büro geforderten peinlichen

Zeitplan seine Uhr. In *Stephen Hero* ist es die Uhr des Ballast Office, eines der Brennpunkte in Joyces Dublin, die die häufig angeführten Bemerkungen über die Epiphanie auslöst — eine Epiphanie, die durch alle täuschenden zeitlichen Erscheinungen zum zeitlosen Kern der Dinge durchdringt. Im letzten Kapitel von *A Portrait of The Artist as a Young Man* zeigen sämtliche Uhren eine andere Zeit an, als Stephen Dedalus seinen verspäteten Weg zu einer Vorlesung einschlägt — ohne Berührung mit der Welt um ihn her. Leopold Blooms Uhr bleibt um 4 Uhr 32 stehen: genau in dem Augenblick, wie er später errechnet, als seine Frau Molly ihre Untreue beging.

Kafkas Uhren gehen entweder zu schnell oder zu langsam, aber nie, wie er in seinem Tagebuch notierte, in Übereinstimmung. Seine Menschen sind gewöhnlich zu spät daran, und der Zwiespalt zwischen ihrer persönlichen und der offiziellen Zeit verstärkt die Angst, in der sie leben. Als Gregor Samsa in der *Verwandlung* erwacht und entdeckt, daß er sich in ein großes Insekt verwandelt hat, ist seine Verwirrung angesichts dieses Umstands nicht größer als seine Pein bei der Feststellung, er sei im Begriff, den Zug zu versäumen. »Und er sah zur Weckuhr hinüber, die auf dem Kasten tickte. ›Himmlischer Vater!‹ dachte er. Es war halb sieben Uhr, und die Zeiger gingen ruhig vorwärts, es war sogar halb vorüber, es näherte sich schon drei Viertel.« Gleicherweise beginnt der *Prozeß* mit einer aus den Fugen geratenen Zeit: »Die Köchin der Frau Grubach, seiner Zimmervermieterin, die ihm jeden Tag gegen acht Uhr früh das Frühstück brachte, kam diesmal nicht. Das war noch niemals geschehen.« Von diesem Augenblick an lebt Josef K. nach einer eigenen psychischen Zeitordnung. Wie Karl Roßmann, die Hauptgestalt von Kafkas *Amerika*, gleicht er einer erbärmlich funktionierenden Uhr.

Für Kafka und Joyce stimmt die menschliche Zeit häufig nicht mit der offiziellen überein, aber die Uhren gehen noch. Sehr bald jedoch ändert sich das Bild und wird radikaler: während sich die menschliche Zeit noch mehr der öffentlichen entfremdet, zerfallen die Uhren selber. Hans Castorps Uhr fällt vom Nachttisch und zerbricht; da sie sowieso in der zeitlosen »hermetischen« Welt des *Zauberbergs* nutzlos geworden ist, kümmert er sich nicht darum, sie reparieren zu lassen. Nach seiner ersten Niederlage in *Berlin Alexanderplatz* zieht sich Franz Biberkopf tagelang in sein Zimmer zurück, wo er keine bessere Beschäftigung findet, als verwirrt an seiner ruinierten Uhr herumzubasteln. In Faulkners *The Sound and the Fury* hat Dilseys Uhr nur einen Zeiger, und selbst der geht zu langsam. Doch der Zusammenbruch der mechanischen Zeit macht Dilsey, die als einzige unter den Hauptfiguren des Romans so völlig in Einklang mit der natürlichen Welt ist, daß ihre innere Zeit wie instinktiv stimmt, nicht unglücklich.

> Über dem Geschirrschrank, nur nachts bei Lampenlicht sichtbar und auch dann noch rätselhaft-abgründig, da sie nur einen Zeiger besaß, tickte eine Wanduhr, die nun, nachdem sie einleitend gerasselt hatte, als müßte sie sich räuspern, fünf Schläge von sich gab.
> »Acht Uhr«, sagte Dilsey.[2]

Quentins Monolog im selben Roman wird durch die Zudringlichkeit der Uhren unterbrochen, die ihn unerbittlich mit den Forderungen der Zeitlichkeit verfolgen, die er verabscheut. Eine Uhr ist es, die im ersten Satz die Beziehung zwischen seinem Wachbewußtsein und der Welt herstellt. »Als der Fensterrahmen seine Schatten auf die Vorhänge warf, war es zwischen sieben und acht, und dann hörte ich die Uhr und fand die Zeit wieder.« Bevor er Selbstmord begeht, versucht Quentin die Zeit zu zerstören, indem er das Glas seiner Uhr zerschlägt und die Zeiger abdreht, doch wohin er auch geht, martern ihn der Anblick und der Klang von Uhren, Schlagwerken, Glockenspielen und Geläuten in Harvard und Boston. Einmal betritt er einen Juwelierladen, um festzustellen, ob eine der Uhren im Schaufenster die korrekte Zeit anzeigt, aber sie sind an diesem Tag noch nicht gestellt worden:

> Ich ging und schloß die Ladentür hinter dem Uhrengetick. Ich warf noch einen Blick auf das Schaufenster zurück. Er sah mir über die Schranke weg nach. In der Auslage waren mindestens ein Dutzend Uhren, von denen eine jede — mit der gleichen bestimmten und widersprechenden Sicherheit wie meine eigene, die überhaupt keine Zeiger hatte — eine andere

Stunde anzeigte. Eine widersprach der anderen. Ich konnte die meine hören, die unentwegt in der Tasche tickte, obschon niemand sie sehen konnte und obschon sie nichts anzuzeigen hatte, wenn jemand sie hätte sehen können.

Mrs. Dalloways Tag zerrüttet das regelmäßige Läuten des Big Ben, doch keine von Virginia Woolfs Gestalten wird tiefer vom Eindringen der offiziellen in die persönliche Zeit verletzt als die Heldin von *Orlando:*

> Als sie jetzt mit der Hand an der Tür ihres Wagens dastand, schlug ihr die Gegenwart wieder gegen den Kopf. Elfmal wurde sie gewaltsam angefallen.
> »Zum Teufel!« schrie sie, denn es bedeutet einen großen Schock für das Nervensystem, eine Uhr schlagen zu hören ... Wie Donner schlug die beständige Uhr vier. Niemals zerstörte ein Erdbeben eine ganze Stadt derart... Ihr eigener Körper zitterte und bebte, als stände er plötzlich nackt in starkem Frost. Dennoch bewahrte sie, wie sie es nicht getan hatte, als die Uhr in London zehn schlug, völlig die Fassung (denn sie war nun eins und alles und bot dem Schock der Zeit, möglicherweise, eine größere Oberfläche dar).
> Sie stand da und hielt den Blick auf seine Hand gerichtet, als es Viertel schlug. Es schwirrte durch sie wie ein Meteor so heiß, daß Finger ihn nicht halten können.[3]

Diese Uhrenbesessenheit ist nicht auf die Literatur beschränkt. Wem sind nicht die »Weichen Uhren« bekannt, die Salvador Dali häufig über seinen surrealen Landschaften anbringt, oder die Großvateruhren, wie sie die gemalten Phantasien eines Marc Chagall durchziehen? In dem deutschen Film »Das Wachsfigurenkabinett« von 1924 stößt Iwan der Schreckliche wie wahnsinnig ein Stundenglas um, denn er hat dessen rinnenden Sand mit dem Vergehen seines eigenen Lebens identifiziert.[4] Aber das Symbol muß auch nicht immer ein tragisches sein. In seinen *Galgenliedern* (1906) verbindet Christian Morgenstern ein ernstliches Interesse für das Problem der Zeit mit satirischem Witz, wenn er eine Uhr beschreibt, die die Eigenschaften der beiden Uhren im Prager jüdischen Ratssaal in sich vereinigt:

> Die Korfsche Uhr
>
> Korf erfindet eine Uhr,
> die mit zwei Paar Zeigern kreist

und damit nach vorn nicht nur,
sondern auch nach rückwärts weist.

Zeigt sie zwei, — somit auch zehn;
zeigt sie drei, — somit auch neun;
und man braucht nur hinzusehn,
um die Zeit nicht mehr zu scheun.

Denn auf dieser Uhr von Korfen
mit dem janushaften Lauf
(dazu ward sie so entworfen):
hebt die Zeit sich selber auf.

In all diesen Fällen ist die symbolische Bedeutung der Uhr
freilich bemerkenswert beständig. Sie repräsentiert die zeitliche Ordnung der öffentlichen Welt, die Welt von Geschäft,
Wissenschaft und Alltagsangelegenheiten (Joyce, Kafka,
Woolf) — eine Ordnung überdies, die häufig durch Tradition
geheiligt ist (Faulkner, Mann, Chagall). Dies ist letzten Endes eine unauflöslich mit dem physischen Leben des Individuums verknüpfte Ordnung. Zugleich ist es eine Ordnung,
gegen die ein gewisser Teil des Individuums aufbegehrt. In
so gut wie jedem Fall nämlich wird die Uhr als negatives
Symbol vom subjektiven Bewußtsein eines Individuums eingesetzt, das seine eigene, private Zeit gegen die Forderungen
der offiziellen Zeit behaupten möchte. In der modernen Literatur existieren Uhren offenbar nur zu dem Zweck, ignoriert, hinuntergeworfen, zerschlagen, deformiert oder übertroffen zu werden. In diesem Sinn spiegeln sie prachtvoll die
Einstellung des modernen Menschen gegenüber der objektiven Zeit, in der zu leben ihm bestimmt ist.
Die Kritik hat häufig die Zentralstellung der Zeitthematik
in der modernen Literatur festgestellt — und natürlich nicht
nur im Roman. T. S. Eliots *Vier Quartette* befassen sich
ebensosehr mit der Zeit wie Rilkes *Duineser Elegien*.[5] In
einem Überblick über die literarische Situation 1941 zog
Stephen Spender den Schluß, daß »moderne Literatur vom
Problem der Zeit besessen ist. Schriftsteller, die sich sonst in
allem unterscheiden, teilen diese Befangenheit. Die am wenigsten politischen, die am wenigsten philosophischen Autoren, ja selbst jene, die jedes Interesse an Ideen abstreiten, beschäftigen sich doch sonderbarerweise mit der Zeit«.[6] Und

dennoch ist es nicht dieses allgemeine Interesse für die Zeit selber, was unsere Epoche auszeichnet — die Zeit ist schon lange ein Problem für Schriftsteller —, sondern eher die besondere Form, die diese Besessenheit im 20. Jahrhundert angenommen hat.

1927 erschienen zwei höchst bezeichnende Bücher, die eben die Form exemplifizieren, wie sich das Problem der Zeit im 20. Jahrhundert darstellt. Wyndham Lewis, den entschieden antiromantischen Maler, Schriftsteller und Kritiker, alarmierte der »mystische Zeit-Kult«, der die moderne Gesellschaft zu verschlingen drohte, so sehr, daß er ein eindrucksvolles und zuweilen fast hysterisches Buch dem Problem *Time and Western Man*[7] widmete. Lewis hatte das Empfinden, »Zeit-Anbetung« und »Zeit-Chauvinismus« unterminierten die Zivilisation, weil sie auf Kosten der konkreten räumlichen Realität einen inneren Fluß des Seins betonten. Unter den »Zeit-Snobs« hob er als seine speziellen Prügelknaben Denker wie »Whitehead, Alexander und die übrigen Raum-Zeitler« hervor und ebenso »Zeit-Kinder« der Literatur wie Gertrude Stein, Ezra Pound und James Joyce. Doch als verrückteste Bösewichte in seiner intellektuellen Verbrechergalerie bezichtigte er Henri Bergson, der »den Bindestrich zwischen Raum und Zeit setzte«, und Albert Einstein, den »gezierten, wählerischen und zugleich bizarren Architekten«, der den »mathematischen Schwachsinn« der Relativität aufgerichtet habe. »Beide, Einstein und Bergson, sind Flußbeamte des großen Stroms Bewegung, seines Verwaltungsstabs«, spottete Lewis; »beide verwalten ihn auf je eigene Weise.«

Lewis argwöhnte kaum, daß das Schlimmste erst noch kommen sollte. Zu der Zeit, als er Beweismaterial für seine Schmähschrift sammelte, saß ein siebenunddreißigjähriger Professor der Universität Marburg in einer Skihütte auf der höchsten Erhebung des Schwarzwalds und verfaßte die dichtgesponnene Abhandlung, die der subjektiven Zeit absoluten philosophischen Vorrang einräumen sollte. Martin Heideggers *Sein und Zeit* stellte den ersten großen Versuch dar, eben das Zeitbewußtsein zu systematisieren, das Lewis so sehr beklagte. »Die konkrete Ausarbeitung der Frage nach dem

Sinn von ›Sein‹ ist die Absicht der folgenden Abhandlung«, erklärte Heidegger in seinem Vorwort. »Die Interpretation der *Zeit* als des möglichen Horizonts jeden Seinsverständnisses überhaupt ist ihr vorläufiges Ziel.« Bergson hatte behauptet, daß das physikalische Zeitkonzept unzulänglich sei, um die Erfahrung von Dauer in der Humanpsychologie zu erklären. Einstein hatte gelehrt, daß klassische Zeitbegriffe nicht zureichend seien, um sämtliche Phänomene der modernen Physik zu umfassen. Nun bestanden Heidegger und die anderen Existenzphilosophen des 20. Jahrhunderts darauf, daß sich alle Untersuchungen über das Sein am Konzept der *erfahrenen, erlebten* Zeit zu orientieren hätten.[8] Damit soll nicht gesagt sein, Lewis und Heidegger hätten unmittelbaren Einfluß auf moderne Erzählkunst ausgeübt. Viele der Romane, die wir jetzt als Hauptwerke ansehen, waren 1927 bereits erschienen. Jedenfalls aber sind die Stellung und die Sprache der betreffenden Werke so radikal, daß sie sich leichter parodieren als nachahmen lassen. Sicher mehr als nur ein Anflug von Lewis findet sich in einigen der wütenden Relativitätsgegner, die in moderner Erzählkunst karikiert werden (so etwa Illidge in Aldous Huxleys *Point Counter Point* oder Zacharias in Brochs *Schuldlosen*). Und Günter Grass widmet einen beträchtlichen Abschnitt seines Romans *Hundejahre* einer Parodie auf Heideggers Sprache und Gedanken. Die Radikalität der Positionen jedoch, die jene beiden Bücher einnahmen, ist bezeichnend für den Grad, in dem sich 1927 der Konflikt zwischen offizieller und privater Zeit zugespitzt hatte. Jedes bedeutet einen entschiedenen Anspruch gegenüber Gewissen und Bewußtsein des Menschen im 20. Jahrhundert. Die Gesellschaft kann nicht ohne den klassischen Begriff der objektiven Zeit überleben, wie ihn Lewis verteidigte; doch das Individuum empfindet in wachsendem Maß, daß sein Dasein, wie Heidegger erklärte, sich letztlich innerhalb seiner eigenen, subjektiven Zeit verstehen und zusammenfassen muß.

Die Wahrnehmung subjektiver Zeit ist natürlich nichts Neues; sie existiert schon so lange wie der Mensch selber. Doch erst in jüngster Zeit hat sich der Zwiespalt zwischen offizieller und privater Zeit zu einem Zentralkonflikt des menschlichen Bewußtseins verschärft. Denn nicht vor dem 20. Jahrhundert suchte der Mensch den eigentlichen Sinn seiner Existenz in der Tatsache seiner zeitlichen Dauer. Frühere Zeiten konnten anderswo nach Sinn und Wert Ausschau halten. Es lassen sich drei Entwicklungsphasen feststellen, die der Mensch seit dem Mittelalter durchschritten hat.[9] Bis zum 17. Jahrhundert wurde die menschliche Existenz durch die ewige Ordnung Gottes gewährt, innerhalb deren der Mensch seinen Platz einnahm. Zeit betrachtete man als eine Hierarchie von Dauerzuständen, die sich von der Zeitweiligkeit des Menschen bis hinauf zur Zeitlosigkeit Gottes erstreckte; aber es gab keinen Konflikt zwischen menschlicher Zeit und ewiger Zeit, denn die Zeit Gottes war der letzte Wert, nach dem alle Menschen verlangten, und auf die subjektive Zeit legte man kein Gewicht. Im 17. Jahrhundert entdeckte der Mensch, daß sein Bewußtsein irgendwie von der ganzen übrigen Schöpfung und von der Dauer sämtlicher anderer Dinge geschieden war. Dieses, zuerst in Montaignes Essays offenkundige Empfinden, fand seine zutreffendste Formulierung in Descartes' *Cogito, ergo sum*, das jede transzendentale zeitliche Kontinuität leugnet und die menschliche Dauer auf einen »Rosenkranz von Augenblicken« reduziert, die nur das schöpferische Bewußtsein zusammenhält.[10] Als der Glaube an eine ewige Ordnung abgelöst wurde, »wurde die historische Zeit zum einzigen Medium, in dem sich menschliches Leben entfaltete und erfüllte«.[11] Von seinen Anfängen im 17. Jahrhundert bis zu seinem Höhepunkt bei Hegel, Marx, Darwin und anderen Denkern auf allen Gebieten der Wissenschaft im 19. Jahrhundert wurde der Historizismus zur anerkannten Methode der Lebensauffassung. Historische Gesetze, die wiederum dem menschlichen Leben Bedeutung und Ordnung verliehen, nahmen solche Proportionen an, daß sie zum weltlichen Ersatz für die ewige Ordnung Gottes wurden. Ebenso wie, bis zum 17. Jahrhundert, die göttliche Ordnung dem Menschen Sinn und Dauer gewährt hatte, stiftete nun die Geschichte die nötige Ordnung und die Werte. Die Diskontinuität der Existenz, wie sie Descartes, Hume und andere Denker der Epoche wahrnahmen, bereitete keine Schwierigkeit, solange man den Sinn des Lebens in einer Geschichte finden konnte, die über das Individuum hinausreichte. Doch als die Welt der Geschichte gegen Ende des 19. Jahrhunderts so umfassend und komplex wurde, daß sich keine einheitliche Ordnung hinein- oder herauslesen ließ, wurde die Geschichte in eine Sammlung pluralistischer Wert-Systeme zerstückelt, die sich einem Überblick widersetzten. Angesichts dieses im Grunde sinnlosen Pluralismus wurde das Individuum bei seiner Suche nach Sinn, Wert und Dauer auf sich selber zurückgeworfen. Die ewige Ordnung Gottes hatte versagt; und versagt hatte die weltliche Ordnung der Geschichte. Das war die Stunde Bergsons und der modernen Philosophen, die den Sinn des Menschen in seiner eigenen Existenz und im Umstand seiner Dauer suchten.

Manche Bereiche im Denken Bergsons waren schon vorweggenommen worden. Die romantische Generation wußte über die Entdeckung des Selbst durch das Gedächtnis Bescheid. Das 19. Jahrhundert kannte das ständige Werden der Dinge. Und die Einsicht, daß Dauer die einzige Realität ist, geht wenigstens bis aufs 17. Jahrhundert zurück. Doch Bergson bahnte den Weg fürs 20. Jahrhundert durch sein Beharren darauf, daß das *Werden* des Menschen nicht notwendig vorherbestimmt sei, daß Dauer nicht in dem Umstand der Veränderung oder Formung durch äußere Kräfte bestehe, sondern darauf, daß man seine eigene Existenz gestalte. »Zweifellos besteht eben darin die Originalität Bergsons und sein Anteil am Aufbau des Denkens in unserem Jahrhundert. Nicht in seinem Konzept des Gedächtnisses, nicht in seiner Philosophie der Kontinuität, sondern in seiner Bestätigung, daß Dauer etwas anderes ist als Geschichte oder ein System von Gesetzen; daß sie eine freie Schöpfung ist.«[12] Bei einem solchen Stand der Dinge kann natürlich der Konflikt zwischen offizieller und privater Zeit, zwischen Zeit und Dauer als Zentralkonflikt des modernen Bewußtseins hervortreten. Während bis zu diesem Punkt der menschliche Wert anderswo gelegen hatte — außerhalb des Individuums, in der Ordnung Gottes oder der Geschichte —, suchte man nun zum erstenmal den Sinn eben in der Tatsache der menschlichen Dauer. Damit wird menschliche Dauer bedeutsamer und wertvoller als alles, das im Bereich der offiziellen Zeit Geltung besitzt. Dieses philosophische Dilemma spiegelte — und verschärfte teilweise — die Situation, die sich allmählich auf anderen Gebieten entwickelte. Denn während der letzten hundert

Jahre wurde die offizielle oder naturwissenschaftliche Zeit zunehmend zum beherrschenden Faktor im menschlichen Leben und Tun.

In seiner intellektuellen Autobiographie *Die Welt von Gestern*[13] verweist Stefan Zweig nachdrücklich auf den Abgrund, der seine Generation von denen der Vergangenheit trennt. Im Rückblick überwältigt Zweig das Erstaunen über die gedrängte Fülle und Vielfalt von Erfahrungen in einem Leben, das im 19. Jahrhundert begann und den technischen Fortschritt in der ersten Hälfte unseres eigenen Jahrhunderts überblickte. »Mein Vater, mein Großvater, was haben sie gesehen? Sie lebten jeder ihr Leben in der Einform. Ein einziges Leben vom Anfang bis zum Ende, ohne Aufstiege, ohne Stütze, ohne Erschütterung und Gefahr, ein Leben mit kleinen Spannungen, unmerklichen Übergängen; in gleichem Rhythmus, gemächlich und still, trug sie die Welle der Zeit von der Wiege bis zum Grabe.« Jemand, der ein derartiges Leben führte, nahm den Ablauf der offiziellen Zeit nur indirekt wahr. Doch der moderne Mensch hat sich, indem er die Vergangenheit verkürzt und sich den ganzen Bereich des Gegenwärtigen gleichzeitig vornimmt, des Vorzugs beraubt, der Gegenwart entfliehen zu können. »Frühere Geschlechter konnten sich in Katastrophenzeiten zurückflüchten in Einsamkeit und Abseitigkeit; uns erst war es vorbehalten, alles in der gleichen Stunde und Sekunde wissen und empfinden zu müssen, was irgendwo Schlimmes auf unserem Erdball geschieht.«

Selbst wenn man in Zweigs Darstellung ein gewisses Maß an Idyllik in Abzug bringt, muß man zugeben, daß seine Analyse der Zeiterfahrung seiner Vorfahren zutreffend ist. Wir sind heute so sehr an die Tyrannei der Zeit gewöhnt, daß wir leicht dazu neigen können, die Haltung der Generationen zu vergessen, die nicht nach der Uhr lebten. Erst 1879 trat Sir Sandford Fleming, leitender Planungsingenieur bei der kanadischen Pazifik-Eisenbahn, mit dem Vorschlag genormter Zeitzonen hervor, den zuerst das Eisenbahnpersonal Nordamerikas annahm und der allmählich in aller Welt übernommen wurde. In der Tat war es in erster Linie die rapide Ausbreitung des Zugverkehrs im 19. Jahrhundert, die schlagartig die Welt synchronisierte und die Menschen zur Übereinstimmung mit einer offiziellen Zeit zwang, die zusehends immer mehr in Konflikt mit seiner privaten Welt geriet. Bislang hatte jede Stadt und jedes Land mehr oder weniger nach eigenem Zeitplan gelebt. Man mußte keine Flugpläne einhalten, keine Rundfunk- und Fernsehprogramme waren genau aufeinander abzustimmen.[14] Die Frustrationen des Reisevertreters Gregor Samsa wären unvorstellbar in einem Jahrhundert gewesen, das weniger als das unsrige nach der Uhr lebte.

Das Problem der Zeit im 20. Jahrhundert ist, genau genommen, das Ergebnis eines zwiefältigen Prozesses. Zum einen kam es zu einer vergleichslosen Entwicklung in der wissenschaftlichen Genauigkeit, mit der sich Zeit messen läßt, und das steigert sich noch von Jahr zu Jahr. Im Oktober 1964 übernahm die Internationale Behörde für Gewichte und Maße eine neue Norm zur Messung der Sekunde (9 192 631 770 Schwingungszyklen eines Caesium-Atoms) und gab damit die vergleichsweise unexakte astronomische Norm auf (die im Verlauf eines Vierteljahrhunderts bis zu 3/10 Sekunden variieren kann). Dieses Phänomen, auf das sich moderne Wissenschaft und Technik so völlig verlassen, ist so weit von menschlicher Erfahrung entfernt, daß es unerheblich bliebe, wäre es nicht von einer neuen Betonung der Zeit in unserem täglichen Leben begleitet: von der präzisen Zeitfeststellung in Kriegen und beim Start künstlicher Satelliten, bis zur Festlegung von Mittagspausen und Ferien. In vielen Sportarten treten die Athleten jetzt eher gegen die Stoppuhr an als gegeneinander. Im Namen der Wissenschaft ist der Zeitnehmer ins Schlafzimmer eingedrungen, wo er die Zeitphasen des Liebeslebens aufzeichnet. Selbst die Würde des Todes wurde häufig durch unsere leichenschänderische Besessenheit von der exakten Zeit verletzt — bis herab zum Sekundenbruchteil, in dem eine Person des öffentlichen Lebens stirbt oder getötet wird. Mit anderen Worten: die Vorherrschaft der offiziellen Zeit hat unabsehbar zu der Entmenschlichung beigetragen, die in jeder Phase des modernen Lebens Platz greift. Man braucht nicht weiter zu betonen, daß diese moderne Zeiteinteilung den Bewohnern Königsbergs im 18. Jahrhundert völlig unverständlich gewesen wäre, die sich damit zufrieden gaben, ihre Uhren nach dem täglichen Spaziergang des Professors Kant zu stellen; und ebenso noch einem Bürger vor nur hundert Jahren, der seinen Tag nach dem Schlag der Kirchturmuhr in seinem Dorf oder seinem Stadtteil einteilte.

Nun gerät die wachsende Bedeutung — auch die Tyrannei — dessen, das Hans Meyerhoff die »soziale Bedeutung der Zeit« genannt hat, in unmittelbaren Konflikt mit dem modernen Gefühl für subjektive Dauer, die Bergson popularisiert, Einsteins Relativitätstheorie (zumindest für die populäre Vorstellung) wissenschaftlich kanonisiert und die Existenzphilosophie in ihren verschiedenen Formen ins Zentrum der Existenz gestellt hat. »Und alle unsere Intuitionen mokieren sich / Über die formale Logik der Uhr«, schrieb W. H. Auden in seinem *New Years Letter* (1941). In Opposition zu einer zunehmend präziseren, zunehmend unerbittlicheren offiziellen Zeit klammert sich der moderne Mensch immer mehr an diese Intuition, an sein privates Gefühl der Dauer. J. B. Priestley hat zweifellos recht, wenn er die erstaunliche Beliebtheit von »Zeitreisen« in der Science-fiction-Literatur von H. G. Wells *The Time Machine* (1895) bis herab zu den gängigen Taschenbüchern in jedem Supermarkt unserem unbewußten Wunsch zuschreibt, der »unbarmherzigen Chronologie zu entrinnen«.[15]

Die Reise durch die Zeit ist im Grunde eine vergegenständlichte Metapher für unseren Widerstand gegen die offizielle Zeit: unser Rückzug in die innere Welt der privaten Dauer wird als physische Flucht in die Vergangenheit oder die Zukunft verräumlicht. Ray Bradbury wird zum Proust der sechziger Jahre. Doch die Popularität von Science fiction beweist auch, daß das Gefühl für private Zeit intuitiv und unbewußt ist. Mit anderen Worten: es ist ein weltweites Phänomen, und Bergson, Einstein und Heidegger sind eher seine Symptome als seine Ursachen.

Der Konflikt zwischen offizieller und privater Zeit, der so vielen modernen Erzählwerken zugrunde liegt, bedeutet damit nicht notwendigerweise ein Verständnis für die modernen Theorien der Dauer, der Realität, des Daseins oder eine Beeinflussung durch sie.[16] Sehr oft wissen die Autoren natürlich genau über die philosophischen und wissenschaftlichen

Auseinandersetzungen Bescheid, zumindest im Grundsätzlichen. Proust, der Brautführer war, als Bergson seine Cousine ersten Grades heiratete, war aus erster Hand mit der Zeitdiskussion vertraut, die sein Verwandter auslöste. Aus dem gleichen Grund ist es unvorstellbar, daß Rilke, der zwischen 1902 und 1910 viele Jahre in Paris zubrachte, nichts von Bergson gewußt haben sollte, dessen Vorlesungen ebenso sehr gesellschaftliche wie intellektuelle Ereignisse waren und dessen Ideen sich in Windeseile von Salon zu Salon verbreiteten. Es gibt gute Gründe für die Annahme, daß Kafka kurz nach der Veröffentlichung der speziellen Relativitätstheorie im Jahr 1905 einen Vortrag über Einsteins Theorie hörte. Und die witzigen Anspielungen in *Finnegans Wake* auf das »*dimecash problem*«, auf die »*sophology of Bitchson*« und die »*whoo-whoo and where's hairs theorics of Winestain*« sind ein ebenso beredtes Zeugnis für Joyces grundsätzliche Vertrautheit mit diesen Gestalten wie seine amüsante Erzählung von *The Mookse* und *The Gripes* (»*Eins within a space and a wearywide space it wast ere wohned a Mookse*«). Doch die Kritik streitet noch immer über das genaue Maß, in dem Bergson die Theorie Prousts über das Gedächtnis beeinflußt haben könnte. Thomas Mann schrieb den wahrscheinlich bedeutendsten »Zeitroman« des Jahrhunderts, den *Zauberberg*, ehe er sowohl Bergson wie auch Proust gelesen hatte. Und es ist, völlig zu Recht, noch niemandem eingefallen, nach dem Einfluß Bergsons und Einsteins in den Werken Rilkes und Kafkas zu fahnden. Es ist sicherlich eher die Ausnahme als die Regel, wenn ein Schriftsteller ausdrücklich und systematisch eine Theorie der Erzählkunst auf der Relativitätstheorie aufbaut, wie das bei Hermann Broch der Fall war.[17] Und man sollte sich eingestehen, daß das die Erzählung qua Erzählung kaum verbessert.

Hans Reichenbach kritisiert in einer eindringlichen Untersuchung über *The Direction of Time* die sogenannte »emotionale« Einstellung der Zeit gegenüber, wie sie Bergson und seine Nachfolger repräsentierten, und behauptet, es sei »ein hoffnungsloses Unterfangen, nach dem Wesen der Zeit zu forschen, ohne Physik zu studieren«.[18] Was die offizielle und wissenschaftliche Zeit anlangt, hat Reichenbach zweifellos recht. Andererseits jedoch beschlagnahmt Reichenbach das

Wort Zeit für eine einzige seiner rechtmäßigen Bedeutungen: er schließt die Empfindung privater Zeit völlig aus. Überdies interessieren sich Schriftsteller im allgemeinen nicht für etwas so Abstraktes wie das »Wesen der Zeit«. Wie J. B. Priestley bemerkt hatte: »Zeit ist ein Begriff, ein gewisser Zustand der Erfahrung, eine Wahrnehmungsweise und so fort; und ein Roman oder ein Stück, die wert sind, so zu heißen, kann nicht wirklich von Zeit handeln, sondern nur von den Menschen und Dingen, die offenbar *in* der Zeit da sind« — mit anderen Worten: von der dramatischen Konfrontation zwischen subjektiver Zeit und objektiver Zeit. Thomas Mann bekräftigte dies, als er im *Zauberberg* schrieb: »Kann man die Zeit erzählen, diese selbst, als solche, an und für sich? Wahrhaftig nein, das wäre ein närrisches Unterfangen! Eine Erzählung, die ginge: ›Die Zeit verfloß, sie verrann, es strömte die Zeit‹ und so immer fort, — das könnte gesunden Sinnes wohl niemand eine Erzählung nennen.«[19] Selbst ohne Bergson und Einstein, ohne Wyndham Lewis und Heidegger blieb modernen Romanciers zweifellos weiterhin der Konflikt zwischen individueller Zeit und offizieller Zeit als Zentralthema: es ist ein Konflikt, der, wie sich gezeigt hat, das Zeitalter selber mit sich gebracht hat.

Die voranstehenden Bemerkungen sollten, wenigstens teilweise, sowohl den Überfluß an Uhren in moderner Kunst und Literatur wie auch das allgemeine Zeitthema erklären, wie es sich in den zur Debatte stehenden Romanen niederschlägt. Den Konflikt zwischen offizieller Zeit und privater Zeit im 20. Jahrhundert erzeugte eine eindeutig definierbare Gruppe von sozialen und historischen Umständen. Das soll nicht besagen, daß Spezialuntersuchungen über die Auswirkungen Bergsons, Einsteins und Heideggers auf bestimmte Autoren nicht interessant und aufschlußreich wären.[20] Doch die Allgemeingültigkeit des Problems von öffentlicher und privater Zeit legt eine allgemeinere Behandlung des Umgangs mit Zeit in der Literatur nahe, eine Behandlung, die über jene Spezialthemen hinausgeht.[21] Zumal zahlreiche strukturelle und technische Züge des modernen Romans lassen sich als Antwort auf die Konfrontation zweier Arten von Zeit verstehen. Gewiß hat sich jeder Autor mit dem Dilemma auf seine eigene Weise auseinandergesetzt. Doch die Grundfrage, auf die sich der Roman einstellt, klingt offenbar in allen Fällen bemerkenswert ähnlich.

Blicken wir auf die besprochenen Romane zurück, bemerken wir, daß in jedem Fall der Autor große Sorgfalt darauf verwandt hat, ein ziemlich strenges Gerüst offizieller Zeit zu errichten. Der Fluß privater Dauer wird nur dann bedeutsam, wenn er in dialektischem Widerspruch zur Uhr- oder Kalenderzeit gesetzt ist. Aus diesem Grund werden Leopold Blooms Reise durch Dublin und Mrs. Dalloways Tag systematisch durch offizielle Zeit interpunktiert. Ohne den formenden Einfluß der chronologischen Zeit löste sich die private Zeit in eine formlose, für erzählerische Wiedergabe unzugängliche Masse auf. Dies erklärt die Vorherrschaft von Uhren, die wir auf den Eingangsseiten dieses Kapitels erwähnt haben: sie bilden einen Teil der Werkzeuge, die der Autor nötig hat, um die äußere Form seines Werks zu schaffen.

An dieser Stelle lassen sich zwei allgemeine Feststellungen treffen. Zunächst einmal treten Uhren vor allem in Werken von begrenzter zeitlicher Dauer deutlich in Erscheinung (*Ulysses, Mrs. Dalloway, The Sound and the Fury*, am ersten Tag im *Zauberberg*, in den individuellen Tages-Einheiten des *Prozesses*). In Werken mit einem längeren zeitlichen Rhythmus weicht die Uhr dem Kalender und Merkmalen wie dem Jahreszeitenwechsel (*Malte, Die Schlafwandler, Berlin Alexanderplatz*, im größten Teil des *Zauberbergs*). Doch in jedem Fall wird das Gerüst der offiziellen Zeit nicht nur gegeben, sondern auch betont. *Der Prozeß* dauert genau ein Jahr. Hans Castorps sieben Jahre auf dem *Zauberberg* enden mit dem Kriegsausbruch 1914. *Berlin Alexanderplatz* dauert vom Herbst 1927 bis zum Winter 1928/29. Jeder Teil der *Schlafwandler* umfaßt genau sechs Monate, vom Frühjahr bis zum Herbst der Jahre 1888, 1903 und 1918. Selbst in dem flüchtigsten Werk, den *Aufzeichnungen des Malte Laurids Brigge*, hat man eine klare Abfolge der Jahreszeiten vor sich, beginnend mit Maltes Ankunft in Paris Ende August und seiner ersten Eintragung vom 11. September.

Zum zweiten ist es wahrscheinlich, daß eine Erzählung um so mehr durch chronologische Zeit interpunktiert ist, je mehr sie verinnerlicht ist. In Werken, bei denen ein Erzähler die Disposition der Ereignisse unter Kontrolle hält — *Der Prozeß, Die Schlafwandler, Berlin Alexanderplatz* — gelingt es ihm gewöhnlich, den Ablauf äußerer Zeit so zu suggerieren, daß sie sich ohne besondere Hinweise auf Uhren oder Kalender errechnen läßt. Schon die Anordnung der Episoden vermittelt den geordneten Fortgang der Zeit, selbst wenn Zeit zunehmend ineinandergeschoben wird wie im *Zauberberg* oder in Wiederholungszyklen aufgebrochen ist wie im *Prozeß*.

Wird jedoch der Erzählvorgang unmittelbar ins Bewußtsein einer oder mehrerer Romanfiguren verlagert, drängt sich der Fortgang der objektiven Zeit ziemlich gewaltsam ihren Wahrnehmungsorganen auf, um das Fehlen einer äußeren Gliederung auszugleichen. Ein schlagendes Beispiel dafür läßt sich in Heinrich Bölls *Billard um halbzehn* finden, das aus hart aufeinanderfolgenden Monologen aus verschiedenen Perspektiven im Zeitraum von etwa zwölf Stunden aufgebaut ist. Den kompositionellen Brennpunkt des Werks bildet ein Domturm, den alle Figuren im Verlauf ihrer Monologe entweder sehen oder hören können und der damit die verschiedenen Erzählstränge miteinander verknüpft. Ähnlich ist in *The Sound and the Fury,* obwohl die fünf Episoden zu verschiedenen Zeitpunkten spielen, jede deutlich wahrnehmbar durch äußere Zeit markiert (etwa durch Dilseys und Quentins Uhren). Maltes Aufzeichnungen sind, wie sich gezeigt hat, in einem Ausmaß ästhetisiert, daß sie sich häufig völlig von der Realität entfernen, doch der Fluß der individuellen Ereignisse wird ständig durch Verweise auf die chronologische Zeit kontrolliert. So schreibt Malte am Schluß der dreiseitigen Szene, in der er die Erscheinung einer Mauer erlebt: »Man wird sagen, ich hätte lange davorgestanden; aber ich will einen Eid geben dafür, daß ich zu laufen begann, sobald ich die Mauer erkannt hatte.« Selbst in Hermann Brochs völlig verinnerlichtem *Tod des Vergil*, der sich über mehr als fünfhundert Seiten hinzieht, werden die letzten Stunden des Dichters klar durch Naturphänomene gegliedert, die sich seinem Bewußtsein aufdrängen: Vögel, Sterne, wechselnde Stufen von Licht und Dunkelheit.

Objektive Zeit wird folglich betont, um dem Erzählten Gestalt zu geben. Wir wären außerstande, ein Werk zu verstehen, das es versäumte, sich (wenigstens durch subtile Andeutungen) auf die Normen der Zeit außerhalb des subjektiven Bewußtseins zu beziehen.[22] Wichtiger noch: es ist die gleichmäßige Bewegung der offiziellen Zeit, was die Aufhebung von Zeit als Charakteristikum privater Dauer ermöglicht und betont. In jedem dieser Romane gerät der Held, während der Autor die Chronologie der offiziellen Zeit fest im Griff behält, rasch in einen Zustand, in dem er eine Art zeitlosen Daseins erlebt. So erfährt Malte, fünf Stockwerke hoch in seinem einsamen Zimmer, kaum etwas vom Wechsel der Jahreszeiten, den er uns wahrzunehmen gestattet. Nur seine erste Tagebucheintragung enthält ein Datum, und nach dem »Sehen-Lernen« zieht er sich immer mehr in die Welt seiner eigenen Vorstellungen zurück, in der die Zeit aufgehoben ist: seine Tage sind, wie er es darstellt, wie »eine Uhr ohne Zeiger«. Ähnlich vergeht ein Jahr vom Zeitpunkt der Verhaftung Josef K.s bis zu seinem Tod, doch für ihn ist dieser Fortgang der offiziellen Zeit — den wir so klar erkennen, wie es der Fragmentcharakter des Romans erlaubt — auf eine Reihe von Wiederholungen reduziert, in der Zeit bedeutungslos wird. Sieben Jahre vergehen, während Hans Castorp die ewige Gleichförmigkeit des *Zauberbergs* erfährt, doch nur während der ersten paar Monate tut er so, als passe er sich der offiziellen Zeit an; später ist, wie schon gesagt, seine Uhr zerbrochen, und er versäumt es sogar, sich einen Kalender zu halten. Nach jeder seiner drei Niederlagen zieht sich Franz Biberkopf in eine Sphäre privater Zeit zurück: in sein Zimmer, wo er an seiner defekten Uhr herumbastelt; ins Krankenhaus und dann in Evas Zimmer, wo er sich vom Verlust seines Arms erholt; und endlich ins Sanatorium von Buch, wo er seinen stillen Dialog mit dem Tod führt. Die sechs Monate zwischen Huguenaus Fahnenflucht und seiner Rückkehr in die Welt der Wirklichkeit schließlich werden ausdrücklich in einem zeitlosen »Ferien«-Zustand verbracht. In jedem Roman findet sich, bei allen technischen Unterschieden, ein entschiedener Bruch zwischen privater Zeit, die als zeitloser Zustand erfahren wird, und der geordneten Abfolge öffentlicher Zeit, die dem Werk die Form verleiht.[23]

Für die meisten Autoren manifestiert sich dieser Zustand der Zeitlosigkeit selber als die Erfahrung von Gleichzeitigkeit. In seiner Einleitung zum *Zauberberg* erklärt Thomas Mann, dies sei ein »Zeitroman« in doppeltem (eigentlich dreifachem) Sinn. Er handle von einer besonderen historischen Zeit; er behandle die Zeit als eines seiner Themen; und er versuche zu *sein,* wovon er handle: »... denn indem es die hermetische Verzauberung seines jungen Helden ins Zeitlose schildert, strebt es selbst durch seine künstlerischen Mittel die Aufhebung der Zeit an durch den Versuch, der musikalisch-ideellen Gesamtwelt, die es umfaßt, in jedem Augenblick volle Präsenz zu verleihen und ein magisches ›nunc stans‹ herzustellen.«[24] Diese Feststellung über der simultanen Gegenwart des Kunstwerks gehört zu denen, die Thomas Mann häufig wiederholte, so in seinem Bericht über die Kompositionsweise des *Doktor Faustus:* »Ein Werk der Kunst trägt man immer als Ganzes, und möge die ästhetische Philosophie auch wollen, daß das Werk des Wortes und der Musik, zum Unterschied von dem der bildenden Kunst, auf die Zeit und ihr Nacheinander angewiesen ist, so strebt doch auch jenes danach, in jedem Augenblick ganz da zu sein.«[25] Hermann Broch war gleicherweise vom Gedanken der Simultaneität gepackt. In seinem Essay über Joyce behauptete er, »die Forderung nach Simultaneität« bleibe »das eigentliche Ziel alles Epischen, ja alles Dichterischen«.[26] Und anläßlich einiger Beobachtungen zu seinem eigenen *Tod des Vergil* nannte er das Problem der Simultaneität »eines der schwersten Probleme der Epik ... alle epische Darstellung hat sich mit der Frage der Simultaneität auseinanderzusetzen, d. h. sie muß Situationen eines einzigen Augenblicks in zeitlicher Aufeinanderfolge darstellen und trotzdem die Augenblicksimpression festhalten ...«[27] Broch und Thomas Mann sind vermutlich die beredtesten Theoretiker der Simultaneität, doch gleichgültig, wohin man blickt: man sieht die wichtigen Autoren des 20. Jahrhunderts von dem Problem gefesselt. So schrieb Döblin in einem Essay über den »Geist des naturalistischen Zeitalters«: »Eine Zeit ist immer ein Durcheinander verschiedener Zeitalter ... eine Symbiose vieler Seelen.«[28] In Huxleys *Point Counter Point* sagt Philip Quarles, »das Wesen der neuen Sichtweise« sei »Vielfalt — Vielfalt der Blik-

ke und Vielfalt der gesehenen Aspekte... Was ich mir
wünschte, wäre, mit all jenen Augen gleichzeitig zu sehen«.[29]
In *Jacob's Room* spricht Virginia Woolf über eben diese Vielfalt der Aspekte: »Doch wenn man sie fest ansieht... wird
die Vielfalt zur Einheit, die irgendwie das Geheimnis des
Lebens ist.«[30] Das Grundprinzip hinter diesem Wunsch nach
Vielfalt und Gleichzeitigkeit artikuliert Walter Jens in seinem »Dialog über einen Roman«:

> Da sehen Sie, mein lieber Freund, da leben wir in einem Au-
> genblick, der uns, Tag für Tag, dem malaiischen Farmer so
> nah sein läßt wie dem Kellner aus Mexico City; wir kennen
> die Wälder des Tschad und den Himmel über New York;
> doch wir kennen auch die Gefäße, die Hannibals Soldaten
> zum Wasserschöpfen benutzten; wir kennen, sehr genau, das
> Antlitz des Monds und die Bewegung in den Zellen. Wir
> kennen das Kleinste und das Größte; wir schauen in den
> Schacht der Zeit und überblicken, als wäre er ein bescheidener
> Teller, den Raum. Wir haben Straßen ins Weltall gelegt, den
> Toten die Sprache geschenkt und die Mikroben vom Fluch
> des Nie-Gesehen-Werdens erlöst.[31]

Diese ganze Erfahrung erfordert jedoch eine völlig neue Art
literarischer Gestalt, die etwa an die Heldin von Virginia
Woolfs *Orlando* erinnert: »Erfinden Sie eine Figur, eine
Tausend-Masken-Gestalt, die in Sekundenschnelle Kontinen-
te überspringt, und, zwischen zwei Atemzügen, von einem
Jahrhundert ins andere taucht... [jenen] *homo fictus*, der,
wie wir im Nirgendwo und Überall zuhause ist«, schlägt
Jens' fiktiver Kritiker vor. Die meisten Autoren wären nicht
willens, so weit zu gehen. Doch Jens hat präzis die Schwierigkeit erfaßt, die moderne Autoren quält. In der verkürzten
Welt von heute drängt sich uns die Realität selber als eine
einzige augenblickliche Gleichzeitigkeit auf. Und eben diese
Gleichzeitigkeit in ihren Werken einzufangen, ist, wie sich
gezeigt hat, die Absicht ehrgeiziger Romanciers.
Folglich ist Gleichzeitigkeit die Antwort der Romanciers auf
das Problem der *erfahrenen* Zeit. Anders gesagt: im Gegensatz zum gemessenen Fluß der chronologischen Zeit wird private Zeit als simultane Gegenwart erlebt. Abfolge wird zur
Gleichzeitigkeitserfahrung wiedervereinigt. Wird Leben als
eine Reihe diskontinuierlicher »existenzieller Augenblicke«

erklärt, sind Vergangenheit und Zukunft nur in ihrer Beziehung zum gegenwärtigen Augenblick bedeutsam, dann muß dieser Augenblick auf eine Weise erfahren werden, daß er nicht Vergangenheit und Zukunft umfaßt, sondern auch sämtliche vielfältigen Aspekte der Gegenwart.

Der Versuch, das zu tun, brachte eine Vielfalt von Erzähltechniken hervor, die sich, der Bequemlichkeit halber, in zwei Gruppen aufteilen lassen: jene, die den Effekt vertikaler Simultaneität in der Zeit erzielen, und die anderen, die horizontale Simultaneität im Raum anstreben. Unter den Techniken der ersten Gruppe hat Thomas Mann vor allem das Leitmotiv hervorgehoben, »die vor- und zurückdeutende magische Formel, die das Mittel ist, seiner inneren Gesamtheit in jedem Augenblick Präsenz zu verleihen«.[32] Doch jeder Autor liefert seine eigenen Beispiele. Im *Zauberberg* werden Hans Castorps Träume von der Vergangenheit und seine Zukunftsvisionen um dieser Wirkung willen eingesetzt. Maltes assoziative Visionen, seine Erscheinungen und die typologischen Urbilder der historischen Gestalten erzielen ebenso die Wirkung zeitweiliger Simultaneität wie die Wiederholungen im *Prozeß*, die jene Wiederholungen vorwegnehmen, welche die drei Teile der *Schlafwandler* verbinden. In seiner Novelle *Morgenlandfahrt* schildert Hermann Hesse eine zeitlose Sphäre, in der Gestalten aus völlig verschiedenen historischen Epochen nebeneinander existieren.[33] Und Döblin suggeriert durch die Montagen in *Berlin Alexanderplatz*, daß Hiob und Orestes in der Gestalt des Franz Biberkopf gegenwärtig seien. Neben diesen Techniken, die den Eindruck vertikaler Simultaneität vermitteln[34], gibt es andere, die der Darstellung horizontaler Simultaneität dienen. Döblin benutzt das Mittel der Montage, um Franz Biberkopfs Erlebnis der Vielfalt der Stadt sowohl unmittelbar wie auch total zu reproduzieren. Der Erzähler der *Schlafwandler* legt die parallelen Stränge der Handlung derart an, daß sie die Simultaneität der Ereignisse widerspiegeln. Hans Castorps enzyklopädische Studien zielen ebenso wie der Essayismus Brochs und Robert Musils darauf ab, dem Leser die Erfahrung gegenwärtiger und simultaner Vielfalt zu ermöglichen. Virginia Woolf, Huxley, Gide und Hesse experimentierten sämtlich mit erzählerischen Variationen der musikalischen

Fuge, und zwar als eines ausdrücklichen Mittels, Vielfalt auf Simultaneität zu reduzieren. Es ist nicht nötig, nochmals die verschiedenen Techniken zu wiederholen, die sich im Lauf der Einzelanalysen beobachten ließen. Inzwischen sollte deutlich sein, daß die meisten dieser Techniken, zusammen mit den von Proust, Joyce und anderen angewandten, einen Versuch darstellen, die Simultaneität zu vermitteln, die als das Wesen des erlebten Augenblicks empfunden wird.[35]

Simultaneität ist allerdings eine Wahrnehmungs- und nicht eine Handlungsweise. Handlung kann sich nur in Zeit abspielen, nicht außerhalb ihrer. Aus diesem Grund repräsentieren die verschiedenen Romane unterschiedliche Möglichkeiten rhythmischer Variation in der Beziehung zwischen Wahrnehmung und Handlung, zwischen Zeitlosigkeit und Zeit. Hans Castorps einzige wirkliche Handlung ist seine Entscheidung, bei Kriegsausbruch ins Flachland zurückzukehren; im übrigen besteht der Roman, wie sich gezeigt hat, ausschließlich aus Gesprächen und aus Castorps Hangen zwischen den verschiedenen ideologischen Positionen, wie sie die anderen Gestalten des Werks vertreten. Daher enthüllt sich uns der *Zauberberg* als eine siebenjährige Spanne von Zeitlosigkeit, begrenzt von der Zeitlichkeit, aus der Hans Castorp am Beginn auftaucht und in die er schließlich zurückkehrt. Der *Prozeß* weist präzis das gleiche Muster auf: Josef K.s »Erwachen« reißt ihn aus der Zeitlichkeit, in die er erst im Augenblick seiner Hinrichtung zurückkehrt. Zwischen diesen beiden Ereignissen stellt sich ihm das Leben als eine Abfolge zeitloser Wiederholungen dar.

In *Berlin Alexanderplatz* ist das Muster anders. Franz Biberkopf taucht aus der Zeitlosigkeit des Gefängnisses Tegel auf und begibt sich in die Zeitlichkeit Berlins: dreimal wird er in den zeitlosen Schwebezustand der Reflexion zurückgeworfen, ehe er schließlich fähig ist, in der Welt zeitlichen Handelns zu überleben. Die Situation in den *Schlafwandlern* ist weit komplexer. Bertrand Müller, der Erzähler der ganzen Trilogie, tritt nie aus seinem Zustand der Zeitlosigkeit heraus: völlig der zeitlichen Welt entfremdet, schreibt er seine Essays und Geschichten als eine Erkenntnisübung. Seine drei Helden andererseits kehren nach ihren sechsmonatigen Perioden des Schwebezustands in die Welt von Handlung und Zeit zurück; Huguenaus »Ferien« enden, wenn er Esch ermordet, Mutter Hentjen Gewalt antut und sich dann zu seinem neuen Leben als wohlhabender und angesehener Geschäftsmann niederläßt.

Doch diese Spannung zwischen Wahrnehmung und Handlung, die durch den rhythmischen Wechsel zwischen zeitlosem Schwebezustand und zeitlicher Bewegung entsteht, erzeugt eine tiefere ethische Spannung: zwischen Freiheit und Verantwortung. Vergangenheit, Gegenwart und Zukunft sind, gemäß der existentiellen Auffassung, »für die innere Zeitlichkeit nicht mehr Teile eines und desselben zeitlichen Kontinuums, sondern die drei Richtungen, in denen sich das zeitliche Verhalten des Menschen ausstreckt und aus denen zusammen sich der gegenwärtige Augenblick konstituiert«.[36] Jede Anschauung dieser Art, die die Gegenwart von jeder kausalen Verbindung mit der Vergangenheit befreit, schließt notwendig ein, daß auch die Zukunft Sache der freien Wahl des Individuums ist. Wie es Hans Meyerhoff darstellt: »Wird eine solche zeitliche Perspektive eingeführt, die so radikal von jeder objektiven Metrik und Ordnung abweicht, ist es nicht schwer, einen weiteren Schritt zu tun und zu sagen, daß die gewöhnlichen Modalitäten der Zeit — Vergangenheit, Gegenwart und Zukunft — genau genommen, für die Erfahrung ununterscheidbar sind; daß sie (auch die nicht aktuell erfahrenen) als infinite Möglichkeiten in *jedem* Moment im Leben eines Menschen enthalten sind.«[37] Die Erfahrung subjektiver Zeit als simultaner Dauer ist, mit anderen Worten, eine Erfahrung von Freiheit und Möglichkeit. In diesen Augenblicken nimmt das Individuum wahr — was es nicht kann, wenn es von der unerbittlichen Bewegung der offiziellen Zeit fortgezogen wird —, daß es frei ist, über seine eigene Zukunft zu entscheiden.

Nun hat sich gezeigt, daß historisch der Konflikt zwischen privater Zeit und öffentlicher Zeit als ein Aspekt des Kampfes zwischen Determinismus und Freiheit zutage trat. Ja, Bergsons erstes Hauptwerk, *Essay sur les données immédiates de la conscience* (1889), war weithin der Frage von Zeit und freiem Willen gewidmet. Mechanismus und Determinismus, so schreibt er, könnten nicht gegen das Zeugnis eines aufmerksamen Bewußtseins standhalten, das die innere Dynamik als Faktum erkennen lasse. Wir seien frei, so fährt Bergson fort, »wenn unsere Handlungen aus unserer ganzen Person hervorgehen« — kurz, in jenen Momenten, da unsere Handlungen durch unsere Wahrnehmung der Realität als einer simultanen Dauer geformt werden. »Mit einem Wort, wenn man sich einigt, jede Handlung frei zu nennen, die aus dem Selbst und nur aus dem Selbst entspringt, ist die Handlung, die das Merkmal unserer Personalität trägt, wahrhaft frei, denn nur unser Selbst wird Anspruch auf ihre Urheberschaft erheben.«

Im Licht dieser Beobachtungen lassen sich die Erfahrung zeitloser Dauer und die Darstellung der als simultan verstandenen Welt als erweiterte Metapher für den Augenblick der Freiheit verstehen, in dem das Individuum die Welt vom Standpunkt seiner neuen Wahrnehmung aus betrachtet und dementsprechend zu seiner Entscheidung gelangt. Diese Interpretation scheint unser Verständnis der verschiedenen Texte zu unterstützen. Denn in jedem von ihnen folgt auf die Periode der Wahrnehmung und der Reflexion eine Rückkehr zur Zeitlichkeit — sogar, wenn wir seiner Version der Legende vom Verlorenen Sohn glauben können, im Fall Malte Laurids Brigges. Die Erfahrung der Dauer und der Simultaneität wirkt als Anstoß zum ethischen Tun.

Zugleich ist eben diese Freiheit mit einem Gefühl der Schuld verbunden und, wie sich im 9. Kapitel zeigen wird, weithin für die Gewichtigkeit der Metapher vom Verbrecher in der modernen Erzählkunst verantwortlich. Denn die Freiheit der simultanen Wahrnehmung zieht den Helden von der ethischen Verantwortlichkeit ab, die nur im Bereich der zeitlichen Handlung existiert. Solange er der Zeit enthoben ist — wie der Inhalt der Vakuumgefäße, von denen Hans Castorp spricht, oder wie Huguenau in seinem »Ferienzustand« —, funktioniert der Mensch nicht nach seiner Fähigkeit als ethisches Wesen. So ist Malte deutlich bewußt, daß er zu den »Fortgeworfenen« gehört. Hans Castorp betrachtet seine Erkenntnis-Experimente als »aventure dans le mal«. Josef K. klammert sich verzweifelt an seinen Zustand der zeitlosen Wiederholung, um möglichst lange die Verantwortlichkeit und die Strafe zu vermeiden, die ihn in der Zeitlichkeit erwarten. Franz Biberkopf bleibt ins Verbrechen verwickelt, bis er schließlich mit der zeitlichen Welt zu Rande kommt und aufhört, bei jeder Provokation in eine zeitlose Zuflucht zu entweichen. Und Huguenau begeht die schändlichsten Delikte — Diebstahl, Notzucht, Mord —, ehe er das Leben in der Alltagswelt wieder aufnimmt.

So zeigt sich, daß der Versuch des Menschen, den Uhren zu entfliehen, einerseits zu einem höheren Erkenntniszustand führt, andererseits aber zum Verlust der ethischen Verantwortlichkeit. Das paradoxe Dilemma moderner Autoren enthüllt sich schneidend an dem Umstand, daß sie zuletzt ihre mit gesteigerter Erkenntnis gerüsteten Helden zurückschikken in die Verantwortlichkeit der zeitlichen Welt, während sie selber notwendig im zeitlosen Zustand ästhetischer Unbeschwertheit verharren. Huguenau kehrt in die Welt zurück, aber Bertrand Müller bleibt in seinem einsamen Zimmer: klüger, doch trauriger. Trotz des schlechten Gewissens jedoch, das so viele Autoren plagt (Broch sprach von der »Unmoralität des Elfenbeinturms«), klammern sie sich an ihre Vision der Simultaneität. Um das Warum zu verstehen, muß man eine Stufe tiefer steigen.

Die großen Momente der modernen Literatur sind Augenblicke einer plötzlichen, intensiven, fast blendend lebendigen Wahrnehmung: was Virginia Woolf in *The Waves* »Ringe von Licht« nennt.[38] Wohin wir blicken, sind wir mit diesen offenbarenden Augenblicken konfrontiert. Joyce nannte sie »Epiphanien«, und seine Werke sind in gewissem Sinn ein Katalog solcher Momente thomistischer *claritas*. Doch die Augenblicke können in verschiedenen Formen auftreten: Prousts *madeleine* und Hans Castorps Vision im Schneesturm; Maltes Augenblicke des »Sehens« und Franz Biberkopfs Dialog mit dem Tod; sogar Josef K.s quälende Erkenntnis am Ende seines Lebens, daß er stirbt »wie ein Hund«. Die in solchen Augenblicken gewonnene Einsicht rechtfertigt letzten Endes den zeitlosen Schwebezustand, in dem der Held lebt. »Die Augenblicke, in denen wir uns derart erfassen, sind selten«, schreibt Bergson in dem erwähnten Essay, »und eben deshalb sind wir selten frei. Die meiste Zeit leben wir außerhalb unserer selbst« — in der Welt der offiziellen Zeit.

Dies bringt uns zu einer letzten Bemerkung. Die Augenblicke des Lichts erhalten ihren Sinn nur durch den Gegensatz zu dem Wissen, daß sich die Zeit unerbittlich auf den Tod zu bewegt. »Und verstehen Sie nicht«, schrieb André Gide in *Les nourritures terrestres,* »daß kein Augenblick jemals jenen bewundernswerten Glanz annähme, wäre er nicht sozusagen gegen den sehr dunklen Hintergrund des Todes abgesetzt?«[39] Die ganze Diskussion über Zeit ist bei einer letzten Analyse in Verbindung mit dem Todesthema zu sehen. Die Suche nach der Dauer privater Zeit erweist sich als Reaktion auf die Einsicht, daß Zeit zum Tod führt. Wie Hans Meyerhoff sagt: »Die Bedeutung einer zeitlosen Dimension in der Erfahrung, im Selbst, im Kunstwerk oder hinter der Erfahrung läßt sich nur voll einschätzen, wenn man sie in Zusammenhang bringt mit den melancholischen, düsteren Reflexionen, die sich aus der Bewegung der Zeit in Richtung Tod und Nichts ergeben.«[40] Das Bewußtsein des Todes bringt das Individuum dazu, sich an den Moment der Erfahrung zu klammern, worin es Sinn und Dauer sucht.[41] »Der Tod ist in die Veilchen hineinverwoben« — mit diesem Bild bekräftigt Virginia Woolf die unauflösliche Verbindung zwischen gesteigerter poetischer Erfahrung und dem Tod.[42] Die Todesdrohung ist es, die Menschen veranlaßt, die Zeiger von den Zifferblättern zu reißen und die Uhren wegzuwerfen. Die Todesfurcht ist es, die den Konflikt zwischen privater Zeit und offizieller Zeit bewirkt. Doch unabwendbar muß der Mensch am Ende seines Lebens oder am Ende seines Romans aus der Sphäre der Dauer in den Bereich der offiziellen Zeit, aus der Unverantwortlichkeit simultaner Wahrnehmung auf den ethischen Schauplatz der Zeit zurückkehren. Denn nur in der Realität haben die Uhren eine Funktion. Nur hier entdeckt ein Mensch schließlich — in den Worten zweier anderer an Zeit und Tod orientierter Autoren —, wem die Stunde schlägt.[43]

Kapitel 7

Die Metaphysik des Todes

Für den Uneingeweihten liest sich ein Katalog bedeutender Werke der modernen deutschen Literatur wie das Amüsierblatt eines Nekrophilen, wie ein literarisches Festmenü für morbiden Geschmack — wie eben etwas, das man von solchen Dichtern wie Rilke erwarten könnte, jenem selbststilisierten »Schüler des Todes«, der wenig bezauberndere Freizeitbeschäftigungen kannte als das Entziffern von Inschriften auf italienischen Renaissance-Grabsteinen, um sich von ihrer »grenzenlosen Wissenschaft ... erziehen« zu lassen.[1] In Wien begann das moderne Zeitalter mit den lyrischen Dramen, in denen Hofmannsthal den *Tod des Tizian* (1892) feierte und die Konfrontation eines Ästheten mit dem Tod (*Der Tor und der Tod*, 1893) darstellte. Die Erzählungen Arthur Schnitzlers, die hauptsächlich zwischen 1895 und 1910 geschrieben wurden und typologisch bezeichnend für die Literatur ihrer Zeit sind, kreisen gewöhnlich um den Tod (*Sterben, Die Toten schweigen, Der Tod des Junggesellen*). Schnitzler liebte es, seine Geschichten in die Form von Abschiedsbriefen Sterbender zu kleiden (*Andreas Thamayers letzter Brief, Der letzte Brief eines Literaten*), und eines seiner Experimente mit dem inneren Monolog (*Fräulein Else*, 1924) vermittelt die letzten Stunden einer Frau, die sich das Leben durch Gift genommen hat. Wie Hofmannsthals Ästhet ist der Protagonist von Richard Beer-Hofmanns Novelle *Der Tod Georgs* (1900) ein Einsiedler, der das Leben nur durch die Erfahrung dreier großer — realer wie imaginierter — Todesszenen schätzen lernt. Die Zentralstellung des Todes in den Werken der Wiener Neoromantik wurde oft vermerkt[2], doch es waren keineswegs nur diese Schriftsteller, die der Verlockung des Todestriebs erlagen. Gottfried Benn gab seiner ersten Gedichtsammlung den bezeichnenden Titel *Mor-*

gue (1912). Viele der Geschichten, die Malte Laurids Brigge in seinen Notizheften wiedergibt, handeln vom Tod, und in der zehnten der *Duineser Elegien* (1922) zeichnete Rilke eine apokalyptische Todeslandschaft, die es mit Grünewalds Isenheimer Altar aufnimmt. Mit dem Titel *Tod in Venedig* gab Thomas Mann die Chiffre eines seiner charakteristischsten Themen; ja der *Zauberberg,* der ursprünglich als komisches Gegenstück zu jener berühmten Novelle begonnen worden war, hätte gut »Tod in Davos« heißen können. In *Berlin Alexanderplatz* erscheint der Tod als die mächtigste der Stimmen, die zu Franz Biberkopf sprechen und seine geistige Wiederherstellung bewirken. Und der Tod war ein Zentralthema für Hermann Broch, lange bevor er über fünfhundert Seiten einer detaillierten poetischen Vermittlung des *Tod des Vergil* (1945) widmete.

Dieses Todesinteresse ist natürlich nicht ausschließlich Sache der modernen deutschen Literatur. Um die Jahrhundertwende zog es allenthalben in Europa die Autoren zu diesem faszinierenden Thema hin. Die düstere Befangenheit des alternden Tolstoj in solchen späten Meisterwerken wie *Der Tod des Iwan Ilijtsch* (1886) fand ihr Gegenstück in den geheimnisvollen Vorahnungen von Maeterlincks *Pelleas et Mélisande* (1892). Joyces *Dubliners* (1914) beginnen mit dem Tod eines Priesters und enden mit »The Dead«. Proust geriet auf der Suche nach der Vergangenheit wiederholt in Konfrontation mit dem Tod, und diese Begegnungen führten zu einigen seiner denkwürdigsten Szenen und Reflexionen. Es stimmt nicht nur, daß, wie ein Kritiker vermerkte, »die Literatur des 20. Jahrhunderts mit dem Ton des Todes begann«.[3] Auch die letzten Jahre des 19. Jahrhunderts hallten wider von der Totenglocke.

Natürlich war sich jedes Zeitalter philosophisch des Todes bewußt. Im *Phaidon* wies Platon darauf hin, daß der Weise sein Leben in steter Beobachtung des Todes lebe. Das mittelalterliche Todesantiphon — *media vita in morte sumus* — fand sein sichtbares Gegenstück im Totentanz des späten Mittelalters. Ja, die Einstellung zu dieser allgemeingültigsten Erfahrung ist in jedem Fall so charakteristisch für die Zeit, in der sie geübt wird, daß sich R. W. B. Lewis zu dem Vorschlag bewogen sah, »die beste Weise, zwei oder drei literarische Generationen unseres Jahrhunderts zu unterscheiden«, bestehe darin, »ihr Verhalten im Umgang mit der Tatsache des Todes« festzustellen.[4] Das ist genau das, was Walther Rehm in seiner tiefgründigen Studie über den Tod in der deutschen Literatur in Angriff nahm: »Von der Stellung eines Menschen zum Tode aus lassen sich alle seine übrigen Beziehungen zum Ganzen der Welterscheinung und den übrigen Daseinsaugenblicken voll begreifen.«[5] Grob gesprochen, entdeckt und umreißt Rehm zwei prinzipielle Strömungen in der Literatur vom Mittelalter bis zum romantischen Zeitalter. Die großen humanistischen Bewegungen mit ihrer Orientierung am Menschen in dieser Welt — Renaissance, Reformation, Aufklärung und Klassizismus — betrachten den Tod so, als gebe es ihn nur, um Leben möglich zu machen. Diese im Humanismus Goethes kulminierende Haltung läßt sich bis zu ihrem Auftreten — in ziemlich trivialisierter Form — in den milden Vorhaltungen Settembrinis im *Zauberberg* verfolgen. Im Gegensatz zu dieser Auffassung stehen solche auf den Himmel gerichteten Bewegungen wie die spätmittelalterliche Mystik, das Barock, der Sentimentalismus des 18. Jahrhunderts und die Romantik, die der Ansicht waren, das Leben bestehe vorwiegend dazu, um den ewigen Tod zu bereichern. Diese Auffassung, die ihren sublimsten Ausdruck in Novalis' *Hymnen an die Nacht* fand, ist noch immer, wenigstens karikiert, im tollen Nihilismus Naphtas vorhanden. Eben diese »romantische« Einstellung zum Tod liegt letzten Endes sowohl Hegels Geschichtstheorie wie auch Freuds Konzept von Repression und Sublimation zugrunde.[6] Hegels Dialektik der steten Veränderung läßt sich zurückverfolgen auf einen Gedanken seiner *Wissenschaft der Logik:* »Sondern das Seyn der endlichen Dinge als solches ist, den Keim des Vergehens als ihr Insichseyn zu haben, die Stunde ihrer Geburt ist die Stunde ihres Todes.« (I. Buch, 1 Abschnitt, Kap. 2, B, c.) Und die feine Gymnastik der menschlichen Psyche versteht Freud als Antwort auf das in seinem Essay *Jenseits des Lustprinzips* festgestellte Prinzip: »Das Ziel alles Lebens ist der Tod.«

Unter psychoanalytischem Gesichtswinkel enthält die Implikation, daß die Generation Joyces, Manns und Prousts in ihren Werken ein Ritual ästhetischer Todessublimation ausübte, einen erheblichen Wahrheitsgrad. »Kunst war die Antwort der ersten Generation auf den universalen Todesdruck.«[7] In einer radikaleren Formulierung ging R. M. Albérès sogar so weit vorzuschlagen: »Der Roman ist ein Ersatz für den Tod.«[8] Entsprechend dieser Anschauung beseitigt der eigentliche Akt der künstlerischen Gestaltung irgendwie die Todesdrohung, indem er den Tod überhaupt in eine andere Sphäre verlagert. Doch falls Rehms Analyse stimmt, ist die Situation vielschichtiger. Betrachtet man bestimmte Werke genau, so sieht man rasch, daß die dort dargestellte Anschauung des Todes nicht die charakteristisch-romantische ist, für die Leben nichts als eine Phase auf der Straße zum Tod ist, und es ist auch keine humanistische Auffassung, in der es den Tod um jeden Preis zu überwinden gilt. Die typisch moderne Einstellung erweist sich weder als »für« das Leben noch »für« den Tod. Indem sie vielmehr erkennt, daß Tod dem Leben immanent ist, versucht sie eine harmonische Synthese der beiden Kräfte in dem Bewußtsein zu erreichen, daß die wahre Erkenntnis des Lebens ein Wissen vom Tod umfassen muß.

Die spektakulative Basis für diese Haltung exemplifizieren vielleicht am besten die Gedanken des Philosophen und Soziologen Georg Simmel (1858—1918) über den Tod. Simmels *Zur Metaphysik des Todes* erschien zuerst 1910 als ein Essay, doch seine Ideen erreichten das größte Publikum als Kapitel in dem berühmten Rembrandt-Buch (1916) und als Abschnitt in der Zusammenfassung seiner *Lebensanschauung* (1918).[9] Obwohl Simmels direkte Auswirkung auf das öffentliche Bewußtsein seiner Zeit gering war, wurden seine Gedanken weit durch seinen Einfluß auf Rilke und andere Autoren verbreitet, mit denen er in persönlicher Verbindung stand. Seine Gedanken gingen auf indirektem Weg in die akademische Philosophie ein, nämlich durch ihre eindeutige Auswirkung auf Heideggers Todesphilosophie.[10] Und die im wesentlichen gleichen sind in Oswald Spenglers *Untergang des Abendlandes* (1918) enthalten, der so genau den Geist der Zeit (wenn auch vielleicht nicht den Geist der Geschichte) spiegelt.[11] Simmel erklärt die Immanenz des Todes folgendermaßen: »... in jedem einzelnen Momente des Lebens *sind* wir solche, die sterben werden, und er wäre anders, wenn dies nicht unsere mitgegebene, in ihm irgendwie wirksame Bestimmung wäre. So wenig wir in dem Augenblicke unserer Geburt schon da sind, fortwährend vielmehr irgend etwas von uns geboren wird, so wenig sterben wir erst in unserem letzten Augenblicke. Dies erst macht die formgebende Bedeutung des Todes klar. Er begrenzt, d. h. er formt unser Leben nicht erst in der Todesstunde, sondern er ist ein formales Element unseres Lebens, das alle seine Inhalte färbt: die Begrenztheit des Lebensganzen durch den Tod wirkt auf jeden seiner Inhalte und Augenblicke vor . . .« Der Tod ist also derart durchdringend immanent, daß er entschieden das Leben formt — ein Gedanke, dem wir wieder bei Rilke und anderen Autoren begegnen werden. Leben andererseits läßt sich nur durch den Bezug auf den Tod verstehen.

Doch die Bedeutung des Todes ist noch größer, denn Simmel meint, alle menschlichen Werte beruhten auf der Tatsache des Todes. Tod ist ein begrenzender Faktor par excellence. Nun bilden aber Begrenzungen die notwendige Vorbedingung für Werte jeder Art; ohne Begrenzungen gibt es keine Unterschiede, sondern nur ein ewiges Fließen, in dem Gut und Böse, Richtig und Falsch ununterscheidbar untergehen und sich vermischen. Nur innerhalb der vom Tod gesetzten Begrenzung werden wir uns der ethischen Dimensionen unserer Entscheidungen bewußt. Ein einmal gelebtes Leben läßt sich nicht durch das Leben aus einer anderen Rolle ersetzen. Die Tatsache des Todes macht nicht nur Werte möglich; indem er ein Leben von den Werten trennt, an die es sich gehalten hat, macht der Tod die Werte eher ideal und ewig als zufällig.[12] Schließlich versteht Simmel Leben und Tod als These und Antithese, die sich gegenseitig bedingen. Aus diesem Gegensatz jedoch erhebt sich als Synthese eine höhere Einheit, die Simmel »Wirklichkeit« nennt und die Leben und Tod umgreift. »Diese tatsächliche Einheit kann nur gelebt werden und ist als solche intellektuell nicht zu bewältigen.« Der Begriff einer immanenten Wirklichkeit, die Leben und Tod transzendiert, drängte sich den Schriftstellern aus Simmels Generation auf. Doch mehr noch: Simmels Überzeugung, daß diese Einheit oder Wirklichkeit sich nur erfahren, aber nicht durch rationale Mittel erlangen läßt, erwies sich als eine ziemlich genaue Voraussage der künftigen Entwicklungen. Denn die systematische Philosophie hatte jahrelang dazu geneigt, das Problem des Todes zu ignorieren; dieses Problem machten sich fast aus Versehen die Autoren zu eigen, die Möglichkeiten besaßen oder suchten, die Erfahrung dieser Wirklichkeit zu vermitteln.

Es wäre unverantwortlich, die sowohl wesentlichen wie feinen Unterschiede zwischen den Vorstellungen der in diesem Kapitel zu erörternden Gestalten zu leugnen. Doch über alle Verschiedenheiten hinaus erwächst aus ihren Auffassungen offenbar eine gemeinsame moderne Einstellung. Im Gegensatz zur früheren Polarität von Leben und Tod, wie sie Rehm umrissen hat, betrachten diese Autoren den Tod als dem Leben so immanent, daß eine höhere Wirklichkeit oder Einheit zustande kommt; und sie sind überzeugt, daß ein Wissen vom Tod für jedes wahre Verständnis des Lebens selber notwendig ist. Mit anderen Worten: Diese moderne Haltung, die vielen großen Autoren zwischen 1890 und 1930 gemeinsam ist, läßt sich nicht einfach als ein Versuch ansehen, die Tatsache des Todes irgendwie durch Ästhetisierung zu umgehen. Die Beschäftigung mit dem Tod ist nur ein Aspekt eines tieferen und ernsthafteren Eingehens auf das Leben selber.

Es ist nicht unsere Aufgabe, hier in allen Details die philosophischen Überzeugungen der Epoche zu analysieren. Wir wollen statt dessen drei zusammengehörige und zentrale Fragen stellen. Erstens: Warum tauchte dieses frappierende neue Interesse für den Tod eben zu dieser Zeit in der Literatur auf? Zweitens: Auf welche Weise beeinflußt dieses neue Gespür für den Tod Thematik und Struktur der Werke selber? Drittens: Mit welchen Mitteln versuchten die Autoren, die Erfahrung der Todesimmanenz zu vermitteln, wenn sie, wie Simmel behauptet, nicht intellektuell zu begreifen und auszudrücken ist?

Mehrere Faktoren trugen zur neuen Bedeutung bei, die der Tod gegen Ende des 19. Jahrhunderts annimmt. Der erste und offenkundigste ist das neue Gespür für die Zeit, das wir im vorhergehenden Kapitel betrachtet haben. Das Bewußtsein einer unumkehrbaren Zeit, die unerbittlich auf einen unvermeidlichen Tod hinläuft: diese beiden Vorstellungen gehen

Hand in Hand. »Das ist«, sagt Hans Meyerhoff, »zweifellos der bedeutsamste Aspekt der Zeit in der menschlichen Erfahrung, weil damit die Aussicht auf den Tod als ein integraler und unaufhebbarer Teil ins menschliche Leben eintritt.«[13] Diese Auffassung unterscheidet sich recht radikal von älteren Todesvorstellungen. Das Christentum verkündete die Überwindung des Todes, weil es das Leben so sah, als erstrecke es sich über den Tod hinaus in die Ewigkeit. Gleicherweise ignorierte die Konzeption der Parzen und des Lebensfadens, die Ansicht, daß der Tod zufällig komme, die Verbindung zwischen Zeit und Tod. Doch das moderne Bewußtsein der Zeit ist eng verknüpft mit der organischen Vorstellung eines immanenten Todes, der zusammen mit dem Leben geboren wird und zugleich dem Leben dadurch Gestalt gibt, daß er es am Ende begrenzt. Umgekehrt verstärkt das Bewußtsein des Todes den Wunsch des Menschen, die Welt simultan zu erfahren, wie sich im vorhergehenden Kapitel gezeigt hat.

Ein zweiter Faktor bildet die notwendige Ergänzung zum neuen Zeitbewußtsein. In Zeitaltern mit einem starken Glauben an einen transhumanen Sinn — entweder an Gott oder an die Geschichte — haben Todes- und Zeitbesessenheit weder Grund noch Gelegenheit zu gedeihen. Verschiedene Denker — zumal Johan Huizinga im *Herbst des Mittelalters* und der katholische Existenzphilosoph Louis-Paul Landsberg in einem Essay über Todeserfahrung[14] — bemerkten, daß das Bewußtsein des Todes in Perioden des sozialen Zerfalls besonders akut auftritt. In solchen Epochen wie der Spätantike, dem Spätmittelalter und dem frühen 20. Jahrhundert, da alle tradierten Werte offenbar dem Chaos weichen, sieht sich das Individuum auf sich selber zurückgeworfen, und es muß mit dem Tod privat zu Rande kommen. Genau das ist die Situation am Ende des 19. Jahrhunderts. Es ist nicht nötig, das so häufig bemerkte und analysierte Phänomen wieder auszubreiten. Die Phasen des Zerfalls traditioneller Überzeugungen, wie ihn Nietzsche laut verkündete und viele jüngere Kulturhistoriker darstellten, sind gut bekannt.[15] Für unsere Zwecke dürfte es genügen festzustellen, daß das moderne Gespür für den Tod verknüpft ist mit dem Aufstieg der Subjektivität zur zentralen Urteilsnorm im Verlauf des 19. Jahrhunderts. Dieser individualistische Relativismus ist umgekehrt nur in einer Epoche des Pluralismus möglich, in der entschiedene zentrale Werte widersprüchlichen Wertordnungen gewichen sind. Angesichts dieses Konflikts der Überzeugungen wird der Tod abermals für den individuellen Menschen groß sichtbar.

Die Faktoren der Zeit und des sozialen Zerfalls wiederum werden durch einen dritten verstärkt. Denn das feine neue Gespür für den Tod, wie man es bei den Autoren und Denkern der Epoche fand, hatte überhaupt keine Parallele im öffentlichen Bewußtsein. Ja, das Zeitalter des Positivismus war, wie Broch vermerkte[16], offenbar in eine naive Verschwörung verwickelt: den Tod zu ignorieren, ihn nicht durch Ewigkeitsglauben, sondern durch Wissenschaft und Technik zu überwinden. Und diese fröhliche positivistische Einstellung ist keineswegs auf das 19. Jahrhundert beschränkt. Je hartnäckiger sich uns der Tod aufdrängt, um so erfinderischer versucht der Mensch, ihn loszuwerden. In einem Brief aus dem Jahr 1949 klagte Broch, die Vereinigten Staaten seien »kein richtiger Platz zum Sterben«. »Daß man in einem ›Funeral Parlor‹ geschminkt aufgebahrt wird, ist eine gespenstische Idee; der Tod wird hier weggeleugnet.«[17] Diese Trivialisierung des Todes ist ein Phänomen, das in den Vereinigten Staaten durch Jessica Mitfords Bestseller-Anklageschrift *The American Way of Death* (1963) weithin bekannt wurde. Auf anderer Ebene freilich ist es jedem Beobachter völlig offenkundig, daß unser öffentliches Bewußtsein den Tod zu verleugnen sucht. Naheliegende Beispiele finden sich in der Berichterstattung über jeden großen öffentlichen Todesfall wie die Ermordung Präsident Kennedys oder das Verbrennen dreier amerikanischer Kosmonauten. Bei allen derartigen Gelegenheiten ist es mehr als offensichtlich, wie die Öffentlichkeit, statt sich der Würde und der Trauer des einfachen Todesfaktums zu unterwerfen, lieber seiner Einwirkung dadurch zu entgehen sucht, daß sie bei der Untersuchung der Umstände Zuflucht sucht: der genauen Sekunde, in der das Feuer ausbrach, der Anzahl von Sekunden zwischen Schüssen und so fort. Angesichts dieser Barriere aus endlosen Fakten verschwindet praktisch der einfache und unzweideutige Sinn des Todes.

Diese Trivialisierung ist alles andere als ein zeitgenössisches amerikanisches Phänomen, wie Broch zu meinen geneigt war. In den *Aufzeichnungen des Malte Laurids Brigge* ließ Rilke seinem Unwillen über den mangelnden Respekt und die mangelnde Anerkennung der einfachen Todeswürde um die Jahrhundertwende freien Lauf:

> Dieses ausgezeichnete Hôtel ist sehr alt, schon zu König Chlodwigs Zeiten starb man darin in einigen Betten. Jetzt wird in 559 Betten gestorben. Natürlich fabrikmäßig. Bei so enormer Produktion ist der einzelne Tod nicht so gut ausgeführt, aber darauf kommt es auch nicht an. Die Masse macht es. Wer gibt heute noch etwas für einen gut ausgearbeiteten Tod? Niemand. Sogar die Reichen, die es sich doch leisten könnten, ausführlich zu sterben, fangen an, nachlässig und gleichgültig zu werden; der Wunsch, einen eigenen Tod zu haben, wird immer seltener.[18]

Die Schneiderei-Bilder sind in Rilkes poetischer Entrüstung offenbar ständig mit Wertlosigkeit assoziiert, denn zwölf Jahre später schmähte er in der fünften *Duineser Elegie* den sterilen Tod der modernen Welt in der Gestalt der Modistin »Madame Lamort«, die das Leben in unwahr gefärbte Bänder, Rüschen, künstliche Früchte und Blumen »für die billigen Winterhüte des Schicksals« umgestaltet.

Die Tendenz, den Tod zu trivialisieren, ihn zu ignorieren, ihn zu ästhetisieren, bildet einen bedeutsamen Faktor in fast allen erwähnten Werken. Hofmannsthals Claudio hat durch den Rückzug in die Kunst dem Tod zu entfliehen versucht, Franz Biberkopf sucht blind seinen Anruf zu überhören, Brochs Vergil beginnt mit der Verachtung des Todes und Rilkes Malte mit der Furcht vor ihm. Kurzum, das literarische Interesse für den Tod spiegelt, zumindest teilweise, die öffentliche Neigung, eifrig die Immanenz des Todes im Leben zu übersehen und seinen Erkenntniswert zu verleugnen. (Nur Hans Castorp beginnt mit einem intuitiven Gespür für die Würde des Todes, und in seinem Fall wird dieses Gespür durch die allgemeine Mißachtung des Todes hervorgerufen, der er im Sanatorium begegnet.)

Noch ein vierter Faktor ist schließlich zu berücksichtigen. Schopenhauer beschäftigte sich als erster moderner Philosoph ausführlich mit dem Tod beim Versuch, ihn zu einem Teil seines Systems zu machen. In *Die Welt als Wille und Vor-*

stellung erklärte er, der Tod sei der »Musagete«, der inspirierende Genius aller Philosophie.[19] Trotzdem blieb Schopenhauers Ermahnung weithin unbeachtet bei den positivistischen Philosophen des 19. Jahrhunderts, die in ihren Systemen keinen Platz für einen derart metaphysischen Begriff wie den des Todes hatten. Natürlich gab es vereinzelte Denker, die die Wichtigkeit des Todes unterstrichen. In seinem epochalen Werk über die alte Gräbersymbolik hatte Johann Jakob Bachofen die Bedeutung des Todes in klassischen Kulten aufgedeckt.[20] Ähnlich war es der Zentralgedanke in Wilhelm Diltheys zukunftsträchtigen Untersuchungen über Erlebnis und Dichtung, daß die Beziehung von Leben und Tod am tiefsten unser Existenzgefühl bestimmt, »denn die Begrenzung unserer Existenz durch den Tod ist immer entscheidend für unser Verständnis und unsere Schätzung des Lebens«.[21] Wagners Tristan und Isolde (1859) stimmten überströmende Gesänge auf den Tod an, lange bevor Nietzsches Zarathustra (1883) den Wert des »freien Todes« verkündete.

Doch im großen ganzen wurde der Einfluß dieser Denker erst im 20. Jahrhundert spürbar, während sich die eigensinnigen Philosophen des 19. Jahrhunderts mit pragmatischeren Dingen abgaben. Selbst Simmels Ideen hatten größeren Einfluß auf Künstler und Schriftsteller als auf die berufsmäßigen Philosophen seiner Generation, zumal er eher dazu neigte, sich essayistisch als systematisch zu äußern, und weil er erst kurz vor seinem Tod im Jahr 1918 einen philosophischen Lehrstuhl erhielt. Jedenfalls hatte der logische Positivismus, der in den zwanziger und dreißiger Jahren die Wiener und die anglo-amerikanische Philosophie beherrschte, wenig für derartige metaphysische Interessen übrig. Selbst heute sind die meisten anglo-amerikanischen Philosophen der analytischen Schule der Ansicht, daß Untersuchungen über den Tod rechtens ins Gebiet von Psychologie und Sozialwissenschaft gehören, aber nicht zur Philosophie.[22] Unter allen Richtungen, die die Philosophie seit Schopenhauer eingeschlagen hat, befaßte sich nur der Existenzialismus ausdrücklich mit dem Phänomen des Todes. Und diese Entwicklung ist so jungen Datums, daß sie die Tendenzen der »modernen« Literatur eher begrenzt und spiegelt, als zu ihnen wesentlich beiträgt.

So hat das Empfinden, daß die Philosophie ihrer Verantwortung ausgewichen war, sich mit dem Tod zu beschäftigen, die Schriftsteller veranlaßt, sich selber des Problems anzunehmen, das immer akuter wurde. Als Ergebnis der Übereinstimmung verschiedener vielfältiger Faktoren stellte sich der Tod als eine zentrale Frage der Moderne heraus. Die Philosophie der Epoche war nicht willens, sich darauf einzulassen oder auch nur Kenntnis von dem Problem zu nehmen. Diese Sachlage veranlaßte Hermann Broch zu der zornigen Feststellung, da Philosophie und Wissenschaft sich den Bereich des Lebens völlig angeeignet hätten, bliebe der Literatur als einziges rechtmäßiges Thema nur der Tod! Diese Beobachtung ging überdies Hand in Hand mit Simmels Empfindung, daß die synthetische »Wirklichkeit« aus Leben und Tod eine Einheit sei, die sich nicht rational begreifen, sondern nur intuitiv erfahren lasse.

Der Glaube an die Immanenz des Todes im Leben und die Überzeugung, daß wahre Lebenskenntnis nur durch die Erkenntnis des Todes zu erlangen sei — das sind zwei Einstellungen, die weithin das moderne Denken charakterisieren, zumal aber einen Großteil der Literatur in modernen Zeiten. Beide tauchen deutlich und paradigmatisch in Hofmannsthals lyrischem Dialog zwischen dem Tod und dem Toren auf, denn in dem kurzen Spiel in Versen wird die Todesthematik nicht durch andere Haupt- oder Nebenthemen verkompliziert. Claudio, dessen Name schon einen etymologischen Symbolwert hat, repräsentiert den Ästheten, der hartnäckig versucht hat, sich gegen das Leben abzuschließen und damit auch gegen die Todesdrohung. Doch er wird zu der Einsicht gezwungen, daß der Tod während seines ganzen Lebens sein ständiger Begleiter gewesen ist:

> In jeder wahrhaft großen Stunde,
> Die schauern deine Erdenform gemacht,
> Hab ich dich angerührt im Seelengrunde
> Mit heiliger, geheimnisvoller Macht.[23]

Dieser Einsicht in die Immanenz des Todes im Leben schließt sich überdies Claudios letztes Eingeständnis an, welche Erkenntniskraft eben die Erfahrung habe, die er so eifrig hatte vermeiden wollen. Wenn der Tod den Reigen der Gestalten aus Claudios Vergangenheit durch das Zimmer des Ästheten führt, nimmt Claudio zum erstenmal die Tatsachen seines Lebens und seiner menschlichen Beziehungen in ihrer richtigen Perspektive wahr. Er stirbt mit einer Frage: »Warum, du Tod, / Mußt du mich lehren erst das Leben sehen?«

Trotz gewisser Varianten verbindet diese Thematik sämtliche erörterten Romane und bestimmt sogar, wie sich zeigen wird, gewisse ihrer stilistischen Eigenschaften. Die Geschichte, die Malte Laurids Brigge seinen Heften anvertraut, ist in einer wichtigen Hinsicht der Bericht über seine Versuche, mit dem Tod zurecht zu kommen. Rilke war wie wenige lebenslang in allen Werken vom Tod fasziniert.[24] Seine charakteristische Einstellung begann sich jedoch erst in dem 1903 geschriebenen »Buch von der Armut und vom Tode« herauszukristallisieren, das den dritten Teil des *Stunden-Buchs* (1905) bildet. Hier spricht Rilke zum erstenmal vom »eigenen Tod«, einem Gedanken, der in den Reflexionen Maltes eine große Rolle spielen sollte. Für unsere Zwecke ist eine Auseinandersetzung über die Quelle dieses Konzepts eines einzigartigen, persönlichen, privaten, individuellen Todes unerheblich. Die Gelehrten verweisen am häufigsten auf den dänischen Schriftsteller Jens Peter Jacobsen, den Rilke bewunderte und in dessen Romanen (vor allem in *Marie Grubbe* und *Niels Lyhne*) eine ähnliche Vorstellung entwickelt ist.[25] Walther Rehm hat jedoch zweifellos recht, wenn er Simmels Metaphysik des Todes gleiche Bedeutung zumißt.[26] Überdies sollte Rilke bald eine neue Bestätigung seiner Gedanken über den Tod bei Kierkegaard finden. In jüngster Zeit richtete sich die Aufmerksamkeit auf den Einfluß des dänischen Romanciers Herman Bang, zumal seines Romans *Das graue Haus*.[27] Aus dieser Vielfalt möglicher Quellen läßt sich offensichtlich einfach dieser Schluß ziehen: das Thema eines immanenten Todes — wie man für den »eigenen Tod« sagen kann — war damals so weit verbreitet, daß sich sein Ursprung kaum festnageln läßt.

Ins *Stunden-Buch* nahm Rilke ein kurzes Gebet auf:

> O Herr, gieb jedem seinen eignen Tod.
> Das Sterben, das aus jenem Leben geht,
> darin er Liebe hatte, Sinn und Not.

Denn wir sind nur die Schale und das Blatt.
Der große Tod, den jeder in sich hat,
das ist die Frucht, um die sich alles dreht.

Dieses anfängliche Gespür für die Immanenz des Todes steigerte sich zu einer fast unerträglichen Höhe durch das Erlebnis von Paris, wo Rilke zum erstenmal sowohl mit dem durch die moderne Weltstadt verschärften Tod wie auch mit dem Phänomen des trivialisierten Todes konfrontiert wurde. Seine Gedichte von 1903 bis 1909 — zumal die *Neuen Gedichte* und die beiden großen *Requiems,* die er 1908 schrieb — umkreisen die Todeserfahrung. Angesichts allen Todes, dessen Zeuge er war, empfand Rilke, daß es nur ein mögliches Entkommen gab: den Tod in der Hoffnung zu umarmen, etwas von ihm zu lernen. Das Gedicht »Todes-Erfahrung« (1907) verwendet die Metapher der Bühne, die in der gleichen Beziehung zur Wirklichkeit steht wie das menschliche Leben zur großen Lebenswirklichkeit jenseits des Todes:

Wir wissen nichts von diesem Hingehn, das
nicht mit uns teilt...

Doch als du gingst, da brach in diese Bühne
ein Streifen Wirklichkeit durch jenen Spalt
durch den du hingingst...

Wir spielen weiter. Bang und schwer Erlerntes
hersagend und Gebärden dann und wann
aufhebend; aber dein von uns entferntes
aus unserm Stück entrücktes Dasein kann

uns manchmal überkommen, wie ein Wissen
von jener Wirklichkeit sich niedersenkend,
so daß wir eine Weile hingerissen
das Leben spielen, nicht an Beifall denkend.

Es wäre ein Fehler, diese »Todeserfahrung« im traditionellen romantischen Sinn zu verstehen. Ja, Rilke bestritt ausdrücklich eine solche Absicht, am deutlichsten in einem Trostbrief aus dem Jahr 1923, der sich im Grunde zu einem Essay über den Tod ausweitet:[28] »... glauben Sie nur, liebe gnädigste Gräfin, daß [der Tod] ein *Freund* ist, unser tiefster, vielleicht der einzige durch unser Verhalten und Schwanken niemals, niemals beirrbare Freund... und *das,* versteht sich, *nicht* in jenem sentimentalisch-romantischen Sinn der Lebensabsage, des Lebens-Gegenteils, sondern unser Freund, gerade dann, wenn wir dem Hier-Sein, dem Wirken, der Natur, der Liebe ... am leidenschaftlichsten, am erschüttertsten zustimmen.« Im selben Brief wirft Rilke allen modernen Religionen vor, sie predigten Todestrost in euphemistischen Worten, statt ihre Gläubigen zu lehren, wie sie mit dem Tod zurechtkommen könnten, und fährt dann mit Ausdrücken höchsten Lobpreises fort: »... der Tod ist nicht *über* unsere Kraft, er ist der Maßstrich am Rande des Gefäßes: wir sind *voll*, sooft wir ihn erreichen ...« Rilke versichert, er wolle nicht verlangen, den Tod zu lieben. Aber man solle das Leben so großzügig lieben, daß der Tod automatisch in diese Liebe eingeschlossen werde. »Es wäre denkbar, daß der Tod uns unendlich viel näher steht, als das Leben selbst ... Was wissen wir davon?!« Eine Wahrheit, so fährt er fort, sei ihm im Lauf der Jahre immer deutlicher geworden: »... unser effort, mein ich, kann *nur* dahin gehen, die *Einheit* von Leben und Tod vorauszusetzen, damit sie sich uns nach und nach erweise. Voreingenommen, wie wir es *gegen* den Tod sind, kommen wir nicht dazu, ihn aus seinen Entstellungen zu lösen ...« Hier formulierte Rilke, nur drei Jahre vor seinem eigenen Tod, seine Gedanken sehr klar. Doch blickt man zurück, erkennt man eine im wesentlichen gleiche Einstellung bei Malte, der Stunden damit zubringt, den Katalog der Tode aufzustellen, die seine Aufzeichnungen füllen.

Maltes Tagebuch beginnt mit dem Tod: »So, also hierher kommen die Leute, um zu leben, ich würde eher meinen, es stürbe sich hier.« In diesem ersten Satz sind Leben und Tod einander radikal entgegengesetzt, und es dauert Monate, bis Malte versuchsweise das Verständnis erreicht, dem Rilke in so zahlreichen Gedichten und Briefen Ausdruck verlieh. Denn der Vorgang des »Sehen-Lernens« enthüllt Malte den Tod in vielen unerwarteten Formen. Er begegnet dem Tod nicht nur, wie er sich »fabrikmäßig« in den Pariser Hospitälern abspielt; er erkennt ebenso, daß das Elend, das er auf Schritt und Tritt wahrnimmt, nichts anderes ist als eine, wenn man so will, Säkularisierung und Vorwarnung des Todes. Die Trivialisierung des Todes in der modernen Gesellschaft veranlaßt Rilke, sich entsprechend seinem heiligen Gesetz der Gegensätze an andere Tode zu erinnern, die er erlebt hat: den

Tod seines Großvaters Brigge, einen »echten« Tod, der Wochen dauerte und so mächtig und riesig war, daß er seinen Zauber nicht nur über den Haushalt, sondern ebenso über die Landschaft ringsum warf. Malte zwingt sich, mit zeichnerischen Details den Tod seines eigenen Vaters zu erinnern, der in seinen letzten Wünschen verlangt hatte, man möge ihm eine Nadel ins Herz stechen, um sicher zu sein, daß er tot sei. Während er in seinem Zimmer sitzt, stimmt Malte eine regelrechte Todeslitanei an: Frauen, Kinder, Hunde, Nachbarn, sogar Fliegen. Und deren Tod stimmt in einem überein: »Und wenn ich an die anderen denke, die ich gesehen oder von denen ich gehört habe: es ist immer dasselbe. Sie alle haben einen eigenen Tod gehabt.«[29] Wenn ihm die Tode ausgehen, deren Zeuge er gewesen ist oder mit denen er zu tun gehabt hat, versorgt ihn die Geschichte mit einem unerschöpflichen Vorrat an Beispielen: Er führt, oft sehr weitschweifig, folgende an: Christian IV. von Dänemark; den französischen Dichter Felix Arvers; die portugiesische Heilige Jean de Dieu; den Falschen Dmitri (Grischka Otrepioff); Herzog Karl den Kühnen von Burgund; Karl VI. von Frankreich; Papst Johannes XXII.

Strukturell bestimmt die Todesthematik weitgehend die Wahl des Stoffes und seine Disposition. Malte sucht auf umgekehrtem Weg den Menschen auf den Grund zu kommen: nicht von der Geburt und dem Nachfolgenden her, sondern von dem Licht aus, das die Art ihres Sterbens auf ihr Leben zurückwirft. Nachdem er in der Brieftasche seines Vaters einen Zettel mit der Anekdote über Christian IV. gefunden hat, notiert Malte: »Ich begreife übrigens jetzt gut, daß man ganz innen in der Brieftasche die Beschreibung einer Sterbestunde bei sich trägt, durch alle die Jahre. Es mußte nicht einmal eine besonders gesuchte sein; sie haben alle etwas fast Seltenes.«[30] Und eben diese Eigenschaft der Seltenheit und Einzigartigkeit enthüllt fast wie in einer Erscheinung den Sinn des ganzen vorhergegangenen Lebens. Der Tod dient so als Mittel der Lebenserkenntnis.

Zugleich endet Maltes Todesbefangenheit, die auf den Eingangsseiten als Verteidigungsmaßnahme gegen seine Furcht und Angst in Paris begann, indem sie ihn dazu bringt, die eigene Todesfurcht zu überwinden. »Seitdem [dem Tod seines

Vaters] habe ich viel über die Todesfurcht nachgedacht, nicht ohne gewisse eigenen Erfahrungen dabei zu berücksichtigen. Ich glaube, ich kann wohl sagen, ich habe sie gefühlt. Sie überfiel mich in der vollen Stadt, mitten unter den Leuten, oft ganz ohne Grund.«[31] Doch seine Reflexionen bringen ihn zu dem Schluß, die Menschen fürchteten den Tod nur, weil sie ihn nicht kannten. Nichts könne uns sicherer zu uns selber führen als ein Einlassen auf den Tod, der unserem Leben immanent ist. »Manchmal denke ich mir, wie der Himmel entstanden ist und der Tod: dadurch, daß wir unser Kostbarstes von uns fortgerückt haben, weil noch so viel anderes zu tun war vorher und weil es bei uns Beschäftigten nicht in Sicherheit war. Nun sind Zeiten darüber vergangen, und wir haben uns an Geringeres gewöhnt. Wir erkennen unser Eigentum nicht mehr und entsetzen uns vor seiner äußersten Großheit. Kann das nicht sein?«[32] Unsere Todesfurcht entspringt folglich dem Umstand, daß wir unserem Dasein etwas entfremdet haben, das unlöslich zu ihm gehört. Diese Furcht läßt sich nur durch eine neuerliche Reflexion auf den Tod und einen bewußten Versuch überwinden, wieder zu vereinigen, was ursprünglich eines und dasselbe war: Tod und Leben. Aus diesem Grund rühmte Rilke die »großen Liebenden«. In einer seiner ausführlichsten Äußerungen über den Tod erklärte er mit besonderem Bezug auf Malte Laurids Brigge, daß »die Liebenden ... nicht aus dem abgetrennt Hiesigen [leben] ..., *denn sie sind voller Tod, indem sie voller Leben sind*«.[33] Sinn und Bedeutung des Todes, die Rilke so häufig — aber stets poetisch und indirekt — betonte, treten zusammenhängender in den Werken Thomas Manns zutage. In dem Essay »Von deutscher Republik« (1922) gibt Mann zu verstehen: »Und ist Sympathie mit dem Tode nicht lasterhafte Romantik nur dann, wenn der Tod als selbständige geistige Macht dem Leben entgegen gestellt wird, statt heiligend-geheiligt darin aufgenommen zu werden? Das Interesse für Tod und Krankheit, für das Pathologische, den Verfall ist nur eine Art von Ausdruck für das Interesse am Leben, am Menschen ...«[34] Wie Rilke weist auch Thomas Mann die Unterstellung zurück, dieses Todeskonzept sei romantisch. Auch er erkennt in Krankheit, Armut und Leiden Verlängerungen des Todes, seine Vorboten im

Leben. Mann beschließt seine Bemerkungen mit einem geheimen Hinweis auf den *Zauberberg*, dessen Beendigung damals nahe bevorstand: » . . . und es könnte Gegenstand eines Bildungsromans sein, zu zeigen, daß das Erlebnis des Todes zuletzt ein Erlebnis des Lebens ist, daß es zum *Menschen* führt.« Jahre später konstatierte Mann unzweideutig das Thema eben dieses Romans: »Was er begreifen lernt, ist, daß alle höhere Gesundheit durch die tiefen Erfahrungen von Krankheit und Tod hindurchgegangen sein muß, sowie die Kenntnis der Sünde eine Vorbedingung der Erlösung ist.« (Einführung in den *Zauberberg* für Studenten der Universität Princeton.) Mit derartigen Sätzen, die sich wiederholt in seinem Werk belegen lassen, bekräftigt Thomas Mann seinen Glauben an die Immanenz des Todes und seine Erkenntnismächtigkeit.

In keinem Roman versuchte er deutlicher diese Gedanken zu realisieren als im *Zauberberg*. Gewiß war der Tod für Thomas Mann wie für Rilke ein faszinierendes Thema: von der frühen Erzählung *Der Tod* (1897) bis zur Krankheit, zum Wahnsinn und zum Tod Adrian Leverkühns im *Doktor Faustus* (1947). Doch in keinem dieser Werke — ausgenommen der *Tod in Venedig,* den der *Zauberberg* ursprünglich ergänzen sollte — sind Thematik und Struktur so sehr wie hier vom Tod beherrscht. Denn Davos ist ein Todesort. In der ersten Stunde auf dem Berg wird Hans Castorp aus seinen gewohnten Vorstellungen gerissen, wenn er erfährt, daß eines der Sanatorien Bobschlitten benutzt, um seine Leichen im Winter zu Tale zu transportieren. In seiner ersten Konversation mit Settembrini spielt dieser scherzhaft auf die beiden Ärzte des Sanatoriums Berghof als auf Minos und Rhadamantes an: zwei niedrigere Gottheiten der Unterwelt. Von Anfang an ist der für die Reden über den Tod verwendete Tonfall absichtlich scherzhaft, doch das beeinträchtigt nicht den Tiefgang der Thematik. Ja, der Verfremdungseffekt durch den Humor lenkt geradezu die Aufmerksamkeit auf das Thema. Binnen sechs Monaten haben seine Erkundungen Hans Castorp durch die enzyklopädische Phase, in der er die physiologischen Vorgänge von Leben und Tod studierte, zum »Totentanz« geführt — dem Kapitel, das seinen Liebesdiensten an moribunden Sanatoriumspatienten gewidmet ist. Seine Motive sind ziemlich komplex. »Sein Protest gegen den obwaltenden Egoismus war nur eines davon. Was mitsprach, war namentlich auch das Bedürfnis seines Geistes, Leiden und Tod ernst nehmen und achten zu dürfen.«[35] Grob gesprochen ist es dieses Verständnis des Todes, was Hans Castorp von den übrigen Gestalten des Romans unterscheidet, die sämtlich auf je eigene Weise seine Motive mißverstehen und fehlinterpretieren. Denn Hans Castorp hatte von Kindheit an eine Ausnahmebeziehung zum Tod;[36] doch diese Tatsache wird ihm erst allmählich nach seiner Ankunft in dem Reich des Todes und nach dem Traum über den Tod seines Großvaters klar. Eben dieser tief verwurzelte Wunsch, den Tod ernst zu nehmen, hindert Hans Castorp daran, in die Routine der übrigen Patienten zu verfallen, die dazu neigen, das Faktum des Todes zu ignorieren, zu psychologisieren oder lächerlich zu machen. Seine Beschäftigung mit dem Tod und mit den Sterbenden stellt die Vorbereitung auf seine große Vision im Schnee dar, in der er plötzlich zum erstenmal die Immanenz des Todes im Leben und die Stellung des Menschen, des Herrn der Antinomien, zwischen den beiden Mächten wahrnimmt.

Genau diese Erkenntnis führt ihn zu seiner letzten Ablehnung Settembrinis und Naphtas, die, einerseits, die blinde Position eines naiven todesverachtenden Humanismus und, andererseits, diejenige eines todesverehrenden tollen Terrorismus einnehmen. (Und das läuft, wie schon bemerkt, auf eine Ablehnung der beiden in der deutschen Literatur vor der Moderne üblichen Einstellungen zum Tod hinaus.) Das Leben kann nicht ohne den Tod existieren, sieht er in seiner Vision der Einheit. So beschließt Hans Castorp, in seinem Innern dem Tod treu zu bleiben, doch sich auch stets daran zu erinnern, daß diese Treue zum Tod und zur Vergangenheit verderblich wird, wenn man ihr gestattet, Gedanken und Handlungen zu beherrschen. »*Der Mensch soll um der Güte und Liebe willen dem Tode keine Herrschaft einräumen über seine Gedanken.*«[37] Diese Einsicht, die im Text kursiv gesetzt ist, um ihre Bedeutung als Höhepunkt von Hans Castorps Entwicklung anzudeuten, zeigt das Ausmaß an, in dem Thematik wie Struktur des Romans vom Tod abhängen. Sämtliche geheimen Forschungen Hansens, sogar seine subtile Befragung des Hofrats Behrens über die Kunst, Haut zu malen, und seine seltsame Art, um Madame Chauchat zu werben, beziehen sich letztlich auf seine Suche nach einer genaueren Lebenserkenntnis durch Krankheit und Tod hindurch.

Der Umstand, daß das Werk mit einem Fragezeichen endet — das sich sowohl auf Hans Castorps Geschick im Krieg wie auf die Möglichkeit bezieht, daß aus dem Tod auf dem Schlachtfeld die Liebe aufstehen könnte —, entwertet keineswegs die Einheitsvision, die dem Gesamtkonzept zugrunde liegt. Wie Malte vor ihm und später Franz Biberkopf ist Hans Castorp zu Beginn mit der offensichtlichen Diskrepanz zwischen den beiden Großmächten Leben und Tod konfrontiert. Über seine Entwicklung entscheidet in erheblichem Maß seine Erfahrung von der Gegenwart des Todes, und sie kulminiert darin, daß der Held die Immanenz des Todes im Leben und seinen Erkenntniswert akzeptiert.

Wiewohl der Struktur nach und stilistisch völlig anders, entfaltet *Berlin Alexanderplatz* die gleiche Thematik. Hier ist, im Gegensatz zu den *Aufzeichnungen* Maltes und zum *Zauberberg,* der Tod am Anfang nicht so deutlich sichtbar. Erst im fünften Buch wird das Thema vorsichtig durch die ersten Verse des alten Volkslieds »Es ist ein Schnitter, der heißt Tod« angedeutet, die dann mehrmals als Montageelement wiederkehren. Doch zu Ende tritt der Tod als eine weit stärkere Kraft auf als in den beiden anderen Werken, denn in Franzens Halluzination ist der Tod mit aller Macht wie aus einem mittelalterlichen Mysterienspiel personifiziert. Diese Vision wirft überdies ein rückwirkendes Licht auf die ganze vorangegangene Handlung, so daß man die Anwesenheit des Todes auch in Szenen erkennt, in denen man ihn früher nicht gesehen hatte. (Natürlich hat Döblin aus diesem Grund in der Funkfassung die Vielfalt der im Roman sprechenden Stimmen auf eine reduziert: die Stimme des Todes.) Trotz der erheblichen Unterschiede zwischen dem zarten neuromantischen Einakter und dem kraftvoll anbrandenden Roman, zeigt die Handlung eine bemerkenswerte Ähnlichkeit mit Hofmannsthals *Der Tor und der Tod* — ein bißchen literarische Parodie, zu der übrigens Döblin durchaus fähig gewesen wäre (vgl. die oben erörterte Hebbel-Parodie).[38]

Als Franz im Sanatorium im Koma liegt, ist er noch immer nicht willens, die Wahrheit zu sehen und seine Schuld und Dummheit, seine *hamartia*, anzuerkennen. Um ihn zu überzeugen, entrollt der Tod abermals das ganze Panorama der Handlung und demonstriert, wie oft er Franz erschienen sei und wie hartnäckig der seine Ermahnungen zurückgewiesen habe. »Als Lüders dich betrog, hab ich zum erstenmal mit dir gesprochen, du hast getrunken und hast dich — bewahrt! Dein Arm zerbrach, dein Leben war in Gefahr, Franz, gesteh es, du hast in keinem Augenblick an den Tod gedacht, ich schickte dir alles, aber du erkanntest mich nicht, und wenn du mich errietst, du bist immer wilder und entsetzter — vor mir davongerannt.«³⁹ Die Botschaft, die der Tod Franz Biberkopf nun einhämmert, ist die von seiner Immanenz: »Ich habe hier zu registrieren, Franz Biberkopf, du liegst und willst zu mir. Ja, du hast recht gehabt, Franz, daß du zu mir kamst. Wie kann ein Mensch gedeihen, wenn er nicht den Tod aufsucht? Den wahren Tod, den wirklichen Tod.«⁴⁰ Der Tod war in jedem wesentlichen Augenblick seines Lebens gegenwärtig, doch Franz kehrte sich stets in seinem blinden Versuch ab, »anständig« zu sein. Die Einsicht, die ihm nun durch die Erfahrung mit dem Tod gewährt wird, läuft auf die gleiche Vision hinaus, die sowohl Malte wie Hans Castorp erlangten. An diesem Punkt schwillt die Stimme des Todes von dem ruhigen, nachdenklichen Tonfall seiner ersten Reden zum kreischenden sarkastischen Berliner Straßenjargon an: »Nischt sag ick dir, quatsch mir nich an. Hast ja kein Kopp, hast keine Ohren. Bist ja nicht geboren, Mensch, bist ja garnich uff die Welt gekomm. Du Mißgeburt mit Wahnideen. Mit freche Ideen, Papst Biberkopf, der mußte geboren werden, damit wirs merken, wie alles ist. Die Welt braucht andere Kerle als dir, hellere und welche, die weniger frech sind, die sehen, wie alles ist, nicht aus Zucker, aber aus Zucker und Dreck und alles durcheinander.«⁴¹ In diesem Fall wäre es fast zutreffend zu sagen, der Tod *sei* Erkenntnis. Die Immanenz des Todes im Leben anerkennen, ist gleichbedeutend mit der Einsicht, daß die Welt gleicherweise aus Gut und Böse zusammengesetzt ist. Doch eben diese Erkenntnis gestattet es dem Menschen, das Böse zu überwinden; denn sowie er bewußt ist, sieht er sich, wie der neue Franz Biberkopf, dem Leben »mit offenen Augen« gegenüber. Aus diesem Grund kann Döblin Franzens Wiederherstellung in der letzten apokalyptischen Vision symbolisch schildern: »Verloren hat die Hure Babylon, der Tod ist Sieger und trommelt sie davon.«[42] Nach seiner Gesundung zeigt sich Franz die Stadt nicht mehr als die chaotische Hure Babylon, die Dächer drohen nicht mehr von den Häusern zu rutschen. Er hat sich durch das Vorherwissen des Todes gefunden, und sein neues Bewußtsein festigt in seinen Augen die Welt.

Die Schlußseiten von *Berlin Alexanderplatz*, die dieser mächtigen Beschwörung des Todes folgen, wurden häufig wegen ihrer Trivialität kritisiert — nicht unähnlich der Vision von Frieden und Liebe, die Thomas Mann in den letzten Zeilen des *Zauberbergs* gibt. Die Deutung des Todes, die uns zurückbleibt, wird dadurch nicht abgewertet. »Das Opfer, das Opfer, das ist der Tod!« lautet Franzens letzte Einsicht.[43] In diesem Zusammenhang bedeutet Tod den Akt des Selbstopfers, das darin besteht, daß man sein naives Verlangen nach Anständigkeit in einer Welt aufgibt, die geschärftes Urteil, Entscheidung und Engagement verlangt. Erst wenn Döblin auf den beiden letzten Seiten die Vision in einem Traum von einer glorifizierten Brüderlichkeit der Menschen zu vermitteln sucht, sinkt das Werk ins Triviale, wie ein Film aus den dreißiger Jahren. In diesem Sinn ist das Werk zeitgebunden, vergleichbar den Romanen Steinbecks oder den Stücken Clifford Odets'. Das ist ein Traum, an den wir nicht mehr mühelos glauben können. Doch bis zu diesem Punkt ist die Thematik des Todes als einer Immanenz und eines Erkenntnismittels alles andere als trivial: sie stimmt überdies mit dem Todeskonzept überein, wie es für viele Autoren der Epoche Döblins zentral war. Und seine Darstellung des Todes besitzt eine gespenstische Größe, der seit dem Todestanz des Spätmittelalters kaum etwas gleichkam.

Hermann Broch ist wahrscheinlich der größte Metaphysiker des Todes im 20. Jahrhundert. Er widmete viele Lebensjahre einer kunstvollen Wertetheorie, die auf der Voraussetzung beruht, daß der Tod der absolute Unwert sei. Da in einem Zeitalter, in dem ein transzendentes Absolutes nicht mehr existiert, ein Irdisch-Absolutes nur durch ein Relativierungsverfahren definiert werden kann, behauptete Broch, daß jeder Wert hinsichtlich des »Unwerts an sich«, nämlich des Todes, determiniert werden könne.[44] Und in einem langen Essay über »Das Böse im Wertsystem der Kunst« (1933) wird Wert einfach als »Überwindung des Todes« definiert.[45] Doch trotz dieser Haltung, die sich weit von den oben erörterten Ansichten zu entfernen scheint, läßt sich das dort gefundene Grundthema ebenso in Brochs Arbeiten feststellen. Denn wie Rilke, Thomas Mann, Döblin und andere Autoren war Broch stark an Totalität und Simultaneität interessiert. Und diese Totalität muß alle Pole des Seins umfassen: Rationalität wie Irrationalität, Leben wie Tod. Der Tod jedoch ist als die Barriere zwischen diesem Leben und dem Unbekannten »die einzige Pforte, durch die das Absolute in seiner ganzen magischen Bedeutsamkeit ins reale Leben einzieht« und »die Seele des Menschen unablässig mit seinem physischen Sein und metaphysischen Dasein erfüllt«.[46] So ist der Tod immanent, und die Todeserkenntnis ist nötig, wenn wir einen Begriff der Totalität haben wollen. Aus diesem Grund äußerte Broch in seiner glänzenden Studie *Hofmannsthal und seine Zeit* (veröffentlicht 1952) hohes Lob für Hofmannsthal, Schnitzler und Beer-Hofmann, die allein unter ihren Wiener Zeitgenossen mit dem Todesproblem zurechtzukommen suchten. »Denn wo es keine echte Beziehung zum Tode gibt und seine Absolutheitsgeltung im Diesseitigen nicht ständig erkannt wird, da gibt es kein wahres Ethos . . .«[47]

Alles menschlich Wertvolle bezieht sich auf die Tatsache des Todes. Alle Religiosität sei eine Bewältigung des Todes, notierte Broch in dem Essay »Leben ohne platonische Idee« (1932)[48], und einige Seiten später wird dieser Gedanke verallgemeinert: das Wesen des Humanismus sei wiederum nichts anderes als eine Bewältigung des Todes in der Sphäre des Realen. Zwölf Jahre später schrieb Broch einem Briefpartner: »Mythos ist immer die Gewinnung einer neuen Einsicht in das Todesphänomen: der Sinn des Lebens wird vom Tod her bestimmt, also auch der Sinn der Geschichte.«[49]
Die Reflexion auf den Tod wird eine besonders akute Notwendigkeit für Menschen in einem Zeitalter des Wertezerfalls. Es sei erforderlich, sich »privat mit dem Todeserlebnis

vertraut (zu) machen; das braucht jeder, dem die Religionstradition nicht den traditionellen Trost spenden kann.«[50] *Der Tod des Vergil* war Brochs Antwort auf die Verhaftung durch die Nazis und die Möglichkeit eines bevorstehenden Todes. »Der *Vergil* wurde nicht als ›Buch‹ geschrieben, sondern (unter der Bedrohung durch Hitler) als meine private Auseinandersetzung mit dem Tod«, erklärte er später.[51] »Es ist mir also um die nackte Todeserkenntnis gegangen, und weil es sich um Dichtung handelte, habe ich mir hierzu einen sterbenden Dichter gewählt, u. zw. einen, der unter ähnlichen Lebensumständen wie wir gelebt hat. Dabei galt es, das gesamte dem Tode zugekehrte Sein zu erfassen, also ebensowohl das körperliche, wie das emotionale, wie das erkenntnismäßige.«[52]

So kehrt sich die Poesie zusätzlich zu Religion, Humanismus und Mythos in ein Werkzeug der Todeserkenntnis um. Wie läßt sich das bewerkstelligen? Broch rechtfertigte seine Mittel in einem Brief an Aldous Huxley, der die exzessive Irrationalität des Werks in einer Besprechung kritisiert hatte. »Meine Aufgabe bestand darin, die Empfindung dem Leser so weiterzugeben, wie sie mir kam. Ich hatte den Leser zur Wiedererfahrung zu bringen, wie eine Person nahe an das Wissen vom Tod gelangt (nahe heran, aber ohne es zu Lebzeiten zu erreichen): durch ›Zerknirschung‹ und Selbstentäußerung.«[53] Broch hätte der Vergleich sicher nicht geschmeichelt, und gewiß hat der *Tod des Vergil* sonst nur wenig mit *Berlin Alexanderplatz* gemeinsam. Aber es sollte vermerkt werden, daß »Zerknirschung« ein erstaunlich präzises Wort für den Prozeß des Gepreßt- und Gestoßenwerdens ist, den Franz Biberkopf während seiner Todesvision durchmacht; und »Selbstentäußerung« ist sehr weitgehend im Begriff des Selbstopfers enthalten, das gegen Ende von Döblins Roman als Sinn des Todes hervortritt.

Der *Tod des Vergil* ist Brochs größte Hymne auf die Immanenz des Todes und auf das Wissen, das daraus hervorgeht. Er ist ebenso unfraglich die eindringlichste Darstellung des Todes im 20. Jahrhundert. Da hier die Todesthematik zur Totalität von Brochs lyrischem Roman geworden ist, lassen sich nur einige Punkte zur Erörterung hervorheben. Der wichtigste in unserem Zusammenhang ist dieser: Wie die anderen besprochenen Werke beginnt das Buch mit Bildern der Polarität und Disharmonie, wenn im ersten Teil der sterbende Vergil durch die Straßen von Brundisium zum Palast des Augustus getragen wird. Und die aktuelle Todeserfahrung etwa achtzehn Stunden später löst diese offensichtlichen Konflikte auf und bringt die große *coincidentia oppositorum* in einer Vision zuwege.[54]

Die ersten drei Teile des Romans stellen die Vorbereitungen dar. Doch im kurzen vierten Teil versucht Broch die aktuelle Todeserfahrung zu vermitteln: ein in seiner poetischen Kraft einzigartiger und beachtlicher Versuch, auch wenn der sterbliche Leser überhaupt nicht imstande ist, seine Wahrheit zu beurteilen. Denn wenn Vergil allmählich die Berührung mit dem Leben verliert, erlebt er in Wirklichkeit die Phasen der Schöpfung — in umgekehrter Abfolge! Er bewegt sich immer weiter zurück durch frühere Zustände des Seins: durch das Paradies, durch die Phasen animalischen, pflanzlichen und mineralischen Lebens; zurück durch die ursprüngliche Scheidung von Licht und Finsternis zur Quelle alles Seins. Und an diesem Punkt, bei seiner schließlichen Vereinigung mit Gott, wendet er sich um und überschaut in einer großen Vision alles Leben und alle Wirklichkeit. Die Polaritäten sind verschwunden. Aus seiner erhabenen Stellung der Wiedervereinigung mit dem All nimmt er nun das Muster der Ganzheit im Leben wahr, da Leben und Tod ein und dasselbe werden. Brochs grandiose Vision von Einheit und Simultaneität ist entschiedener und intensiver lyrisch als jede andere derartige Darstellung in der modernen Literatur. Zugleich weist sie eine deutliche strukturelle Ähnlichkeit mit Hans Castorps Vision im Schnee auf, die gleichfalls aus der Beschwörung mystischer Bilder im Bewußtsein des Helden gebildet ist.

Der *Tod des Vergil* war Brochs folgerichtigstes Todesmonument, doch der Tod beschäftigte ihn in sämtlichen Werken von der *Unbekannten Größe* (1933), deren Titel sich unter anderem auf den Tod bezieht, bis zu den *Schuldlosen* (1950). In den *Schlafwandlern* ist der Tod in der Thematik des Romans nicht weniger zentral, doch hier ist er auf der erkenntnistheoretischen Ebene zu suchen. Es finden sich überraschend wenige tatsächliche Todesfälle in dem Werk: Joachims Bruder stirbt im ersten Buch; Bertrand begeht im zweiten Selbstmord; Huguenau ermordet Esch im letzten. Doch diese Todesfälle können sich in ihrer psychologischen Wirkung nicht mit dem Todeskatalog in Maltes Aufzeichnungen oder mit dem »Totentanz« des *Zauberbergs* messen. Überdies gibt es keine großen Todesvisionen wie im *Tod des Vergil* oder im *Berlin Alexanderplatz*. Dennoch beherrscht der Tod das Buch, denn vieles von dem, was die Gestalten des Romans erleben, entstammt, obgleich sie sich dessen nicht bewußt sind, einer verdrängten und unbewußten Todesangst.

Die Gefühle, die die Charaktere in Brochs Welt beherrschen und quälen, sind Einsamkeit und Furcht; über diese Empfindungen denken sie nach und sprechen sie. Doch Broch macht deutlich, daß sich diese beiden Gefühle letztlich auf eine metaphysische Todesangst zurückführen lassen. So spricht der Verfasser des »Zerfalls der Werte« von dem Problem, »das allein alles Philosophieren legitimiert: die Angst vor dem Nichts, die Angst vor der Zeit, die zum Tode führt«.[55] Der Gedanke an den Tod als eine letzte Einsamkeit wird wiederholt beschworen: von den zarten Worten Bertrands zu Elisabeth: »Sie sind allein, so allein wie in Ihrem alleinigen Sterben«[56] bis zur rüden Umgangssprache des dritten Buchs: »Allein muß man krepieren.«[57] Für Brochs Psychologie hat der Ursprung von Einsamkeit und Angst im Tod weitreichende Folgerungen. Denn wenn das metaphysische Todesproblem in psychologische Begriffe säkularisiert wird, die das Individuum verstehen kann, schlägt es sich als Schuldgefühl und Aggression nieder. Ohne Verständnis dafür, daß seine Angst ein universaler metaphysischer Zustand ist, meint das Individuum, es habe sie sich selber durch Unrecht zugezogen, und fühlt sich infolgedessen schuldig. Zugleich erzeugt diese Schuld, da die Menschen (für Broch wie für Kafka) gern ihre Schuld auf andere projizieren, die Zustände von Mißtrauen und Aggression.

Weil die Quelle von Einsamkeit und Angst Todesfurcht ist, lassen sie sich nur durch eine Rückkehr zum Tod und durch seine Anerkennung überwinden. Daher die Sehnsucht nach Erlösung durch den Tod, wie sie alle Gestalten instinktiv empfinden. ». . . erst wer sich in die fürchterliche Übersteigerung der Fremdheit und des Todes wirft, . . . dem wird die Einheit«, sagt Esch.[58] Bertrand Müller wiederholt den gleichen Gedanken Marie gegenüber: ».. . du weißt, daß der Tod allein, daß dieser letzte Augenblick allein die Fremdheit aufheben wird.«[59] Dieser paradoxe Gedanke wird auf den letzten Seiten des Romans erklärt, denn der Tod erzeugt eine »luzide Realität, in der die Dinge zerfallen und auseinanderrücken bis zu den Polen und bis an die Grenzen der Welt, wo alles Getrennte wieder eins wird, wo die Entfernung wieder aufgehoben ist ...«[60] Diese Erfahrung wird »das Mysterium der Einheit« genannt.[61] Der Zustand der Entfremdung, in den der Mensch schon kraft seiner Geburt geworfen ist, läßt sich nur überwinden, wenn man dieser Einsamkeit bis zu ihrer äußersten Schlußfolgerung nachgeht: bis zum Tod. Die Geburt trennte den Menschen vom All; dorthin kehrt er durch den Tod wieder zurück. Daher ist der Tod auch hier dem Leben immanent und das hauptsächliche, ja einzige, Erkenntnismittel.

Diese Spekulationen sind nun durch die im Titel angekündigte Thematik auf die Romanhandlung bezogen. Denn im Zustand des Schlafwandelns entkommt das Individuum den Banden der gewöhnlichen Wirklichkeit lange genug, um zu erleben, was Broch einen »Vortraum des Todes« nennt.[62] »Wenn Wünsche und Ziele sich verdichten, wenn der Traum vorstößt zu den großen Wendungen und Erschütterungen des Lebens, dann verengt sich der Weg zu dunkleren Schächten, und der Vortraum des Todes senkt sich auf den, der bisher im Traume gewandelt hat: was gewesen ist, Wünsche und Ziele, sie gleiten nochmals vorüber wie vor den Augen des Sterbenden, und beinahe kann man es Zufall nennen, wenn es nicht zum Tode führt.« Der schlafwandlerische Zustand, in dem sich die Hauptgestalten des Buchs bewegen, ist daher strukturell gleichbedeutend mit den großen Visionen in den früheren Romanen. Es ist ein Zustand des gesteigerten Bewußtseins, der Einheit. »In dieser schwebenden Wirklichkeit strömten die Dinge auf mich zu, sie strömten in mich ein, und ich mußte mich nicht um sie bemühen.«[63] Doch das Schlafwandeln besitzt diesen Vorzugscharakter nur dank seiner Beziehung zum Tod. Allein der Tod bringt wahre Einheitserkenntnis, und das Schlafwandeln bietet bestenfalls einen zeitweiligen Ersatz, einen Zustand, den das Individuum nicht endlos halten kann und aus dem es wieder erwachen muß, um abermals in seine menschlichen Ängste und seine Einsamkeit zurückzufallen. Zugleich sieht Broch, wie sich zeigte, seine Romane hauptsächlich wegen der in ihnen dargestellten Todeserkenntnis als eine Art von »Prophetie« an.

Diese Todesvision hilft mit, ein Merkmal des modernen deutschen Romans, das ihn weithin vom europäischen Roman im allgemeinen unterscheidet, in die rechte Perspektive zu rükken: seine Verwendung mystizistischer Phänomene. Ausländischen Deutschstudenten wird häufig eine berühmte Erzählung Arthur Schnitzlers vorgelegt, in der der Erzähler eine Geschichte wiedergibt, die er von einem Mann gehört hat, der, wie sich später herausstellt, zur Zeit des Gesprächs schon tot gewesen sein muß (*Das Tagebuch der Redegonda*, 1911). Die Geschichte selber verstärkt die Mystifikation: ein Mann und eine Frau, die sich nur vom Sehen kennen, haben in ihren getrennten Vorstellungen die Umstände einer Liebesaffäre zwischen sich entwickelt; die beiden Fassungen erweisen sich später als identisch bis in die kleinste Einzelheit. Ein weiteres, häufig zitiertes Beispiel eines derartigen Mystizismus ist die gegen Ende des *Zauberbergs* geschilderte Séance, bei der Hans Castorp die Erscheinung seines toten Vetters Joachim sieht. Nicht schon die einfache Tatsache der Erscheinung hat die Leser aus der Fassung gebracht; sie ließe sich noch mit rationalen Mitteln erklären. Das Gespenstische der Szene ergibt sich aus dem Umstand, daß Joachim die feldgraue Uniform und den Stahlhelm trägt, die in der deutschen Armee vor dem Ersten Weltkrieg noch unbekannt waren. Anders gesagt: die Vision ist auch vorausschauend.

Malte Laurids Brigge berichtet in seinen Aufzeichnungen von der Erscheinung seiner toten Tante Christine Brahe — ein von den übrigen Angehörigen des Haushalts durchaus für gesichert genommenes Phänomen, denn sie waren Zeugen einer ähnlichen kurz nach dem Tod Ingeborgs, einer anderen Tante, gewesen. Und in einer weiteren Passage erfahren wir, daß Malte als Kind einmal gesehen hatte, wie eine körperlose Hand aus der Wand unter einem Tisch hervorkam und auf dem Boden nach einem Bleistift tastete. Der Erzähler von *Berlin Alexanderplatz*, eines im übrigen betont realistischen Werks, zögert nicht, die Engel zu beschreiben, die durch die

Straßen Berlins im 20. Jahrhundert gehen. Eine der Zentral-partien in den *Schlafwandlern* schildert eine telekinetische Vision: Esch begegnet Bertrand im Traum, und obwohl Esch ihn nie zu Gesicht bekommen hat, stimmen sämtliche Um-stände in Bertrands Erscheinung und Verhalten völlig mit der Realität überein. Andere Romanciers verwenden ähnliche Effekte. Harry Haller, der Erzähler von Hesses *Steppen-wolf*, unterhält sich mit Goethe und Mozart, während Hesse in der *Morgenlandfahrt* unbekümmert Personen aus seinem Freundeskreis mit historischen und literarischen Gestalten vermischt.

Diese und zahlreiche Beispiele können zu der Ansicht verlei-ten, man habe es hier mit einer Gesellschaft überzeugter Hellseher zu tun. Tatsächlich zeigten mehrere der Autoren eine ausdrückliche Neugierde für den Spiritismus. So hatten wenige Menschen ein stärkeres Gefühl für vierdimensionale Erfahrungen als Rilke.[64] Einmal erzählte er seinem Freund Carl J. Burckhardt, wohin er sich in Paris auch wende, lebten die Toten weiter.[65] In Schloß Duino, wo er seine großen Ele-gien konzipierte, empfand er, daß sich die ganze vergangene Geschichte des Schlosses »materialisiert« habe, und er achtete stets sorgsam darauf, die Geister der früheren Bewohner nicht zu stören. Trotz des Friedens und der Ruhe, die er hier fand, hatte er nie das Gefühl, allein zu sein: die Toten erho-ben fortwährend Anspruch auf seine Zeit und seine Gedan-ken. Gleicherweise war Rilke in Muzot, wo er später starb, wieder mit der Anwesenheit der früheren Bewohner beschäf-tigt, zumal mit Isabelle de Chevron, deren Schatten nach Auskunft einer volkstümlichen Legende untröstlich durch das Schloß wandern sollte. Trotz alledem behauptete Rilke nie, ein Gespenst gesehen zu haben. Der Gedichtzyklus *Aus dem Nachlaß des Grafen C. W.* (1920) stellt vermutlich den eng-sten Kontakt dar, den Rilke jemals mit den Toten hatte; er war nämlich davon überzeugt, in diesen Gedichten nur als Medium fungiert und die poetischen Impulse des verstorbe-nen Grafen weitergegeben zu haben.

Zusammen mit seiner Freundin, der Prinzessin von Thurn und Taxis, die Mitglied einer internationalen Gesellschaft für Seelenforschung war, nahm Rilke an einer Reihe von Séan-cen teil, und in einem Fall hörte er die Stimme einer »Unbekannten«.[66] Im großen ganzen jedoch betrachtete Rilke den Spiritismus mit der gleichen Mischung aus Skepsis und unwillkürlicher Faszination wie Thomas Mann. In seinem Essay »Okkulte Erlebnisse« (1924)[67] mit dem Bericht über die wirkliche Séance, die das Material zu der Szene im *Zauberberg* geliefert hatte, räumt Mann zu Beginn ein, er erwarte nichts als ein geringschätziges Erstaunen von vielen Lesern, die zweifellos verwundert sein dürften, ihn mit einem so verdächtigen Gegenstand beschäftigt zu finden. Er berichtet von den verschiedenen Phänomenen, deren Zeuge er bei einer von Dr. Albert von Schenck-Notzing in München geleiteten Séance gewesen war: Geräusche, geheimnisvolle Bewegungen im abgedunkelten Zimmer, automatisches Schreiben und die Materialisierung einer abgetrennten Hand. Nach Darlegung der verschiedenen wissenschaftlichen Theorien, die vorgebracht wurden, um Telekinese, Doppelgängertum und ideoplastische Manifestationen zu erklären, kommt Mann zu dem Schluß, daß der Spiritismus großenteils das Produkt von Betrug und Schwindel sei. Und doch kann er sich so wenig wie Rilke von der Faszination durch den Okkultismus freimachen, denn er sieht darin, was er »empirisch-experimentelle Metaphysik« nennt.

Diese letzte Wendung deutet meines Erachtens unmittelbar auf die Quelle des Interesses hin. Es zeigte sich, daß viele moderne Autoren an eine mystische, Leben und Tod umgreifende Einheit des Seins glauben. In seiner *Metaphysik des Todes* verwendete Simmel das Wort »Wirklichkeit«, um diesen Zustand zu bezeichnen, und eben dieser Begriff »Wirklichkeit« taucht immer wieder auf, wenn Autoren auf dieses Thema zu sprechen kommen. Broch benutzte ihn (auch in der Fassung »Realität«), um das vom Schlafwandler im »Vortraum des Todes« erlangte Wissen zu beschreiben. In »Todeserfahrung« spricht Rilke von dem »Streifen Wirklichkeit«, die aus dem jenseitigen Bereich der Einheit in unser Leben durchbricht. Hermann Hesse setzt das Wort »Wirklichkeit« stets in Anführungszeichen, wenn er damit ironisch diese Welt als Gegensatz zu dem darstellen will, was ihm als wahre Wirklichkeit der Einheit gilt. Selbst Kafka versteht, wie sich zeigen wird, Wirklichkeit auf diese Weise.

Aber wie — und das ist das zentrale Problem — läßt sich

diese »Wirklichkeit« von Leben und Tod in literarischer Form vermitteln, da sie doch wesentlich metaphysisch ist? Deshalb kommt der Okkultismus ins Spiel, denn seine Phänomene stellen, nach Thomas Mann, »empirisch-experimentelle« Beweise für den metaphysischen Glauben dar. Der Gebrauch solcher Bilder beweist sowenig einen naiven Glauben an den Okkultismus, wie die *Verwandlung* bestätigt, daß Kafka unglaublich archaische Vorstellungen von den Gesetzen der Genetik hatte. Aber der Okkultismus liefert konkrete Metaphern für die metaphysischen Abstraktionen. Rilke sah trotz seiner seismographischen Empfindlichkeit für psychischen Druck nie ein Gespenst in Schloß Duino. Wie muß er Malte beneidet haben, der den Vorzug genoß, den Geist Christian Brahes sich durch den Speisesaal von Urnekloster bewegen zu sehen. Doch das ist der Unterschied zwischen Leben und Kunst.[68] Die spiritistischen Phänomene bilden unabhängig von der Einstellung eines Autors zum Okkultismus Metaphern für die Immanenz des Todes im Leben, für die Wirklichkeit einer Einheit, in der Tod und Leben simultan sind. Und als Metaphern müssen sie auch im Rahmen der erzählerischen Texte, in denen sie auftreten, verstanden werden. Anders gesagt: sie besitzen ihre Realität nur in der hermetischen und zeitlosen Welt des Romans. Und dort dienen sie dazu, sichtbar den im übrigen abstrakten metaphysischen Glauben zu verkörpern. Nicht so sehr durch eine grundlegende mystische Überzeugung unterscheiden sich deutsche Autoren von vielen ihrer europäischen Zeitgenossen als durch ihre Bereitschaft, in ihren fiktiven Welten die Realität des Alltagslebens zu überschreiten, um die Wirklichkeit einer metaphysischen Einheit zu vermitteln. Dies geht ganz deutlich aus einem Brief hervor, den Aldous Huxley 1945 an Hermann Broch schrieb.[69] Huxley hatte in einer Besprechung des *Tod des Vergil* den, wie er meinte, exzessiven Irrationalismus des Romans kritisiert. »Als ich in meiner Besprechung sagte, einige Passagen, die der Erkundung metaphysischer Wirklichkeitserfahrung gewidmet sind, seien zu lang und sollten, um sie für den Leser klarer zu machen, mit Stellen ›direkter‹ Erzählung abwechseln, dachte ich überhaupt nicht an intellektuelle Kommentare: ich dachte an Passagen, die die unmittelbare Erfahrung der gegebenen, materiellen Welt beschreiben und ausdrücken, jener Welt, die das Produkt des Göttlichen ist, jener Welt, in der jedes Partikel und jedes Ereignis sozusagen der *locus* einer Überschneidung von schöpferischer Emanation durch den Logos und eines Strahls reiner Gottheit ist.« Huxleys Werturteil über Brochs Roman steht hier nicht zur Debatte. Was aber aus diesem Brief hervorgeht, ist Huxleys gleicherweise mystischer Glaube an eine metaphysische Wirklichkeit. Doch der angelsächsische Romancier sucht diese Wirklichkeit durch die Erfahrung der materiellen Welt auszudrücken — wie Joyce in seinen Epiphanien, wie Proust in seiner Erinnerung.

Broch und zahlreiche deutsche Romanciers benutzten mit anderen Worten eine metaphorische Quelle, die vom europäischen Roman im allgemeinen nicht ausgeschöpft wurde. Doch diese Metaphern, die auf den ersten Blick zwar vielleicht etwas irritieren, erweisen sich in den besten Romanen als völlig übereinstimmend mit dem Charakter des Helden und der Atmosphäre der fiktiven Welt. Wir glauben bereitwillig an die Vision des Kindes Malte, des jungen Hans Castorp, des verstörten Franz Biberkopf; wir wären nicht bereit, diese Visionen Rilke, Thomas Mann und Alfred Döblin abzunehmen.

Wenn wir die Erörterung Kafkas bis zu dieser Stelle hinausgezögert haben, dann nicht, weil er die seiner Generation gemeinsame Todesvorstellung etwa nicht geteilt hätte. »Ich habe zu allem ja gesagt«, bemerkte Kafka zu Gustav Janouch, als ihm die Tuberkulose einen Urlaub im Sanatorium aufzwang. »So wird das Leid zum Zauber und der Tod — der ist nur ein Bestandteil des süßen Lebens.«[70] Und wie er die Immanenz des Todes bestätigt, so glaubt er auch an seine Erkenntniskraft, wie er an anderer Stelle andeutet: »Der Mensch überblickt in dem Augenblick (des Todes) wahrscheinlich sein ganzes Leben. Zum erstenmal — und zum letztenmal.«[71] In seinen »Betrachtungen über Sünde, Leid, Hoffnung und den wahren Weg« (die hauptsächlich 1917 und 1918 entstanden) sagte Kafka: »Ein erstes Zeichen beginnender Erkenntnis ist der Wunsch zu sterben.«[72] Und bei anderer Gelegenheit bemerkte er: »Das Leben bedeutet für den gesunden Menschen eigentlich nur eine unbewußte und uneingestandene Flucht vor dem Bewußtsein, daß man einmal wird sterben müssen.« Doch diese Flucht, so fährt er fort, bringt keine Erkenntnis. Im Gegenteil: sie setzt nur das »egoistische Ich« zwischen die »nach Wahrheit suchende Seele« und das »Wissen vom Tode«.[73] Und gemeinsam mit den oben erörterten Autoren glaubte Kafka, daß der Tod »ebenso wirklich wie das Leben« sei.[74]

Damit teilt Kafka den Glauben an die Erkenntniskraft des Todes. Doch an dieser Stelle beginnt seine Anschauung etwas abzuweichen. In einem undatierten Aphorismus stellt er folgende Überlegung an: »Wer einmal scheintot gewesen ist, kann davon Schreckliches erzählen, aber wie es nach dem Tode ist, das kann er nicht sagen, er ist eigentlich nicht einmal dem Tode näher gewesen als ein anderer, er hat im Grunde nur etwas Besonderes ›erlebt‹ und das nicht besondere, das gewöhnliche Leben ist ihm dadurch wertvoller geworden.«[75] Daher könne man viel von solchen Leuten lernen, »aber das Entscheidende kann man von ihnen nicht erfahren, denn sie selber haben (es) nicht erfahren. Und hätten sie es erfahren, so wären sie nicht mehr zurückgekommen.« Die Erkenntniskraft des Todes wird folglich von Kafka viel strenger beurteilt, als das bei den übrigen besprochenen Autoren der Fall ist. Kafka besitzt zum Beispiel nicht die Zuversicht Brochs, der den Eindruck hatte, die Erfahrung des Todes im *Tod des Vergil* tatsächlich erreicht zu haben. Kafka hätte geantwortet, bei dem, was Broch beim Porträtieren des Todes widerfahren sei, habe es sich um ein wirklich privilegiertes Erlebnis gehandelt, aber um mehr nicht. Man könne daraus lernen, doch es sei noch immer nicht die Erfahrung des Todes selber, aus der niemand zurückkehre. Kafka deutet nur ein mögliches Guckloch an; und zwar notiert er 1921 im Tagebuch: »Derjenige, der mit dem Leben nicht fertig wird, braucht die eine Hand, um die Verzweiflung über sein Schicksal ein wenig abzuwehren ... mit der anderen Hand aber kann er eintragen, was er unter den Trümmern sieht, denn er sieht anderes und mehr als die anderen, er ist doch tot zu Lebzeiten und der eigentlich Überlebende.«[76] Mit dieser Metapher beansprucht er bei weitem nicht so grandiose Einblicke wie Thomas Mann, Rilke, Broch oder Döblin. Interessanterweise wählt er jedoch präzis dieses Bild: »tot zu Lebzeiten«, um den Autor mit einer gesteigerten Wahrnehmung für Elend und Glanz des Lebens zu kennzeichnen.

Kafka sagte einmal zu Max Brod, er erwarte, »auf dem Sterbebett, vorausgesetzt, daß die Schmerzen nicht zu groß sind, sehr zufrieden« zu sein.[77] Das muß sich fraglos auf seine Hoffnung beziehen, mit dem Tod werde die Einsicht kommen. Doch bezeichnenderweise verzichtete er, wie die Tagebucheintragung fortfährt, darauf, seinem Freund zu sagen, daß aus diesem Empfinden das Beste hervorgegangen sei, was er geschrieben habe: jene Stellen, wo jemand einen schweren Tod stirbt, weil er fühlt, daß ihm Unrecht geschehe, was für den Leser »rührend wird«. Und er fährt fort: »Für mich aber, der ich glaube auf dem Sterbebett zufrieden sein zu können, sind solche Schilderungen im geheimen ein Spiel, ich freue mich ja, in dem Sterbenden zu sterben, nütze daher mit Berechnung die auf den Tod gesammelte Aufmerksamkeit des Lesers aus ...« Keine Stelle deutet klarer an, zu welcher Art von Täuschung oder Betrug des Lesers Kafka absichtlich fähig ist; fast so, als wolle er seine wahren Empfindungen verbergen, lenkt er die Emotionen des Lesers bewußt in eine völlig falsche Richtung.

Zugleich hilft das, die Bedeutung des Todes in seinen Werken zu verstehen. Viele von Kafkas bekanntesten Arbeiten enden mit dem Tod der Hauptfigur: *Das Urteil, Die Verwandlung, Ein Hungerkünstler, Der Prozeß.* Walter Sokel hat sehr überzeugend zu verstehen gegeben, daß »die fragmentarische Form der meisten Werke, die nicht mit dem Tod des Protagonisten enden, die Unfähigkeit bestätigen, zur Gewißheit zu gelangen«.[78] Denn die einzigen Gewißheiten in Kafkas Welt sind diejenigen, die man im Augenblick des Todes erlangt, nämlich die Erkenntnis durch den Tod. Zugleich ist das eine Art von Erkenntnis, die gemeinsam mit den Toten zu erlangen niemand das Vorrecht hat. Daher läßt sie sich nicht mitteilen. Überdies scheint ein Werk wie *In der Strafkolonie* selbst jenen versuchsweisen Sinn zu bestreiten. Denn in dieser Erzählung, die es unternimmt, den Begriff der Erleuchtung und der Einsicht im Todesaugenblick durch eine von Kafkas grausigsten Metaphern vorzuführen — die Maschine, die dem Gefangenen seine Schuld in die Haut gräbt —, kommt genau das Gegenteil zustande: der Offizier, der diese Lehre der Erleuchtung predigt, erfährt kein seliges Ende, wenn er sich selber auf die Folter legt; er stirbt nur in einer sinnlosen Agonie. Kafka sucht listig, seine privatesten Einsichten dem Leser vorzuenthalten, und seine Anschauung über den Tod gehört in diese Kategorie.

Angesichts seiner verschiedenen Bemerkungen kann man trotzdem mit aller Vorsicht sagen, daß er sowohl an die Immanenz des Todes wie an seine Erkenntniskraft glaubt. Und alle Einsichten, die ihm als einem Autor zu berichten gestattet sind, betrachtet er, als stammten sie aus dem Zustand »tot zu Lebzeiten«. Doch weil andererseits diese Erleuchtung dem Tod und ausschließlich ihm angehört und weil der Tod eine absolut unvermittelbare Erfahrung ist, läßt sich Kafka, anders als andere Schriftsteller seiner Generation, nie auf Versuche ein, diese Einsichten metaphorisch oder durch mystische Phänomene zu übermitteln. In den meisten anderen betrachteten Fällen kommt der Hauptfigur das Privileg zu, die durch den Tod gewährte Erkenntnis in einer Vision zu erlangen, die sich dem Leben selber aufdrängt, und fortan ihr Leben mit dem vom Tod beigetragenen gesteigerten Bewußtsein zu führen. Diese Romane müssen daher nicht mit dem physischen Tod des Helden enden; der mögliche Tod oder Sturz Hans Castorps oder Maltes ist vom Autor höchstens angedeutet. Da Kafka die Möglichkeit eines solchen Vorwissens leugnet, ist das einzig mögliche Ende, falls eine Einsicht dargestellt werden soll, der Tod. Und selbst dann wird der Leser nicht zu der Erkenntnis zugelassen, die Josef K. gewinnt, wenn ihm das Messer ins Herz gestoßen wird. Man kann nur vermuten. Kafkas Einstellung illustriert perfekt der »Mann vom Lande«. Nirgendwo in der Parabel werden Existenz und Wirklichkeit des Gesetzes bestritten; es ist vorhanden, doch für den Menschen »zu Lebzeiten« außer Reichweite. Und da sich die Parabel nur bis zum Todesaugenblick erstreckt, hat der Leser keine Möglichkeit zu wissen, ob der Mann nach dem Tod zum Gesetz gelangt oder nicht. So nimmt Kafka eine Mittelstellung zwischen den Autoren seiner und der nächsten Generation ein, die den Tod »als eine Wand, und nicht als eine Tür« betrachtet.[79] Sie kehren sich von der Erfahrung einer mystischen Einheit durch Todeserkenntnis ab und jener Konzentration auf die Erfahrung allein in dieser Welt zu, die R. W. B. Lewis als die »marternde Hingabe ans Leben« definiert[80]; sie ist bezeichnend für die nächste literarische Generation. Obwohl Kafka die Überzeugungen Rilkes, Thomas Manns, Döblins und Brochs teilt, ist er nicht willens, seine Erzähltexte als Vehikel zur Vermittlung dieser Erfahrung zu verwenden, da sie sich dem Wissen verschließt. Doch dieses Erwachen zu einer neuen »Wirklichkeit« in einem zeitlosen Schwebezustand hat überraschende Auswirkungen auf die Struktur der Werke, in denen es geschieht.

Kapitel 8

Der Roman des Dreißigjährigen

Kafkas *Prozeß* beginnt mit dem Erwachen des Helden an seinem dreißigsten Geburtstag und endet, ein Jahr später, mit seiner Ermordung am Vorabend seines einunddreißigsten Geburtstags. Auf den ersten Blick kann dieser Umstand so aussehen, als sei er eine jener einmaligen, im übrigen aber nutzlosen literarischen Trivialeinzelheiten, die zugleich das Entzücken pedantischer Professoren und die Verzweiflung literarischer Prüfungskandidaten bilden. Denn abgesehen von der strukturellen Balance, die sie dem Roman verleiht, ist die präzise Information über das Alter des Helden offenbar nicht besonders bemerkenswert. Die Kritiker weisen im allgemeinen auf die eigene Krisis des Autors in seinem dreißigsten Lebensjahr hin und vereiteln damit die weitere Diskussion der Frage. Sicher spielt Kafkas Biographie eine nicht zu übersehende Rolle für die Zeichnung seines Helden: es ist gewiß kein Zufall, daß Josef K. fast genauso alt ist wie Kafka bei der Niederschrift des *Prozesses*.
Sieht man sich jedoch weiter in der erzählenden Literatur der Epoche um, beginnt der Verdacht zu nagen, daß dem Alter des Helden vielleicht größere Aufmerksamkeit in einem weiteren Zusammenhang gebührt. Denn die Hauptromane unseres Jahrhunderts strotzen eindeutig von dreißigjährigen Helden. Wenn Franz Biberkopf in *Berlin Alexanderplatz* aus dem Gefängnis Tegel entlassen wird, ist er ausdrücklich »ein Mann anfangs 30«. Die drei Protagonisten der *Schlafwandler* — Pasenow, Esch und Huguenau — sind in den ihnen jeweils gewidmeten Büchern sämtlich dreißig Jahre. Antoine Roquentin, der in Sartres Roman *La nausée* (1938) an unerträglichem Ekel leidet, ist ein Dreißigjähriger, ebenso Meursault, der »Fremde« in Camus Roman *L'Etranger* (1942) und der kleine Kurat in Georges Bernanos' *Jour-*

nal d'un curé de campagne (1936). Malte Laurids Brigge ist erst achtundzwanzig zu Beginn von Rilkes »Prosa-Buch«, doch auch er nähert sich während seines Pariser Aufenthalts dem dreißigsten Jahr. Und — um ein zeitgenössisches Beispiel zu nennen —: Oskar Matzerath beschließt die Memoiren seiner *Blechtrommel*-Zeit (1959) ausdrücklich an seinem dreißigsten Geburtstag.

Nun ist es schon überraschend, wenn das Alter eines Helden überhaupt erwähnt, um so mehr, wenn es, wie in den meisten dieser Fälle, eigens betont wird. Denn häufig spielt das genaue Alter eines Helden in einem Roman keine Rolle, und es läßt sich aus verschiedenen Andeutungen im Text nur grob schätzen. So provoziert die einfache Feststellung, daß dieses Alter wiederholt genannt wird, zu gewissen Fragen. Zum Beispiel: Ist das Alter Dreißig in der Romantradition selber bemerkenswert? Hat, über die Literatur hinaus, das dreißigste Jahr eine allgemein erkannte typologische Bedeutung, die in diesem Zusammenhang wichtig ist? Vor allem: Lassen sich, trotz aller unbestreitbaren Verschiedenheiten, unter diesen Romanen Ähnlichkeiten erkennen, die gestatten, eine allgemein zugrunde liegende Haltung und Struktur anzunehmen? Anders gesagt: Ist es möglich, von einem Roman des Dreißigjährigen zu sprechen, der etwa den philosophischen Abgrund zwischen dem Katholizismus Bernanos' und dem Atheismus Camus oder Sartres überbrückt? Der eine Verbindung zwischen den spekulativen Höhenflügen Brochs, den lyrischen Verzückungen Rilkes und dem schwarzen Humor Günter Grass' herstellt? Oder hat man es nur mit einem seltsamen, im übrigen aber unwesentlichen Zufall zu tun?

Die erste Frage läßt sich leicht beantworten. Vergegenwärtigen wir uns einige der bekanntesten Romanhelden aus dem 18. und dem 19. Jahrhundert, so stellen wir bald fest, daß die meisten von ihnen die Empfindungen von Schillers Don Carlos teilen, der enttäuscht ausruft: »Dreiundzwanzig Jahre,/Und nichts für die Unsterblichkeit getan!«[1] — was übrigens eine Anspielung auf die Alexander dem Großen zugeschriebenen Worte ist, der nach einer bekannten Anekdote untröstlich war, weil er mit dreiundzwanzig Jahren die Welt noch nicht erobert hatte. Ja, in diesen repräsentativen Romanen der Epoche zwischen 1730 und 1830 erreichen offenbar nur sehr wenige Helden das verhältnismäßig reife Alter von dreißig. Novalis' Heinrich von Ofterdingen ist zwanzig Jahre alt. Tieck führt William Lovell als »lebhaften, fröhlichen Jüngling« ein, und obwohl seine lebhafte Fröhlichkeit nicht von langer Dauer ist, altert er doch nicht sehr im Verlauf seines dreijährigen Seitensprungs. Das stehende Beiwort für Franz Sternbald lautet »jung«, und Graf Friedrich, der eben von der Universität kommt, ist kaum älter als Eichendorff selber war, als er *Ahnung und Gegenwart* schrieb, nämlich zweiundzwanzig. Der Chevalier des Grieux hat mit Manon Lescaut die ganze Skala der Leidenschaften durchtobt — vor seinem zweiundzwanzigsten Lebensjahr! Tom Jones' komische und stürmische Mißgeschicke lassen ihn, ehe er einundzwanzig ist, im Schoß der ehelichen Wonnen landen. Stendhals Julian Sorel, Voltaires Candide und Chateaubriands René sind sämtlich anfangs der Zwanziger.[2]

Im Vergleich mit so zarter Jugendblüte wirken die Hauptfiguren von Jean Pauls *Flegeljahren* (1804/05), Goethes *Wilhelm Meisters Lehrjahren* (1795/96), Benjamin Constants *Adolphe* (1816) oder Gottfried Kellers *Grünem Heinrich* (1854/55, letzte Fassung 1879/80) wie gebrechliche Greise. Walt und Vult sind vierundzwanzig; sowohl Wilhelm Meister wie Adolphe erreichen am Ende ihrer Romanlaufbahn das sechsundzwanzigste Lebensjahr, ebenso Heinrich Lee bald nach seiner Heimkehr in die Schweiz. In diesen Romanen, die alle mit der Eingliederung des Helden in die bestehende Sozialordnung enden, finden wir eine exemplarische Bestätigung für Hilaire Bellocs »Cautionary Tale« Lord Lundys:

> It happened to Lord Lundy then,
> As happens to so many men:
> Towards the age of twenty-six
> They shoved him into politics.[3]

Es ist kaum nötig, weitere Beispiele zu zitieren, weil sie nur die bereits festgestellte Tendenz bestätigen: im Vergleich zum typischen Helden der meisten älteren Romane läßt der moderne Protagonist eine deutliche Altersverschiebung erkennen.[4] Zieht man nun den Umstand in Betracht, daß die Tradition jugendlicher Helden auch in unserer Zeit noch stark ist (einige Kritiker haben vom »Primat des Jünglingsalters« im

20. Jahrhundert gesprochen,[5] und man muß nur an Proust, Mauriac, Salinger, Golding, Böll oder Hesse denken, um einzusehen, wie richtig das ist), so unterscheidet sich der dreißigjährige Held von einem herrschenden Trend selbst innerhalb der modernen Literatur.

Am leichtesten findet man wohl zu dieser Ausnahmeerscheinung Zugang, richtet man zunächst einen Moment lang den Blick auf einige repräsentative Anschauungen über das Alter. Jahrhundertelang galt das dreißigste Jahr traditionell als der Höhepunkt des Entwicklungsprozesses, der darin gipfelte, daß das Individuum in die zu einer bestimmten Zeit geltende eigentümliche Weltordnung eingegliedert wurde.[6] Aristoteles beispielsweise bezeichnet die Jahre von Dreißig an als den geistigen und physischen Lebenszenith, während Isidor von Sevilla die Zeit von achtundzwanzig bis neunundvierzig als *firmissima aetatum omnium* charakterisiert. Für das mittelalterliche Christentum markierte das dreißigste Jahr den Beginn der *aetas canonica*, weil Christus in diesem Alter auszog, um seine Lehre zu verkünden. Und nach einer rabbinischen Legende war Adam dreißigjährig, als er geschaffen wurde. Ähnlich nennen die numerologischen Berechnungen der Römer und der germanischen Stämme dies als das Alter, in dem die Vorbereitung des Menschen abgeschlossen ist. Nach den Sieben-Jahres-Phasen der Römer war es das achtundzwanzigste Jahr, und nach dem System der Germanenstämme das dreißigste, in dem ein junger Mann die Verantwortlichkeit des Erwachsenseins erhielt — was die Römer *aetas legitima* nannten. Wohin man sieht, findet man das gleiche Phänomen: die Jahre um dreißig symbolisieren einen Wendepunkt in der menschlichen Entwicklung, die Eingliederung in die Gesellschaft, das Ziel aller vorausgegangenen Erziehung und Ausbildung. Dreißig ist das Alter, in dem ein Mann zu gewissen Schlußfolgerungen über das Leben kommt und sie niederschreiben möchte. So begann 1461 Francois Villon sein *Testament*:

> En l'an de mon trentiesme aage,
> Que toutes mes hontes j'eus beues,
> Ne du tout fol, ne du tout sage,
> Non obstant maintes peines eues ...[7]

Eine solche Konzeption des dreißigsten Jahres ist allerdings nur im Rahmen einer stabilen Weltordnung möglich. Solange die Welt und ihre Ordnung intakt bleiben, bildet das dreißigste Jahr die Grenze zu einem goldenen Zeitalter, zu etwas, das Balzac in *La Femme de trente ans* »ce bel âge de trente ans« nannte und es weiter als »sommité poétique de la vie des femmes« definierte. Doch das Erreichen dieses »poetischen Gipfels« bedeutet zugleich das Ende des stürmischen, für die Jugendjahre bezeichnenden Lebens. Sowie man sich der bestehenden Ordnung der Dinge unterwirft, bietet das Leben wenig Erzählenswertes mehr. Das weitere Geschick ist praktisch durch die Funktion vorherbestimmt, die einer freiwillig in der Sozialstruktur übernimmt. Solange der Glaube eines Autors an die Ordnung seiner Welt unerschüttert bleibt, kann nichts geschehen, das die vom Dreißigjährigen erlangte Harmonie aufs Spiel setzte. Selbst wenn der Held in seiner Jugend zugrunde geht, erkennt er schließlich zu guter Letzt — wie William Lovell oder der Chevalier des Grieux —, daß er sich durch seine Eigenwilligkeit, durch seine »Zerrissenheit« und seine »desordres«, selber vernichtet hat. Die geheiligte Ordnung wird bewahrt und gestärkt. Im Rahmen einer derart stabilen Realität ist es daher vorwiegend die Jugendperiode, die dem Romancier Material liefert; er richtet sein Augenmerk vor allem auf die kritischen Kämpfe in den Lehr- und Lernjahren seines Helden. So begegnet man im Werk Dutzender von Romanciers von Grimmelshausen bis Fontane, von Fielding bis Henry James in endlosen Variationen der Formel *Irrungen, Wirrungen*. Die Krisis des Helden kann ihrem Wesen nach entsprechend religiösen, philosophischen und sozialen Zeitmoden immer wieder anders sein; doch die typische Struktur läuft unvermeidlich auf die Erkenntnis des gereiften Helden hinaus, daß die bestehende Weltordnung gut sei.

Innerhalb dieses Rahmens sollte man auch die vielen negativen Äußerungen beurteilen, wonach das dreißigste Jahr nicht so sehr ein Wendepunkt als vielmehr das Ende einer Sackgasse sei. So bemerkte Montaigne: »Von allen schönen menschlichen Taten, die mir bekannt wurden, sind die meisten — heute wie vor Jahrhunderten — vor dem dreißigsten Lebensjahr verrichtet worden.«[8] François Mauriac sagte in seinem *Journal d'un homme de trente ans:* »Es ist jetzt — da der Krieg vorüber ist, — zu spät, auf etwas anderes zu hoffen als auf die Befriedigungen durch Arbeit in Frieden und Ruhe mit den wenigen Menschen, die einen nicht belästigen. Nicht, daß man diejenigen nicht bedauerte, die man für immer verloren hat. Aber es ist zu spät. Mit dreißig ändert man nichts mehr in seiner Lebensrichtung.«[9] (Wer sich an den glänzenden Tribut erinnert, der Mauriac zu seinem achtzigsten Geburtstag gezollt wurde, wird diese Klage nicht ganz so erschütternd finden.) Oder man höre Reginald, den Helden von Sakis Geschichten, der »in seinen wildesten Anfällen von Wahrhaftigkeit nie zugibt, älter als zweiundzwanzig zu sein«; mit der charakteristischen Herzlosigkeit des *Fin de siècle* bemerkt er: »Dreißig geworden zu sein, bedeutet, im Leben versagt zu haben.«[10] Man könnte immer weiter fortfahren: von Thoreaus Groll in *Walden* (»Ich habe einige dreißig Jahre auf diesem Planeten gelebt, und mir steht noch bevor, die erste wertvolle Silbe oder gar ernsten Rat von den Älteren zu vernehmen«) bis zu Lord Byrons beredter Klage am Ende des ersten *Don-Juan*-Gesanges. Doch diese negative Einstellung ist am zwingendsten in einem Schlagwort zusammengefaßt, das während der Unruhen der vergangenen Jahre auf dem Campus von Berkeley umging: »Trau niemandem über dreißig!«[11] — ein etwas nachsichtigerer Rat als der des Baccalaureus in Goethes *Faust,* der meint (Vers 6787/89):

> Hat einer dreißig Jahr vorüber,
> So ist er schon so gut wie tot,
> Am besten wär's, euch zeitig totzuschlagen.

Was sich in all diesen teils melancholischen, teils verächtlichen Bemerkungen ausdrückt, ist nur die Kehrseite der Medaille. Denn sie teilen mit den positiven Äußerungen die Grundüberzeugung, daß das dreißigste Jahr eine Grenze, eine Lebensachse bildet; der ganze Unterschied liegt darin, daß die negative Auffassung vom Leben nach dreißig nichts als Frieden und Ruhe, Gleichgültigkeit oder — schlimmstenfalls — Unredlichkeit und Verrat erwartet. Doch die Rolle des Dreißigjährigen wird noch immer von einem Punkt *innerhalb* einer stabilen Weltordnung gesehen, auch wenn jugendliche

Rebellen diese Ordnung für nicht besonders wünschenswert halten. Ihre Rebellion demonstriert eben ihren ziemlich rührenden Glauben an das Bestehen dieser Ordnung. (Man beachte etwa die Prämisse der Hippies von einem »strikten« Establishment, aus dem sie »herauszufallen« vermeinen.)

Doch wenn das Glaubenssystem, das der symbolischen Grenze ihren Sinn verlieh, zusammenzubrechen droht, dann bekommt das dreißigste Jahr eine völlig neue Bedeutung. Dieses Gefühl des Zerfalls ist beispielsweise in den Worten des vierundzwanzigjährigen Iwan Karamasoff enthalten:

> Ich saß hier ganz allein am Fenster, und weißt du, was ich mir sagte? Nehmen wir an, ich hörte auf, an das Leben zu glauben, an den Menschen, den ich liebgewonnen habe, an die Ordnung der Dinge, nehmen wir an, ich überzeuge mich sogar, daß alles ein gesetzloses, verfluchtes und vielleicht vom Teufel beherrschtes Chaos ist, und daß mich alle Schrecken der menschlichen Verzweiflung überfallen, — so würde ich doch leben wollen, leben! Und da meine Lippen einmal diesen Becher berührt haben, so — das weiß ich — werde ich mich nicht früher von ihm losreißen, als bis ich ihn ganz, bis auf die Neige geleert habe! Übrigens, wenn mein dreißigstes Jahr kommt, werde ich den Becher bestimmt von mir werfen, selbst wenn ich ihn nicht bis auf die Neige geleert haben sollte, und fortgehen ... ich weiß nicht wohin. Doch bis zu meinem dreißigsten Jahre, das weiß ich unerschütterlich, wird meine Jugend alles besiegen — jede Enttäuschung, jede Verzweiflung, jeden Widerwillen vor dem Leben.[12]

Als die Vorläufer einer wesentlich modernen und problematischen Lebensauffassung spüren Dostojewskis Helden — Iwan Karamasoff, der fünfundzwanzigjährige »Idiot« Fürst Myschkin oder der vierundzwanzigjährige »Untergrund-Mensch« (nämlich in den erzählerischen Teilen des Buchs) — eine Stunde des Zusammenbruchs und Zerfalls bevorstehen. Doch als Erben einer romantischen Erzähltradition sind sie normalerweise in einem Alter, in dem sie ihr gewaltiges Lebensgefühl angesichts der Verzweiflung unterstützt — wo, anders gesagt, erzählbare Handlung noch möglich ist. Erst im 20. Jahrhundert begegnet man gewissen Dokumenten, die mit fast masochistischer Faszination das Dilemma des Menschen umkreisen, der das symbolische Jahr erreicht hat und vor sich nicht den erwarteten Trost der totalen Bestätigung, sondern das gähnende Entsetzen der Leere liegen sieht.

Es ist heute ein Gemeinplatz der Geistesgeschichte zu sagen, das Verschwinden einer stabilen Wirklichkeit sei die Zentralerfahrung unseres Jahrhunderts. Doch wer ist fähig, diesen Zerfall als tragisch zu erleben oder wenigstens so, daß er der erzählerischen Darstellung zugänglich bleibt? Gewiß nicht der wurzellose Zeitgenosse, dem die Denkmuster des Relativismus und des Pluralismus fast schon vertraut sind, ehe er der Kindheit entwächst. Nein, die Tragödie des Zerfalls manifestiert sich vor allem in dem Menschen, der gewissenhaft in seiner Jugend dazu erzogen wurde, eine integrale Weltordnung anzuerkennen, der sozusagen bereits einen »Bildungsroman« hinter sich hat. Wenn dann der symbolische Augenblick der Bestätigung eintreten sollte, demaskiert sich plötzlich die Sinnlosigkeit der Welt, und man findet sich gezwungen, alle ererbten, erfahrenen und erlernten Überzeugungen zu bezweifeln und in Frage zu stellen. Das dreißigste Jahr wurde, positiv oder negativ, zu einem typologischen Wendepunkt, einer symbolischen Peripetie, an die man unvermeidlich gelangt. Doch statt der seligen Erfüllung blickt dem Dreißigjährigen von jenseits der Grenze nur das Nichts entgegen. Statt eine bestimmte Weltordnung bestätigt zu finden, sieht er, daß er jetzt erneut den ganzen Sinn des Lebens überprüfen muß, das er sich selber so schmerzlich im Lauf eines dreißigjährigen Erlebens und Lernens aufgebaut hat. Es ist sicher kein Zufall, daß Nietzsches Zarathustra dreißig Jahre alt ist, als er für zehn Jahre des Nachdenkens in die Berge aufbricht.[13]

Betrachten wir als einen ersten literarischen Ausdruck dieser Krise ein kleines Gedicht von Ogden Nash. Wie alle erstrangigen humoristischen Gedichte enthüllt es in komischer Verzerrung die bedeutendsten Erfahrungselemente einer Generation:

> Unwillingly Miranda wakes,
> Feels the sun with terror.
> One unwilling step she takes,
> Shuddering to the mirror.

Miranda in Miranda's sight
Is old and gray and dirty;
Twenty-nine she was last night;
This morning she is thirty.[14]

Die Hauptelemente in der Erfahrung des Dreißigjährigen treten hier deutlich zutage: zunächst das plötzliche und unbehagliche Erwachen; dann der Zerfall einer vertrauten Welt angesichts einer neuen Realität (gestern schön; heute alt, grau und schmutzig); und schließlich der unbezähmbare Zwang zur Selbstprüfung, so schmerzlich er auch sein mag.

Macht man einen Sprung von der niedergeschlagenen Miranda aus Nash' Gedicht zu einer anderen Frau, die ein ähnliches Erwachen erlebt hat, findet man die genau gleichen typologischen Elemente zu einem Zustand der Verzweiflung verdichtet, der nichts mehr mit dem »poetischen Gipfel« zu tun hat, wie ihn Balzac einer Dreißigjährigen zuerkannte. Ich beziehe mich auf den ersten Absatz von Ingeborg Bachmanns Erzählung »Das dreißigste Jahr«:

> Wenn einer in sein dreißigstes Jahr geht, wird man nicht aufhören, ihn jung zu nennen. Er selber aber, obgleich er keine Veränderungen an sich entdecken kann, wird unsicher; ihm ist, als stünde es ihm nicht mehr zu, sich für jung auszugeben. Und eines morgens wacht er auf, an einem Tag, den er vergessen wird, und liegt plötzlich da, ohne sich erheben zu können, getroffen von harten Lichtstrahlen und entblößt jeder Waffe und jeden Muts für den neuen Tag. Wenn er die Augen schließt, um sich zu schützen, sinkt er zurück und treibt ab in eine Ohnmacht, mitsamt jedem gelebten Augenblick. Er sinkt und sinkt ... und er stürzt hinunter ins Bodenlose, bis ihm die Sinne schwinden, bis alles aufgelöst, ausgelöscht und vernichtet ist, was er zu sein glaubte ... Er wirft das Netz der Erinnerung aus, wirft es über sich und zieht sich selbst, Erbeuter und Beute in einem, über die Zeitschwelle, die Ortsschwelle, um zu sehen, wer er war und wer er geworden ist.[15]

Hier ist das typologische Erlebnis präziser definiert. Das Motiv der Selbstprüfung wird aus dem physischen in den psychischen Bereich verlagert: es handelt sich nun darum, über die Vergangenheit nachzudenken und einen neuen Lebenssinn zu bestimmen. Und diese Selbstreflexion ist zudem charakterisiert als ein sozusagen der Zeit enthobener Zustand.

Die Person, die (wie das Zitat fortfährt) nicht mehr einfach von einem Tag zum andern lebt, erfährt im symbolischen Augenblick der Reflexion eine gewisse Lähmung der Zeit, bis sie sich mit einer ruckartigen Entscheidung wieder in den Strom der Zeitlichkeit wirft.

Genau dieses Erlebnis spiegelt sich auch in den Worten eines anderen Dreißigjährigen unserer Epoche:

> Dann stürzen die Kulissen ein, Aufstehen, Straßenbahn, vier Stunden Büro oder Fabrik, Essen, Straßenbahn, vier Stunden Arbeit, Essen, Schlafen, Montag, Dienstag, Mittwoch, Donnerstag, Freitag, Samstag, immer derselbe Rhythmus — das ist sehr lange ein bequemer Weg. Eines Tages aber steht das ›Warum‹ da, und mit diesem Überdruß, in den sich Erstaunen mischt, fängt alles an. ›fängt an‹, — das ist wichtig. Der Überdruß ist das Ende eines mechanischen Lebens, gleichzeitig aber auch der Anfang einer Bewußtseinsregung. Er weckt das Bewußtsein und bereitet den nächsten Schritt vor. Der nächste Schritt ist die unbewußte Umkehr in die Kette oder das endgültige Erwachen. Schließlich führt dieses Erwachen mit der Zeit folgerichtig zu der Lösung: Selbstmord oder Wiederherstellung.[16]

Man erkennt die Stimme des dreißigjährigen Albert Camus. Und hier, in *Le Mythe de Sisyphe,* ist das Thema noch radikaler formuliert als in der Erzählung Ingeborg Bachmanns. Das Erwachen zur Absurdität des Lebens — nämlich das Erwachen zum Zerfall einer vertrauten Realität — führt entweder zurück in eine unwahre Existenz oder vorwärts zu Tod oder Wiederherstellung. Und das symbolische Alter ist, in dem Essay ebenso wie in dem Roman *L'Etranger,* abermals das dreißigste Jahr, in dem, für die Dauer der Entscheidung, die Zeit aufgehoben ist.[17] So ergibt sich aus diesen Dokumenten (denen sich leicht weitere anschließen ließen)[18] ein deutlich gezeichnetes Profil, das gestattet, von einer modernen typologischen Bedeutung des dreißigsten Jahres zu sprechen, die sich von der traditionellen Auffassung mit dem Hauptelement der Bestätigung scharf unterscheidet.

Die typologische Erfahrung des Dreißigjährigen beginnt mit einem Schock der Erkenntnis und endet mit einer bewußten Entscheidung. Zwischen diesem absoluten Anfang und diesem absoluten Ende lebt der Dreißigjährige in einem zeitlosen

Schwebezustand, während dessen alles Handeln gelähmt ist; die Analyse seiner eigenen Vergangenheit und seiner eigenen gegenwärtigen Existenz schiebt sich in den Vordergrund. Eben der Versuch, diese Erfahrung erzählerisch zu gestalten, hat das hervorgebracht, was der Roman des Dreißigjährigen heißen darf. Denn es läßt sich nachweisen, daß die gleiche typologische Erfahrung allen zu Beginn dieses Kapitels erwähnten Romanen zugrunde liegt. Das zeigt sich am deutlichsten, wenn man zunächst fünf Romane betrachtet, in denen die Erzählform völlig mit der Erfahrungsstruktur zusammenfällt. Diese Übereinstimmung ist tatsächlich so präzis, daß sich jeder Roman praktisch als metaphorische Erweiterung der Grunderfahrung definieren läßt.

Der Prozeß, La nausée, Journal d'un curé de campagne, Die Aufzeichnungen des Malte Laurids Brigge und die drei Teile der *Schlafwandler* beginnen sämtlich damit, daß ihre Helden plötzlich feststellen, die Welt, die sie bisher kannten, sei auseinandergebrochen. Statt der gemächlichen Eröffnung des traditionellen Bildungsromans oder des Sittenromans markiert die Einleitungspassage einen radikalen Bruch zwischen Vergangenheit und Zukunft. Josef K. stellt eines Morgens beim Erwachen fest, daß er verhaftet ist, und dieser Umstand, der ihn aus seinem normalen Daseinsmuster drängt, zwingt ihn zum erstenmal in seinem Leben, ernstlich über die Frage seiner Schuld oder Unschuld nachzudenken. Roquentins Aufzeichnungen beginnen ebenso abrupt: »Etwas ist mit mir geschehen. Ich kann nicht länger daran zweifeln.« Er hat bemerkt — und sein Ekel ist das äußere Symptom dessen —, daß ihn die bislang akzeptierte Realität nun anwidert. Mitten auf einem Feldweg wird Bernanos' kleiner Priester plötzlich von der Erkenntnis gelähmt, daß seine Pfarrei innerlich von der »Fäulnis der Verzweiflung«, der Langeweile aufgefressen wird. Eine Reise nach Paris löst im Fall Malte Laurids Brigges eine ähnliche Empfindung aus. »Ist es möglich«, fragt er in seinem einleitenden Grübeln, »daß man noch nichts Wirkliches und Wichtiges gesehen, erkannt und gesagt hat?«[19] Die einzelnen Teile von Brochs Trilogie beginnen ebenso abrupt: August Esch, wegen der Unterschlagung eines Kollegen aus seiner Stellung entlassen, ist durch dieses schreiende Unrecht gezwungen, seine ganze Konzeption einer kosmischen Ordnung in Frage zu stellen; Wilhelm Huguenaus völliger Bruch mit den alten Wertsystemen ist auf der ersten Seite durch seine Fahnenflucht symbolisiert.

Diese Anfänge sind überdies alles andere als dramatisch. Wie Camus betont, ist es eben die Trivialität des Beginns, die die Absurdität der Welt bloßlegt und die »Kette alltäglicher Gebärden« zerreißt.[20] Doch dieser unvermittelte Beginn markiert einen radikal neuen Ausgangspunkt — den Kafka einmal den archimedischen Punkt nannte, von dem aus die konventionelle Wirklichkeit ein völlig neues Aussehen gewinnt.[21] Dem abrupten Anfang folgt, für die Dauer des Romans, ein Innehalten der Zeit. Im dritten Teil der *Schlafwandler* charakterisiert Broch die Zeit ausdrücklich als »Ferienzeit« und das Geschehen als »Ferialhandlung«. Huguenau treibt diese sechs Monate wie unter einem Glassturz dahin, und das will sagen, daß sein Leben nicht mehr Gegenstand der normalen Welt um ihn her und ihrer Kategorien ist. Das gleiche gilt für Joseph K.s Verhaftungsperiode, für die häufig die Lähmung der Zeit festgestellt wurde. Seine Entfremdung von der Welt zeigt unter anderem der Umstand an, daß sein privates Zeitgefühl völlig die Berührung mit der mechanischen Zeit der Außenwelt verloren hat: er kommt stets zu früh oder zu spät; er läßt andere warten oder wartet auf andere, die, wie Becketts Godot, nie ankommen; er schlägt die Tür vor einer unangenehmen Szene zu, doch wenn er Wochen später wieder kommt, spielt dieselbe Szene noch immer, erstarrt zu dem, was Northrop Frye einen Zustand »tiefgekühlter Unsterblichkeit« nennt.[22] Der kritische Monat, in dem Roquentin nach einer gültigen und authentischen Einstellung zum Leben sucht, ist ebenfalls der Zeit enthoben. »Die Zeit ist stehengeblieben«, notiert er während des Ekelanfalls in der berühmten Szene unter der Kastanie. Gleicherweise bringt Malte Laurids Brigge seine Pariser Monate in einem Schwebezustand zu, in dem Vergangenheit, Gegenwart und Zukunft sich ununterscheidbar vermischen. Er hat so wenig Sinn für die Alltagserfordernisse wie der kleine Priester Bernanos'.

Dieser Schwebezustand ist, wie sich in Kapitel 6 gezeigt hat, wesentlich für die Bedeutung des Werks. Denn nur, wenn er der Zeit enthoben ist, kann der Held wirklich frei sein. Bis zu diesem Punkt hat er bezeichnenderweise die Welt konventionell genommen: Josef K. war glücklich mit seiner Arbeit in der Bank, Esch mit seiner Beschäftigung als Buchhalter. Von den Ereignissen mitgezogen, hatten sie keine Gelegenheit, das Leben mit einem von den Alltagsscheuklappen befreiten Verstand zu sehen. Doch in dem durch die Aufhebung der Zeit ermöglichten Zustand der Freiheit befassen sich diese Gestalten mit den bezeichnenden Fragen, ihnen auferlegt von den Problemen, die ihre Autoren bedrängen. Josef K. ringt mit dem Problem seiner Schuld und Bernanos' Landpfarrer mit seiner Glaubenskrise. Roquentin gewinnt seine existenzielle Freiheit vom *mauvaise foi,* während Brochs Helden verzweifelt nach einer ethischen Stütze im allgemeinen Wertzerfall herumtasten. Und Malte Laurids Brigge beginnt, den »Vokabeln seiner Not« nachzugehen.

Doch in jedem Fall endet die Krise des Dreißigjährigen mit einer bewußten Entscheidung, die seine künftige Einstellung zur Welt bestimmt. Roquentin entdeckt, daß er seinen Ekel nur überwinden kann, wenn er sich völlig dem existenziellen Kampf mit der Welt und mit sich selber widmet. Er gibt seine historischen Studien auf und beschließt, einen Roman zu schreiben. »Dann aber käme der Augenblick, in dem das Buch fertig wäre und hinter mir läge — und ich glaube, ein wenig von seiner Klarheit fiele auf meine Vergangenheit.«[23] Josef K., der unfähig ist, die ihm von der Anerkennung seiner eigenen Schuld auferlegte Freiheit zu ertragen, läßt sich in einen »schlechten Glauben« zurückgleiten, indem er diese Schuld leugnet; doch diese Verleugnung ist dennoch eine bewußte Entscheidung.[24] Bernanos' Priester stirbt an seinem Krebs, einer Krankheit, die natürlich die ihn und seine Gemeinde bedrohende moralische Fäulnis symbolisiert; aber er stirbt mit der Bekräftigung eines erneuerten Glaubens auf den Lippen: »Tout est grâce.« Brochs Protagonisten entschließen sich, wie Josef K. unfähig, absolute Freiheit zu ertragen, einhellig dazu, in die falsche Sicherheit ihrer vorurteiligen Wertsysteme zurückzugleiten. Und Malte Laurids Brigge überläßt sich so völlig der reinen Liebe zur Wirklichkeit, daß er seine eigene gemarterte Persönlichkeit preisgibt und in den Mythen seiner eigenen Aufzeichnungen aufgeht.

Ohne nochmals im einzelnen die komplexen, durch die einzelnen Werke gestellten Interpretationsprobleme aufzugreifen, kann man doch aus diesen skizzenhaften Umrissen ersehen, wie in jedem Fall die wesentliche Struktur des Romans beibehalten ist. Jeder Roman beginnt auf der ersten Seite und fast im ersten Satz mit einem Bewußtseinsschock; jeder endet mit einer klaren Entscheidung, die den Helden aus der Zeitlosigkeit der Reflexion ins — authentische oder falsche — Engagement fürs Leben zurückholt. Und in jedem Fall haben wir es mit einem dreißigjährigen Helden zu tun, der, nachdem er jahrelang das Leben als bare Münze akzeptiert hat, zum erstenmal in die Fragen nach dem Sinn dieses Lebens gestoßen wird.

In den anderen Romanen ist die typologische Erfahrung nicht weniger wirksam gegenwärtig, auch wenn sie nicht so genau mit der äußeren Struktur des Werks zusammenfällt. In den Romanen von Günter Grass und Albert Camus findet sich (so sehr der stilistische Überschwang des einen sich vom einfachen Understatement des anderen unterscheiden mag) eine strukturell ähnliche Behandlung der Grunderfahrung. In beiden Fällen reflektiert der Erzähler rückblickend in einer Periode des Gefangenseins. Wie im *Prozeß* bewirkt der Entzug äußerer Freiheit den Schock des Erwachens und eröffnet damit die Periode des zeitlosen Schwebezustands.

Oskar Matzerath befindet sich von der ersten bis zur letzten Seite der *Blechtrommel* in der Heil- und Pflegeabteilung eines Gefängnisses, doch die Umstände seiner Verhaftung werden erst im letzten Kapitel des Buchs geschildert. Da dieses Schlußkapitel zugleich seinen Entschluß zu handeln enthält, werden sowohl seine Verhaftung wie seine Entlassung — zwei Jahre auseinanderliegende Ereignisse — im selben Kapitel erzählt. Der abrupte Beginn und das abrupte Ende der typologischen Erfahrung vereinigen sich damit zu einem ungewöhnlich wirkungsvollen Abschluß.

Die beiden Teile von *L'Etranger* sind natürlich in völlig verschiedenem Stil geschrieben. Der erste Teil berichtet die zur Tötung am Strand führenden Ereignisse, wie sie auftreten. (»Heute starb Mutter«: das ist der Stil, in dem das Buch beginnt.) Der zweite Teil stellt im Kontrast dazu Meursaults Erinnerungen an seine Erfahrungen nach elf Monaten Gefängnisaufenthalt dar. Das Ereignis der Verhaftung fällt damit zwischen die beiden Teile.

Den Ausschlag aber gibt dies: beide Berichte stehen von Anfang bis Ende unter dem Eindruck der typologischen Erfahrung, denn sie sind als Antwort auf das geschrieben, worin wir die typische Krise des Dreißigjährigen erkennen. Ohne den Anstoß der Verhaftung, ohne die Aufhebung der Zeit im Gefängnis wären weder Meursault noch Oskar Matzerath dazu gekommen, über ihr Leben nachzudenken und zu versuchen, damit zurechtzukommen. In beiden Fällen finden sich daher die charakteristischen Elemente der Erfahrung, obwohl aus erzählerischen Gründen der abrupte Beginn in die Mitte oder ans Ende verlegt ist und infolgedessen nicht mehr mit dem ersten Satz des Textes zusammenfällt.

Fünf Monate Gefängnis kommen Meursault nicht länger vor als ein einziger ausgedehnter Tag; und im allgemeinen verbringt er viel Zeit damit, über den neuen statischen Aspekt nachzudenken, unter dem sich ihm die Zeit selber während seiner Gefangenschaft enthüllt.[25]

Auf der ersten Seite seines Berichts erwähnte Oskar Matzerath die »zwischen weißen Metallstäben geflochtene Stille« seiner Zelle, deren »Gleichgewicht« und »Heiterkeit« nur einmal wöchentlich durch den »Gewaltakt« des Besuchstags unterbrochen wird.[26] Selbst in diesen, oberflächlich betrachtet, unterschiedlichen Romanen herrscht so vom Augenblick der Verhaftung an eine Aufhebung der Zeit, und in diesem zeitlosen Zustand reift allmählich die Entscheidung der Helden heran. Sie ist für Meursault trotz der Sinnlosigkeit, die ihm bei seinen einsamen Gedächtnisübungen im Gefängnis aufgeht, eine Sache der Lebensbestätigung auf der letzten Seite: »Auch ich fühlte mich bereit, alles noch einmal durchzuleben.«[27] Und Oskar Matzerath, der beim Schreiben seiner Autobiographie gelernt hat, daß sein verworrenes Blechtrommel-Leben letzten Endes nichts als eine Flucht aus der Verantwortung war, kommt im letzten Kapitel zu dem Schluß: ». . . ich begehe heute meinen dreißigsten Geburtstag. Als Dreißigjähriger ist man verpflichtet, über das Thema Flucht wie ein Mann und nicht wie ein Jüngling zu sprechen.« In beiden Romanen kündigt eine klare Entscheidung eine völlig neue Lebenseinstellung an.

Alfred Döblin führt eine weitere Möglichkeit vor, die typologische Erfahrung zu gestalten. Franz Biberkopfs Krise wird erst im letzten Buch von *Berlin Alexanderplatz* berichtet. Aber eben diese Krise zeigt alles Vorangegangene im angemessenen Licht, denn der Sinn des ganzen Romans tritt erst mit Biberkopfs Analyse der Wirklichkeit und seiner letzten Entscheidung zutage. Nach den drei schweren Schlägen, die, wie er meint, das Schicksal ihm zugefügt hat, landet Biberkopf in der Heil- und Pflegeanstalt Buch. Die Einsichten, die zu seinem Nervenzusammenbruch führen, machen den Schock der Erkenntnis aus, die ihm die Naivität seiner bisherigen Lebensauffassung enthüllt. Der Stupor, in dem er seine Tage hinbringt, ist so weit von der Zeitlichkeit der Welt draußen entfernt, daß nicht einmal die medizinische Behandlung seine hermetische Abgeschlossenheit durchdringt. Nur das schließliche Eingeständnis, daß seine hartnäckigen Versuche, »anständig« zu sein, zu einer falschen Einschätzung der Wirklichkeit geführt haben, befreit ihn von der Vergangenheit und öffnet damit den Weg für seine Entscheidung, mit offenen Augen in die Welt zurückzukehren.

In jedem Fall also führt das abrupte Erwachen des Dreißigjährigen in einen zeitlosen Zustand der Reflexion und Daseinsanalyse, woran sich zuletzt eine bewußte Entscheidung zum Handeln anschließt. Ob nun die Erfahrung des Dreißigjährigen total mit der Struktur des Buches zusammenfällt oder nicht, so ist doch jeder Roman so gebaut, daß die Entscheidung einen Höhepunkt darstellt und die vorangegangenen Vorfälle beleuchtet und deutet. Aus diesem Grund ist das Ereignis des physischen Todes, wenn es dazu kommt, zufällig und dem Roman im Grunde durch äußere Erwägungen aufgezwungen.[28]

Josef K., Meursault und Bernanos' Landpfarrer sterben. Doch Camus hält es nicht der Mühe wert, die Todesszene zu schildern; der ganze Sinn des Romans ist in Meursaults Gefängnis-Entscheidung enthalten, und dadurch wird seine Hinrichtung fast unwesentlich. Aus dem gleichen Grund wird der Tod des kleinen Priesters fast nur beiläufig erwähnt. Josef K.s Tod ist nur die äußere Entsprechung des bedeutsameren psychischen Selbstmords, den er bereits durch seine Entscheidung zugunsten des *mauvaise foi* begangen hat.

Allgemein gilt das Leben des Helden nach seiner Krise als unwichtig. Vom Leser wird angenommen, er könne das weitere Verhalten und die späteren Einstellungen im Licht der Entscheidung vorhersagen. Dieser Gesichtspunkt wird höchst deutlich im letzten Absatz des ersten Teils von Brochs *Schlafwandler*-Trilogie ausgesprochen, wenn der Erzähler mit diesen Worten von seinem Helden Abschied nimmt: »Nichtsdestoweniger hatten sie nach etwa achtzehn Monaten ihr erstes Kind. Es geschah eben. Wie sich dies zugetragen hat, muß nicht mehr erzählt werden. Nach den gelieferten Materialien zum Charakteraufbau kann sich der Leser dies auch allein ausdenken.« Ein derartiger Schluß kontrastiert hart mit dem Schluß des traditionellen Bildungsromans oder des Sittenromans, und dies nicht nur, weil gewisse, konventionell als interessant erachtete Umstände — Geburt, Tod, Hochzeit und so fort — ignoriert werden. Es gibt einen wichtigeren Gesichtspunkt: Schlüsse dieser Art implizieren eine radikal andere Einstellung gegenüber dem Helden und der Welt. Im konventionellen Roman ist es die Weltordnung, die den Leser über die Zukunft des Helden beruhigt: was immer geschehen mag, nichts kann mehr eintreten, das ihn in einer stabilen Realität zu gefährden vermöchte. Hier dagegen hat man zum Helden Zutrauen; was auch in einer sinnlosen Welt geschehen mag, man kennt den Menschen und weiß, wie er auf jede bestimmte künftige Situation reagieren wird. In keinem dieser Romane ist die abenteuerliche Geschichte der Jugend um ihrer selbst willen erzählt wie im herkömmlichen Roman. Falls wir überhaupt das Leben jugendlichen Handelns vor der Krise mitbekommen, dann nur unter dem radikal relativierten Gesichtswinkel des Dreißigjährigen, der erfahren hat, daß seine bisherige Verstehens- und Urteilsweise völlig falsch war. Daher muß seine ganze Jugend in der Erinnerung sozusagen nochmals durchlebt werden, soll sie einen Wert haben. Das ist in der Unsicherheit des Landpfarrers darüber enthalten, ob er wirklich die Erinnerung an seine eigene Jugend wahrnimmt oder nicht: »Weil ich sie zum erstenmal sah, ich hatte sie vorher nie gesehen.«[29] Das gilt sogar für die *Blechtrommel*, die ohne die ironische Spannung unverständlich bliebe, wie sie zwischen dem dreißigjährigen Erzähler und der von ihm berichteten Lebensgeschichte herrscht. Und vielfältige Beispiele einer ähnlichen Einstellung zur Vergangenheit ließen sich leicht in den Werken Rilkes, Sartres und Brochs finden, wo das Leben des Helden vor seinem Erwachen nur Rohmaterial für das neue analytische Vermögen des Dreißigjährigen liefert. Dieses literarische Phänomen spiegelt erneut das Bewußtsein eines Zeitalters, das plötzlich seiner eigenen Vergangenheit skeptisch gegenübersteht.

Die Unterdrückung der Zukunft bewirkt im Verein mit der Relativierung der Vergangenheit eine fast explosive Konzentration der Spannungen in der erzählerischen Gegenwart, die zwischen einen absoluten Anfang und ein absolutes Ende gepreßt ist. Zeitlos zwischen Vergangenheit und Zukunft schwebend, ist der symbolische Augenblick der Analyse und der Entscheidung psychisch so überladen, daß viele Autoren, um diese Spannung psychologisch glaubwürdig zu machen, die Metaphern von Krankheit, Wahnsinn oder Gefangenschaft ausschlachten. Einerseits liefern Krankheit und Gefangenschaft eine rationale Rechtfertigung für die Lähmung der Zeit im Roman; der Aufenthalt im Krankenhaus, in der Zelle oder in der Einsamkeit des eigenen Zimmers befreit den Patienten oder Gefangenen von den normalen Fesseln des Alltagslebens. Andererseits stellt Wahnsinn ein reichhaltiges Metaphernvokabular für den Zerfall und das innere Verrotten der traditionellen Welt zur Verfügung. Man bedenke etwa die überzeugende Krebssymbolik bei Bernanos, die makabren dermatologischen Metaphern Rilkes, die glänzenden chirurgischen Bilder Brochs. (In den beiden letzten Kapiteln werden wir den symbolischen Gebrauch von Kriminalität und Wahnsinn ausführlicher untersuchen.) Die Schilderung von Krankheits- oder Haftzuständen mit ihren sich überschneidenden Zeitschichten wird schließlich durch die häufige Verwendung der Erzählung in der ersten Person verstärkt: Fünf Romane der Gruppe sind in der Form von Aufzeichnungen oder autobiographischen Berichten geschrieben. In den übrigen Fällen (Kafka, Broch, Döblin) wird der Eindruck der Unmittelbarkeit und der Verinnerlichung durch andere stilistische Mittel erreicht: durch inneren Monolog, Visionen, Bewußtseinsstrom und so fort.

Es ist klar, daß die erzählerische Gestaltung der typologischen Erfahrung zu gewissen strukturellen Merkmalen führt, die diese Romane als eine Gruppe von anderen Romanen unterscheidet. Und was vielleicht genauso frappiert: diese Form, dieser einzigartige Komplex struktureller Elemente setzt einen solchen Roman sogar gegen andere Werke desselben Autors ab. Man vergleiche etwa die radikale Schlüssigkeit des *Prozesses* mit der endlosen Spirale von Kafkas *Schloß* oder die gesammelte Erfahrung von *La nausée* oder *L'Etranger* mit den weiten panoramischen Ausblicken in Sartres vielbändigen *Les Chemins de la Liberté* oder in Camus' *La Peste*. Der Roman des Dreißigjährigen ist einfach die angemessene Form zur Gestaltung dieser Lebenskrise. Als solche tritt sie am häufigsten im 20. Jahrhundert auf, dem Jahrhundert, in dem eine Erkenntnis der Relativität und des Wertzerfalls die Herrschaft über den Vordergrund des literarischen Bewußtseins erlangt hat.

Da die Bewußtseinskrise keineswegs ein ausschließliches Vorrecht unserer Zeit, sondern eine typologische Erfahrung ist, die in jeder Epoche plötzlich auftauchen kann, scheint es die Brauchbarkeit unseres Musters zu bestätigen, wenn man die gleiche Struktur fast paradigmatisch im Werk eines älteren Autors mit einem unheimlich modernen Daseinsgefühl vorweggenommen findet. »Dieser außerordentliche Mann würde bis in sein dreißigstes Jahr für das Muster eines guten Staatsbürgers haben gelten können«, lautet der zweite Satz von Kleists *Michael Kohlhaas* (1810). Wie seine jüngeren Brüder im 20. Jahrhundert wird Kleists Held zu Beginn der Novelle durch ein abruptes Erwachen aus seinem gewohnten Lebensmuster gerissen: die Welt, die er bislang als geordnet und gut kannte, demaskiert sich plötzlich als willkürlich, wechselhaft und feindselig. So setzt die Novelle mit einem unvermittelten Bewußtseinsschock ein. Der Held findet sich für die Dauer der konzentrierten Erzählung im Schwebezustand und außerhalb aller konventionellen Bindungen: seine Frau ist gestorben, er verkauft seinen Hof, schickt seine Kinder weg und verbringt das Jahr seiner Rachehandlungen in einer zeitlosen Welt eigener Schöpfung. Die Fabel eilt dem Augenblick der Entscheidung entgegen, wenn Kohlhaas vor der Wahl steht, entweder seine Rechtsansprüche aufzugeben und in Frieden zu leben oder um den Preis seines Kopfes auf seinem Recht zu bestehen. Ein dreißigjähriger Held; die geschlossene Form mit einem abrupten Anfang; Aufhebung der Zeit und Zerfall der bekannten Welt; und ein absolutes Ende in der kritischen Entscheidung: man findet in Kleists Novelle fast wie im Modell sämtliche charakteristischen Strukturelemente vorgebildet, die man im modernen Roman des Dreißigjährigen erkennt. Doch diese frappierende Parallele zwingt dazu, zum Abschluß die ganze Struktur unter einem etwas weiteren Aspekt nochmals zu erörtern.

Unsere Untersuchung begann mit der Beobachtung, daß dreißigjährige Helden in einer Anzahl moderner Romane auftreten. Bei der Überlegung über die möglichen Gründe für diese Ausnahmeerscheinung gelangten wir zu einem typologischen Grundmuster, das offenbar alle Romane dieser Gruppe gemeinsam haben. Nun wollen wir — auf die Gefahr hin, die Stichhaltigkeit des Konzepts zu schwächen, aber in der Hoffnung, seine Nützlichkeit zu steigern — auf das Alter von dreißig Jahren selber als ein Charakteristikum verzichten. Augenblicklich fallen einem andere moderne Romane ein, die genau die gleiche Struktur aufweisen, aber etwas ältere oder jüngere Helden haben.[30] Ein hervorragendes Beispiel aus der neueren amerikanischen Literatur bildet Saul Bellows *The Dangling Man* (1944). Obwohl Joseph nur achtundzwanzig ist, korrespondieren seine Erfahrungen in den Monaten des Wartens auf die Einberufung Punkt für Punkt mit der oben dargestellten typologischen Erfahrung. Die Periode des zeitlosen Hangens wird durch eine Einberufungsverfügung eingeleitet, und während seines monatelangen Wartens ändert sich Josephs Vorstellung von der Wirklichkeit so sehr, daß er wie Roquentin und Malte Laurids Brigge gezwungen ist, ein Tagebuch zu führen, um sich mit der wahrgenommenen neuen Realität auseinanderzusetzen. Seine gesteigerte Wahrnehmungsfähigkeit bewirkt einen derartigen Wandel, daß er nicht mehr länger derselbe Mensch bleibt. »Von dem Joseph des Vorjahres gefällt mir sehr wenig«, notiert er. »Ich muß über ihn lachen, über manche seiner Eigenschaften und Aussprüche.«[31] Bellows Joseph reagiert auf seine Krise sehr ähnlich wie sein Namensvetter Josef K. »Auf sich selber gestoßen zu werden, stellt die reinen Tatsachen der einfachen Existenz in Frage«, bemerkt er in einer seiner letzten Eintragungen. Außerstande, die reine Freiheit zu ertragen, sehnt er sich danach, ins Muster einer geregelten Sicherheit zurückzufallen. »Heil den geregelten Stunden!« lautet sein Entschluß am letzten Tag seines Zivillebens. »Und der Überwachung des Geistes! Lang lebe die Kontrolle!« Bellows Sinn fürs Komische rettet seinen Helden vor dem Selbstmord aus Verzweiflung, die zwei andere moderne Dreißigjährige überwältigt: J. D. Salingers Seymour Glass und den Gigolo-Helden in Pierre Drieu la Rochelles *Le feu follet* (1931).

Auf den ersten Blick scheint Thomas Manns *Zauberberg* nicht viel mit der beschriebenen Struktur gemeinsam zu haben, sieht man jedoch genauer zu, fällt auf, daß Hans Castorps siebenjähriger Aufenthalt auf dem Zauberberg mit dem Erwachen in eine neue Realität hinein beginnt, wie sie das Sanatoriumsleben darstellt. Sie hält während einer Periode ausdrücklichen zeitlosen Schwebens in Verbindung mit einer kritischen Daseinsanalyse an, und all das findet in der Begrifflichkeit einer durch Krankheit erhöhten Sensibilität und zusammen mit einer kunstvollen Beredsamkeit aus Fieberbildern und Tuberkulosesymbolik statt. Und es endet mit der Entscheidung des nun dreißigjährigen Helden, ins Flachland drunten zurückzukehren, wo der Erste Weltkrieg wütet. In diesem Zusammenhang erinnert man sich überdies, daß Hans Castorps Zukunft nach seiner Entscheidung — einschließlich seines möglichen Todes — außerhalb des erzählerischen Gesichtskreises liegt; und daß die Kindheit und die Jugend des Helden nur in zwei kurzen Rückblenden auftauchen. Alles Interesse richtet sich auf die Periode der Krise und der Entscheidung. Die gleichen Parallelen lassen sich schließlich für Musils *Mann ohne Eigenschaften* feststellen, dessen zweiunddreißigjähriger Held einen, wie der Autor sagt, »Urlaub vom Leben« nimmt, um mit seinen eigenen Existenzmöglichkeiten zu Rande zu kommen.

Welche Schlußfolgerungen gestatten diese Überlegungen? Formulieren wir unsere Beobachtungen zurückhaltend, läßt sich etwa folgendes ermitteln. Jahrhundertelang besaß das dreißigste Jahr einen gewissen Symbolwert als kritischer Wendepunkt im menschlichen Leben. Und in unserer Gegenwart erwies sich der Verlust einer stabilen Wirklichkeit als zentrale Erfahrung des modernen Menschen. Das Denken unserer Epoche hat diese beiden Ideen zu einer typologischen Erfahrung mit einem entschiedenen Profil verbunden: abruptes Erwachen in den Zerfall der vertrauten Welt hinein, Aufhebung der Zeit während einer Periode der Analyse und ein abruptes Ende, wenn sich der Held entscheidet, wie er angesichts dieser neuen Wirklichkeit zu handeln gedenkt. Das spezifische Wesen der Krise ändert sich gemäß den Problemen, die den individuellen Autor beschäftigen, doch die Grundstruktur der Erfahrung bleibt sich gleich. Eben diese Struktur haben bestimmte Autoren benutzt (ob bewußt oder unbewußt, ist hier unerheblich), um der Lebenskrise erzählerische Gestalt zu geben. Innerhalb der gegebenen Struktur bleibt ein weiter Freiheitsraum für den erfinderischen Geist des Autors: die Form des Romans kann völlig mit der Struktur der Erfahrung übereinstimmen oder der eigentliche Bericht über den abrupten Beginn kann in die Mitte oder ans Ende des Romans verlegt werden; die Dauer der Krise kann sich über mehrere Stunden oder mehrere Jahre erstrecken; das Phänomen der Zeitlosigkeit läßt sich symbolisch durch Krankheit oder Haft vermitteln; selbst das Alter des Helden muß nicht in jedem Fall präzis dreißig Jahre sein (wenn auch eben das wiederholte Auftreten dieses Alters anfänglich das Interesse gefangennahm). Doch solange die typologische Erfahrung die Form des Romans *in entscheidendem Maß* bestimmt, ist man wohl berechtigt, vom Roman des Dreißigjährigen zu sprechen.[32]

Die Autoren, die diese Struktur verwendeten oder genauer: deren erzählerische Situation diese Struktur erzeugte —, sind ausdrücklich daran interessiert, eher eine allgemeine Erfahrung zu vermitteln als eine weitgehend individualisierte. Malte findet aus seiner Pein erst heraus, wenn er erkennt, daß seine Erfahrung typisch und nicht einmalig ist. Deshalb enden seine Aufzeichnungen mit einer Parabel, in der sein Leiden objektiviert und damit verallgemeinert ist. Kafka genügte es nicht, dem *Prozeß* eine Parabel einzufügen; er konstruierte den Roman als Ganzes so, daß er zu einer Parabel wurde, die auf jeden Menschen zutrifft. Aus dem gleichen Grund nannte Broch Huguenau das »adäquate Kind seiner

Zeit«; und die einzelnen Bände der Trilogie machen auf die repräsentativen Eigenschaften des »Romantikers« Pasenow, des »Anarchisten« Esch und des »sachlichen« Huguenau aufmerksam. Döblin erinnert wiederholt daran, daß man sich in Franz Biberkopf wiedererkennen solle, und seine Hinweise auf Hiob und Orest stellen den Helden in eine Vielfalt von Zusammenhängen, die über das Individuum hinausreichen. Und obwohl Thomas Mann Hans Castorp als einen »einfachen jungen Mann« beschreibt (er erweist sich als alles andere denn das), ist sein Held noch immer ein Repräsentant des Menschen als eines »Herrn der Gegensätze«.

Übrigens erklärt gerade diese repräsentative Eigenschaft der Figuren die Titel vieler moderner Romane. Rilkes »Prosa-Buch« ist praktisch das einzige, das mit einem konventionellen Titel auf einen bestimmten Helden verweist. Die übrigen Titel zeigen im Gegensatz dazu die Tendenz, von Anfang an den Sinn zu verallgemeinern, indem sie das spezielle Individuum einem größeren Ganzen unterordnen: einer Gruppe (*Die Schlafwandler, Les faux monnayeurs*); einem Symbol (*Die Blechtrommel, Das Glasperlenspiel*); einem Typus (*L' Etranger, Ulysses*); einem Handlungsbereich, an dem zahlreiche Menschen beteiligt sind (*Der Zauberberg, Berlin Alexanderplatz*); oder dem Vorgang, dem der Held unterworfen wird (*Der Prozeß, La nausée*). Mit solchen Mitteln bekräftigen die Autoren die Allgemeinverbindlichkeit ihrer Romane. Wilhelm Meisters »Lehrjahre« sind so sehr individualisiert, daß sie nur Wilhelm Meister zugehören. Dagegen sind wir alle in gewissem Sinn »Schlafwandler« oder in einen »Prozeß« verwickelt oder vom Gefühl des »Ekels« befallen. Der Roman des Dreißigjährigen teilt diese Verallgemeinerungstendenz mit dem modernen Roman überhaupt. Doch zusammen mit den anderen beobachteten Merkmalen unterstreichen die Titel den generationsmäßigen Aspekt dieser besonderen Erfahrung.

Man sollte nicht allzu kategorisch auf den gewonnenen Schlußfolgerungen beharren. Es kann dreißigjährige Helden geben, die keine solche Erfahrung machen; es kann Romane der Krise geben, die keinen Gebrauch von dieser typologischen Grundstruktur machen. Und schließlich: Selbst wenn man festgestellt hat, daß man es mit einem Roman des Dreißigjährigen zu tun hat, steht man doch erst am Anfang einer gründlichen Analyse oder Interpretation des fraglichen Werkes.[33]

Hat man jedoch in einem bestimmten Werk diesen phänomenologischen Rahmen entdeckt, weiß man einiges Grundsätzliche. Man weiß, daß man es mit der erzählerischen Gestaltung einer sehr speziellen Krise zu tun hat, und ist damit in der Lage, das Wesen der Krise besser zu verstehen. Man wird überdies auf wichtige Strukturprinzipien aufmerksam: etwa auf die Anordnung der typischen Erfahrungselemente; auf die Vermittlung der Zeitaufhebung; auf die Behandlung von Vergangenheit und Zukunft; auf die Bedeutung des Todes; und auf die Funktion von Krankheit und Haft. Man kann zum Zweck eines sinnvollen Vergleichs das Werk auf andere seiner Art beziehen. Und im Fortschreiten von Thematik und Struktur zur anschaulichen Darstellung nimmt man die weiteren Implikationen von Gestalten wie dem Verbrecher und dem Wahnsinnigen wahr, die sich dem Dreißigjährigen als angemessene Metaphern für seine Existenz anbieten.

Kapitel 9

Ein Porträt des Künstlers als eines Verbrechers

Franz Biberkopf ist ein Exsträfling, der wegen Totschlags
vier Jahre Gefängnis abgesessen hat. Wilhelm Huguenau ist
ein Deserteur, der straflos sechs Monate mit Betrug, Gewalt-
tat und Mord hinter sich bringt. Josef K. wird wegen seiner
»Schuld« verhaftet und ein Jahr später hingerichtet. Hans
Castorp betrachtet seine Erlebnisse auf dem Zauberberg als
eine »aventure dans la mal«. Gides Lafcadio stößt einen
Mann in einem »acte gratuit« aus einem fahrenden Zug. Jean
Genêt wurde, teilweise dank der Bemühungen seines zuver-
lässigsten Bewunderers, Sartres, zum Liebling der Intellektuellen. Und sicher mehr als ein Leser empfand einen Hauch
von Ironie beim Lesen des Berichts (in *Die Zeit* vom 10. Oktober 1967), daß Döblins hervorragendster literarischer Erbe,
Günter Grass, das Gefängnis Tegel in Berlin besucht habe,
um den Insassen Ausschnitte aus der *Blechtrommel* vorzule-
sen. Dieses rege Interesse an Kriminalität (in der Literatur
wie im Leben) wird zweifellos künftige Kulturhistoriker
nachdenklich machen, ist aber keineswegs ein ausschließlich
modernes Phänomen.
Eine morbide Faszination durch das Verbrechen gehört offenbar zu den menschlichen Grundzügen, und die Autoren
haben im Lauf der Jahrhunderte nie gezögert, diesem Geschmack in angemessenen literarischen Formen zu huldigen.
Unternehmungslustige Berichterstatter zogen im 15. und
16. Jahrhundert durch Deutschland und sangen ihre »Zei-
tungslieder«, die in siebenzeiligen Strophen die blutigen Einzelheiten der neuesten Verbrechen schilderten. Sowie sie die
Aufmerksamkeit eines begierigen Publikums gefesselt hatten, verkauften sie ihre Lieder in der Form »fliegender Blät-
ter«. Verderbte Fassungen dieser Balladen erhielten sich bis
ins 17. und 18. Jahrhundert. Sie waren als »Bänkelsang« be-

kannt, weil sich die Balladenhändler bei lokalen Messen auf Bänke stellten, um ihre »Moritaten« (eine entstellte Form von »Mordtaten«) vorzutragen. In England machten inzwischen Gefängnisgeistliche blühende Geschäfte mit dem Verkauf von Berichten aus erster Hand über die Bekenntnisse notorischer Verbrecher. Diese, weithin unter der Sammelbezeichnung »Newgate Calenders« bekannten Chroniken bildeten wiederum die Anregung für viele Newgate-Romane des 19. Jahrhunderts, die üblicherweise einen waghalsigen Gefängnisausbruch in ihre Schilderung von Kriminalereignissen aufnahmen.

Um die Mitte des 18. Jahrhunderts war dieser Zeitvertreib vom Marktplatz in den Salon vorgedrungen. 1734 begann Gayot de Pitaval die zwanzig Bände seiner *Causes célèbres* aus den Pariser Gerichten zu veröffentlichen — ein Werk, das zwei Jahrhunderte lang seine Anziehungskraft behielt, auch für Kenner des Verbrechens wie Schiller, E.T.A. Hoffmann und Ernst Jünger. Fünfunddreißig Jahre später leitete der Nachfolger Pitavals eine neue Ausgabe mit einer rationalisierenden Berufung auf die Lieblingsschlagworte der Aufklärung ein: »Im allgemeinen werde ich in meiner Auswahl der *Causes célèbres* bemüht sein, das Klare, das Präzise, das Seltsame, das Lehrreiche, das Zuverlässige, das Nützliche und schließlich das Angenehme miteinander zu verbinden.«[1] Doch das rationalistische Vokabular verbirgt kaum die untergründige Faszination durch das Verbrechen, die diese Sammlung zu einem der beliebtesten Werke des Jahrhunderts machte. 1782 war es ins Deutsche übersetzt, und 1792 leitete Schiller eine vierbändige Auswahl (Jena 1792—1795) mit einer Würdigung »diese[s] wichtige[n] Gewinn[s] für Menschenkenntnis und Menschenbehandlung« ein, den man aus der Lektüre von Kriminalfällen ziehen könne. 1842 veröffentlichte der zum Schriftsteller gewordene Jurist Willibald Alexis den ersten Band seines *Neuen Pitaval,* der Fälle aus den Gerichtshöfen des ganzen Kontinents sammelte. Bis zum Jahr 1860 veröffentlichte er 28 Bände der Reihe, die 1890 auf sechzig Bände angewachsen war und für Hebbel, Fontane und andere zeitgenössische Autoren eine unerschöpfliche Materialquelle darstellte.

Die *Causes célèbres,* diese Polizeigazette der Aufklärung,

waren nur eine der neuen Formen, die es darauf angelegt hatten, einen verfeinerten öffentlichen Geschmack am Verbrechen zu verwöhnen. (Auf einer völlig anderen literarischen Ebene gewöhnten Rousseaus *Confessions* das Publikum an schockierendste Enthüllungen über die intimen Einzelheiten der Schuld.) Am Ende des 18. Jahrhunderts war der literarische Markt in Deutschland vom Virus der »Ritter- und Räuberromane« infiziert, die sich mit solchen Titeln brüsteten: *Thaten und Feinheiten renomirter Kraft- und Kniffgenies* (2 Bände, Berlin 1790—1791). Eine ganze Generation von Skribenten schlachtete die revolutionäre Glut der Zeiten aus, porträtierte ihre Helden als titanische Gestalten und verdiente ihren Lebensunterhalt, indem sie in diesen Werken die farbenprächtigen oder schrecklichen Taten des berüchtigten »Sonnenwirts«, des Schinderhannes und anderer Verbrecher des Jahrhunderts schilderte. Alle diese Schriften hatten, ebenso wie die Newgate-Romane, wenigstens zweierlei gemeinsam. Sie konzentrierten sich auf den Verbrecher und seine Taten; und sie betrachteten den Verbrecher mit Sympathie, als eine Art Volkshelden, der es wagte, einer unbeliebten Obrigkeit zu trotzen. Der Kriminelle dieser Werke ist oft durch Abstammung mit den Landstreicherschelmen des 16. und 17. Jahrhunderts wie auch mit den titanischen Helden des deutschen »Sturm und Drang« verwandt: mit Goethes *Götz von Berlichingen,* Schillers *Räubern* und ähnlichen.[2]

Der Held von Heinrich Zschokkes *Abällino, der große Bandit* (1794), der in Übersetzung mithalf, die Gestalt des »edlen Briganten« in Frankreich populär zu machen, ist ein direkter Vorfahr der »guten« Banditen, die allabendlich über unsere Fernsehschirme galoppieren.

Das Jahr 1828 erlebte das Erscheinen eines Werks, das diese Vorstellungen radikal verändern sollte: die vierbändigen *Mémoires,* die gewöhnlich (wenn auch fälschlich) François Eugène Vidocq (1775—1857) zugeschrieben werden. Vidocq war ein einstiger Gauner, der sich ausrechnete, daß es vorteilhafter für ihn sei, für das Gesetz statt dagegen zu arbeiten. 1806 bot er seine Dienste der Pariser Polizei an und stieg rasch vom Status eines Lockspitzels zum Rang des Sûreté-Chefs auf. Er und die Mitarbeiter, die er aus anderen Exsträflingen rekrutierte, machten Paris sowohl durch die Zahl der Kriminellen staunen, die sie in den gesetzlosen Tagen der Restauration verhafteten (über achthundert in einem Jahr), wie auch durch die tollkühnen Methoden, die sie anwandten. Plötzlich nahmen es die »Taten und Kniffe« der Verfolger mit denen der Verfolgten auf und übertrafen sie. Ob nun Vidocq die *Mémoires* schrieb oder nicht: seine Heldentaten inspirierten Eugène Sue, Dumas, Hugo, Dickens, Poe und Gaboriau und markierten einen Wendepunkt in der populären Kriminalliteratur. Denn mit Vidocq begann sich das Interesse vom Verbrecher auf den »Detektiv« zu verlagern — eine Bezeichnung, die im Englischen übrigens nicht vor Dikkens' *Bleak House* (1852) geläufig wurde.

Für unsere Zwecke ist es unnötig, feine Unterscheidungen zwischen dem *roman policier* oder »Kriminalroman« und dem »Detektivroman« zu treffen. Es kommt nicht darauf an, ob der Detektiv mit Schlußfolgerungen, brutaler Kraft oder animalischer Schlauheit arbeitet. Wichtig ist allein der Punkt, daß sich die öffentliche Sympathie, grob gesprochen, vom Verbrecher abkehrte und nun entschieden auf seiten der Verfolger stand, deren Methoden selbst häufig kaum denen der Gejagten vorzuziehen waren.[3] (In dieser Hinsicht sind Mikkey Spillanes Mike Hammer und Jan Flemings James Bond direkte Nachkommen Vidocqs und seiner »Polizei«-Bande.) Denn ohne diese Akzentverschiebung, ohne die Umwandlung des Verbrechers aus einem titanischen Helden in einen Schuldigen wäre der Kriminelle als Metapher und Symbol in vieler moderner Literatur unbrauchbar.

Als 1841 Poes *Murders in the Rue Morgue* erschien, war die Romantik des Verbrechens, die jahrhundertelang geblüht hatte, im Effekt zur kleinen Münze abgewertet worden. In der Detektivgeschichte sind Verbrechen und Verbrecher zu einem konstanten, um nicht zu sagen unerheblichen Faktor reduziert; das Verbrechen ist entweder ein *fait accompli*, das der Erzählhandlung vorangeht, oder die Drohung, die der Held abzuwenden sucht. Die Originalität des Autors erschöpft sich in der Erfindung immer neuer Helden: von Poes Dupin über Sherlock Holmes, Hercule Poirot und Father Brown bis herab zu den letzten Neger- und Rabbispürhunden John Balls und Harry Kemelmans. Niemand kann Kommissar Maigret vergessen, aber wer erinnert sich an die Verbrecher, die er verfolgt? Der Titanismus, der die alten Verbrecher charakterisierte, ist in die Detektive abgeleitet, und mit einigen bekannten Ausnahmen wurde das Verbrechen wie die übrige Gesellschaft institutionalisiert und gesichtslos. Man entsinnt sich berühmter Verbrechen — des großen Zugraubs oder des Massakers am Valentinstag —, doch die individuellen Verbrecher haben sich wie Jack the Ripper, der nur durch seine Taten bekannt wurde, ins Anonyme aufgelöst. Mit anderen Worten: der Verbrecher ist zum Gangster geworden, dem alle in diesem Wort enthaltene Kollektivität anhaftet. Man geht vielleicht nicht zu weit mit der Deutung, daß der Titanismus des Bösen, der sich in den »Volksbüchern«, den Groschenheften und den Schauerromanen des 19. Jahrhunderts fortsetzte, aufs Gebiet der Horrorerzählung überging, die auf literarischem Niveau in *Frankenstein, Dracula* oder *Dr. Jekyll and Mr. Hyde* zutage trat. Der Kriminelle der volkstümlichen modernen Literatur ist dagegen fast unveränderlich zu einem blassen Dasein verurteilt.

Truman Capotes *In Cold Blood* (1965) ist symptomatisch für das Geschick des Verbrechers. In diesem »Tatsachenbericht über einen Massenmord und seine Folgen« faszinieren den Leser vor allem die Monströsität des Verbrechens, seine Absurdität und die Einzelheiten der Ermittlung. Im Vergleich zu Dick Turpin, Jonathan Wild und anderen Verbrechern der Vergangenheit sind die beiden mundfaulen Täter der Morde von Kansas alles andere als titanische Gestalten. Natürlich befaßte sich Truman Capote mit der Realität; er erfand keine Erzählsituation. Aber schon die Tatsache, daß er sich entschied, gerade dieses Verbrechen darzustellen, ist bezeichnend für die Wendung, die die Verbrechensliteratur genommen hat. Wir erwarten von Kriminellen nicht mehr, daß sie titanisch seien; sie sind nur noch gewöhnlich.

Die ganze, hier eben nachgezeichnete Entwicklung bezieht sich natürlich auf die populäre Verbrechensliteratur: auf Volksballaden, Chroniken, Trivialromane, Detektivgeschichten, Werke, die dem Publikumsgeschmack zuliebe geschrieben wurden. Doch ihre Geschichte, die oft dargestellt wurde[4], ist sehr direkt mit der Literatur völlig anderer Ordnung verknüpft. Und ein Verständnis dieser Geschichte ist meines Erachtens notwendig, um die Rolle des Verbrechers in der modernen Literatur richtig zu verstehen. Vor der Verlagerung des öffentlichen Interesses um 1830 war ein klar definiertes Genre aufgetaucht, das den Verbrecher als titanischen Menschen zeichnete. Dieses Genre mit seinen spezifischen Merkmalen erhielt sich auf literarischer Ebene bis ins 20. Jahrhundert, auch wenn populäre Schriften über Verbrechen die festgestellte Verwandlung durchmachen. Um 1900, als der Kriminelle noch nicht zu der lumpigen Figur der Gegenwart, aber schon ein Gesetzloser und Außenseiter geworden war, der keine öffentliche Sympathie mehr auslöste, kam er in einer neuen literarischen Rolle zum Vorschein: als Metapher für den Künstler selber. Während der letzten vierzig Jahre erschien er schließlich in einer dritten Verkleidung, alles Titanismus und aller Größe entkleidet, aber durch seine Gewöhnlichkeit repräsentativ für die Elemente, die viele Autoren in unserer Gesellschaft wahrnehmen. Diese drei Typen existieren nebeneinander im Roman des 20. Jahrhunderts: der Verbrecher als Titan, als Narziß, als Jedermann. Man kann dieses Phänomen verstehen, wenn man zunächst eine Konstellation von Autoren erörtert, die für den ersten Blick ungereimt erscheinen mag: Diderot, Schiller, Hoffmann, Dostojewski, Nietzsche und Genêt.

Diderots *Neveu de Rameau* scheint eines der ersten Beispiele für eine literarische Beschäftigung mit dem Verbrecher zu sein.[5] »Falls ich die Geschichte kennte, zeigte ich Ihnen, daß das Böse stets durch bestimmte Genies in die Welt kam.« Diese modisch-titanische Verbindung zwischen dem Genie und den Bösen, die ein Lieblingsthema unter den Romantikern der folgenden Generationen vorwegnahm, verfeinert sich allmählich zu einer spezifischeren Definition der verbrecherischen Größe. »Falls es wichtig ist, in jeder Lebensrücksicht erhaben zu sein, dann zumal im Fall des Bösen. Die Menschen bespucken einen kleinen Gauner, aber es ist unmöglich, dem großen Verbrecher eine Art von Respekt zu versagen: sein Mut erstaunt sie, seine Grausamkeit macht sie erschauern. Vor allem schätzen wir die Einheit seines Charakters.« Bei der Lektüre Diderots darf man nicht versäumen, den Stellenwert der Situation in Betracht zu ziehen; Rameaus Neffe versucht absichtlich, seinen Gesprächspartner zu schockieren. Zugleich nimmt man einen bestimmten Tonfall wahr, der kaum in der damaligen Populärliteratur vorhanden ist. Denn hier fasziniert nicht nur die kriminelle Tat, sondern das Phänomen des Verbrechens an sich. Überdies wird der Verbrecher mit ästhetischem Abstand als wertvoller Gegenstand der Betrachtung aufgefaßt — so sehr, daß der Erzähler entschieden durch die ungewöhnliche Haltung von Rameaus Neffen verwirrt wird und bald seine Geschichte beschließt: »Ich bekam allmählich große Schwierigkeiten, die Anwesenheit eines Menschen zu ertragen, der über eine entsetzliche Tat, ein abscheuliches Verbrechen auf die gleiche Weise sprach, wie ein Kenner der Malerei oder der Poesie die Schönheit eines geschmackvollen Werkes untersucht oder ein Moralist oder ein Historiker die Umstände einer heroischen Tat lobt und vorführt.«

Titanismus, objektive Distanz und die Ausrichtung des Blicks eher auf die kriminelle Psyche als auf die kriminelle Tat — das sind genau die Merkmale, die sich in Schillers zur Erzählung verarbeiteten Fallstudie (einem, wenn man so will, »Tatsachenroman« des 18. Jahrhunderts) über Johann Friedrich Schwan findet, den berüchtigten, seiner Zeit als der »Sonnenwirt« bekannten Gesetzesbrecher. »In der ganzen Geschichte des Menschen«, schreibt Schiller in der Einleitung zu seiner Geschichte, »ist kein Kapitel unterrichtender für Herz und Geist als die Annalen seiner Verirrungen. Bei jedem großen Verbrechen war eine verhältnismäßig große Kraft in Bewegung.«[6] Menschen mit einem »feineren« Verständnis für die menschliche Natur, so fährt er fort, werden manche Erfahrung aus der Betrachtung des Verbrechensgebietes ziehen; sie gehen in die »Seelenlehre« ein und erweisen ihre Bedeutung für das »sittliche Leben«. Die Handlung des Titanismus und die objektive Betrachtung entwickeln sich folgerichtig in der Geschichte. Doch bei Schiller findet sich noch ausdrücklicher als bei Diderot die Akzentverlagerung von der kriminellen Tat auf die kriminelle Psyche. »An seinen Gedanken liegt uns unendlich mehr als an seinen Taten, und noch weit mehr an den Quellen dieser Gedanken als an den Folgen jener Taten.« Denn »das bloß Abscheuliche hat nichts Unterrichtendes für den Leser«. Schiller kommentiert nicht nur beiläufig das Phänomen der Kriminalität wie Rameaus Neffe; er schreibt eine

Geschichte — ja, eine »wahre Geschichte«, die in zahlreichen anderen Fassungen von zeitgenössischen Autoren nacherzählt worden war, und sie sahen nicht so geringschätzig auf abscheuliche Taten herab. Schillers Tendenz, lieber bei Motivationen und Bedeutungen zu verweilen als bei den Taten selber, unterscheidet seine Erzählung von so sensationellen und popularisierten Behandlungen wie J. F. Abels *Geschichte eines Räubers* (1787) oder G. J. Wenzels Drama *Verbrechen aus Infamie* (1788). Und bei Schiller findet sich ein neues, in Diderots Reflexionen noch nicht vorhandenes Motiv: der von Rousseau und vom Sturm und Drang übernommene Gedanke, daß der Mensch im Grunde gut und nur durch die Kräfte der Gesellschaft verdorben sei. So skizzierte Schiller in seiner für die Uraufführung geschriebenen Ankündigung der *Räuber* das Schicksal Karl Moors dahingehend: ungezügelte Glut und schlechte Gesellschaft verdarben sein Herz und rissen ihn von Laster zu Laster. Diese, dem trivialisierten Rationalismus des späten 18. Jahrhunderts teure Vorstellung fand sogar Eingang in die damalige Populärliteratur. Sie lieferte die Thematik für Restif de la Bretonnes *Le Paysan perverti* (1775) wie für Ludwig Tiecks *William Lovell* (1793—1796). In der Kolportage über den »Bayerischen Hiesel«, die Tieck und sein Lehrer Rambach für die *Thaten und Feinheiten renomirter Kraft- und Kniffgenies* schrieben, ist zu lesen: »Durch Umstände, Lage und Convention wurde aus einem so schönen Grundstoff ein mißgestaltetes Ungeheuer gebildet.«[7] Doch hier handelt es sich nur um eine auf die blutrünstigen Abenteuer des Verbrecher-Helden aufgeklebte Gefühligkeit.

Bei Schiller wird diese rationalistische Thematik im Titel angekündigt: »Der Verbrecher aus verlorener Ehre« (1786). Doch Schillers Fassung wäre für uns nicht so interessant, beschränkte sie sich nur auf den seichten Behaviorismus, der den meisten damaligen Werken zugrunde liegt. Gewiß ist es die Geschichte eines durch die Umstände verdorbenen Menschen. Doch Schiller begnügt sich nicht mit äußerer Motivierung. Wie Dutzende von anderen Helden der rationalistischen Verbrechensliteratur wird Christian Wolf wegen Mordes und Wegelagerei verfolgt und hingerichtet. Aber er ist nicht nur durch die Umstände verdammt; er erwägt seine Lage und wählt bewußt ein verbrecherisches Leben: »Ich wollte Böses tun, soviel erinnere ich mich noch dunkel. Ich wollte mein Schicksal verdienen.«[8] Eben diese Entscheidung, diese Verschiebung von der Tat aufs Wesen zeichnet Schillers Erzählung aus. »So wählte er das Schlimmste. Er hatte keine andere Wahl. Sein ganzes Leben ist angelegt: es wird eine Reise zum Ende des Unglücks sein. Später wird er schreiben: ›Ich entschloß mich zu sein, was das Verbrechen aus mir machte.‹ Da er dem Schicksal nicht entkommen kann, will er sein eigenes Schicksal sein; da man das Leben für ihn unlebbar machte, will er diese Lebensunmöglichkeit leben, als hätte er sie ausdrücklich für sich geschaffen, eine ihm allein vorbehaltene besondere Prüfung. Er will sein Geschick; er will versuchen, es zu lieben.« Dieses Zitat stammt nicht aus Schiller, sondern aus Sartres Schrift über Jean Genet.[9] Es könnte aber auch über Schillers »Sonnenwirt« geschrieben sein.

Christian Wolf ist gewiß nicht Genet; er bereut zuletzt. Doch die frappierende Parallele in den anfänglichen Motivationen macht ein anderes Merkmal sichtbar, das allmählich in der literarischen Behandlung des Verbrechens zum Vorschein kommt. Der Verbrecher ist unverdorben geboren; doch sowie seine Entwicklung vom normalen Pfad abgedrängt ist, fängt er an, die Kriminalität zu *wollen*. Die verbrecherische Tat wird zweitrangig; sie ist nur die Manifestation eines titanischen, dem Bösen geweihten Antriebs. Genau dieses Phänomen hielt Ernst Jünger in seinem *Pariser Tagebuch* fest, nachdem er den ersten Band der *Causes célèbres* gelesen hatte: »Die größten Verbrechen beruhen auf Kombinationen, die, logisch gesehen, dem Gesetz überlegen sind. Auch verlagert sich das Verbrechen immer mehr von der Tat in das Sein, um Stufen zu erreichen, auf denen es als abstrakter Geist des Bösen in der reinen Erkenntnis lebt. Endlich verliert sich auch das Interesse — das Böse wird um des Bösen willen getan. Das Böse wird zelebriert.«[10] Diese Gruppierung von Merkmalen — Titanismus, der korrumpierte gute Mensch, der Wille zum Verbrechen, die kriminelle Psyche ein wertvollerer Gegenstand der ästhetischen Behandlung als die kriminelle Tat — ging ein in die Werke der Romantik, wo immer sie sich mit dem Verbrechen befassen. Kleists *Michael Kohlhaas* und die schreckliche Rache des Helden wiederholen fast genau die Formel von Schillers Erzählung. Doch bald prägte die romantische Naturphilosophie diesen Werken ihre Züge auf, so daß sie sich unverkennbar von den Erzeugnissen des Rationalismus unterschieden. Denn wenn die rationalistischen Theorien moderne Soziologie und Kriminologie vorwegzunehmen scheinen, antizipiert die Einstellung in Brentanos *Geschichte vom braven Kasperl und dem schönen Annerl* (1816) oder in E.T.A. Hoffmanns *Fräulein von Scuderi* (1819) die Psychoanalyse.

Hoffmanns Erzählung, die sich teilweise auf die *Causes célèbres* stützt, ist insofern ein Vorläufer der Detektivgeschichte, als sie analytisch von einer mysteriösen Folge von Verbrechen über das Drama eines fälschlich angeklagten Unschuldigen zur Klärung des Geheimnisses fortschreitet. Aber Mademoiselle de Scuderi ist nicht so sehr ein Detektiv als eine Beicht-Mutter: sie zieht keine Schlüsse, sondern wird informiert. Der Titanismus der Geschichte ist noch völlig im Goldschmied Cardillac untergebracht, einer dämonischen, von Naturkräften, über die er keine Kontrolle hat, zu Mord und Diebstahl verurteilten Gestalt. Hierauf richtet sich das Interesse des Erzählers: auf den Unschuldigen, dessen »böser Stern« (ein Leitmotiv, das in dem Werk häufig wiederkehrt) ihn zum Verbrechen treibt. Hoffmanns Theorie der Kriminalität beruht auf dem Glauben, der Charakter eines Kindes werde durch die Erlebnisse der Mutter während der Schwangerschaft beeinflußt. Cardillacs Mutter erliegt im ersten Monat bei einem Hofball den Schmeicheleien eines Kavaliers mit einer »blitzenden Juwelenkette«. Als sie ihn eben umarmen will, die Augen gierig auf die Kette gerichtet, trifft ihren Liebhaber plötzlich der Schlag, und er bleibt tot auf ihr liegen. Nach monatelanger Bettlägrigkeit erholt sie sich schließlich und gebiert einen offenbar gesunden und normalen Sohn. »Aber die Schrecken jenes fürchterlichen Augenblicks hatten *mich* getroffen. Mein böser Stern war aufgegangen und hatte den Funken hinabgeschossen, der in mir eine der seltsamsten und verderblichsten Leidenschaften entzündet« — die unbesiegbare Begierde nach Gold und Juwelen.[11] Diese verhängnisvolle Neigung läßt Cardillac den Beruf eines Goldschmieds ergreifen, und er wird der kunstfertigste Meister ganz Frankreichs. Doch der verbrecherische

Trieb regt sich jedesmal, wenn er gezwungen ist, sich von einer seiner Schöpfungen zu trennen: er findet keine Ruhe, bis er das Stück wiedererlangt, durch Diebstahl oder notfalls durch Mord. In der Gestalt Cardillacs hat Hoffmann sämtliche Merkmale des Verbrecher-Helden vereinigt, die sich bei Diderot und Schiller finden ließen; doch durch die Verlagerung der Verantwortung für Cardillacs Schuld von der Gesellschaft auf die Natur selber hat er seinem Werk die bezeichnende Wendung gegeben, die es zum Produkt eines romantischen Autors macht.

Schiller und Hoffmann — das sind die beiden Namen der deutschen Literatur, die für den selber von Verbrechen und Kriminalität außergewöhnlich faszinierten Dostojewski am meisten bedeuteten. Diese schon in seinen frühesten Werken erkennbare Besessenheit lösten seine Erlebnisse in dem sibirischen Gefängnis Omsk aus, wo der Autor das Material und die Einsichten gewann, die seine sämtlichen Hauptwerke durchziehen sollten. Sein Bericht über jene Jahre *Aus einem Totenhaus* (1862) ist ein Dokument, das bis zu den Enthüllungen Jean Genets in der Literatur so gut wie nichts seinesgleichen hat. Doch obwohl Dostojewskis Kenntnis von Verbrechen aus erster Hand diejenigen seiner Vorgänger weit übertreffen, lassen sich leicht traditionelle Muster unter der Vielfalt der von ihm geschilderten Typen erkennen. Zunächst ist bezeichnend, daß Dostojewski für seine Erinnerungen eine Erzählform wählte. Dieses Mittel gestattete ihm, die Unmittelbarkeit der Erzählung in der ersten Person zu nutzen, und es verschaffte ihm zugleich den für eine objektive Behandlung der verbrecherischen Psyche notwendigen Abstand. Wie Ernest J. Simmons betonte, ist die künstlerische Auswahl im ganzen Werk offensichtlich.[12] Die Wirkung der ästhetischen Einheitlichkeit wird überdies noch durch die auf der letzten Seite konstatierte Thematik erhöht: »Man muß es doch einmal aussprechen: Dieses Volk war doch ein ungewöhnliches Volk! Vielleicht ist gerade dieses Volk der allerbegabteste, allerstärkste Teil unseres ganzen russischen Volkes! Aber nutzlos verkamen die mächtigen Kräfte, verkamen unnatürlich, gesetzwidrig, unwiederbringlich.«[13] Das Titanische des Verbrechens, das hier als allgemeines Prinzip, eines Diderot oder eines Schiller würdig, verkündet wird, findet sich immer wieder in besonderen Fällen wie denjenigen Petrows und Orlows dokumentiert: »Ich kann mit aller Bestimmtheit versichern, daß ich in meinem ganzen Leben keinen Menschen mit einem stärkeren, eiserneren Charakter gesehen habe«, schreibt Dostojewski über den letzteren. »Man erkannte in ihm unerschöpfliche Energie, Tatendurst, wohl auch Lust zu vergelten und das wilde Verlangen, das ins Auge gefaßte Ziel zu erreichen.« Schon das *Totenhaus* wäre ein genügender Beweis für die romantische Auffassung des Verbrechers als eines titanischen, durch äußere Kräfte verdorbenen und nun sein Böses wollenden Menschen, womit Dostojewski in der Tradition Schillers und Hoffmann steht. Doch die eigentliche Bestätigung kommt später, in den fünf großen Romanen. Das deutlichste Beispiel ist *Schuld und Sühne*, denn in diesem Werk ist, wie Gide in seinen Dostojewski-Vorträgen bemerkte, die Trennung zwischen dem Denker und dem Täter noch nicht vollzogen. Diese Unterscheidung, aus der später Helden hervorgingen, die die Tat als Kompromittierung ihres Denkens ansehen, gilt weitgehend für Gide, Hesse und andere. Raskolnikoff dagegen ist noch ein Held nach dem Muster der Verbrecher im *Totenhaus*: einer, der sein Denken in die Mordtat umsetzt.

Schuld und Sühne bedeutet sowohl eine Kritik wie eine Vertiefung des in früheren Werken aufgestellten Musters. Eine Kritik bildet es in dem Maß, als es Raskolnikoffs titanischen Traum von napoleonischem Ruhm, seine Theorie von »gewöhnlichen« und »außerordentlichen« Menschen als trügerisch entlarvt. Und Dostojewskis Überzeugung, daß der Verbrecher unwillkürlich in sich die moralische Forderung nach seiner eigenen Bestrafung erzeuge, läuft auf eine mystizistische Vertiefung der trivialeren rationalistischen Überzeugung von der einfachen Reue des Verbrechers hinaus. In gewissem Grad nimmt Raskolnikoff die späteren Helden vorweg, die das Tun geringschätzen, denn er kommt zu der Einsicht, wie elend sein eigenes Tun mißlang. Die zwar mit peinlich genauen Details geschilderte Tat wird doch in ihrer Bedeutung abgewertet. Dostojewski zeigt, wie R. P. Blackmur überzeugend nachwies, daß Raskolnikoff zum Produkt seines eigenen Verbrechens wird.[14] Anders als der Napoleon seiner Phantasie, der sich durch kühne Taten seine eigene

Welt schafft, wird Raskolnikoff selber durch die elenden Morde verwandelt, die er begeht. Sicher hat Garine, der Held von André Malraux' *Les Conquérants,* das im Sinn, wenn er das in russischen Romanen so übliche Gefühl der Gewissensbisse abwertet. »Diese Autoren haben sämtlich den Fehler, niemanden getötet zu haben. Wenn ihre Gestalten nach dem Mord leiden, dann deshalb, weil sich die Welt in ihren Augen kaum geändert hat.« Für einen wirklichen Mörder, argumentierte Garine, gibt es keine Verbrechen — nur einzelne Mordtaten. Die Welt des Mörders hat sich verwandelt, und er sieht die Wirklichkeit aus einer anderen Perspektive, in der der Begriff des Verbrechens keinen Sinn mehr ergibt.[15]

Im Fall Raskolnikoffs geschieht jedoch das Gegenteil. Statt sich aus einem Menschen mit einer moralischen Auffassung über das Verbrechen in einen Mörder zu verwandeln, der sich weigert, die Existenz des Verbrechens anzuerkennen, wird er gezwungen, die Hohlheit seines titanischen Traums zu erkennen, und er läßt das Gefühl der Reue über seine Tat zu. Diese seine Tat verwandelt Raskolnikoff in solchem Sinn für seine eigene Vorstellung zum Verbrecher. Vor den Morden lehnte er es ab, die Möglichkeit zum Verbrechen bei einem außergewöhnlichen Menschen in Betracht zu ziehen. Die Geschichte seiner Bestrafung jedoch ist die Geschichte, wie in ihm allmählich das Bewußtsein seiner Schuld und seines Sühnebedürfnisses wächst. Eben dieses Gefühl veranlaßt ihn, Porfirij zu reizen und ihn immer näher an die Tatsache heranzuführen, daß er der Mörder ist, und es bringt ihn schließlich zum Geständnis. Mithin hat sich in diesem Roman das romantische Muster in seiner wesentlichen Struktur erhalten, aber es hat in Tiefe und Sinn eine beachtliche Umwandlung erfahren. Der Verbrecher-Held ist plötzlich mit einer derartigen Bedeutung ausgestattet, seine Motivierungen werden so komplex, daß ihm das alte Muster kaum mehr gerecht wird. Wegen Dostojewskis dualistischer Weltsicht läßt sich der Verbrecher nicht mehr total objektiv betrachten; er gehört, wenigstens teilweise, dem Charakter des Autors selber an. Und deshalb löst Raskolnikoff eine andere Reaktion im Leser aus, der ihn objektiv sieht und zugleich dazu tendiert, in sein Verbrechen hineingezogen zu werden.

Infolge dieser wichtigen Verschiebung konnten Autoren der nächsten Generation den Verbrecher in einem neuen Licht sehen: als eine Metapher für den Künstler selber. Doch die originale romantische Tradition erhielt sich, über Dostojewski hinaus, bis in die Gegenwart.

Nietzsches ganze titanische Auffassung vom Verbrecher war fast völlig durch seine Dostojewski-Lektüre bestimmt. In seinen Briefen und Werken von 1887 und 1888 kommt er, nachdem er eben den russischen Schriftsteller entdeckt hat, immer wieder aufs *Totenhaus* zurück. In den später als *Wille zur Macht* veröffentlichten Notizen erklärt er: »Nicht mit Unrecht hat Dostojewski von den Insassen jener sibirischen Zuchthäuser gesagt, sie bildeten den stärksten und wertvollsten Bestandteil des russischen Volkes.« Dann fährt er mit einer für ihn typischen Wendung fort, die gegenwärtige Zivilisation für ihren Mangel an titanischen Verbrechern zu tadeln: »Wenn bei uns der Verbrecher eine schlecht ernährte und verkümmerte Pflanze ist, so gereicht dies unseren gesellschaftlichen Verhältnissen zur Unehre; in der Zeit der Renaissance gedieh der Verbrecher und erwarb sich seine eigene Art von Tugend—Tugend im Renaissancestile freilich, *virtu,* moralinfreie Tugend.«[16]

Gegen Ende der *Götzendämmerung* (1888) widmet Nietzsche, wieder mit Bezug auf Dostojewski, den er den »einzigen Psychologen« nennt, »von dem ich etwas zu lernen hatte«, einen Abschnitt einer Verbrecheranalyse. »Der Verbrecher-Typus, das ist der Typus des starken Menschen unter ungünstigen Bedingungen, ein krankgemachter starker Mensch.« In einer an Schiller und die Aufklärung gemahnenden Passage erklärt er: »Die Gesellschaft ist es, unsre zahme, mittelmäßige, verschnittene Gesellschaft, in der ein naturwüchsiger Mensch, der vom Gebirg her oder aus den Abenteuern des Meeres kommt, notwendig zum Verbrecher entartet.«[17] Der Verbrecher teilt mit allen großen Menschen das Empfinden, der Gesellschaft entfremdet zu sein; doch anders als etwa Napoleon, war er unfähig zu beweisen, daß er stärker als die Gesellschaft ist, und wird daher zum Verbrecher. In einem Brief an Strindberg vom 7. Dezember 1888 bemerkte Nietzsche, daß sich die Geschichte von Verbrecherfamilien unvermeidlich bis zu jemandem zurückverfolgen lasse, der zu stark für ein bestimmtes gesellschaftliches Niveau gewesen sei; und dann erwähnte er ein zeitgenössisches Beispiel: ein ganz neuer Kriminalfall in Paris liefere den klassischen Typus; Prado habe seine Richter und sogar seine Anwälte in Selbstkontrolle, *esprit* und Kühnheit übertroffen. Hier und an vielen anderen Stellen betrachtet Nietzsche den Verbrecher eindeutig als eine von der Gesellschaft korrumpierte titanische Gestalt. Es kommt zu einer versuchsweisen Identifizierung mit dem Genie und dem Künstler; doch da der Verbrecher ein starker Mensch ist, der sein erstrebtes Ziel verfehlt hat, neigt Nietzsche eher dazu, ihn aus objektivierender Distanz und mit Sympathie anzusehen, als sich mit ihm zu identifizieren.

Jean Genets Romane und Stücke, besonders aber sein autobiographisches *Journal du Voleur* (1949), bilden die eindrucksvollsten Dokumente des titanischen Verbrecherbildes im 20. Jahrhundert. »Gewiß, die dem Bösen geweihten Männer sind nicht immer schön«, erklärt Genet im Einleitungsabsatz, »aber sie besitzen wenigstens die Tugenden des Mannes.«[18] Man könnte fast von einem die Kunst imitierenden Leben sprechen, denn Genet stattet kraft seines ästhetischen Bewußtseins seine trübe Welt mit ihren heroischen Dimensionen aus.[19] Besonders tritt das zutage, wenn Genet über so große Kriminelle wie Stilitano spricht, der (abgesehen von seiner Homosexualität) frappierend Dostojewskis Orlow ähnelt: »Vielleicht hätte sich Stilitano allein mit Hilfe der Macht, die er über Menschen besaß, durchsetzen können, ohne daß es dazu noch einer kühnen Tat bedürfte.« »Stilitano war schön, stark und aufgenommen in eine Versammlung gleichartiger Männer, deren Ansehen sowohl auf ihren Muskeln beruhte, als auch auf ihrer Fähigkeit, mit einem Revolver umzugehen.« Die phallische Bildlichkeit, mit der Genet diese Gestalten austattet — ja, mit der er die ganze Welt des Kriminellen einschließlich der Gefängnisbauten selber versieht —, betont nur noch ihren Titanismus. (Wenigstens seit Schiller ist die phallische Darstellung ein Aspekt des Titanismus.) Doch bei Genet wird der romantische Titanismus noch einen Schritt weitergeführt: er schafft einen regelrechten Mythos der Verbrecher und der Kriminalität. So beginnt das Buch mit einer Klage über die Abschaffung der Strafkolonien in Guayana. »Das Ende des Bagnos hindert unser lebendiges

Bewußtsein daran, in die mythischen, die unterirdischen Gefilde vorzudringen.« Auf der letzten Seite bestreitet er den Versuch, aus seinem Buch »ein Kunstwerk, ein vom Verfasser und von der Welt losgelöstes Objekt« gemacht zu haben. Und doch erhalten diese Memoiren wie das *Totenhaus* einen hohen Grad künstlerischer Einheit durch das durchgängige Thema: den Krieg zwischen Verbrecher und Gesellschaft auf mythischer Ebene. Infolgedessen ist das Werk keineswegs einfach ein Bekenntnis, ein Gefühlsausbruch. Durch Mythisierung und ästhetische Gestaltung gelingt es Genet, sein eigenes Leben und das seiner Mitverbrecher mit einem hohen Maß an Objektivität zu behandeln.

In Genets Fall kam der erste Anstoß zum Verbrechen aus der Außenwelt, aus der Gesellschaft, die ihn in seine Rolle drängte, indem sie ihn einen Dieb nannte. Bis zu diesem Punkt hatte der stehlende kleine Junge seine Diebereien als isolierte Tätigkeiten betrachtet; doch dadurch, daß sie ihnen einen Namen gab, zwang sie ihm eine Rolle auf, die ihm zur *raison d'être* wurde. »Falls er Mut hat«, argumentiert Genet, »entschließt er sich, der zu sein, den das Verbrechen aus ihm gemacht hat. Eine Rechtfertigung findet er leicht, denn wie sonst könnte er leben?« Daher ist die Gesellschaft für den Verbrecher notwendig; er kann sich nur behaupten, indem er ihre Gesetze bricht. »Zweifellos verdankt der Schuldige, stolz darauf, schuldig zu sein, seine Einmaligkeit der Gesellschaft. Er muß sie aber schon vorher besessen haben, damit die Gesellschaft sie anerkennen und ihm als Verbrechen anlasten konnte. Ich wollte mich der Gesellschaft entgegenstellen, aber sie hatte mich schon verurteilt. Indes bestrafte sie weniger (um seiner Taten willen) den Dieb, als den unversöhnlichen Feind, dessen einsames Gemüt sie fürchtet.« Deshalb fühlte sich der Dieb Genet in Nazi-Deutschland frustriert: » ›Es ist ein Volk von Dieben‹, — das war es, was ich in meinem Inneren empfand. ›Wenn ich hier stehle, tue ich nichts Außerordentliches, nichts, was mir helfen könnte, mehr aus mir selbst zu machen: ich gehorche der natürlichen Ordnung. Ich zerstöre sie nicht. Ich begehe nichts Böses, verursache keine Störung.‹ «

Wieder und wieder wird die verbrecherische Tat in eine mythische umgemünzt, in eine Geste des Bösen gegen die

Moralität der Gesellschaft. Daher wird die Bedeutung der Tat selber abgewertet. Das Tun des Bösen wird zum eigentlichen Ziel. »Um des Bösen willen riskierte ich ein Abenteuer, das mich ins Gefängnis brachte.« Bei Genet finden sich abermals sämtliche Merkmale des Genres vereinigt: der Titanismus des durch die Gesellschaft Korrumpierten, der daraus resultierende Wille zum Verbrechen und ein Interesse am Verbrechertum statt für die kriminelle Tat. Daß er sich entschlossen hat, diese ganze Autobiographie in einen Mythos zu übersetzen, stellt Genet das letzte für das Werk notwendige Charakteristikum sicher: einen Gesichtswinkel, unter dem der Kriminelle zu einem um seiner selbst willen betrachtenswerten Gegenstand wird. Er berichtet nicht einfach sein Leben. Er reflektiert über dessen tiefere Bedeutung im Rahmen der Moralität, die ihm seine Bedeutung verleiht. Es gibt einen ausgesprochenen Traditionszusammenhang, der mit dem Rationalismus des 18. Jahrhunderts anhob und in der Autobiographie dieses Verbrechers im 20. Jahrhundert gipfelt. Genet hätte sicher keinen Einwand, wenn man seinen Werken den Satz Schillers voranstellte: »In der ganzen Geschichte des Menschen ist kein Kapitel unterrichtender für Herz und Geist als die Annalen seiner Verirrungen.« Und Schiller hätte sich wohl nicht von Genet abgewandt.

Inzwischen dürfte deutlich geworden sein, daß die bisher erörterten Werke sich kaum unter die Überschrift »Ein Porträt des Künstlers als eines Verbrechers« setzen ließen. Die Verbrecher, denen wir bislang begegneten, sind, mit der schwachen Ausnahme Raskolnikoffs, einfache Kriminelle und sonst nichts. Das ist selbst bei Genet der Fall, wo man es allenfalls mit einem Porträt des Verbrechers als eines Künstlers zu tun hat. Seine Kriminalität kam zuerst zustande, und davon geht sein Schreiben aus. Ähnlich ist Hoffmanns Cardillac von seinem »bösen Stern« zum Verbrechen verurteilt, als er sich noch längst nicht entschieden hat, Goldschmied (nämlich ein Künstler) zu werden. Es wäre irreführend, in diesen Fällen von einem Künstler zu sprechen, der sich als Verbrecher projiziert. Deshalb war es nötig, jedesmal das Kriterium der Distanz und Objektivität zu betonen. In all diesen Werken gilt der Verbrecher eher als Gegenstand der Betrachtung denn als Projektion der künstlerischen Subjektivität. Dieses Kriterium unterscheidet jene Werke von einer wesentlichen Gruppe von Romanen des 20. Jahrhunderts, bei denen man zu Recht von einem Porträt des Künstlers als eines Verbrechers sprechen kann.

Abgesehen von allen übrigen Unterschieden und Ähnlichkeiten hat André Gide dies mit Hermann Hesse und Thomas Mann gemeinsam: die Verehrung für Goethe, Dostojewski und Nietzsche wie auch eine besondere Faszination durch Verbrechen und Verbrecher. Die beiden Züge sind nicht ohne Zusammenhang. Das zeigt sich, betrachtet man drei charakteristische Helden aus ihrem frühen Erzählwerk: Gides Michel in *L'Immoraliste* (1902), Thomas Manns *Tonio Kröger* (1903) und Hesses Sinclair im *Demian* (1917, veröffentlicht 1919). Alle drei Gestalten sind Künstler-Intellektuelle; keine begeht ein Verbrechen in juristischem Sinn. Doch die Verbrechensmetapher kommt ihnen in den Sinn, wenn sie ihre Beziehung zu ihrer Umwelt ausdrücken wollen.

Michel beschließt die Erzählung seiner spirituellen Wiedergeburt, indem er seinen Freunden sagt: »Ich habe mich befreit, es ist möglich. Aber was zählt das? Diese gegenstandslose Freiheit ist mir eine Last. Glauben Sie mir, es ist nicht so, daß ich meines Verbrechens müde bin — wenn Sie es so nennen wollen — doch ich muß mir bestätigen, daß ich meine Rechte nicht überschritten habe.«[21] Ähnlich betrachtet Tonio Kröger den künstlerischen Teil seiner Existenz als etwas Verdächtiges und Verächtliches. Er erzählt Lisaweta Iwanowna von einem Bankier aus seiner Bekanntschaft, der ins Gefängnis kam, »und zwar aus triftigen Gründen«; dort wurde ihm seine große schriftstellerische Begabung bewußt: »Aber drängt sich nicht der Verdacht auf, daß seine Erlebnisse im Zuchthause weniger innig mit den Wurzeln und Ursprüngen seiner Künstlerschaft verwachsen gewesen sein möchten als *das, was ihn hineinbrachte* —?«[22] Es ist natürlich eine ironische Bestätigung von Tonios Mutmaßung, wenn er später bei einem Besuch seiner Heimatstadt von der Polizei unter dem Verdacht vernommen wird, ein Individuum »von unbekannten Eltern und unbestimmter Zuständigkeit« zu sein, das »wegen verschiedener Betrügereien und anderer Vergehen von der Münchener Polizei verfolgt wird«. Wie Michel und

Tonio Kröger verwirren Emil Sinclair die Verwicklungen der Welt — in seinem Fall der Welt, der ihn sein Freund Demian aussetzt. Im Vergleich zur puritanisch »lichten« Welt seiner Eltern ist sie ein Bereich dunkler Mächte, die er häufig als »verbrecherisch« bezeichnet. Angesichts der religiösen Metaphern in dem Roman ist es besonders symptomatisch, daß er als Vorbilder seines Verhaltens die »Verbrecher« der Bibel wählt: Kain; den reuelosen Räuber von Golgatha; und (wie Gide und Rilke vor ihm) den Verlorenen Sohn.

Zwei Umstände setzen diese Werke von den anderen behandelten ab. Zunächst befassen sie sich nicht mit dem Kriminellen als Objekt ästhetischer oder moralischer Behandlung. Statt dessen wird der Kriminelle zur Metapher für den Helden, der sich im Widerspruch zur Gesellschaft sieht. Zum anderen ist der Künstler nicht deshalb ein Krimineller, weil er etwas begangen hätte, das sachlich oder rechtlich ein Delikt wäre. Vielmehr hat er die Gesellschaft durch eine Geisteshaltung vor den Kopf gestoßen, durch das, was Gide seine »immoralité supérieure« nennen würde, durch seine Bereitschaft, ja seine Nötigung, sich von den Fesseln der konventionellen Moralität zu befreien und sich damit als Künstler zu verwirklichen. Diese Verbrecher sind Titanen des Geistes, nicht der Tat. Zugleich entdeckt man in ihnen mehr als eine Spur des Schuldbewußtseins, das im Künstler, wie sich im Kapitel 6 gezeigt hat, durch die Vorzugsstellung der Zeitlosigkeit entsteht, aus der er die Welt betrachtet.[23] Und eben dieses unbehagliche Schuldgefühl legt immer wieder die Verbrechermetapher nahe.

Diese Einstellung zur »Immoralität« erklärt in weitem Maß die Anziehung, die der »große Heide« Goethe ausübte, von dem Kierkegaard einmal bemerkte, er sei nur einen Schritt vom Verbrechertum entfernt gewesen. Ich beziehe mich hier auf das Bild Goethes, wie es aus Gides frühen Tagebüchern, aus Thomas Manns Essays »Goethe und Tolstoi« (und etwas weniger aus »Goethe als Repräsentant des bürgerlichen Zeitalters«) und aus Hesses *Steppenwolf* (und weniger aus Hesses verschiedenen Goethe-Essays) hervortritt. Vor allem inspirierte sie alle, was sie als Goethes künstlerischen Egoismus ansahen: seine faustische Bereitschaft, sich um seiner Entwicklung willen jeder Erfahrung zu unterziehen und alle menschlichen Bindungen abzustreifen, die ihn in seiner Berufung als Künstler zu beschränken drohten. Deshalb konnte Gide (in einem Goethe-Essay in *Feuillets d'Automne*) sagen, Goethe habe ihm bei seiner Rebellion gegen traditionelle Moralwerte Zuversicht gegeben. Ähnlich veranlaßt ein Traumgespräch mit Goethe Hesses Harry Haller zu den psychischen — und zuletzt psychedelischen — Erkundungen, die mit der Einsicht in die kriminelle Seite seines eigenen Wesens enden. (»Steppenwolf« nennt er diesen Persönlichkeitsaspekt.) Mehrere der Szenen, die Harry Haller am Schluß des Romans in dem magischen Theater erlebt, enthalten, recht verständlicherweise, verbrecherische Situationen: Töten als *acte gratuit* im genauen Sinn Gides und einen Sexualmord.

Thomas Mann zitiert in einer Auseinandersetzung über die Kriminalität des Künstlers eine Goethe häufig zugeschriebene Bemerkung: »er habe nie von einem Verbrechen gehört, dessen er selbst sich nicht fähig gefühlt hätte.«[24] Mann nennt dies bewundernd »ein gelassenes Wort — eine Herausforderung an die bürgerliche Tugend«. Gide war von der Äußerung gleichfalls fasziniert, die er mit der Bemerkung zitierte, die »größten Intelligenzen« seien auch »die zu großen Verbrechen fähigsten, die sie gewöhnlich nicht begehen, aus Weisheit, aus Liebe und weil sie sich damit begrenzen würden.«[25] Vermutlich war Gides Goethe-Bild, wie Renée Lang bemerkt, in einem gewissen Grad »nietzschisiert«;[26] hier entdeckt man tatsächlich auch deutliche Erinnerungen an Dostojewski. Und doch war in gewissem Sinn jene Mutmaßung richtig. Es ist gewiß schwierig, sich vorzustellen, daß Schiller so etwas gesagt hätte, denn der in seiner moralischen Position stets unbestechliche Schiller betrachtete den Verbrecher als eine Gestalt, deren titanische Energien irregeleitet sind. Er war, wie sich zeigte, nicht imstande, sich mit dem Verbrecher zu identifizieren; er wollte ihn objektiv, aus der Distanz studieren. Eine Prüfung der Werke Goethes jedoch zeigt, daß er und seine Helden tatsächlich fähig sind, die Verbrechermetapher zu benutzen und damit die Position des Künstlers auszudrücken. (Dies ist besonders auffällig, weil das Wort »Verbrechen« in Goethes Vokabular selten vorkommt.) So enthält *Torquato Tasso*, ein Werk, das der junge

Gide besonders bewunderte, die folgenden Reflexionen des Helden (II, 4):

> War's ein Verbrechen? Wenigstens es scheint,
> Ich bin als ein Verbrecher angesehen.
> Und, was mein Herz auch sagt, ich bin gefangen.

Doch Goethe bildete zu seiner Zeit eine Ausnahme. Die wirklichen Autoritäten für die modernen Immoralisten bilden eher die jüngeren Gestalten Dostojewski und Nietzsche. In diesem Zusammenhang war es zumal der Dostojewski der späteren Romane — der von der moralischen Zwiespältigkeit, der Heiligkeit und der Sündigkeit des Menschen gefesselte Psychologe —, der ihnen ein Beispiel bot, und nicht der junge Bewunderer titanischer Verbrecher. So entwickelte Hesse seine Gedanken über den Niedergang der europäischen Moral und den Aufstieg einer neuen und höheren Immoralität in seinen Essays über *Die Brüder Karamasoff* und *Der Idiot*, die zusammen unter dem Titel *Blick ins Chaos* veröffentlicht wurden (1921). »Die Karamasoffs sind zu jedem Verbrechen fähig, aber sie begehen doch nur ausnahmsweise eines, denn meistens genügt es ihnen, das Verbrechen gedacht, es geträumt, sich mit seiner Möglichkeit vertraut gemacht zu haben.«[27] Diese Definition des verinnerlichten Verbrechens stimmt mit der überein, die die Goethe unterschobene Äußerung bei Gide anregte. Über Fürst Myschkin, dessen »Idiotie« in seinem Versuch besteht, alle Wirklichkeit von einem moralischen Standpunkt »jenseits von Gut und Böse« zu betrachten, bemerkt Hesse, er werde nur von Verbrechern und Hysterikern verstanden. Erstaunlich sei, daß »dieser Feind der Ordnung, dieser furchtbare Zerstörer nicht als Verbrecher auftritt, sondern als lieber, schüchterner Mensch voll Kindlichkeit und Anmut«.[28] Abschließend stellt Hesse von Dostojewskis »Verbrechern, Hysterikern und Idioten« fest, daß wir ihnen »ganz anders ins Gesicht sehen, als irgendwelchen Verbrecher- oder Narrenfiguren anderer beliebter Romane, daß wir sie so unheimlich begreifen, daß wir sie so seltsam lieben, daß wir etwas in uns finden, was diesen Menschen verwandt und ähnlich sein muß.«
Die Einstellung in Gides Dostojewski-Vorträgen (1922) und in Thomas Manns Essay »Dostojewski — mit Maßen«

(1946) entspricht im wesentlichen derjenigen Hesses. Auf die
Gestalten in den späteren Romanen wendet Thomas Mann
wiederholt das Wort »Verbrecher« an, um ihr Denken und
ihr Verhalten zu definieren; ja, die ersten Seiten seines Essays bilden die vielleicht beste Feststellung und Analyse der
Kriminalität als einer Metapher des Künstlers, die jemals
geschrieben wurde.[29] »Es scheint unmöglich, von Dostojewskis Genius zu sprechen, ohne daß das Wort verbrecherisch
sich aufdrängte.« Mann bemerkt, Dostojewskis bewußte und
unbewußte Gefühle seien stets von einem schweren Schuldgefühl belastet, »dem Gefühl des Verbrecherischen«. Er weist
darauf hin, daß sich der Idiot bei der Erholung von seinen
Epilepsieanfällen »als Verbrecher fühlte«. Und er kommt
stufenweise zu der allgemeineren Schlußfolgerung, »daß jede
geistige Absonderung und Entfremdung vom bürgerlich Anerkannten, jede denkerische Selbständigkeit und Rücksichts-
losigkeit der Existenzform des Verbrechers verwandt sei und
erlebnismäßigen Einblick in sie gewähre. Ich finde, man darf
weitergehen und sagen, daß überhaupt jede schöpferische
Originalität, jedes Künstlertum im weitesten Sinn des Wortes das tut«. Und er zitiert Degas' Bemerkung, ein Künstler
müsse sich seinem Werk in derselben Geistesverfassung nä-
hern, in der ein Verbrecher seine Tat begehe.[30]
Für unsere Absichten zählt jedoch nicht, inwieweit Thomas
Mann und Hesse (und gleicherweise Gide) Dostojewski richtig analysiert haben. Es scheint gewiß klar, daß sie dazu tendieren, den objektiven Aspekt seines Interesses an Verbrechern zugunsten seiner subjektiven Identifizierung mit ihnen
zu vernachlässigen — eine Blickverschiebung, die sicher durch
die dualistische Auffassung der späteren Romane gerechtfertigt ist. Doch das bleibt unerheblich. Sowohl Hesse wie Thomas Mann haben Dostojewski als Ansatzpunkt für eine
Theorie des Immoralismus genommen, die auf die Empfindung hinausläuft, ein Künstler, der sich einem solchen Immoralismus hingebe, sei im Endeffekt ein Verbrecher. Mit anderen Worten: sie sind selber so daran gewöhnt, die Verbrechermetapher zur Bezeichnung des Künstlers zu verwenden,
daß sie es auch noch tun, wenn sie über Dostojewski schreiben.
Nietzsche ist der dritte in dem Trio von Autoritäten, auf

die sich Thomas Mann, Gide und Hesse beriefen, als sie eine künstlerische Moral jenseits von Gut und Böse aufrichteten. Nietzsche selber hatte, wie gesagt, eine unverkennbar titanische Vorstellung vom Verbrecher. Obwohl er sich gern den »ersten Immoralisten« nannte, um seine ethische Einstellung zu bezeichnen, benutzte Nietzsche nie den Verbrecher als Metapher für seine Position, denn der Verbrecher ist in seinen Augen der Starke, dem der Aufstieg mißlungen ist, ein *Übermensch manqué*. Spricht also Thomas Mann von der »Einsamkeit des Verbrechers« (in dem Essay »Nietzsches Philosophie im Lichte unserer Erfahrung«) oder von Nietzsche und seinem »verbrecherischen Grade des Wissens« (in dem Dostojewski-Essay), so schreibt er seinen eigenen metaphorischen Gedanken Nietzsche zu. Bezeichnenderweise bezieht er sich nicht auf die titanischen Verbrecher von 1887/88, sondern auf den Abschnitt »Vom bleichen Verbrecher« aus *Also sprach Zarathustra* (1883). Denn hier schilderte Nietzsche einen andersartigen Verbrecher: er ist »bleich«, weil er die Last seines Verbrechens nicht ertragen kann. »Gleichwüchsig war er seiner Tat, als er sie tat: aber ihr Bild ertrug er nicht, als sie getan war. Immer sah er sich nun als Einer Tat Täter. Wahnsinn heiße ich dies...« In seinem Dostojewski-Essay erwähnt Thomas Mann, er könne diese Stelle nie lesen, ohne an Dostojewski zu denken; ja er äußert die Vermutung, Nietzsche selber habe beim Schreiben jener Worte Dostojewski im Sinn gehabt. Das ist unmöglich, da Nietzsche erst vier Jahre nach dem Erscheinen des *Zarathustra* zum erstenmal von Dostojewski hörte. Es hat jedoch eine gewisse poetische Wahrheit, denn das Kapitel bildet ein unheimlich genaues Porträt Raskolnikoffs, wenn nicht Dostojewskis.

Die Faszination durch Goethe, Dostojewski und Nietzsche (eine Liste, der sich natürlich weitere Namen anfügen ließen) verschaffte Gide, Hesse und Thomas Mann eine gewisse Autorität für ihre Theorie des künstlerischen Immoralismus, die sie in einer Anzahl von Werken niederlegten. Unvermeidlich mußte die Verbrechermetapher, wie sie in *L'Immoraliste*, *Tonio Kröger* und *Demian* versuchsweise und nur bildlich verwendet wurde, sich früher oder später in Form von Helden verfestigen, die in buchstäblicher Wortbedeutung Verbrecher sind. Denn Metaphern haben — jedenfalls in der modernen Literatur, wie sich bereits im Zusammenhang mit Kafka zeigte — die Tendenz, sich zu verwirklichen. Im Werk jedes von ihnen finden sich kriminelle Gestalten, die das Gewissen des Künstlers repräsentieren: der Mörder Lafcadio in *Les Caves du Vatican* (1914), der Betrüger Klein in Hesses *Klein und Wagner* (1919) und der Hochstapler im *Felix Krull* (begonnen 1911, veröffentlicht 1954).

Sowohl Lafcadio wie Raskolnikoff begehen Morde, doch damit endet die Ähnlichkeit, Raskolnikoff wird durch eine Vielfalt komplexer Motive zu seinen Taten getrieben, doch diese bringen ihn schließlich zur Reue und zum Sühnebedürfnis. Lafcadio stößt Fleurissoire völlig grundlos aus dem fahrenden Zug und empfindet danach nicht das geringste Bedauern.[31] Dieser Mord ist kein Verbrechen in irgendeinem gebräuchlichen Sinn des Worts; er enthält nichts von dem, was man normalerweise bei einem Verbrecher assoziiert. Eher ist er eine zutreffende Metapher für den *acte gratuit,* die unmotivierte Tat, durch die sich der freie Mensch beweist, daß er tatsächlich die Beschränkungen der konventionellen Moral überwunden hat.[32] Er ist im Grunde eine Geste. Gide erkannte natürlich, daß es in der Realität so etwas wie eine völlig unmotivierte Tat nicht gibt. Wie er in seiner Bemerkung über Goethe sagte, begehen die größten Intelligenzen die Verbrechen nicht, deren sie theoretisch fähig sind. Der *acte gratuit* hat eher etwas von einem theoretischen Traum: er ist die logische Erweiterung dessen, was Gide seine »immoralité supérieure« nannte.[33] Seine Faszination durch Verbrecher freilich hängt sicher unmittelbar mit seiner Vorstellung von Freiheit zusammen. Denn in den blutrünstigen Dokumenten über unaufgeklärte Verbrechen, die er unter dem Titel *Ne jugez pas* ... veröffentlichte (1930), zog Gide genau der Umstand an, daß es in diesen Fällen keine erkennbaren Motive gab. Wie sehr unterscheidet sich das von der Befriedigung Dostojewskis, als er in der Zeitung von einem Mord las, den in Moskau ein junger Student »aus nihilistischen Motiven« begangen hatte. Er strich vor seinen Freunden häufig diese Errungenschaft seiner künstlerischen Erkenntnis heraus.[34] Dostojewski war stolz, weil er die kriminelle Psyche gut genug verstand, um ihr Verhalten objektiv vorherzusagen. Gide dagegen durchmusterte die

Realität nach Belegen für den *acte gratuit* und entdeckte sie vorwiegend unter unaufgeklärten Verbrechen.

Hesses Friedrich Klein ist ein Krimineller, der seinem Arbeitgeber eine große Geldsumme unterschlagen, Frau und Kinder verlassen hat und in den Süden geflohen ist, um ein neues Leben und eine neue Identität zu suchen. Jahrelang hatte er seine Persönlichkeit teilweise unterdrückt und die Rolle gelebt, die seine beherrschende Frau, ein anspruchsvoller Chef und seine konformistische Gesellschaft von ihm verlangt hatten. Er war buchstäblich »klein« gewesen. Nun möchte er anderen Impulsen freien Lauf lassen, die er in sich verspürt und sich, aus einsichtigen Gründen, unter dem Pseudonym Wagner zugesteht. Dieser Name erinnert ihn nicht nur an Richard Wagner als das Symbol einer überlegenen künstlerischen, nichtästhetischen Werten gegenüber gleichgültigen Sensibilität; er bezieht sich auch auf die Hauptfigur eines berühmten Mordfalls unmittelbar vor dem Ersten Weltkrieg. (Ernst Wagner war ein psychopathischer Lehrer, der seine Frau und seine vier Kinder ermordete.) Hier findet sich wieder die deutliche Verbindung von Künstler und Verbrecher. »Wagner war der Mörder und Gejagte in ihm, aber Wagner war auch der Komponist, der Künstler, das Genie, der Verführer, die Neigung zu Lebenslust, Sinneslust, Luxus...«[35] Daß Klein unfähig ist, Wagner zu sein — er schreckt im letzten Augenblick angesichts eines Mordes zurück, den er eben begehen will, und ertränkt sich —, steht nicht zur Debatte. Interessant ist abermals das klare Beispiel eines kriminellen Helden, der rein als Metapher für das Gewissen des Künstlers erfunden wurde.

Felix Krull bildet einen weit weniger düsteren Fall. Er hegte nie die geringste Neigung zu Mord oder überhaupt einem Schwerverbrechen. Ja, wie ein echter Krimineller im Sinn Genets beachtet er die Gesetze der Gesellschaft und verdreht sie geschickt so, daß sie sich seinen Zwecken fügen. Doch bei aller Fröhlichkeit, mit der sie auftritt, ist die Verbindung von Künstler und Verbrecher hier nicht weniger entschieden. Sie gehört zu den frühesten Erfahrungen, an die sich der vierzigjährige Krull in der Zelle bei der Niederschrift seiner Memoiren erinnert. Sein Pate Schimmelpreester belehrte ihn in zartem Alter, der Bildhauer Phidias sei auch ein Dieb ge-

wesen, in Athen ins Gefängnis geworfen worden, habe nach
der Aufnahme in den Olymp wieder gestohlen und schließlich im Gefängnis des Zeus geendet. Später greift das Werk
diese Thematik in bezug auf Hermes, den Gott der Diebe,
wieder auf. Krulls ganze Täuschungspraktik und Bauern-
fängerei beruht auf etwas, das auf eine ästhetische Theorie
des absoluten Kunstwerks hinausläuft. »Nur der Betrug hat
Aussicht auf Erfolg und lebensvolle Wirkung unter den Menschen, der den Namen des Betrugs nicht durchaus verdient,
sondern nichts ist als die Ausstattung einer lebendigen, aber
nicht völlig ins Reich des Wirklichen eingetretenen Wahrheit
mit denjenigen materiellen Merkmalen, deren sie bedarf, um
von der Welt erkannt und gewürdigt zu werden.«[36] Wie die
Kritik längst erkannt und worauf Thomas Mann selber hingewiesen hat[37], ist Krull eine Metapher für den Künstler.
Gewiß dient diese Metapher hier komischen Absichten, aber
ihre Bedeutung ist dadurch nicht weniger klar. Für Thomas
Mann ist der Künstler-Intellektuelle unausweichlich mit den
Assoziationen von Immoralität und Kriminalität belastet —
eine Thematik, die eine Hauptrolle im tragischen Geschick
Adrian Leverkühns in Manns *Doktor Faustus* spielt. Obwohl
das Wort »Verbrecher« im *Zauberberg* keine große Rolle
spielt, stellt Hans Castorps »aventure dans le mal« eindeutig eine weitere Variation desselben Grundthemas dar.[38]
Im Werk Rilkes schließlich ist die Metapher, wenn auch nicht
so deutlich entfaltet, dennoch vorhanden. Im Paris seiner
unmittelbaren Erfahrung sieht sich Malte, wie wir gesehen
haben, nicht als Verbrecher, sondern in der milderen Metapher
des »Fortgeworfenen«. Die Wirkung ist natürlich die gleiche, denn in den anderen Werken drängte sich die Verbrechermetapher nicht auf, weil der Verbrecher böse wäre, sondern wegen seiner Entfremdung von der Gesellschaft, sogar
wegen seines sozialen Geächtetseins. Doch die im Wesentlichen gleiche Metapher stellt sich ein, wenn Malte aus der
Gegenwart heraustritt, um die »Vokabeln seiner Not« in »jene[r] schwere[n], massive[n], verzweifelte[n] Zeit«[39] der
Renaissance zu suchen — eben jener Epoche, deren »Verbrecher« auch Nietzsche, Stendhal, Huysmans und Pater bewunderten. Rilke sah sich von diesem Zeitalter angezogen,
denn es »hatte in der Tat Himmel und Hölle irdisch ge-

macht«[40]: die Extreme des menschlichen Verhaltens gaben sich deutlicher zu erkennen als im Fall unserer gemäßigten Gegenwart. »Wer konnte stark sein und sich des Mordes enthalten? Wer in dieser Zeit wußte nicht, daß das Äußerste unvermeidlich war?«[41] Und die Leben, die er mit seltsamer Faszination schildert — dazu ausdrücklich als metaphorische Verlängerungen seines eigenen Wesens —, sind diejenigen »Krimineller«: des Falschen Dmitri, von Brudermördern, Mördern überhaupt.

Eine andere Haltung zeigt sich allerdings, wenn man sich Kafka zuwendet. Der allgemeinen Technik nach erinnert der *Prozeß* an *Les Caves du Vatican, Felix Krull* und *Klein und Wagner;* wie dort handelt es sich im wesentlichen um die Verwirklichung einer Metapher. Kafka erzählt nicht die Geschichte eines Kriminellen, der ihn als objektive Realität interessierte; vielmehr ist Josef K.s Prozeß eine totale und absolute Metapher seiner eigenen Geisteslage. Aber man bemerkt einen wichtigen Unterschied. Zunächst läßt sich das Problem hinter der Metapher nicht mehr auf das des Künstlers und der Gesellschaft reduzieren: denn Kafka denkt, wie sich gezeigt hat, allgemeiner an das, was er für seine Schuld als menschliches Wesen ansieht. Sodann ist der Fall Josef K.s so wenig individualisiert, daß die ursprüngliche Metapher im Verlauf des Romans zum Paradigma oder zur Parabel der gesamten menschlichen Existenz wird. Josef K. ist nicht einfach in dem gleichen Sinn Franz Kafka wie Felix Krull Thomas Mann ist: er repräsentiert Jedermann. Wiewohl Kafka durch die Verwendung der Verbrechermetapher in bezug zu Gide, Hesse, Mann und Rilke steht, nimmt er eine andere Gruppe von Autoren vorweg, für die der Kriminelle nicht mehr eine spezifische Metapher des künstlerischen Immoralismus ist, sondern ein allgemeines Symbol der menschlichen Schuld.

Der Unterschied wird deutlich, vergleicht man Genets Selbstporträt als eines Verbrechers mit Sartres Genet-Studie. Genets eigenes Werk, und zumal das *Journal du Voleur,* gehört in die Tradition des titanischen Verbrechers, der als objektive Gegebenheit gesehen und bedacht wird. Genet definiert seine ganz eigene Existenz durch den Bezug auf die Gesetze und die gesellschaftliche Moral, die zu verletzen ihm Freude macht. Er betont sein Anderssein als Verbrecher und prunkt damit vor dem Leser. Sein ganzer Ehrgeiz besteht darin, die Leser zu zwingen, daß sie ihn annehmen, wie er ist: als einen Dieb, einen Homosexuellen, eine Beleidigung in den Augen der Gesellschaft, einen Verbrecher. Er beschließt sein Buch so: »Zwar bietet mir die Strafkolonie — nennen wir diesen Ort der Welt und des Gemüts beim Namen —, der meine Sehnsucht gilt — größere Freuden als Euere Ehren und Feste. Und doch sind sie es, nach denen ich trachte. Ich möchte von Euch anerkannt, von Euch gesalbt werden.«

Im Gegensatz dazu lautet der Zentralgedanke in Sartres *Saint Genet*, daß dieser Verbrecher, der uns die übelsten Geschwüre seiner Seele enthüllte, in Wirklichkeit der deutlichste Spiegel unseres eigenen Lebens sei: »Wie immer die Gesellschaft sein mag, die auf unsere folgt, seine Leser werden weiterhin erklären, er habe Unrecht, da er sich gegen *jede* Gesellschaft stellt. Doch genau deshalb sind wir seine Brüder; denn unser Zeitalter hat ein schuldiges Gewissen, was die Geschichte anlangt. Es gab Zeiten, die krimineller waren, aber sie kümmerten sich nicht um den Tadel der Nachwelt; und andere machten Geschichte mit reinem Gewissen.«[42] Sartre legt hier offenbar den Finger auf den Unterschied zwischen den von Nietzsche und Rilke gerühmten Renaissanceverbrechern und der dürftigeren Kriminalität der modernen Gesellschaft. Aber er beleuchtet auch einen wesentlichen Unterschied zwischen dem Verbrecher als einer Metapher für den Künstler und als einem gesellschaftlichen Symbol. »Genet, das sind wir. Deshalb müssen wir ihn lesen«, erklärte er auf der letzten Seite. »Genêt hält uns den Spiegel vor: wir müssen hineinsehen und uns selber erkennen.«[43]

Dieses Bild des Verbrechers als eines Spiegelbilds der Gesellschaft weicht radikal von den beiden erörterten Auffassungen ab, und es charakterisiert eine weitere Gruppe von Romanen, die sich kurz untersuchen lassen. Wer sind die »Falschmünzer« in Gides Roman *Les Faux-Monnayeurs* (1926)? Auf literarischer Ebene bezieht sich der Titel natürlich auf eine Bande realer Falschmünzer, deren Geschichte Gide 1906 aus dem *Figaro* ausschnitt. Auf symbolischer Ebene jedoch bedeuten die von den Schuljungen ausgegebenen falschen Münzen die falschen Werte einer ganzen Gesellschaft: die unechten, aber erfolgreichen Romane Passavants, den Eduard verabscheut; die Heuchelei der Eltern der irrenden Schüler; die aus Bequemlichkeit oder im Namen der Tradition von einer Gesellschaft, die die Realität nicht sehen will, akzeptierten falschen Ideen.[44] Diese Gedanken skizziert Eduard in seiner Theorie des Romans (Teil II, Kapitel 3). Das ganze Problem des Schreibens läuft, wie er sagt, auf die Frage hinaus, »wie das Allgemeine durch das Besondere auszudrücken ist — wie man das Besondere dazu bringt, das Allgemeine auszudrükken«. Doch genau dies tut ein Symbol, und das unterstreicht den Unterschied zwischen der Kriminalität in *Les Caves du Vatican* und in *Les Faux-Monnayeurs*. Lafcadios Mord ist im Grunde eine intellektuelle Übung; wenn etwas, dann ist er der Versuch, eine Theorie durch ihre Projektion in die Wirklichkeit auszudrücken. Er besagt wenig über die Gesellschaft als Ganzes und vermittelt nur Gides Theorie der Freiheit und des *acte gratuit*. Die Falschmünzer besitzen in dem Roman eine sehr reale Existenz; zugleich symbolisieren sie die völlig künstliche Haltung der in dem Roman dargestellten Welt.

Wir sahen, daß Döblin ein berufsmäßiges Interesse an Kriminologie und Psychiatrie hatte. Infolgedessen versuchte er, seine Charakteristik Franz Biberkopfs so realistisch und glaubwürdig wie möglich zu machen. Zugleich stellt Biberkopf mehr als »Körperbau und Charakter« eines Kriminellen dar. »Ich hatte«, so erinnert sich Döblin, »vor Jahren eine Beobachtungsstation für Kriminelle. Von da kam manches Interessante und Sagenswerte. Und wenn ich diesen Menschen und vielen ähnlichen da draußen begegnete, so hatte ich ein eigentümliches Bild von dieser unserer Gesellschaft: wie es da keine so straffe formulierbare Grenze zwischen Kriminellen und Nichtkriminellen gibt, wie an allen möglichen Stellen die Gesellschaft — oder besser das, was ich sah — von Kriminalität unterwühlt war. Schon das war eine eigentümliche Perspektive.«[45] Eindeutig ist Franz Biberkopf keine Metapher des Künstlers oder Intellektuellen. Zweifellos besitzt er eine gewisse Ähnlichkeit mit dem titanischen Verbrecher, dem durch gesellschaftliche Kräfte zerstörten guten Menschen. Aber er ist beträchtlich mehr. Die ganze Struktur des Romans mit seinen Montagen der zeitgenössischen Welt konzentriert auf und in Franz Biberkopf alle Strömungen der modernen Gesellschaft, auf die er reagiert und die sein eigenes Verhalten spiegelt. Der Autor unterstreicht, wie sich gezeigt hat, wiederholt seine typologische Bedeutung. Diese Auffassung Biberkopfs als einer symbolischen Gestalt gestattet es Döblin, mit dem Lied auf die Freiheit zu schließen, worin er seine Zuversicht äußert (die wir jetzt nur mit kräftiger Ironie betrachten können), daß die Welt im Begriff sei, sich aus ihrer Tiefe zu erheben und zu einer besseren Gesellschaft aufzusteigen. Doch in dem Maß, als Franz repräsentativ ist, spiegelt er im größten Teil des Romans in seiner Person eben die Kriminalität, die Döblin in der ganzen Gesellschaft seiner Zeit wahrnahm.

Im 32. Kapitel von *Huguenau* trägt Broch eine Theorie des Verbrechens vor, die eng mit der von Genet umrissenen übereinstimmt. Der Verbrecher, so argumentiert er, dürfe nicht mit dem Rebellen verwechselt werden, denn der Rebell protestiere gegen eine bestehende Gesellschaft, um sie zu verändern. Der Kriminelle dagegen — wie Genet im Nazi-Deutschland — fühle sich entschieden unbehaglich ohne den Rahmen einer herkömmlichen Sozialstruktur. Der Dieb und der Falschmünzer (Broch schreibt fast, als hätte er Genet und Gide im Sinn)[46] hätten wenig Interesse an der Ausrufung des Kommunismus, »und der Schränker, der des Abends auf leiser Gummisohle sein Handwerk auszuüben geht, ist ein Handwerker wie jeder andere, er ist konservativ wie jeder Handwerker, und sogar der Beruf eines Mörders, der, das Messer zwischen den Zähnen, die unbequeme Mauer hinaufklimmt, ist nicht gegen die Gesamtheit gerichtet, sondern ist bloß ein persönliches Geschäft, das der Mörder mit seinem Opfer auszutragen hat. Nichts kehrt sich gegen das Bestehende«.[47]

Huguenau ist nach Broch weder ein Krimineller noch ein Rebell; oder eigentlich hat er von beiden etwas. Als »Deserteur« rebelliert er nicht, noch paßt er sich an; er ignoriert einfach die Gesetze der Gesellschaft. Doch in seinem Verhalten während der sechs Monate nach der Fahnenflucht benimmt sich Huguenau völlig wie ein Verbrecher: er droht, betrügt, erpreßt, vergewaltigt und mordet. Zugleich ist er derjenige,

den Broch den wahrhaft »wertfreien« Menschen und damit
»das adäquate Kind seiner Zeit« nennt.[48] Unter den möglichen Antworten auf eine Epoche des Wertverfalls wählen
Pasenow und Esch die falsche, indem sie versuchen, der gegenwärtigen Wirklichkeit zu entrinnen, statt sich ihr zu stellen. Sie befreien sich nicht von den archaischen Systemen der
Vergangenheit, sondern zerren die Ethik mit sich in den Bereich des Instinktiven hinab. Das nennt Broch den Archetypus der tragischen Schuld. »Der Rächer für solche Schuld
entsteht, äußerlich begünstigt durch die Krise 1918, notwendig in dem ›wertfreien‹ sachlichen Menschen (symbolisiert
durch einen fast verbrecherischen Typus, der seinen Kindheitstraum in der Wirklichkeit einfach naiv zu Ende lebt):
Huguenau . . .«[49]
Für Broch, so könnte man fast sagen, ist der Verbrecher mehr
als ein Symbol einer bestehenden Gesellschaft: er wird im
Grunde zum Modell für den Begründer einer künftigen Gesellschaft, einer Gesellschaft, in der die Menschen, die nutzlosen Ideale der Vergangenheit aufgebend, ein neues ethisches Maß schaffen, das realistisch den Erfordernissen der
Zeit angepaßt ist. Deshalb kann Broch darauf beharren, daß
der Epilog »die Möglichkeit des wiederkehrenden Ethos«
andeutet, »ein Blick auf die platonische Freiheit, auf die alleine es ankommt«.[50] Huguenau erreicht diesen Zustand
nicht; wie ein echter Schlafwandler fällt er nach dem Ende
seiner »Ferien« in eine bequeme Garnitur von Teilwerten
zurück. Dennoch repräsentiert er den objektiv »wertfreien«
Menschen, der notwendig jeder auf einem Ethos irdischer
Werte beruhenden Gesellschaft vorangehen muß. Ob Huguenau diagnostisch oder prognostisch gesehen ist, ob seine Kriminalität teilweise durch seine Rebellion und seine Fahnenflucht bedingt ist: in dem Roman fungiert er weder als
objektive titanische Gestalt noch als ein Porträt des Künstlers, sondern als ein Symbol der Gesellschaft als ganzer.
Der Mörder Moosbrugger ist eine der bedeutsamsten Figuren
in Robert Musils Roman *Der Mann ohne Eigenschaften*. Da
eine kritische Ausgabe von Musils Riesenwerk fehlt, müssen
alle Schlüsse über die Bedeutung dieser fraglos symbolischen
Gestalt mit einer Anzahl vorsichtiger Einschränkungen versehen werden. Musils Beschäftigung mit seinem gewaltigen

Werk erstreckte sich über eine Periode von gut vierzig Jahren; seine Vorstellungen änderten sich — häufig ziemlich radikal — im Verlauf der Arbeit. Phasen der Komposition sind in verschiedenen Manuskripten erhalten, aus denen man erfährt, daß der Held erst Achilles, dann Anders und schließlich Ulrich hieß. Die beiden ersten Bände, die Musil selber 1931 und 1933 veröffentlichte, stellen mehr oder weniger seinen eigenen Plan des Romans in eben dieser Phase dar. Doch selbst hier ist das Manuskript nicht völlig integriert, und bestimmte Passagen sind nur in bezug auf frühere Pläne verständlich. Nach Musils Tod im Jahr 1942 veröffentlichte seine Witwe weitere Abschnitte des Romans. Schließlich brachte 1952 Adolf Frisé eine »Standard«-Ausgabe des ganzen Romans heraus; sie ist im Augenblick die einzig zugängliche Edition des Gesamtwerks. Inzwischen scheint klar zu sein, daß Frisés Ausgabe für kritische Zwecke völlig unzuverlässig ist. Nach eigenem Ermessen baute Frisé frühe Fassungen in das spätere Manuskript ein, änderte die Namen und nahm alle nötigen Veränderungen vor, um den oberflächlichen Eindruck der Kontinuität zu wahren. Doch die Edition vernachlässigt völlig gewisse wichtige Änderungen in der Konzeption. Dies betrifft zumal die Gestalt Moosbruggers. Im Licht neuer Forschungen ist es jedoch möglich, einige versuchsweise Bemerkungen über seine vermutliche Bedeutung zu machen.[51]

Moosbrugger ist eine beherrschende Gestalt in der ersten Hälfte des Romans. Schuldig des brutalen Mords an einer Prostituierten (Schatten von *Berlin Alexanderplatz)*, steht er wegen dieses Verbrechens vor Gericht und wird buchstäblich zur *cause célèbre,* die die Aufmerksamkeit aller übrigen Romangestalten auf sich zieht. Als objektiver Fall von Kriminalität bietet er dem Autor Gelegenheit zu essayistischen Spekulationen über das Thema des Strafrechts, über die Zweideutigkeiten in Recht und Psychiatrie (war Moosbrugger etwa zurechnungsfähig, als er den Mord beging?) und sogar zu einer Passage über Musils Lieblingsgegenstand: die Relativität möglicher Meinungen, die man zu einem bestimmten Thema haben kann.

Zugleich ist Moosbrugger entschieden mehr als ein Gegenstand ästhetischer Betrachtung, denn es ist klar, daß er für

Ulrich, den Helden des Romans, tieferen Sinn besitzt. »Moosbrugger ging ihn durch etwas Unbekanntes näher an als sein eigenes Leben, das er führte; er ergriff ihn wie ein dunkles Gedicht, worin alles ein wenig verzerrt und verschoben ist und einen zerstückt in der Tiefe des Gemüts treibenden Sinn offenbart.«[52] Moosbrugger, dieser Sexualtäter mit dem gutmütigen Gesicht, repräsentiert den Heiligen und den Sünder in einem. (Sein Vorname ist übrigens »Christian«.) Der Einfluß Nietzsches und Dostojewskis wird in der Ambivalenz dieser Gestalt offenbar, in der, wie bei den Renaissance-Verbrechern, deren Geschichten Malte erzählt, die Kräfte des Irrationalen in extremer Weise zutage treten. Musils Bemerkungen verdeutlichen, daß dieses Sonderthema des intellektuell-mörderischen Doppelgängers zur frühesten Konzeption des Romans gehört. In mehreren der ersten Fassungen sollten sogar die beiden Aspekte in ein und derselben Gestalt (Achilles) vereinigt werden. Auf einer zweiten Kompositionsebene (auf der der Held Anders hieß), wurde die Doppelperson in zwei Gestalten zerlegt: und Anders sollte versuchen, Moosbruggers Flucht aus dem Gefängnis zu unterstützen. Das scheint darauf hinzuweisen, daß der junge Musil mit Gide, Hesse und Thomas Mann die Auffassung vom Kriminellen als einer Metapher des Künstlers teilte: als einer Projektion der irrationalen Instanz in seinem Dasein.

Allmählich änderten sich allerdings Musils Vorstellungen. Nach allen Anzeichen sollte Moosbrugger nach dem ersten Teil des Romans aus dem Blick verschwinden; und Ulrichs Interesse für ihn sollte sich zu einer kritischeren Betrachtung sublimieren — ohne die metaphorische Erweiterung des persönlichen Engagements. Vielmehr sollte Moosbrugger ausschließlich eine Widerspiegelung der Sexualität, Aggressivität und Verrücktheit verkörpern, die Musil in der zeitgenössischen Gesellschaft beobachtete. Das erklärt das Interesse an Moosbrugger in der öffentlichen Vorstellung. Jedes Gespräch kehrt schließlich zu diesem Kriminellen zurück; jede Frau träumt von Moosbrugger. Und Ulrich gelangt zu der Bemerkung: »... wenn die Menschheit als Ganzes träumen könnte, müßte Moosbrugger entstehen.«[53] Falls es Musils Absicht war, die Betonung derart zu verlagern, dann läge eine Parallele zur Verschiebung von *L'Immoraliste* zu *Les*

Faux-Monnayeurs vor, vom Kriminellen als einer Metapher für den Künstler zu einem Spiegel der Gesellschaft.

Diese Akzentverlagerung ist natürlich nicht auf Schriftsteller beschränkt. Sie scheint ein allgemeines Merkmal der zeitgenössischen Gesellschaft zu sein, und sie sieht aus, als handle es sich um ein fast mythisches Schuldgefühl. Ernst Jünger notierte in seinem Pariser Tagebuch: »Die Perversionen sind nicht eigentliche Abwege — sie sind in Freiheit gesetzte Elemente, die in uns allen gebunden vorhanden und wirksam sind ... So die furchtbare Erregung, in die eine Millionenstadt gegenüber dem Tatbestand eines Lustmordes gerät. Da spürt ein jeder das Klirren der Riegel in der eigenen Unterwelt.«[54] Und Sartre sagt das gleiche am Schluß von *Saint Genet:* »Gewiß möchte er uns Fehler zuschreiben, die zu begehen wir uns nicht einmal träumen ließen. Doch was besagt das? Man warte etwas, bis man beschuldigt wird: die Technik wurde vervollkommnet, man wird ein volles Geständnis ablegen. *Deshalb* wird man schuldig sein.«[55]

Das Phänomen, das Musil in der Gestalt Moosbruggers schöpferisch darstellte und das Jünger und Sartre kritisch analysierten, ist genau dasjenige, das viele Journalisten in den USA und anderswo veranlaßte, über die unheilvolleren Implikationen der Ermordung Präsident Kennedys nachzudenken. Denn viele Kommentatoren (ich meine natürlich nicht diejenigen, die eine Verschwörung mehrerer Leute vermuten) sahen sich zu der Frage genötigt, welche Art von Gesellschaft einen Menschen wie Lee Harvey Oswald hervorgebracht haben konnte. Lasse sich eine derartige Tat als isolierter Zwischenfall verstehen oder sei sie eher die Verkörperung einer tieferen sozialen Zerrüttung? Die Folgerungen aus solchen Gedankengängen sind so schrecklich, daß sie fast so etwas wie einen kollektiven Nervenzusammenbruch bewirkten, wie er sich in der zeitgenössischen Literatur spiegelt. Denn in den jüngsten literarischen Entwicklungen hat der Verbrecher als das einzig »adäquate Kind unserer Zeit« dem Wahnsinnigen Platz gemacht.[56]

Kapitel 10

Der Blick aus der Irrenanstalt

Wer den Bereich der neueren deutschen Prosa betritt, liefert sich den Gesetzen einer verkehrten Welt aus, eines Märchenreichs, in dem normale Beschränkungen nicht mehr gelten und die Alltagsbedingungen aufgehoben sind. Es ist ein Land der Verrücktheit, des Abnormen und Absurden ohne Parallele. In dieser Welt beschließen Leute plötzlich, sich selber zu deformieren, um Kinder zu bleiben und ihre *Blechtrommel* zu schlagen. Sadistische *Riesenzwerge* — nach dem Titel eines preisgekrönten Romans — überfallen ihre Eltern im Bett und binden sie zusammen, damit sie mit lasziver Muße beim Zeugungsakt zusehen können. Riesige Soldaten wandern durch eine *Landschaft in Beton* — ein weiterer Romantitel —, wo sie die unwahrscheinlichsten pikaresken Abenteuer erleben und schließlich ihre Freundinnen durch Bisse in die Halsschlagadern töten. Es ist eine Welt, in der die *Ansichten eines Clowns* — und das schließt nicht die realistischen Erinnerungen an einen Emmet Kelley oder einen Marcel Marceau ein — für mitteilenswert gehalten werden. In dieser Welt sagen bislang normale Leute in Ablehnung ihrer Identität *Mein Name sei Gantenbein* und legen das gelbe Armband und die dunkle Brille des Blinden an, um fortan die Welt aus dieser neuen Sicht zu betrachten.

Es erübrigt sich, weitere Titel zu nennen, denn diese fünf Bestseller bekannter und repräsentativer Autoren[1] sollten genügen, um ein bezeichnendes Phänomen in der deutschen Literatur zwischen 1959 und 1965 zu beleuchten.[2] Zunächst fällt auf, daß der typische Held des deutschen Romans in den frühen sechziger Jahren sich als ausdrückliche Karikatur oder als Zerrbild des menschlichen Wesens vorstellt. Diese Helden sind keine geschlossenen Charaktere, sondern bis an die Grenze des Absurden reichende Übertreibungen gewisser

Züge — Begierde, Sadismus, Verantwortungslosigkeit, verletzende Offenheit und so fort —, die gewöhnlich unterdrückt oder durch andere Persönlichkeitszüge ausgeglichen werden.

Das führt unmittelbar zu einer zweiten Beobachtung. Die in diesen Romanen geschaffene fiktive Welt zeigt sich stets in einer verzerrten Perspektive. Meist hat man es mit Ich-Erzählern zu tun: der Zwerg, der Riese, der Clown oder der angebliche Blinde erzählen ihre eigene Geschichte und bieten so ihren Blickwinkel als den einzig angemessenen an. Wo es einen Erzähler in der dritten Person gibt, identifiziert er sich nach dem Muster Kafkas so sehr mit seinem Helden, daß absolut kein Unterschied zwischen den Ansichten der fiktiven Gestalt und denen des Erzählers zutage tritt, der sonst vielleicht die Welt in ihre gewohnte Perspektive zurückholen könnte. Mit anderen Worten: eine deformierte Welt wird vorgeführt. Deshalb sind wir einen wichtigen Schritt über den Kriminellen des vorigen Kapitels hinaus: der Verbrecher trat als Metapher oder Symbol auf, aber er bestimmte nicht den Blickwinkel der Erzählung. (Selbst Genet akzeptierte den Rahmen der konventionellen Moral.) Hier jedoch handelt es sich um mehr als die einfache Metapher der Verrücktheit: man ist aufgefordert, sich diesen Blick aus der Irrenanstalt zu eigen zu machen.

Schließlich ist die typische Stimmung dieser Welt ein grotesker und häufig makabrer Galgenhumor, der die Absurdität der Alltagswirklichkeit entlarvt und den Tonfall des Romans bestimmt.

Solche Kennzeichen unterscheiden die jüngste Belletristik vom typischen Roman der ersten Nachkriegsjahre. Der repräsentative Held der Periode von 1945 bis 1955 war ein Kriegsheimkehrer, dem die Welt zu Hause fremd geworden war: ein Außenseiter, doch keine Karikatur. Seine Perspektive war leicht verschoben, bezog sich aber noch immer auf das Ganze. Sehr oft trat er in der Maske des typologischen Ahnen Odysseus auf, des möglicherweise ersten Veteranen in der Weltliteratur.[3] Wie Beckmann in Wolfgang Borcherts *Draußen vor der Tür* (1947), wie das nüchterne lyrische »Ich« in den Gedichten Günter Eichs, wie die melancholischen Landser in den frühen Erzählungen Heinrich Bölls konnte er sich nicht ganz mit der herrschenden Realität der Nachkriegswelt identifizieren, aber er bestritt deren Existenz nicht. Im Gegensatz zu der oft skurrilen Fülle der neuesten Prosa war der Tonfall dieser ersten Romane bewußt zurückhaltend und gedämpft.

In seinem Buch über die deutsche Nachkriegsliteratur prägte Marcel Reich-Ranicki[4] eine Anzahl nützlicher Bezeichnungen für diese ersten repräsentativen Autoren: Hans Erich Nossak nannte er den »nüchternen Visionär«; Alfred Andersch einen »geschlagenen Revolutionär«; Siegfried Lenz den »gelassenen Mitwisser«. Man beachte die Adjektive: nüchtern, geschlagen, gelassen. Sie charakterisieren sehr genau den Tonfall der meisten deutschen Prosa bis 1955. Diese Autoren mißtrauten aller stilistischen Effekthascherei und lehnten sie verächtlich als »kalligraphisch« ab. Aber die kennzeichnenden Hauptwörter — Visionär, Revolutionär, Mitwisser — verweisen auf künftige Entwicklungen, denn sie zeigen ein Bewußtsein und eine Spannung an, die einen inneren Konflikt auslösen. Der nüchterne, ruhig die Gesellschaft kritisierende Held kann es sich nur eine Zeitlang leisten, gutmütig belächelt, mit einem Achselzucken toleriert oder mit erschrecktem Erstaunen abgelehnt zu werden. Schließlich übernimmt er die Rolle, die ihm die Gesellschaft aufzwingt: die Rolle des Verrückten, des Hofnarren, des Blinden, der Mißgeburt. Behandelt man einen Autor lange genug als Clown, wird er schließlich als Clown auftreten. Hier liegt ein fast klassischer Fall der kollektiven Verwirklichung einer Metapher vor. Vielleicht, so meint der Autor, kann er in dieser Rolle die Gesellschaft wachrütteln, wenn sie sich weigert, auf nüchterne Ermahnungen zu hören.

Diese radikale Verschiebung der Erzählperspektive zeigt sich nirgends deutlicher als in dem Aufwuchern des Wahnsinns in der neuesten deutschen Literatur. Sie ist ein regelrechtes Irrenhaus. Man denke an drei internationale Theatererfolge aus Deutschland: Friedrich Dürrenmatts *Die Physiker* (1962), Karl Wittlingers *Kennen Sie die Milchstraße?* (1955) und Peter Weiss' *Die Verfolgung und Ermordung von Jean Paul Marat* (1964) spielen sämtlich in Irrenanstalten. Geisteskrankheit repräsentiert sozusagen die Endphase eines Prozesses: die letzte Steigerung der Rolle des Außenseiters, der von der Gesellschaft abgelehnt wird oder sie ablehnt — Alternativen, die letzten Endes aufs gleiche hinauslaufen. Um die Zusammenhänge dieser Entwicklung und die ihr innewohnenden Gefahren zu verstehen, seien einige typische Beispiele betrachtet. Als erstes Ernst Kreuders reizvolles Phantasiestück *Herein ohne anzuklopfen* (1954).

Die Handlung von Kreuders Roman spielt in einer Nervenklinik. Im ersten Kapitel springt der Held aus einem fahrenden Zug, klettert die Mauer hinauf und läßt sich in den Hof der Anstalt fallen, wo er bis zum Schluß des Romans als freiwilliger Pensionsgast bleibt. In diesem Sanatorium ist alles auf den Kopf gestellt. Die Patienten sind bei vollem Verstand; nur der Chefpsychiater ist verrückt. Für Kreuder wurde das Irrenhaus zu einem Refugium, wohin sich normale Leute angesichts der offensichtlich gestörten Alltagswirklichkeit zurückziehen können. Kreuders Held, der in der ersten Hälfte des Buchs namenlos bleibt, äußert dies unzweideutig im zweiten Kapitel seiner Geschichte:

> Wer sich heute umsieht in der Welt, unter den Menschen in seiner Umgebung, und seinen Verstand nicht gänzlich verloren hat, dem graut es vor der schon unvorstellbaren Häßlichkeit, der hassenswürdigen Häßlichkeit, die sich überall zeigt, wo der »gesunde Menschenverstand« ungehindert waltet und wirkt... Wen das Häßliche abstößt, weil er weiß, daß das Schöne nichts anderes als das Wirkliche ist, das unverdorben Wirkliche, der mißtraut den Machenschaften jenes »gesunden Menschenverstandes«, der sich ausnehmend gut dazu eignet, die Darbenden auszunutzen und die Wohlhabenden vor Unbequemlichkeiten zu bewahren, also die Herzlosigkeit zu rechtfertigen und das öffentliche und planmäßige Betrügen zur Lebensaufgabe zu machen. Die Rechnung ist einfach: der gepriesene Nutzverstand schaltet das Menschlichste aus, das Mitfühlen, und damit unterbricht er den Kontakt mit allem Beseelten, mit der Wirklichkeit.

Kreuder bietet ein mustergültiges Modell für die Verrückung der Perspektive, denn die Zweideutigkeit ist in seinem Roman völlig durchgehalten: normal ist verrückt, und verrückt ist normal. Echtes menschliches Verständnis, das das Gute und das Schöne schätzt, gedeiht im Irrenhaus; die Außenwelt befindet sich im Zustand des Wahnsinns. Die Insassen des Sanatoriums leben in völliger Freiheit, denn sie können genau so sein, wie sie wollen, ohne daß sie gezwungen wären, ihnen von der Gesellschaft aufgezwungene Rollen zu spielen. Im Gegensatz dazu wird das Leben draußen von dem geregelt, was Kreuder den »Sommerfahrplan des Zwangsjackenalltags« oder das »Amtliche Kursbuch fürs Lebensalter« nennt, und Freiheit ist eine bloße Illusion.

Doch Kreuders Phantasie bleibt völlig unproblematisch, denn die beiden Welten kommen kaum in Konflikt. Die Insassen können ungehindert ihre Liga der Brüderlichkeit gründen: es fällt ihnen nicht schwer, ihren wahnsinnigen Arzt zu täuschen. Im übrigen kann ihnen die Außenwelt nichts anhaben. Kreuder befaßt sich allein damit, seine verkehrte Welt zu schildern. Er kümmert sich weder um die Verwirklichung seiner Vision noch um die problematische Konfrontation der beiden Welten. Allenfalls interessiert ihn die paradigmatische Gegenüberstellung: man sieht Leben und Ideal, Wirklichkeit und das Absolute. Da die beiden Bereiche durch die Anstaltsmauern getrennt bleiben, kommt es zu keinen Krisen. Das Ganze bleibt eine bezaubernde und sogar lehrreiche Phantasie, da es Kreuder eher um Ästhetik als um Ethik geht.

Doch Kreuders Nachfolger gehen über diesen bloßen Kontrast hinaus. In seinem Roman *Billard um halbzehn* führt Heinrich Böll das Thema einen Schritt weiter, indem er die Konfrontation der beiden Welten in moralische Begriffe übersetzt. Für Böll besitzt das Irrenhaus noch immer den Stellenwert des Absoluten, doch dieser Erzähler ist so gegenwartsengagiert, daß ihn eine Flucht aus der Wirklichkeit nicht befriedigt. Das Irrenhaus wurde zum Ort des Aufschubs, der Wiederherstellung innerer Haltung, und von hier kehrt man zuletzt zum Handeln in die Welt draußen zurück.

Bölls Roman porträtiert eine Familie, die sich hartnäckig geweigert hat, an der häßlichen Realität eines wahnsinnig gewordenen Deutschland teilzuhaben. Wie in Kreuders Roman hat sich jeder der drei Hauptgestalten ein Refugium vor der verabscheuten Welt geschaffen. Der Großvater, Heinrich Fähmel, erdachte sich in der Jugend die soziale Rolle, die er im Leben spielen wollte, und indem er blind diese Rolle fünfzig Jahre lang durchhielt, gelang es ihm, sich von der Wirklichkeit zu trennen; im Innersten fühlt er sich von der Außenwelt nicht berührt. Sein Sohn Robert schützt sich vor dem Zugriff der Welt, indem er sämtliche äußeren Realitäten sofort in ästhetische Abstraktionen übersetzt: für ihn findet das Leben am Billardtisch oder in den mathematischen Formeln statt, die er sich zur Unterhaltung erfindet. Doch die Großmutter, Johanna, hat am folgerichtigsten gehandelt: sie ist ins Irrenhaus geflohen.

Johannas angeblicher »Wahnsinn« offenbarte sich sehr früh. 1917 veranlaßte sie ihr Widerwille gegen den Ersten Weltkrieg, seinen Urheber öffentlich als »kaiserlichen Narren« zu titulieren — ein Fall von *Majestätsbeleidigung,* die man damals mit geistiger Schwäche infolge ihrer Schwangerschaft entschuldigte. (Schon hier ist zu sehen, daß Kreuders Formel noch gültig ist: wer deutlich die Wahrheit erkennt, wird als verrückt abgeschoben.) Johannas »Geistesschwäche« zeigt sich wieder während des Zweiten Weltkriegs, wenn sie sich weigert, aus dem landwirtschaftlichen Besitz der Familie Lebensmittel anzunehmen, auf die sie keinen gesetzlichen Anspruch hat. Statt dessen gibt sie Brot, Butter und Honig an weniger begünstigte Fremde weiter. Ihre christliche Liebe zu ihren Mitmenschen, die sie nicht nur prinzipiell bekräftigt, sondern auch in die Tat umsetzt, gilt wieder als Verrücktheit. Schließlich fällt ihr bemerkenswertes Verhalten, das auch die Form der Kritik an der Regierung annimmt, den Behörden auf, und sie hat nur noch eine Möglichkeit, sich zu retten. 1942 läßt sie sich für geistesgestört erklären und zieht sich ins Irrenhaus zurück. Aber noch sechzehn Jahre später, 1958 (das Jahr, in dem der Roman spielt), zieht Johanna das Leben in der Anstalt dem alltäglichen in der Bundesrepublik Deutschland vor, und ihre Erklärung erinnert deutlich an Kreuders liebenswerten Verrückten. »Ich kann nicht wieder«, sagt sie, »in den Zirkel treten — ich habe Angst. Viel mehr als damals. Ihr habt euch offenbar an die Gesichter schon gewöhnt, aber ich fange an, mich nach meinen harmlosen Irren zurückzusehnen.« Abermals ist die Anstalt der Ort brüderlicher Liebe und wahrer Humanität, im Gegensatz zur verlogenen Realität der angeblich vernünftigen Welt.

Diese umgekehrte Symbolik tritt im Verlauf des Romans noch deutlicher durch die Einführung von Parallelgestalten zutage. Zum Beispiel erwähnt Böll einen Pfarrer, den die Kirchenbehörden wegen seiner verrückten Ideen in ein abgelegenes Dorf abgeschoben haben:

> Da predigt er über die Köpfe der Bauern, die Köpfe der Schulkinder hinweg; sie hassen ihn nicht, verstehen ihn einfach nicht, verehren ihn sogar auf ihre Weise wie einen liebenswürdigen Narren; sagt er ihnen wirklich, daß alle Menschen Brüder sind? Sie wissen es besser und denken wohl heimlich: »Ist er nicht doch ein Kommunist?«

Wir haben es immer noch mit der gleichen Verrückung der Perspektive zu tun, wie wir sie im Roman Kreuders bemerkt haben. Der Blick aus dem Irrenhaus ist tatsächlich derjenige, mit dem sich der Autor identifiziert — und zusammen mit ihm natürlich der Leser —, während die Alltagswelt verrückt und erlösungsbedürftig bleibt. Doch Böll baut in diese im Grunde explosive Welt einen Zünder ein, wenn er, anders als Kreuder, den beiden Welten gestattet, in Berührung zu kommen.

Der Roman spielt auf verschiedenen Zeitebenen. Einerseits erfährt der Leser durch häufige Rückblenden, wie es im Lauf von fünfzig Jahren dazu kam, daß sich Großvater, Großmutter und Sohn der Familie Fähmel gegen die herrschende Realität abkapselten. Andererseits drängt es auf der Ebene der gegenwärtigen Handlung zu einem Augenblick der Entscheidung. Für Böll zählt dies: nicht die bloße Darstellung der Modellsituation, sondern der Augenblick der Entscheidung und des Tuns. An diesem Septembertag 1958 erkennen plötzlich alle drei Hauptfiguren, daß es nicht ausreicht, abseits vom Leben zu stehen und aus ästhetischer Distanz zuzusehen; es gilt, aktiv einzugreifen. Mit anderen Worten: man muß aus der sicheren Idylle des Irrenhauses in das Chaos der Alltagswelt zurückkehren, falls man sich als freies Individuum behaupten will. In diesem Punkt geht Böll über Kreuders ästhetische Antithese von real und ideal hinaus. Doch die Konfrontation des absoluten Ethos im Irrenhaus mit der relativierten Wirklichkeit der Welt bringt schwierige Probleme mit sich.

Mutter Fähmel beschließt, energisch gegen das verlogene Leben der Gegenwart zu protestieren, wo genau die Leute, die in der Naziregierung hohe Ämter innehatten, noch immer in höchst verantwortlichen Stellungen sitzen. Sie kehrt in die Wirklichkeit zurück, und mit einer gestohlenen Pistole schießt sie auf einen Staatssekretär — einen Menschen, der Deutschland auf den gleichen verhängnisvollen Weg zu bringen droht, der es schon in zwei Weltkriege führte. Sie schießt nicht aus Rache, wie sie sagt, sondern um weiteres Unheil zu verhindern. Sie nennt den Politiker den »Mörder meines Enkels« und sagt, sie begehe keinen Tyrannenmord, »sondern Anständigenmord«. Ihr Schuß ist das Symbol ihres Protests gegen die verlogene Anständigkeit einer Generation, die ein kaum vergangenes Böses vergessen hat, und er erschüttert die schützenden Schneckenhäuser, in denen die Familie seit Jahren lebt. Hier, am Schluß des Romans, beschließen Großvater wie Sohn, in die Wirklichkeit zurückzukehren (aus der jener im Alter von neunundzwanzig geflohen ist), und übernehmen eine aktive Rolle im Leben. Der Staatssekretär ist mit einer leichten Verwundung davongekommen; Johanna beruft sich auf den Paragraphen 51 des Strafgesetzbuchs (Unzurechnungsfähigkeit)[5] und wird wieder in ihr Irrenhaus gebracht, wo sie sich auf jeden Fall am meisten heimisch fühlt. Alles hat sich offenbar gelöst. Was die Familie anlangt, so hatte der Schuß fraglos eine wohltätige Wirkung: Heinrich und Robert geben sich nicht mehr damit zufrieden, die Welt herablassend aus ästhetischer Distanz zu beobachten. Sie werden, jeder auf seine Art, die sichtbaren Übel der Welt zu erleichtern suchen.

Doch bleibt nicht ein nagendes Gefühl des Unbehagens zurück? Wie, wenn der Staatssekretär gestorben wäre? Ist Böll hier nicht einem dornigen Dilemma ausgewichen? Denn wenn in dem Roman die Wahnsinnsperspektive diejenige ist, mit der man sich identifizieren soll: hat dann der Verrückte wirklich das moralische Recht, einen Mord zu verüben? Und falls ja: wird nicht die symbolische Wirkung des Protests augenblicklich durch die Berufung auf Unzurechnungsfähigkeit nach Paragraph 51 wieder aufgehoben? Man kann einen Protest nur ernst nehmen, wenn der Protestierende bereit ist, sein eigenes Leben einzusetzen und die Konsequenzen des Protests zu tragen. Ist es nicht unlogisch, daß sich die moralische Haltung, für die der Autor unsere Sympathie gewonnen hat, am Ende als »Unzurechnungsfähigkeit« herausstellen soll?

Die Frage so zu stellen, ist natürlich absichtlich grobschlächtig und Böll gegenüber etwas unfair. Erstens stirbt der Staatssekretär nicht; und dann ist Mutter Fähmel nicht die repräsentative Gestalt des Romans. Aber Bölls Buch enthüllt die Schwierigkeiten, die sich daraus ergeben, wenn jemand versucht, den Wahnsinn als Modell des absolut Guten mit der Realität des Alltagslebens zu konfrontieren. Das Irrenhaus ist als Symbol der Wahrheit nur solange gültig, als es hermetisch abgeschlossen bleibt wie in Kreuders Roman. Sowie das Absolute in die Welt eingreift, erheben sich unvermeidlich gewisse moralische Dilemmas, die sich nicht leicht abtun lassen. Bölls Roman deutet nur vorsichtig dieses Problem an. Thomas Valentins erster Roman klingt im Grunde wie eine Antwort auf die bei Böll eingeschlossene Frage. In *Hölle für Kinder* (1961) ist der Zwiespalt zwischen absoluter Wahrheit und Handlung zur letzten Konsequenz verschärft. Abermals wird eine Handlung in der Gegenwart durch eine Reihe von Rückblenden grell beleuchtet. Der Handelsvertreter Ernst Klewitz wird als ein Mensch vorgestellt, der eine elende Kindheit hatte — ein Umstand, der ihn zu dem bitteren Schluß veranlaßt, das Leben sei nichts als eine Hölle für Kinder. Diese Überzeugung entwickelt sich — unabhängig von ihrer Richtigkeit — im Fall Klewitz' zu einer wirklichen Psychose und führt schließlich zu einem Nervenzusammenbruch. Um diese Zeit lernt Klewitz einen Jungen kennen, dessen unglückliches Dasein ihn an seine eigene Kindheit erinnert. Er entschließt sich wie Bölls Mutter Fähmel zum Handeln. Um das Kind vor seinen trunksüchtigen Eltern zu retten, will er mit ihm fliehen. Als die Polizei die beiden an der Grenze stellt, entscheidet sich Klewitz, den Jungen lieber zu töten, als ihn wieder den Schlägen seiner brutalen Eltern auszuliefern.

Man sieht: Valentin hat hier das von Böll nur implizit nahegebrachte moralische Dilemma auf die Spitze getrieben. Gewiß ist Klewitz' Überzeugung, sein Blick aus dem Irrenhaus, in einem absoluten Sinn so richtig wie diejenige der Mutter

Fähmel. Doch ihm gelingt es, den Mord zu begehen, den sie verpfuscht, und der Leser, der sich bis zu dieser unerwarteten Wendung mit Klewitz identifiziert hat, prallt plötzlich entsetzt zurück. So richtig sie sein mag: berechtigt Klewitz' Anschauung ihn, ein Menschenleben zu vernichten? Und hier trifft man, ganz zum Schluß, auf eine überraschende Wendung. Klewitz' Verteidiger will ihn überreden, sich auf den Paragraphen 51 zu berufen, doch Klewitz lehnt es ab, etwas anzunehmen, das ihm als billiger Ausweg erscheint.

> Wieso bin ich plötzlich mitten im Leben eine Woche lang unzurechnungsfähig? Ich nehme das Geschenk nicht an! Ich begreife nicht, warum sie mir diese Tür aufmachen, Tür in die Freiheit, zeitweise verrückt zu sein. Ich begreife überhaupt nichts mehr, außer einem: sie können mir die Verantwortung nicht abnehmen! Ich will ihr widerliches Mitleid nicht.

Valentin plädiert so leidenschaftlich wie Böll für eine Veränderung der Welt. Auch für ihn ist der Blick aus dem Irrenhaus die Wahrheit. Aber er geht bis zur letzten Konsequenz dieser Einstellung. Sind die Umstände völlig verkehrt, dann ruht nun die Verpflichtung zur moralischen Verantwortlichkeit auf dem Verrückten. Er kann sich nicht mehr unter dem Schutz des Paragraphen 51 in die idyllische Welt des Irrenhauses zurückziehen; er muß sich der Justiz unterwerfen. Das Absolute ist nur im Irrenhaus gültig; im Leben hat man Kompromisse zu schließen. So bleibt das Modell bestehen — aber es ist nur ein Modell.

Das ist vielleicht die letzte Erklärung für die überraschenden Wendungen, die den Leser am Ende dieser beiden Romane in Erregung versetzen. Die Autoren setzen ihr ganzes Geschick ein, um uns für die verkehrte Perspektive zu gewinnen — und schockieren uns dann mit dem Dilemma, das sich ergibt, sowie jemand versucht, diese Wahrheit im Leben selber anzuwenden. Das also ist die ironische Bedeutung dieser Romane: daß eine Welt, in der es solche moralischen Sackgassen geben kann, dringend der Veränderung bedarf. Unter der Maske des Verrückten blickt der Revolutionär hervor, der seine Meinungen nicht mehr nüchtern und gelassen äußert. Er macht uns zu Komplicen der begangenen Verbrechen und Morde — übrigens eine von Dostojewski gelernte

Lektion. Und der Leser, der sich in die verlockende Perspektive der »Verrücktheit« hat versetzen lassen, kann sich nicht mehr der zuletzt geforderten moralischen Verantwortlichkeit entziehen. Das bildet die geschickteste Anwendung der *littérature engagée*. Der nüchterne Heimkehrer, der fünfzehn Jahre früher »draußen vor der Tür« stand, grinst uns nun aus dem Portal des Irrenhauses entgegen.

Dieses tiefe Interesse für Geisteskrankheit ist natürlich nicht auf die Nachkriegsliteratur beschränkt. Die Forschung kennt längst die Wahnsinnsthematik in den Werken der deutschen Romantik[6], und nicht zufällig tritt das Phänomen gerade in dieser Epoche auf. Denn der »Wahnsinn« war in seinem heutigen Sinn effektiv bis zum Ende des 18. Jahrhunderts nicht definiert. Das Wort existierte im Deutschen wenigstens seit Luthers Bibelübersetzung im ersten Drittel des 16. Jahrhunderts, doch der Begriff enthielt für den Renaissancemenschen eine völlig andere Vorstellung: Wahnsinn war ein ehrwürdiges spirituelles (numinoses) Geschlagensein, nicht versteh- und heilbare Geistesverwirrung. Erst als der Begriff des Wahnsinns etwa zwei Jahrhunderte später säkularisiert wurde, kam das Wort als Bezeichnung für einen Zustand der geistigen Erkrankung allgemein in Gebrauch. Diese semantische Tatsache steht mit einem seltsamen historischen Umstand in Beziehung. Selbst im Vernunftzeitalter traf man keine klare Unterscheidung zwischen dem Wahnsinn und anderen, willkürlich als irrational zusammengefaßten Verhaltensweisen. Die großen Haftanstalten, für die das 17. und das 18. Jahrhundert berüchtigt sind, wurden unterschiedslos für Wahnsinnige, Kriminelle und Verarmte hergenommen. Irrenanstalten zur speziellen Pflege von Geistesgestörten kamen erst nach der Französischen Revolution auf. Michel Foucault datiert die moderne Einstellung gegenüber dem Wahnsinn auf das Jahr 1794, als man die Insassen von Bicêtre von ihren Ketten befreite. Von da an betrachtete man Wahnsinn mit neuer Sympathie und neuem Interesse. Ein ähnlich symbolisches Datum ließe sich wohl auch für Deutschland feststellen.

1796 veröffentlichte Christian Heinrich Spiess eine Sammlung *Biographien der Wahnsinnigen*, die dem öffentlichen Bedürfnis ebenso entgegenkamen wie im Fall der Kriminalität die *Causes célèbres.*[7] Das Vorwort enthält sogar eine ähnlich rationalisierende Rechtfertigung:

> Wahnsinn ist schrecklich, aber noch schrecklicher ist's, daß man so leicht ein Opfer desselben werden kann. Überspannte, heftige Leidenschaft, betrogene Hoffnung, verlorene Aussicht, oft auch nur eingebildete Gefahr, kann uns das kostbarste Geschenk des Schöpfers, unsern Verstand, rauben, und welcher unter den Sterblichen darf sich rühmen, daß er nicht einst im ähnlichen Falle, folglich in gleicher Gefahr war? Wenn ich Ihnen die Biographien dieser Unglücklichen erzähle, so will ich nicht allein Ihr Mitleid wecken, sondern Ihnen vorzüglich beweisen, daß jeder derselben der Urheber seines Unglücks war, das es folglich in unserer Macht steht, ähnliches Unglück zu verhindern.

Die Literatur der Epoche weist viele Gestalten auf, die unsicher am Rand des Wahnsinnsabgrunds entlangtanzen. Man denke an den verzweifelten Harfner in Goethes *Wilhelm Meisters Lehrjahre* (1795/96), an den Poeten Balder in Ludwig Tiecks *William Lovell* (1793—1796), den zornigen Nachtwächter in den anonymen *Nachtwachen von Bonaventura* (1805), den geheimnisvollen Doppelgänger in E.T.A. Hoffmanns *Elixieren des Teufels* (1815/16) oder den Komponisten Johannes Kreisler, der in mehreren Werken Hoffmanns auftritt. Im großen ganzen lassen sich diese und die häufigen anderen Fälle auf einen gemeinsamen Nenner bringen. Diese Figuren, die sämtlich hoch begabt sind, enthüllen die Gefahren eines romantischen Subjektivismus, der bis an die Grenze des Solipsismus übertrieben ist. Anders gesagt: diese Wahnsinnigen sind die Karikaturen eines Zeitalters, das sich mit Haut und Haaren der Philosophie Fichtes und Schellings verschrieben hat. Höchst deutlich äußert sich das in der irren Rede des Herzogerziehers Schoppe in Jean Pauls Roman *Titan* (1800—1803):

> Herr, wer Fichten und seinen Generalvikar und Gehirndiener Schelling so oft aus Spaß gelesen wie ich, der macht endlich Ernst genug daraus. Das Ich setzt sich und den Ich samt jenem Rest, den mehrere die Welt nennen ... Das Ich denkt Sich, es ist also Ob-Subjekt und zugleich der Lagerplatz von beiden — Sapperment, es gibt ein empirisches und ein reines Ich ... Al-

les kann ich leiden ... nur nicht den Mich, den reinen, intellektuellen Mich, den Gott der Götter — Wie oft hab ich nicht schon meinen Namen verändert wie mein Namens- und Tatenvetter Scioppius oder Schoppe und wurde jährlich ein anderer, aber noch setzt mir das reine Ich merkbar nach.[8]

Es wäre eine reizvolle Übung, diesen parodierten Fichteanismus durch die Werke der Romantik zu verfolgen, doch das Ergebnis bliebe überall das gleiche. Wahnsinn gilt als Zustand einer pathologisch übertriebenen Empfindsamkeit, eines ins absurde Extrem getriebenen Subjektivismus. Zuweilen ist dieser Subjektivismus Gegenstand der Persiflage (wie bei Jean Paul); zuweilen wird er als ernste Warnung vorgeführt (wie bei Tieck); zuweilen stellt er ein Mittel der Erkenntnis dar (so bei E.T.A. Hoffmann). Doch im Gegensatz zur charakteristischen Auffassung des Wahnsinns in der zeitgenössischen Literatur lassen sich die folgenden Unterschiede entdecken. Erstens besitzen diese Fälle keinen typologischen Stellenwert; sie sind Ausnahmen (häufig Künstler oder Menschen mit künstlerischen Neigungen), die tieferen Einblick in die Geheimnisse der Natur besitzen als der Durchschnittsbürger. So sollte nach den Paralipomena des Novalis der Held des *Heinrich von Ofterdingen* an einer Stelle einen »freiwilligen Wahnsinn« auf sich nehmen, um »den Sinn der Welt« zu erraten. Doch diese Erkenntnis entwertet keineswegs den Sinn der Alltagswelt, sondern transzendiert und intensiviert diesen Sinn nur. Zweitens befassen sich diese Wahnsinnigen nur mit metaphysischen und transzendentalen Angelegenheiten; ihre Verrücktheit bringt sie nicht in Konflikt mit der herrschenden Realität. Die beiden Welten stehen also nicht kontradiktorisch, sondern komplementär zueinander: zwei Ebenen derselben organischen Einheit, die für romantische Sicht die Natur darstellte.

Übergeht man die liebenswerten Sonderlinge bei Gottfried Keller, Theodor Storm und Wilhelm Raabe — sie sind gewöhnlich nur überempfindlich und ohne Anzeichen einer wirklichen Geistesstörung —, dann begegnet man erst wieder im frühen 20. Jahrhundert einer ausdrücklichen Faszination durch das Phänomen des Wahnsinns.[9] In den Hauptromanen der zwanziger und dreißiger Jahre spielt der Wahnsinn abermals eine wichtige symbolische Rolle: man denke etwa an den

Mörder Moosbrugger in Musils *Mann ohne Eigenschaften,* den Steinmetz Gödicke im Brochs *Schlafwandlern* und an Franz Biberkopf im letzten Buch von *Berlin Alexanderplatz.* In diesem Zusammenhang erinnert man sich auch an die Geschichten Georg Heyms, die Wahnsinnsbilder in den Gedichten Georg Trakls oder an das armselige Ende Adrian Leverkühns in Thomas Manns *Doktor Faustus.* Die Beispiele aus den Werken der Epoche lassen sich leicht vermehren.

Doch die Zeiten haben sich geändert. Hier erfüllt der Wahnsinn eine gänzlich andere Funktion, als ihm in der Romantik oder der gegenwärtigen Erzählkunst zukommt. Zunächst sind diese Gestalten — Leverkühn, Heyms Wahnsinniger in *Der Irre,* Gödicke, Moosbrugger und Biberkopf — ausnahmslos klinische Fälle wirklicher Geisteskrankheit: sie repräsentieren weder einen übertriebenen Subjektivismus noch den »richtigen« Standpunkt. Das an Freud geschulte psychiatrische Interesse der Generation offenbart sich sowohl in der sorgsamen Motivation wie in der tatsächlichen Beschreibung der Psychosen.[10] Sodann symbolisieren diese Wahnsinnsfälle eine ganze, vom Wahnsinn durchsetzte Zivilisation. Ludwig Gödicke, der laut Broch einen totalen Zusammenbruch erlitten hat und nun schmerzhaft die Komponenten seines Ich wiedervereinigen muß, entspricht einem pluralistischen Zeitalter, das seine einigende Wertmitte verloren hat. Und auf die symbolische Parallele zwischen dem Wahnsinn Adrian Leverkühns und dem Untergang Deutschlands in der Nazizeit wurde häufig hingewiesen.

Döblin notierte 1927 während der Abschlußarbeiten an *Berlin Alexanderplatz,* er habe während seiner Tätigkeit als Assistenzarzt in Irrenanstalten etwas sehr Wichtiges gelernt: »Damals bemerkte ich, daß ich nur zwei Kategorien Menschen ertragen kann neben Pflanzen, Tieren und Steinen: nämlich Kinder und Irre.«[11] Diese Feststellung ist offensichtlich eine rhetorische Übertreibung, aber sie erklärt etwas von der Zartheit und den klinischen Details, mit denen Döblin die Wochen Franz Biberkopfs im Sanatorium Buch schildert. Überflüssig zu sagen, daß Biberkopfs Paranoia auch als symbolisch für die Verfaßtheit der Epoche zu sehen ist: für eine Krankheit, von der Döblin hoffte, sie werde durch größere Selbsterkenntnis, Opfer und Todeswissen geheilt.

Musils Moosbrugger schließlich ist nicht nur ein Verbrecher: auch ein Wahnsinniger, der vor seinem Prozeß wegen der Ermordung einer Prostituierten in mehrere Heilanstalten kam und wieder entlassen wurde. Musil scheint diese beiden Funktionen voneinander zu trennen. Moosbruggers Anwälte, so wird berichtet, machten kaum Gebrauch »von der nächstliegenden Erklärung, daß man einen Geisteskranken vor sich habe... Es sah so aus, als sträubten sie sich vorläufig noch, auf den Bösewicht zu verzichten und das Geheimnis aus der eigenen Welt in die der Kranken zu entlassen, worin sie mit den Psychiatern übereinstimmten, die ihn schon ebenso oft für gesund wie für unzurechnungsfähig erklärt hatten«.[12] Sogar Moosbrugger selber spielt das Spiel mit und benutzt französische und lateinische Ausdrücke, die er in verschiedenen Gefängnissen und Irrenanstalten aufgeschnappt hat. »... Moosbrugger läßt sich keine dieser Gelegenheiten entgehen, um in öffentlicher Verhandlung seine Überlegenheit über die Psychiater zu beweisen und sie als aufgeblasene Tröpfe und Schwindler zu entlarven, die ganz unwissend seien und ihn, wenn er simuliere, ins Irrenhaus aufnehmen müßten, statt ihn ins Zuchthaus zu schicken, wohin er gehöre.« Trotz des Schwankens zwischen Verbrechen und Wahnsinn, zwischen Verrücktheit und moralischer Verantwortlichkeit ist klar, daß Moosbrugger die kollektive Psychose einer ganzen Gesellschaft symbolisiert.

In all diesen Fällen handelt es sich um Geistesstörung im genauen Wortsinn — nämlich um echte Psychosen —, und dieser Wahnsinn wird einem wahnsinnigen Zeitalter als Spiegel vorgehalten. Das unterscheidet sich radikal von der früher festgestellten literarischen Funktion. Denn in den Werken Bölls, Kreuders und Valentins ist der Wahnsinn überhaupt nicht — oder wenigstens nicht primär — ein psychiatrischer, sondern ein moralischer Zustand. Und er spiegelt nicht die Epoche wider, sondern zeigt sich in dialektischem Widerspruch zur herrschenden Wirklichkeit.

Wahnsinn als literarisches Symbol hat eine lange und ehrwürdige Geschichte — eine Geschichte, die zurückreicht bis zum *poeta vates* der Antike und zu der *Don Quijote* ebenso gehört wie *Der Idiot* Dostojewskis. Doch die Bedeutung des

Symbols wechselt mit den Zeiten. Es bildet einen bequemen Rahmen, in den jede Generation ihre eigenen Werte einsetzt. In seiner Studie über den »Sonderling« in der deutschen Literatur bemerkt Herman Meyer, dieser Sonderling, der so häufig in der Literatur des 18. und 19. Jahrhunderts auftritt und der dem Wahnsinnigen so nahe verwandt ist, verschwinde praktisch mit dem Auftreten des Naturalismus.[13] Meyer schreibt dieses Phänomen dem Aufkommen des Positivismus zu; denn der Sonderling ist als Typus vom Glauben an die metaphysische Freiheit des Menschen abhängig: das Sonderlingsdasein interessiert als Lebensmöglichkeit des völlig freien Menschen. (Eben diese Rechtfertigung nehmen unsere eigenen Hippies seit Mitte der Sechzigerjahre für sich in Anspruch.) Der Positivismus dagegen betrachtet den Menschen einfach als einen zufälligen Schnittpunkt biologischer und sozialer Bedingungen. Der Sonderling hat keinen Wert mehr als gültige Möglichkeit menschlicher Existenz und menschlicher Entwicklung, er gilt vielmehr als nichts anderes denn eine pathologische Ausnahme, die höchstens von klinischem Interesse ist.

So darf man wohl schließen, daß das erneute Auftreten symbolischer Sonderlinge und Wahnsinniger in unserer Epoche auf ein philosophisches Fundament deutet, in dem Freiheit abermals eine zentrale Stellung einnimmt. Und in der Tat findet sich eine derartige philosophische Grundlage in den verschiedenen Richtungen des Existenzialismus, unter dessen Zeichen so viele Nachkriegsromanciers geschrieben haben. Wie in zahlreichen anderen Fällen bildet Nietzsche eine wichtige Quelle dieses zeitgenössischen Phänomens. In der Vorrede zu *Also sprach Zarathustra* (1883) äußert der Prophet seine Enttäuschung darüber, daß die Menschen die Botschaft nicht hören wollen, die er von seinen zehn Jahren im Gebirge mitgebracht hat. »Kein Hirt und eine Herde!« ruft er aus. »Jeder will das gleiche, Jeder ist gleich: wer anders fühlt, geht freiwillig ins Irrenhaus.« Hier findet sich, siebzig Jahre vor Kreuder, dasselbe Symbol, in der gleichen Weise benutzt: das Irrenhaus als Refugium des wahren Verständnisses im Gegensatz zu einer verständnislosen Welt.

Nietzsche hat die Grundlage für sein Bild in *Morgenröte* (1881), den Reflexionen über »moralische Vorurteile«, erläutert. In dem »Bedeutung des Wahnsinns in der Geschichte der Moralität« betitelten Abschnitt[14] preist er den »Wahnsinn« als diejenige Kraft, die durch die Fesseln der konventionellen Moralität in Richtung auf neue Ideen und Werte hin durchbricht. »... fast überall ist es der Wahnsinn, welcher dem neuen Gedanken den Weg bahnt, welcher den Bann eines verehrten Brauchs und Aberglaubens bricht.« Nietzsche geht noch einen Schritt weiter und erklärt: »... allen jenen überlegenen Menschen, welche es unwiderstehlich dahin zog, das Joch irgendeiner Sittlichkeit zu brechen und neue Gesetze zu geben, blieb, *wenn sie nicht wirklich wahnsinnig waren,* nichts übrig, als sich wahnsinnig zu machen oder zu stellen ...« Und dies gilt, so behauptet Nietzsche, für Neuerer auf jedem Gebiet, nicht nur in Religion und Politik. Nietzsche kommt wiederholt in dieser oder jener Form auf das Bild zurück. So gibt er zu verstehen, daß die sehr Guten, die sehr Schönen und die sehr Mächtigen eines Hofnarren bedürften, wenn sie die Wahrheit hören wollten; denn der Hofnarr sei »ein Wesen mit dem Vorrechte des Verrückten, sich nicht anpassen zu können«.[15] Im ganzen stand Nietzsches Gebrauch des Wahnsinnssymbols, wie fast alles bei ihm, in entschiedenem Widerspruch zu den herrschenden Begriffen des Positivismus, der (wie die alten Professoren in *Berlin Alexanderplatz)* Geisteskrankheit nur als einen durch Schwitzbäder heilbaren physiologischen Zustand betrachtete.

Unter den Autoren der zwanziger und dreißiger Jahre, die Nietzsches Begriff des Wahnsinns teilten, tritt keiner deutlicher zutage als Hermann Hesse, der sich ganz ernstlich fragte, ob es unter bestimmten kulturellen Umständen nicht »würdiger, edler, richtiger sei, Psychopath zu werden als sich diesen Zeitumständen unter Opferung aller Ideale anzupassen«.[16] (Es ist bezeichnend, daß Hesse 1919 seine Überzeugungen in einem großen Essay unter dem Titel »Zarathustras Wiederkehr« umriß.) Im *Steppenwolf* (1927) ist Wahnsinn die symbolische Form, die Hesses Glauben an das magische Denken annimmt. Diese besondere in dem Essay über Dostojewskis *Idiot* aufgezeigte Überzeugung behauptet, daß wahre Realität in der Annahme aller Weltaspekte besteht, nicht nur der Hälfte, die willkürlich von der konventionellen bürgerlichen Moralität gut oder richtig genannt

wird.[17] Harry Haller, der »Steppenwolf«, sieht sich am Anfang des Romans als eine ziemlich schizophrene Persönlichkeit, die teils der bürgerlichen Welt und teils der Wildnis der
Steppe angehört. Seine beiden Trugschlüsse sind: daß er erstens diese beiden Teile seines Wesens für kontradiktorisch
statt für komplementär hält; und daß er zweitens in diesem
einfachen Dualismus die Welttotalität übermäßig vereinfacht.

Der geheimnisvolle Traktat, den er zu Beginn seiner Abenteuer erhält, trägt das Motto »Nur für Verrückte«. Er umreißt die Entwicklung, der Harry Haller sich zu unterziehen
hat, um ein menschliches Wesen zu werden: er muß sämtliche
Impulse seiner Natur akzeptieren, die er bislang so sorgfältig unterdrückt hat. Als er kurze Zeit später die Prostituierte Hermine trifft, sagt er zu ihr: »Schelten Sie nicht! . . .
Ich weiß schon, daß ich verrückt bin.« Er ist erstaunt, wenn
Hermine, die Prophetin der Vermenschlichung, antwortet:
»Du bist keineswegs verrückt, Herr Professor, du bist mir
sogar viel zu wenig verrückt!« Also ist Hallers ganze Umer-
ziehung zur Erkenntnis seiner Persönlichkeit unter dem
Aspekt des Wahnsinns gesehen. Folgerichtig erhält er, ehe er
gegen Ende des Romans das magische Theater betritt und als
er sich dem Höhepunkt seiner geistigen Odyssee nähert, die
Warnung: »Nur für Verrückte. Eintritt kostet den Verstand.«

So unterscheidet sich die Bedeutung des Wahnsinns im *Steppenwolf* völlig von derjenigen, die er in anderen zeitgenössischen Werken besitzt: dem *Mann ohne Eigenschaften*, *Berlin
Alexanderplatz*, den *Schlafwandlern*. Für Hesse sind, wie
für Nietzsche, die Werte verkehrt: der Wahnsinnige sieht die
von der »Rationalität« der alltäglichen, bürgerlichen Welt
verstellte Wahrheit. Das Irrenhaus ist eine Zuflucht, wo der
Mensch in totaler Freiheit seine Individualität entdecken
kann.

Nietzsche und Hesse sind die unmittelbaren Vorläufer der
philosophischen Freiheit, die man in *Herein ohne anzuklopfen* wiederfindet. Auch Kreuders Verrückte suchen im Sanatorium vor allem einen Ort der Freiheit, wo sie sie selber
sein können und nicht gezwungen werden, ihnen von der
Gesellschaft aufgezwungene Rollen auszufüllen. Doch dieser

existenziellen Freiheit sind ganz bestimmte Grenzen gezogen. Einerseits hat der Mensch die absolute Freiheit, über sein eigenes Dasein zu bestimmen. Er ist frei, »verrückt« zu sein. Andererseits jedoch hört seine Freiheit in dem Augenblick auf, in dem sie in die Freiheit von Mitmenschen einzugreifen droht. Der Mensch besitzt eine sozusagen negative Freiheit: die Freiheit zu rebellieren, gegen die herrschende Realität zu protestieren, philosophisch verrückt zu sein; doch das schließt keineswegs absolute Handlungsfreiheit ein. Deshalb hält Kreuder seinen Verrückten sorgfältig von der Außenwelt fern; Zarathustra ist am meisten unter den Adlern seines Gebirges zu Hause, weit weg von den »Herden« drunten Und Harry Haller ist nur in den psychedelischen Visionen des magischen Theaters wahrhaft frei; am Ende des Romans kehrt er abermals in die Wirklichkeit zurück. Böll und Valentin dagegen zeigen die ernsten Gefahren, zu denen es kommt, wenn der freie Mensch in Übereinstimmung mit seinen »verrückten« Überzeugungen zu handeln sucht. Mit dem bemerkenswerten Vorauswissen erstrangiger Autoren nehmen sie die moralischen Themen und Zweideutigkeiten vorweg, die im Lauf der letzten Dekade durch die Bürgerrechtsbewegung, die Vietnam-Auseinandersetzung und die Studentenrebellionen von der Literatur auf die Titelseite jeder Zeitung verlagert wurden.

Es gibt nur zwei Wege, dem von der radikalen Konfrontation zwischen der Realität und dem Absoluten gesetzten Dilemma zu entkommen. Der erste ist derjenige der Tragödie, in der der Mensch durch sein Tun in Konflikt mit ethischen Gesetzen gerät. Das ist vermutlich der tiefere Sinn in den Romanen Bölls und Valentins: solange die Welt nicht verändert ist, muß der Mensch entweder im Irrenhaus bleiben oder zugrunde gehen. Besteht er darauf, seine absoluten Werte in der Realität durchzusetzen, überschreitet er die rechtmäßigen Grenzen seiner eigenen Freiheit.

Dann bleibt noch die Flucht in den Humor. Erwächst jedoch dieser Humor aus einer Perspektive, die, wie sich gezeigt hat, in sich selber pervertiert oder wahnsinnig ist, kann er leicht in die Groteske umschlagen.[18] Das Ergebnis sind die Romane Günter Grass', Gisela Elsners, Jakob Linds und anderer. Die

Groteske besitzt einen unermeßlichen Vorteil: sie macht ein untragisches Handeln möglich, da sie nicht mehr mit der Antithese von Realität und Absurdem arbeitet. Statt dessen findet sie in einem Zwischenreich statt, wo der Verrückte tun kann, was er will: ein Kind bleiben und seine Blechtrommel schlagen; seine Eltern überwältigen und im Bett zusammenbinden; seine Geliebten zu Tode beißen; die Rolle eines Blinden oder eines Clowns spielen. Die verzerrte Perspektive des ganzen Werks verhindert von Anfang an die radikale Konfrontation. Der Leser weiß augenblicklich, daß er es nicht mit der konventionellen Wirklichkeit zu tun hat, sondern mit einem Phantasiebereich, wo die normalen Regeln nicht mehr gelten.

Die neue deutsche Literatur wurzelt großenteils in einer existentiellen Dualitätserfahrung von Ich und Welt, wobei das Individuum verzweifelt seine eigene Freiheit angesichts der verabscheuten Realität zu bewahren sucht. Seit 1945 hat dieses Bewußtsein drei Phasen oder Intensitätsgrade durchlaufen. In der ersten Phase beherrscht noch immer die Alltagswirklichkeit den Vordergrund, und das einsame Individuum mit seinen Protesten wird beiseite gedrängt. (An dieses allgemeine Muster hielt sich die erste Nachkriegsliteratur, die sich auf die Erfahrungen von Kriegsheimkehrern konzentrierte.) Auf der zweiten Ebene wurde die Position des Außenseiters absolut: Realität und Wahrheit stehen sich als Außenwelt und Irrenhaus gegenüber. (Das ist das Muster der Irrenhausromane Kreuders, Bölls und Valentins.)[19] In der dritten Phase schließlich ist die Realität völlig verschwunden: man ist in einem Phantasiereich zurückgelassen, das völlig von der Sicht aus dem Irrenhaus geformt und beherrscht ist. (Dieses Muster liegt den Grotesken von Grass, Lind, Gisela Elsner und anderen zugrunde.)

An diesem Punkt erreichte die deutsche Literatur den Endpunkt in der Perspektiveverlagerung. Sie ließ sich nicht mehr weiter vorantreiben. In einem seiner bekanntesten Essays behauptete Ortega y Gasset, die Verzerrung der Perspektive habe zur »Vertreibung des Menschen aus der Kunst« im 20. Jahrhundert geführt.[20] Ortega dachte hauptsächlich an die gegenstandslose Malerei, aber seine Schlußfolgerungen passen genau so gut auf neueste literarische Entwicklungen. Denn die Gefahr bestand — und besteht noch —, daß die jüngsten Prosaautoren, indem sie die verzerrte Perspektive zum absoluten Gesichtswinkel machen, allmählich alle Beziehung zu menschlichen Werten verlieren, wenn sie nicht auf die Ebene humaner Wirklichkeit zurückkehren. Das letzte Kapitel von Günter Grass' *Blechtrommel* demonstriert lebhaft, wie schwer es fällt, aus dem Reich der Phantasie in die Wirklichkeit zurückzufinden.

Man erinnert sich, daß Oskar Matzerath, dieser obszöne und infantile Zwerg, seine Erinnerungen in einer zweijährigen Periode der Verwahrung in einer Heil- und Pflegeanstalt schreibt. Bislang spielte sich sein Leben auf einer Phantasieebene ab, wo es unnötig war, moralische Verantwortung zu übernehmen. Von dieser Ebene floh er — sozusagen in einem Übergang — ins Irrenhaus, wo er noch vor dem Anprall der Realität sicher ist. An seinem dreißigsten Geburtstag erfährt er, daß er nun entlassen werden soll. Er muß in die Welt draußen zurückkehren oder, um es genauer zu sagen: zum erstenmal im Leben muß er sich der Wirklichkeit und ihrem ethischen System unterwerfen. Denn sein ganzes bisheriges Leben hat in der Märchenwelt der Phantasie stattgefunden, wo Fragen von Schuld und Unschuld nicht akut wurden.

> Was ich seit Jahren befürchte, seit meiner Flucht befürchte, kündigt sich heute an meinem dreißigsten Geburtstag an: man findet den wahren Schuldigen, rollt den Prozeß wieder auf, spricht mich frei, entläßt mich aus der Heil- und Pflegeanstalt, nimmt mir mein süßes Bett, stellt mich auf die kalte, allen Wettern ausgesetzte Straße und zwingt einen dreißigjährigen Oskar, um sich und seine Trommel Jünger zu sammeln.

Wie Valentins Held erkennt Oskar Matzerath, daß der Paragraph 51 nur eine vorübergehende Lösung ist: schließlich muß ein Mensch die Verantwortung für seine Taten auf sich nehmen. Wenn Leben irgendeinen Sinn haben soll, muß es zunächst aus dem Phantasiereich und dem Irrenhaus in die Wirklichkeit zurückkehren. Grass hat mit einem glänzenden Zug den historischen Ablauf umgekehrt: sein Held begibt sich symbolisch rückwärts aus der Welt der Groteske durch das Irrenhaus in die Alltagswelt.

Was als Romanthema gültig ist, besitzt auch eine gewisse Gültigkeit als ästhetisches Prinzip. Die Flucht in die Groteske ist nur eine kurzfristige Lösung, die auf die Dauer nicht befriedigen kann. Das Thema des Wahnsinns mit seiner radikalen Konfrontation zeigt, daß die menschlich interessanten Probleme in der Grenzzone stattfinden, wo die Realität und das Absolute kollidieren. Das ist der Bereich, wo die Literatur stets ihre größten Werke hervorgebracht hat. Die radikale Verschiebung der Perspektive aus dieser Grenzzone ist ein Charakteristikum der deutschen Nachkriegsliteratur — und natürlich nicht nur der deutschen Literatur. Der schwarze Humor in England und Amerika tendiert ebenso wie das absurde Theater in die gleiche Richtung. Diese Haltung hat einige faszinierende und unvergeßliche Werke hervorgebracht, die oft ein unerwartetes Licht auf das Leben werfen und dessen Absurdität grell beleuchten. Doch wie weit läßt sich die Perspektive aus dem Zentrum rücken?

1965 hatte die deutsche Literatur einen Punkt der Unsicherheit erreicht. Die Flucht in die Groteske konnte, so wirksam sie auch gelegentlich sein mag, nicht mehr befriedigen, denn sie wurde letztlich ein ästhetisches Ausweichen vor der Bürde, ja der Pflicht, eine ethische Position einzunehmen. Unter den Händen bloßer Vereinfacher war sie zu einer anomalen und daher inhumanen Kunstform geworden. Überdies entartete die Groteske in den Jahren ihrer Beliebtheit in einem derartigen Maß, daß sie zur leeren Routine wurde und nicht mehr die erwünschte Wirkung der ästhetischen Verfremdung erbrachte, sondern höchstens das Gähnen des *déja vu*. Die Groteske kam ursprünglich als Antwort auf die Realität auf, die den Autoren so absurd erschien, daß sie sich nur in absurder Verzerrung behandeln ließ. Doch wenn jeder wahnsinnig ist, kommt der Vernünftige wieder zu seinem Recht.

Die Geschichte der Literatur läßt sich unter einem Gesichtspunkt als der dauernde Kampf der Rationalität gegen die Irrationalität, der Kontrolle gegen den Exzeß, des Subjekts gegen das Objekt lesen. Jeder Rousseau hat seinen Voltaire. Der Klassizismus fordert unvermeidlich die romantische Revolte heraus. Im Nachkriegsdeutschland — und, wie ich meine, auch anderswo — hat die totale Verlagerung der Perspektive ins Irrenhaus einen Pendelausschlag nach der anderen Seite ausgelöst. Das war offensichtlich der Fall beim Theater, wo kürzlich das dokumentarische Drama den Vorrang vor dem absurden Theater übernahm. Der Fall Peter Weiss' ist symptomatisch: er hatte seinen ersten internationalen Erfolg mit einem Irrenhausstück (*Marat/Sade*), doch daran schloß er nur ein Jahr später *Die Ermittlung* (1965) an, ein wörtlich aus den Berichten über die Auschwitz-Prozesse übernommenes »Oratorium«. Die beiden anderen bemerkenswerten Erfolge waren Rolf Hochhuths *Stellvertreter* (1963), ein gründlich dokumentierter Angriff auf Papst Pius XII. wegen seines Umgangs mit den Nazis; und Heinar Kipphardts Stück *In der Sache J. Robert Oppenheimer* (1964) nach den Hearings vor dem Atomenergieausschuß 1954.

Im Roman läßt sich ein ähnliches Phänomen sowohl in den Vereinigten Staaten wie im Ausland verfolgen. Truman Capotes »Tatsachenroman« *In Cold Blood* (1965) war eines der erfolgreichsten Bücher in den Sechzigerjahren; und wenn wir die Frage der literarischen Qualität einmal ausklammern, so stellt es doch fraglos eine Reaktion gegen den absurden Roman und gegen den schwarzen Humor dar, die einige Jahre lang die literarische Szene beherrschten. In Frankreich versuchten einige Vertreter des *nouveau roman* einen Roman zu schaffen, in dem der perspektivische Punkt aus jedem verrückten oder sonstigen Erzähler herausverlegt und in die Objekte der Alltagswelt verlagert ist. Alain Robbe-Grillet hat die theoretische Grundlage für Erzählkunst solcher Art in seinen Essays *Pour un nouveau roman* (1963) geschaffen. Für unsere Zwecke genügt die Feststellung, daß sowohl der »Tatsachenroman« wie der *nouveau roman* eine Ernüchterung über die Richtung offenbaren, die in ihrem letzten Auswuchs den Irrenhausroman und die Groteske hervorgebracht hat.[21]

Deutsche Kritiker trafen subtile Unterscheidungen zwischen den verschiedenen, in den letzten paar Jahren aufgekommenen Richtungen; auch Kritiker müssen leben. Aber aus breiterer, internationaler Perspektive lassen sich die meisten dieser Bewegungen allgemein als kollektive Reaktion gegen die Groteske mit ihrem Akzent auf Verzerrung und subjektiver Überempfindlichkeit zusammenfassen. In Dortmund etwa begann eine Vereinigung junger Autoren, die sich *Gruppe 61* nennt, ihre Thematik nach dem Titel ihrer Anthologie der *Welt der Arbeit* zu entnehmen. Mehrere andere Romanciers, die als Vertreter des »Kölner Realismus« bekannt wurden, haben einen oft mehr programmatischen als ästhetisch wirksamen Erzähltypus geschaffen, bei dem der Autor jeden psychologischen Einblick ablehnt und mit spröder Selbstverleugnung hinter die Objekte seiner erzählerischen Welt zu kommen sucht. Und ganz allgemein widmet sich die jüngste Generation deutscher Autoren (mit mehr Ernst als Erfolg) verschiedenen Anwendungen des *nouveau roman*. Der Außenseiter leidet jetzt, nach seinem Aufenthalt im Irrenhaus, unter der Täuschung, er sei eine Kamera oder ein Tonbandgerät.

Diese ungelöste Spannung zwischen Subjekt und Objekt, zwischen Mensch und Welt ist kennzeichnend für einen erheblichen Teil der heutigen literarischen Produktion in Deutschland. Die von den Anhängern des neuen Realismus geschriebenen Romane werden wahrscheinlich nicht mehr Bestand haben als die unverantwortlichen Ergießungen der Groteske. Zahlreiche Zeitgenossen scheinen das ästhetische Grundprinzip vergessen zu haben, das Friedrich Schlegel vor über anderthalb Jahrhunderten erkannte. In seinen literarischen Aufzeichnungen aus dem Jahr 1797 bemerkte Schlegel, daß die lyrische Form rein subjektiv, die dramatische dagegen rein objektiv sei: »Als Form hat die epische offenbar den Vorzug. Sie ist subjektiv-objektiv.« Und zehn Jahre später notierte er, daß »epische Poesie ... doch die Wurzel des Ganzen und grade das Mittlere zwischen der ganz innerlichen lyrischen und ganz äußerlichen dramatischen Poesie« sei.[22] Dies ist ein Prinzip, dem die großen Romanciers offenbar instinktiv folgten. Kafka wußte, daß die auf eine Objektivwelt angewandte Formobjektivität eine stumpfe, pedantische Schwere erzeugt; deshalb richtete er seinen objektiven Blick auf menschliche Handlungen. Rilke wußte, daß eine auf das menschliche Subjekt angewandte Formsubjektivität eine ungezügelte, überempfindliche Launenhaftigkeit bewirkt; daher richtete er seinen subjektiven Blick auf die Dingwelt. In beiden Fällen löste sich die Spannung zwischen Subjekt und Objekt harmonisch durch Mittel der Einheit von ästhetischer

Anlage oder mythischer Handlung. In Romanen jedoch, in denen sich das Subjekt unkontrolliert durch einen objektiven Blick austoben darf, kann es keine formale Einheit geben; und wo das Objekt ungemildert durch subjektives Empfinden vorherrscht, kann es keinen Sinn geben.[23] Die besten deutschen Romanautoren der Gegenwart, wie Heinrich Böll und Günter Grass, suchen nach einem labilen Gleichgewicht zwischen den beiden Extremen in ihren Bemühungen, sowohl der Realität wie dem Individuum mit seinem Sinn fürs Absurde gerecht zu werden: Böll durch eine selektive Totalität innerhalb eines symbolischen Modells und Grass durch die Totalität der Vielfalt innerhalb einer mythischen Handlung.

Falls es möglich ist, aus der Literaturgeschichte einen Trost zu beziehen, kann man sich in Erinnerung rufen, daß die eindrucksvollsten Werke gewöhnlich eine Synthese aus antithetischen Haltungen darstellten: *Der Zauberberg*, dessen Held der Mensch als »Herr der Gegensätze« ist; *Die Schlafwandler*, in denen die totale Rationalität des Essays in der äußersten Irrationalität des lyrischen Aufschreis einen Ausgleich findet; *Berlin Alexanderplatz*, wo das Chaos der Großstadt durch die Struktur der klassischen Tragödie gebändigt wird. Die größten Dichter und Romanciers waren stets jene, deren tiefem Engagement für die Welt ein unbeirrtes Eingehen auf die menschliche Seele gleichkam. Rilke gehörte jedenfalls dazu. Und ebenso Kafka.

Anmerkungen

Zu Kapitel 1:

1 Rainer Maria Rilke, *Die Aufzeichnungen des Malte Laurids Brigge*, S. 863—870. Künftig aufgeführt als *Malte*. Zitate nach Rilke, *Sämtliche Werke,* hg. v. Ernst Zinn und Ruth Sieber-Rilke (Frankfurt am Main, 1966) Band VI, S. 709—946.

2 Vgl. z. B. Oskar Kokoschkas *Hiob* (1917): hier werden solche Metaphern wie »sie verdrehte sein Haupt« und »sie steckte ihm Hörner auf« verwirklicht und dargestellt. Hiob wird der Kopf erbärmlich verrenkt und ihm wächst ein Geweih. Siehe Walter H. Sokels Einführung zu seiner Anthologie *German Expressionist Drama* (New York, 1963).

3 Brief vom 10. November 1925 an Witold von Hulewicz: »Vokabeln seiner Not«. Wenn nicht auf andere Weise vermerkt, sind alle Briefe Rilkes in der sechsbändigen Ausgabe *Gesammelte Briefe, 1892—1926* (Leipzig, 1939) oder in den sechs Einzelbänden mit Briefen zu finden, die der Insel-Verlag von 1930—1937 herausgab. Einzelne Briefe aus den frühen Pariser Jahren sind in der Inselausgabe der Briefe von 1950 nicht vorhanden.

4 *Malte*, a. a. O., S. 727, 734, 900 und 766.

5 Der Kontrast zeigt sich auch in den unpersönlichen Konstruktionen (»es stürbe sich hier«).

6 *Malte*, a. a. O., S. 713, 741, 756, 773, 851 und 759—760.

7 *Malte*, a. a. O., S. 710, 722, 768, 749—750 und 876—877.

8 *Malte*, a. a. O., S. 729, 835, 885 und 807—808.

9 *Malte*, a. a. O., S. 726.

10 *Malte*, a. a. O., S. 711.

11 *Malte*, a. a. O., S. 743.

12 *Malte*, a. a. O., S. 710.

13 *Malte*, a. a. O., S. 726.

14 *Malte*, a. a. O., S. 735.

15 *Malte*, a. a. O., S. 721.

16 *Malte*, a. a. O., S. 926.

17 Siehe K. A. J. Batterby, *Rilke and France; A Study in Poetic Development* (London, 1966).

18 Brief vom 14. Januar 1911. In: Rilke et Gide, *Correspondance*, 1909—1926, hg. v. Renée Lang (Paris, 1952) S. 53.

19 Brief vom 31. Dezember 1902 an Otto Modersohn.

20 Brief vom 31. August 1902 an seine Frau Clara.

21 Brief vom 13. Mai 1906 an seine Frau Clara.

22 Brief vom 9. Februar 1907 an Ellen Key.

23 Brief vom 5. Februar 1907 an Paula Modersohn-Becker.

24 Siehe Eva Cassirer-Solmitz, *Rainer Maria Rilke* (Heidelberg, 1957). In Kapitel 2 wird aus unveröffentlichten Tagebüchern Rilkes zitiert.

25 *Malte*, a. a. O., S. 722—723.

26 In einem höchst einsichtsvollen Artikel »Zum dichterischen Verfahren in Rilkes *Aufzeichnungen des Malte Laurids Brigge*« zitiert Ernst Hoffmann diesen Abschnitt als ein Beispiel für Rilkes Tendenz, das ursprüngliche kausale Gefüge zu verschweigen, indem er bestimmte Teile heraushebt und so den Eindruck einer schwebenden Kausalität hervorruft. (Deutsche Vierteljahresschrift für Literaturwissenschaft und Geistesgeschichte, 42/1968, S. 202—230).

27 Brief vom 8. August 1903

28 Brief vom 4. Oktober 1907 an seine Frau Clara.

29 Maurice Betz, *Rilke in Frankreich*, (Wien, Leipzig und Zürich, 1938). Hinsichtlich des bewußten Schock-Effektes des Wortes »Zusammenstellung« ist es vielleicht nützlich, sich in Erinnerung zu rufen, wie entrüstet die Kritiker über Whistler waren, als er das berühmte Bild seiner Mutter (1871) in der Royal Academy unter dem Titel »Arrangement in Grey and Black« (Arrangement in Grau und Schwarz) ausstellte.

30 *Malte*, a. a. O., S. 767.

31 Brief vom 10. November 1925 an Witold von Hulewicz.

32 *Malte*, a. a. O., S. 906.

33 *Malte*, a. a. O., S. 942.

34 *Malte*, a. a. O., S. 712.

35 *Malte*, a. a. O., S. 889. Ernst Hoffmann, a. a. O., zitiert dieses Beispiel in bezug auf die assoziativen Beziehungen zwischen den Abschnitten, die er vorher als »diese zyklisch-symmetrischen Entsprechungen, die sich gegenseitig erhellen«, definiert. (S. 222)

36 Rilke versicherte Maurice Betz (a. a. O., S. 107), daß die Kontraste und Bezüge in den Eröffnungskapiteln sorgfältig und wohl überlegt seien.

37 Ich bin meinem Kollegen A. W. Litz jr. für den Hinweis dankbar, daß Joyce in *A Portrait of the Artist as a Young Man* die fünf Sinne auf ähnliche Weise für den Aufbau der ersten Zeilen verwendet hat. Das ist keineswegs die einzige Parallele zwischen den beiden Romanen.

38 Vgl. die ausgezeichnete Studie von Ulrich Fülleborn, die sich mit diesen Prinzipien befaßt: »Form und Sinn der ›Aufzeichnungen des Malte Laurids Brigge‹«, in *Unterscheidung und Bewahrung; Festschrift für Hermann Kunisch* (Berlin, 1961) S. 147 bis 169.

39 Vgl. dazu das Kapitel über *Malte* in Fritz Martini, *Das Wagnis der Sprache* (3. Aufl., Stuttgart, 1958), vor allem S. 170: »Es bildet sich eine fiktive Zeit, die weder reale Vergangenheit noch reale Gegenwart bedeutet, vielmehr zwischen beiden eine Art künstlicher Zeitebene des Erzählens schafft.« Vgl. auch Ulrich Fülleborn, a. a. O., S. 159, der betont, daß Gegenwart und Vergangenheit zusammen eine neue zeitliche Dimension bilden.

40 Martini, a. a. O., S. 165: Rilke sucht »für das Innerliche und Subjektive das sinnliche und objektive Äquivalent... Er übersetzt, wie Nietzsche, von innen nach außen.«

41 Brief vom 10. November 1925 an Witold von Hulewicz.

42 Daß die Wirkung einer Ich-Erzählung sehr wohl überlegt war, wird noch deutlicher, wenn wir erfahren, daß der Roman ursprünglich in der dritten Person begann (vgl. die beiden fragmentarischen Anfänge von 1904, nun in Band VI der *Sämtlichen Werke*, S. 949—966, veröffentlicht. Rilke erkannte offensichtlich die Vorteile eines Ich-Romans, als er die Geschichte Maltes klarer vor Augen hatte).

43 Vgl. Ralph Freedman, *The Lyrical Novel* (Princeton, 1963), S. 4—6 und S. 8—9. Für Freedman ist *Malte* »beinahe rein lyrisch«, da ja die »Welt auf einen lyrischen Standpunkt, auf die Entsprechung zum Ich des Dichters reduziert ist: das lyrische Ich«.

44 James Joyce, *Jugendbildnis des Dichters*. Exempla Classica 11. (Frankfurt am Main 1960), S. 167 f.

45 *Malte,* a. a. O., S. 844.

46 Hoffmann, a. a. O., S. 230, bemerkt in diesem Zusammenhang, daß das »Ich« der späteren Kapitel nicht mehr Individuum sei.

47 *Malte,* a. a. O., S. 938.

48 Man kann kaum darüber Zweifel hegen, ob diese Neuordnung bewußt gemacht worden ist. Die normale Folge der Wandteppiche — nach Thema und Größe — tritt klar zutage: fünf Szenen, jede das Symbol eines der fünf Sinne, gehen der verallgemeinernden Schlußszene voraus, die den größten Teppich beansprucht. Rilke isoliert nun eine der kleineren vorangehenden Szenen — das Symbol des Sehsinns — und beschreibt sie, als wäre sie der Höhepunkt des ganzen Zyklus.

49 *Malte*, a. a. O., S. 924.

50 *Malte,* a. a. O., S. 920—921.

51 Vgl. Armand Nivelle, »Sens et structure des Cahiers de Malte Laurids Brigge«, *Revue d' Esthétique,* 12 (1959) S. 5—32, vor allem S. 11/12.

52 Es ist beachtenswert, daß die einzigen Äußerungen Rilkes, die unzweideutig melden, Malte sei zugrunde gegangen, in den Briefen bis zum Jahre 1907 zu finden sind, also bevor er den zweiten Teil des Romans ausgearbeitet hatte. In späteren Briefen (z. B. in dem vom 25. März 1910) sagt er genau das Gegenteil: »Der arme Malte fängt so tief im Elend an und reicht, wenn mans genau nimmt, bis an die ewige Seligkeit; er ist ein Herz, das eine ganze Oktave greift: nach ihm sind nun nahezu alle Lieder möglich.« Rilke, **B**riefe an seinen Verleger (Wiesbaden, 1949), I 98.

Zu Kapitel 2:

1 Franz Kafka, *Tagebücher 1910—1923* (Frankfurt am Main, 1951), S. 552.

2 Gustav Janouch, *Gespräche mit Kafka; Erinnerungen und Aufzeichnungen.* (Frankfurt am Main, 1951) S. 20/21.

3 *Tagebücher,* a. a. O., S. 21/22. Heinz Politzer, *Franz Kafka, der Künstler* (Frankfurt am Main, 1965) gibt eine feinsinnige Interpretation der symbolischen Rolle des Junggesellen in Kafkas Werken. Vgl. vor allem Kap. II.

4 Günther Anders, *Kafka: Pro und Contra* (München, 1951) S. 36. Diese Konzeption von der paralysierten Zeit, die von den meisten Kafka-Interpreten, die in diesem Kapitel genannt werden, akzeptiert wird, unterscheidet sich wesentlich von der platonischen Idee der Zeitlosigkeit, die Margaret Church (»Kafka and Proust, A Contrast in Time« *Bucknell Review,* 1957, S. 107—112) Kafka zuschreibt.

5 Franz Kafka, *Die Erzählungen.* (Frankfurt am Main, 1961) S. 131.

6 Franz Kafka, *Beschreibung eines Kampfes; Novellen, Skizzen und Aphorismen aus dem Nachlaß* (New York, 1946), S. 117. Eine ausführliche Analyse der Parabel findet sich im ersten Kapitel von Politzer, *Franz Kafka,* a. a. O.

7 Martin Walser, *Beschreibung einer Form* (München, 1961), S. 126. Max Bense, *Die Theorie Kafkas* (Köln und Berlin, 1952), S. 61—63, betrachtet »persönliche Zeit« als »scheinbare Dauer« im Sinne von Husserls Phänomenologie.

8 Franz Kafka, *Der Prozeß* (5. Aufl., New York, 1946). S. 46.

9 *Prozeß,* a. a. O., S. 46.

10 *Prozeß*, a. a. O., S. 51.

11 *Prozeß*, a. a. O., S. 52.

12 *Prozeß*, a. a. O., S. 121.

13 *Prozeß*, a. a. O., S. 155.

14 *Prozeß*, a. a. O., S. 249.

15 Wilhelm Emrich, »Franz Kafka«, in *Deutsche Literatur im zwanzigsten Jahrhundert*, hg. v. Hermann Friedmann und Otto Mann (2. verb. Aufl., Heidelberg, 1956), S. 328. Joseph Strelka, *Kafka, Musil, Broch* (Wien, Hannover und Basel, 1959), S. 12—13.

16 *Prozeß*, a. a. O., S. 31.

17 *Prozeß*, a. a. O., S. 304—305.

18 *Tagebücher*, a. a. O., S. 569.

19 »Er«, *Beschreibung eines Kampfes*, a. a. O., S. 283. Gerhard Kaiser betont in »Franz Kafkas ›Prozeß‹: Versuch einer Interpretation«, *Euphorion*, 52 (1958) S. 23—49 die Tatsache, daß jeder Mensch schuldig und K. daher nur repräsentativ für die ganze Menschheit sei.

20 Vgl. in diesem Zusammenhang den höchst aufschlußreichen Aufsatz von Ingeborg Henel, »Die Türhüterlegende und ihre Bedeutung für Kafkas ›Prozeß‹«, *Deutsche Vierteljahresschrift* 37 (1963), S. 50—70 und Wilhelm Emrich, *Franz Kafka* (Bonn, 1958) S. 181—182.

21 In *Hochzeitsvorbereitungen auf dem Lande und andere Prosa aus dem Nachlaß*, hg. v. Max Brod (Frankfurt am Main, 1966), S. 49—50.

22 Vgl. Beda Allemann, »Kafka, Der Prozeß« *Der deutsche Roman vom Barock bis zur Gegenwart*, hg. v. Benno von Wiese (Düsseldorf, 1963), II, S. 260—262. Er betont die Wichtigkeit des Motivs des »Beobachtetwerdens« bei Kafka. Flaubert bedient sich in seiner Novelle vom Heiligen Julian in den *Trois Contes* der gleichen Technik: Julians Schuld bewirkt, daß die Tiere des Waldes ihn mit glänzenden Augen anstarren.

23 Vgl. vor allem das verworfene Kapitel »Das Haus«, das Friedrich Beissner interpretierte: *Der Erzähler Franz Kafka* (Stuttgart, 1952), S. 38—40.

24 In den Paralipomena zu »Er«, *Hochzeitsvorbereitungen*, a. a. O., S. 418.

25 *Prozeß*, a. a. O., S. 33.

26 *Prozeß*, a. a. O., S. 36. Das Wort »Schuld« hat hier und an andern Stellen des Romans eine peinigende Doppeldeutigkeit; es kann sowohl »Schuld« als auch einfach »Fehler« bedeuten.

27 *Prozeß*, a. a. O., S. 116.

28 *Prozeß*, a. a. O., S. 136.

29 Walter H. Sokel, *Franz Kafka; Tragik und Ironie* (München und Wien, 1964, S. 140 ff, spricht überzeugend von einer »dreifachen Schuld« Josef K.s und hebt die Parallelen zu andern Werken Kafkas hervor.

30 Allemann, »Kafka: Der Prozeß«, a. a. O., S. 258, betont das Thema der Selbstrechtfertigung.

31 *Prozeß*, a. a. O., S. 137.

32 *Prozeß*, a. a. O., S. 152. Gerhard Kaiser, a. a. O., S. 29—30, erörtert die Doppeldeutigkeit von K.s Haltung gegenüber seiner Schuld: er anerkennt sie und lehnt sie zugleich ab.

33 *Prozeß*, a. a. O., S. 100.

34 *Prozeß*, a. a. O., S. 227.

35 Gustav Janouch, *Gespräche mit Kafka*, a. a. O., S. 61.

36 *Prozeß*, a. a. O., S. 47.

37 *Prozeß*, a. a. O., S. 133.

38 *Prozeß*, a. a. O., S. 182. Das Wort »Kreis« ist wegen späterer Hinweise in der Diskussion über die Romanstruktur zu beachten.

39 *Prozeß*, a. a. O., S. 253.

40 Tiere sind natürlich nur ein Element in Kafkas Bildersprache. Ein anderes Beispiel ist das Bett, das mit dem Motiv des Erwachens verbunden ist: es repräsentiert die Geborgenheit in einem bedingungslos akzeptierten System. Daher ist K. bei seinem Erwachen seines Bettes beraubt. Und umgekehrt haben diejenigen Romanfiguren, die am engsten an das System gebunden sind — Huld und Titorelli — Zimmer, in denen das Bett der auffälligste Gegenstand ist. Diese Figuren verbringen auch den größten Teil ihrer Zeit im Bett.

41 *Prozeß*, a. a. O., S. 42.

42 *Prozeß*, a. a. O., S. 74.

43 *Prozeß*, a. a. O., S. 135.

44 Prozeß, a. a. O., S. 233.

45 Prozeß, a. a. O., S. 271.

46 Henel, a. a. O., S. 69, Anm. 19.

47 Franz Kafka, a. a. O., S. 73, 78 und passim.

48 *Tagebücher*, a. a. O., S. 22.

49 *Tagebücher*, a. a. O., S. 560.

50 *Prozeß*, S. 110. Allemann, »Kafka: Der Prozeß«, a. a. O., S. 280, unterstreicht das Erschreckende dieser Wiederholung.

51 Vgl. Allemann, a. a. O., S. 264—265. Clemens Heselhaus, »Kafkas Erzählungen«, *Deutsche Vierteljahresschrift*, 26 (1952) S. 368, bringt diese Struktur mit der Absonderungstechnik im traditionellen Märchen in Verbindung. Auch Helmut Arntzen, *Der moderne deutsche Roman* (Heidelberg, 1962), S. 83, spricht

von einem »Nebeneinander« der Kapitel im Unterschied zur natürlichen Folge.

52 Ich finde keinen Zusammenhang zwischen der Zahl drei und dem Freudschen Symbolismus der männlichen Genitalien. Harry Slochower stellt für die letzte Szene einen fest: »Franz Kafka: Pre-Fascist Exile«, *A Franz Kafka Miscellany* (2. Aufl., New York, 1946), S. 7—30.

53 *Prozeß*, a. a. O., S. 266—267.

54 Max Brod, *Franz Kafka*, Kap. VI.

55 Es gibt unzählige Interpretationen dieser Parabel. Ich habe von den bereits zitierten Aufsätzen von Ingeborg Henel und Gerhart Kaiser am meisten profitiert. Kaiser, a. a. O., S. 44 ff., hebt besonders die Parallelen zwischen Josef K. und dem Mann vom Lande hervor.

56 *Prozeß*, a. a. O., S. 256.

57 Ich stimme vollkommen mit Kaiser überein (a. a. O., S. 49), der meint, daß es nicht zureichende Gründe gibt, Kafka einen Nihilisten zu nennen. Kafka schränkt den Gesichtskreis seiner Gestalten ein, suggeriert aber nie, daß es jenseits des Horizontes keinen Sinn gibt.

58 Die kühnsten Revisionen hat Herman Uyttersprot vorgeschlagen: »Zur Struktur von Kafkas *Der Prozeß* — Versuch einer Neuordnung«, *Revue des langues vivantes*, 19 (1953), S. 333 bis 376.

59 Es fällt mir schwer, mit Frau E. M. Butler einig zu sein, wenn sie in ihrem Nachwort zur Modern Library-Ausgabe des *Prozeß* (S. 340), bemerkt, daß die Neuordnung von Uyttersprot »den Roman weniger episodisch, dafür mehr ein organisches Ganzes werden lasse«. Allemann (a. a. O., S. 265) hebt im Gegensatz dazu hervor, daß die neue Placierung von Kapitel 4 das Episodische verstärke.

60 Kaiser, a. a. O., S. 45—48. Henel, a. a. O., S. 67—68. Politzer, *Franz Kafka*, a. a. O., S. 211. Klaus Wagenbach, »Jahreszeiten bei Kafka«, *Deutsche Vierteljahresschrift*, 33 (1959), S. 645 bis 647 und andere.

61 In seinem Nachwort zur ersten Ausgabe sagte Max Brod, daß Kafka »den Roman als unvollendet betrachtet« hat, und daß »in einem gewissen Sinne der Roman überhaupt unvollendbar, das heißt ad infinitum fortsetzbar« war.

62 Allemann, »Kafka: Der Prozeß«, a. a. O., S. 263: »Lückenlosigkeit«.

63 *Tagebücher*, a. a. O., S. 336.

Zu Kapitel 3:

1 Vgl. Hermann J. Weigand, *Thomas Mann's Novel Der Zauberberg* (New York und London, 1933) S. 10: »Die Hauptfiguren haben offenbar eine repräsentative Wirkung.« Ebenso Andrew White, *Thomas Mann* (Edinburgh und London, 1965), S. 40.

2 Vgl. Joseph G. Brennan, *Thomas Mann's World* (New York, 1962), S. 169.

3 *Der Zauberberg*, S. 818. Von hier an zitiert nach dem Text des dritten Bandes der zwölfbändigen Ausgabe von Manns *Gesammelten Werken* (Frankfurt am Main, 1960).

4 Weigand, a. a. O., S. 11.

5 *Zauberberg*, a. a. O., S. 724.

6 *Gesammelte Werke*, VIII, S. 300. Von hier an zitiert als *GW*.

7 Im Essay »Vom Glauben«, *GW* XII, S. 516.

8 Im Essay »Einkehr«, *GW* XII, S. 100.

9 Brief vom 25. Februar 1916, in: Thomas Mann, *Briefe an Paul Amann*, 1915—1952, hg. v. Herbert Wegener (Lübeck, 1959), S. 40.

10 Im Essay »Politik«, *GW* XII, S. 229. In bezug auf Zitat und Selbstzitat siehe Herman Meyer, *Das Zitat in der Erzählkunst* (Stuttgart, 1961; 2. Aufl. 1967) und Gert E. Bruhn, »Das Selbstzitat bei Thomas Mann« (Dissertation, Princeton University 1967).

11 Manns Haltung ist eine ausgezeichnete Illustration dessen, was Jacques Maritain in *The Responsibility of the Artist* (New York, 1960, S. 95) »die Aufrichtigkeit einer bloß künstlerischen Moralität« nennt, »welche es ablehnt, irgendeine Auswahl zu treffen oder einen moralischen Entscheid zu fällen, da dies die inneren Kräfte des Ego daran hindern würde, sich frei zu entfalten — sowohl gegenüber Gott als auch gegenüber dem Teufel«.

12 Weigand, a. a. O., S. 27 zählt die Freiheit zu den vier Urerlebnissen (d. h. zu den grundlegenden psychischen Erfahrungen) Hans Castorps.

13 Heller, »Conversation on the Magic Mountain« in *Thomas Mann: A Collection of Critical Essays*, hg. v. Henry Hatfield (Englewood Cliffs, N. J., 1964), S. 94—95.

14 *Zauberberg*, a. a. O., S. 339.

15 *Zauberberg*, a. a. O., S. 134.

16 *Zauberberg*, a. a. O., S. 76.

17 Siehe Richard Thieberger, *Der Begriff der Zeit bei Thomas Mann* (Baden-Baden, 1952), S. 25—65: »Die Zeitaspekte im Zauberberg«.

18 *Zauberberg*, a. a. O., S. 757. Der Erzähler braucht diesen Ausdruck, um Hans Castorps Freiheit des Denkens im Kapitel »Strandspaziergang« näher zu bezeichnen.

19 *Zauberberg*, a. a. O., S. 203.

20 *Zauberberg*, a. a. O., S. 220—221.

21 *Zauberberg*, a. a. O., S. 475.

22 Weigand, a. a. O., S. 27 ff.

23 *Zauberberg*, a. a. O., S. 706.

24 *Zauberberg*, a. a. O., S. 843.

25 Vgl. Charles Neider, »The Artist as Bourgeois« in *The Stature of Thomas Mann,* hg. v. Charles Neider (New York, 1947), S. 340—343.

26 *Zauberberg*, a. a. O., S. 475.

27 Siehe Henry Hatfield, *Thomas Mann* (rev. Aufl., Norfolk, Conn., 1962) S. 76. Hatfields Kapitel über den *Zauberberg* betont die Spannungen zwischen den verschiedenen ideologischen Positionen.

28 *Zauberberg*, a. a. O., S. 473.

29 *Zauberberg*, a. a. O., S. 772.

30 *Zauberberg*, a. a. O., S. 685.

31 *Zauberberg*, a. a. O., S. 686.

32 *Zauberberg*, a. a. O., S. 872.

33 R. Hinton Thomas, *Thomas Mann; The Mediation of Art* (Oxford, 1956, S. 11) meint, daß Manns Ironie einer »Objektivität, die keinen Einzelstandpunkt zuläßt«, nahe kommt.

34 Siehe Heller, »Conversation«, a. a. O., S. 94: »Wilhelm Meister, das Muster eines Helden in einem Bildungsroman, beginnt als *Originalgenie* und endet als nützliches Mitglied der Gesellschaft. Hans Castorp beginnt als nützliches Mitglied der Gesellschaft und endet nahezu im Zustand eines *Originalgenies*.«

35 »Einführung in den *Zauberberg* für Studenten der Universität Princeton« (1939), *GW* XI, S. 611—612.

36 Vgl. Meyer, *Das Zitat in der Erzählkunst*, a. a. O., S. 207—227.

37 Siehe Andrew White, *Thomas Mann*, a. a. O., S. 38: »Seine Intention ging dahin, dem Roman dadurch (durch die Aufhebung der mechanischen Zeit innerhalb des Romans) eher ein Fortbestehen in der zeitlosen Kunst als in der menschlichen Zeit zu sichern.« Diese Erscheinung hält Francis Bulhof in seiner Studie für »Synchronizität«: *Transpersonalismus und Synchronizität; Wiederholungen als Strukturelement in Thomas Manns »Zauberberg«* (Groningen, 1966).

Zu Kapitel 4:

1 Alfred Döblin, *Berlin Alexanderplatz; Die Geschichte vom Franz Biberkopf,* hg. v. Walter Muschg (Olten und Freiburg im Breisgau, 1961), S. 257. Diese Ausgabe wird von hier an als *BA* zitiert.

2 *BA,* a. a. O., S. 51—52.

3 »Der Bau des epischen Werks« in: Alfred Döblin, *Aufsätze zur Literatur,* hg. v. Walter Muschg (Olten und Freiburg im Breisgau, 1963), S. 113—114.

4 »Epilog« in: *Aufsätze zur Literatur,* a. a. O., S. 391.

5 *BA,* a. a. O., S. 507.

6 »Mein Buch *Berlin Alexanderplatz*« in *BA,* a. a. O., S. 505.

7 Diese und die folgenden Zitate sind aus dem »Epilog«, S. 384 bis 386. Bis dato gibt es wenige Studien über Döblin in irgendeiner Sprache.

8 »Arzt und Dichter« (1927), in: *Aufsätze zur Literatur,* a. a. O., S. 364—365.

9 Vgl. Muschgs Nachwort zu seiner Ausgabe von *BA,* a. a. O., S. 509—510. Siehe auch Werner Welzigs Erörterungen über den »Großstadtroman« in seinem Buch *Der deutsche Roman im 20. Jahrhundert* (Stuttgart, 1967).

10 In beinahe der einzigen Auseinandersetzung eines amerikanischen Wissenschaftlers mit Döblin versucht Joseph Warren Beach, *The Twentieth Century Novel; Studies in Technique* (New York, 1932, S. 512—515), zu sagen, was er unter Döblins »abstrakter Gestaltung« versteht und macht auf seine Ähnlichkeit mit Dos Passos' »Schnitten der Breite nach« aufmerksam.

11 »Epilog«, a. a. O., S. 391.

12 1929 sprach Döblin vom heilsamen Einfluß des Rundfunks auf die Literatur. Siehe Heinz Schwitzke, *Das Hörspiel; Dramaturgie und Geschichte* (Köln und Berlin, 1963), S. 33.

13 Vgl. Albrecht Schöne, »Döblin: Berlin Alexanderplatz« in *Der deutsche Roman vom Barock bis zur Gegenwart,* hg. v. Benno von Wiese (Düsseldorf, 1963), II S. 315.

14 »Der Geist des naturalistischen Zeitalters« (1924) in: *Aufsätze zur Literatur,* S. 80.

15 Alfred Döblin, *Unser Dasein* (Berlin, 1933) S. 217.

16 *BA,* a. a. O., S. 54.

17 »Der Bau des epischen Werks« in *Aufsätze zur Literatur,* a. a. O., S. 111—112.

18 Ebda., S. 130.

19 Vgl. Fritz Martinis Kapitel über *Berlin Alexanderplatz* in sei-

nem Buch *Das Wagnis der Sprache* (3. Aufl., Stuttgart, 1958),
S. 336—372. In seinem allgemeinen Aufsatz über Döblin in
Deutsche Dichter der Moderne, hg. v. Benno von Wiese (Berlin,
1965, S. 321—360) sagt Martini wenig über *Berlin Alexander-*
platz und geht über die frühere Studie kaum hinaus.

20 Vgl. Robert Minders ausgezeichneten Aufsatz über Döblin in:
Deutsche Literatur im zwanzigsten Jahrhundert, hg. v. Hermann Friedmann und Otto Mann (2. Auflage, Heidelberg,
1956), S. 302.

21 »Epilog«, *Aufsätze zur Literatur,* a. a. O., S. 390.

22 Minder, a. a. O., S. 303.

23 Ein systematischer Katalog aller wichtigen Symbole und Leitmotive findet sich bei Erich Hülse »Alfred Döblin: *Berlin Ale-*
xanderplatz« in *Möglichkeiten des modernen Romans,* hg. v.
Rolf Geissler (Frankfurt am Main, Berlin und Bonn, 1962),
S. 45—101.

24 *BA,* a. a. O., S. 72.

25 *BA,* a. a. O., S. 85.

26 Ich kenne kein eindrücklicheres Beispiel im wirklichen Leben
als dasjenige von Julius Petersen (*Die Sehnsucht nach dem Drit-*
ten Reich in deutscher Sage und Dichtung, Stuttgart 1934).
Petersen war zwischen den beiden Weltkriegen einer der ange-
sehensten Literaturwissenschaftler Deutschlands. Seine Studie
über die Entwicklung des chiliastischen Erlösungsmythos vom
Altertum bis zum 20. Jahrhundert ist größtenteils ein faszinierendes und nützliches Werk mit wissenschaftlichen Quali-
täten. Aber Petersen verfiel der Nazi-Doktrin, und das Schlußkapitel seines Buches ist der widerliche Versuch, Hitler und den
Nationalsozialismus als die endliche Erfüllung dieses schönen
und oft heiligen Mythos darzustellen.

27 *BA,* a. a. O., S. 254.

28 *BA,* a. a. O., S. 298.

29 *Körperbau und Charakter; Untersuchungen zum Konstitutions-*
problem und zur Lehre von den Temperamenten. Ich beziehe
mich auf die 4. Auflage (Berlin, 1925). Kretschmer war Professor für Psychiatrie und Neurologie in Tübingen, später in Marburg. Sein Buch wurde immer wieder aufgelegt, die 25. Auflage
erschien 1967. Der Text wurde beträchtlich revidiert und erweitert seit der siebzehnten und achtzehnten Auflage von 1944,
die ein neues Kapitel über »Konstitution und Verbrechen« enthält. Hier zitiert Kretschmer Kriminalstatistiken nach der
Typenlehre, die den früheren Ausgaben des Buches zugrunde
liegt. Obschon die Theorie in den Vereinigten Staaten nie
irgendwie Fuß faßte, kann ihr Einfluß auf die deutsche Psych-

iatrie und Erforschung der Kriminalität bis vor kurzem nicht überschätzt werden. In einem Aufsatz über »Metapsychologie und Biologie« (*Neue Rundschau*, 1922) hat Döblin ausdrücklich auf Kretschmer verwiesen.

30 *BA*, a. a. O., S. 46.

31 *BA*, a. a. O., S. 508.

32 *BA*, a. a. O., S. 103 ff.

33 Wir erinnern uns an Rilkes Beschreibung des Todes, im Jargon des Schneiders versteckt, oder an seine Diskussion über die Zeit, in das Vokabular des Handels und des Bankwesens gekleidet. Diese Technik führt übrigens leicht zur Parodie. Robert Neumann wählte einen Abschnitt dieser Art für seine Parodie auf *Berlin Alexanderplatz*. Vgl. seine *Die Parodien: Gesamtausgabe* (Wien, München und Basel, 1962), S. 246—248.

34 *BA*, a. a. O., S. 57.

35 *BA*, a. a. O., S. 501.

36 Dieser Dreierrhythmus scheint übrigens Döblins Lebensgefühl zugrunde zu liegen, denn er beherrscht die Entwicklung einiger seiner andern Romane, vor allem *Die drei Sprünge des Wanglun*, in dem jeder Sprung einen Wendepunkt im Leben des Helden andeutet.

37 *BA*, a. a. O., S. 159.

38 Als Typ zeigt Reinhold eine auffallende Ähnlichkeit mit Adolf Hitler — eine Parallele, die wahrscheinlich bewußt eingeführt wurde — und mit Marius Ratti, dem mythischen Diktator von Hermann Brochs unvollendetem Roman »Demeter«, der postum unter dem Titel *Der Versucher* veröffentlicht wurde.

39 Minder, a. a. O., S. 303.

40 *BA*, a. a. O., S. 213.

41 *BA*, a. a. O., S. 231.

42 *BA*, a. a. O., S. 160.

43 *Gyges und sein Ring*, II 531—533 (Schluß von Akt I).

44 *BA*, a. a. O., S. 364.

45 »Berlin-Alexanderplatz; Hörspiel von Alfred Döblin«. Es gibt kein eigentliches Manuskript dieses Hörspiels, das am 30. September 1930 in Berlin aufgeführt wurde. Es wurde aber ein Stenogramm der Rundfunksendung gemacht. Diese Version wurde zum ersten Mal in Heinz Schwitzkes Anthologie von Hörspielen, *Sprich, damit ich dich sehe*, veröffentlicht: Bd. II = *Frühe Hörspiele* (München, 1962, S. 21—58).

46 Schöne, a. a. O., S. 318 charakterisiert diese Passagen als Formen kollektiver Rede und trennt sie scharf von den individuellen Bewußtseinsströmungen in Joyces *Ulysses*.

47 Während seiner Tätigkeit in Buch 1906/07 veröffentlichte Döblin eine medizinische Studie über einen ähnlichen Fall »Hysterie mit Dämmerzuständen«.

48 *BA*, a. a. O., S. 463.

49 *BA*, a. a. O., S. 476.

50 *BA*, a. a. O., S. 478.

51 *BA*, a. a. O., S. 488.

52 *BA*, a. a. O., S. 497.

53 *BA*, a. a. O., S. 498.

54 *BA*, a. a. O., S. 500.

Zu Kapitel 5:

1 Hermann Broch, *Briefe von 1929 bis 1951,* hg. v. Robert Pick (Zürich, 1957), S. 55. Diese Ausgabe wird in Zukunft als *Briefe* zitiert.

2 *Briefe,* a. a. O., S. 60.

3 Karl Robert Mandelkow, *Hermann Brochs Romantrilogie »die Schlafwandler«; Gestaltung und Reflexion im modernen deutschen Roman* (Heidelberg, 1962); Leo Kreutzer, *Erkenntnistheorie und Prophetie; Hermann Brochs Romantrilogie »Die Schlafwandler«* (Tübingen, 1966); Dorrit Claire Cohn, *The Sleepwalkers; Elucidations of Hermann Broch's Trilogy* (Den Haag und Paris, 1966).

4 Die vollständigste und sachlich zuverlässige Biographie, die auch die umfassendste Bibliographie enthält, ist diejenige von Manfred Durzak, *Hermann Broch* (Stuttgart, 1967). In der Reihe der Rowohlt-Monographien hat Durzak ebenfalls eine Biographie — mit vielen Bildern und dokumentarischem Material — veröffentlicht. Eine lesenswerte Biographie stammt von Thomas Koebner, *Hermann Broch, Leben und Werk* (Bern und München, 1965). Das einzige allgemeine Werk in englischer Sprache ist noch immer mein eigenes: *Hermann Broch,* erschienen in der Reihe »Columbia Essays on Modern Writers« (New York, 1964).

5 *Briefe,* a. a. O., S. 321.

6 Obwohl die Yale University Library vielen Forschern großzügig die Erlaubnis erteilte, dieses Material zu gebrauchen und zu zitieren, ist vieles davon noch nicht erschöpfend behandelt worden. Als vorläufige Beschreibung dieser Lage vgl. Götz Wienold, »Werk und Nachlaß Hermann Brochs; Editions- und Forschungsprobleme«, *Euphorion* 60 (1966), S. 370—382.

7 Brief vom 5. Dezember 1948, in dem er seine Gründe darlegt,

weshalb er *Die Schlafwandler* schrieb; *Briefe*, a. a. O., S. 322.
Briefe, a. a. O., S. 413—414.

8 *Briefe*, a. a. O., S. 59—60.

9 Im Essay über »James Joyce und die Gegenwart«. In: Hermann Broch, *Dichten und Erkennen, Essays I*, hg. v. Hannah Arendt (Zürich, 1955), S. 205 und anderswo (z. B. S. 246). Diese Ausgabe wird zukünftig als *Essays I* zitiert.

10 Siehe Einführung zu *Essays I*, a. a. O., S. 5.

11 *Briefe*, a. a. O., S. 184.

12 *Essays I*, a. a. O., S. 204.

13 Brief vom 16. Juli 1930. *Briefe*, a. a. O., S. 23.

14 Um den Standpunkt eines Historikers kennenzulernen, siehe Robert A. Kann, »Hermann Broch und die Geschichtsphilosophie«, in *Historica*, hg. v. Hantsch, Voegelin und Valsecchi (Wien, Basel und Freiburg, 1965), S. 37—50. Brochs Geschichtsphilosophie ist selbstverständlich nicht einzigartig; genau die gleiche Theorie, von einem katholischen Standpunkt aus, vertritt Romano Guardini in: *Das Ende der Neuzeit: Ein Versuch zur Orientierung* (Basel, 1950).

15 Ich zitiere nach der einbändigen Ausgabe der *Schlafwandler*, die als 2. Band der *Gesammelten Werke* Brochs (Zürich, Rhein) erschien. Hier S. 510.

16 Dieser »Prospekt« wurde von Manfred Durzak in seinem Aufsatz »Die Wandlung des Huguenau-Bildes in Hermann Brochs *Schlafwandlern*«, in: *Wirkendes Wort*, 17 (1967), S. 41 bis 47 publiziert.

17 *Schlafwandler*, a. a. O., S. 326.

18 *Schlafwandler*, a. a. O., S. 162.

19 *Schlafwandler*, a. a. O., S. 231.

20 *Briefe*, a. a. O., S. 26.

21 Brief vom 10. April 1930, *Briefe*, a. a. O., S. 18.

22 In seinem Essay in englischer Sprache »The Style of the Mythical Age« (1947), *Essays I*, a. a. O., S. 263.

23 Siehe z. B. die Diskussion über die Begriffe Park, Schloß, Kreuz etc. in Mandelkow, a. a. O., S. 119 ff.

24 Peter Collins, »Hermann Broch's Trilogy Die Schlafwandler: A Study of the Concept of Sleepwalking« (Dissertation der Universität von Sydney, Australien, 1967) enthält eine ausführliche Analyse von Brochs Metaphern.

25 Vgl. Richard Brinkmann, »Romanform und Werttheorie bei Hermann Broch: Strukturprobleme moderner Dichtung«, *Deutsche Vierteljahresschrift*, 31 (1957), S. 169-197, und Rolf Geissler, »Hermann Broch: *Die Schlafwandler*« in: *Möglichkeiten des modernen Romans*, hg. v. Rolf Geissler (Frankfurt am

Main, Berlin und Bonn, 1962), S. 102-160. Geissler enthält vor allem gute Interpretationen der ersten beiden Bände der Trilogie.

26 Ich vertrat diese Theorie in meinem Aufsatz »Zur Entstehung und Struktur von Hermann Brochs *Schlafwandlern*« *(Deutsche Vierteljahresschrift*, 38/1964, S. 40—69), nachdem ich die Manuskripte sorgfältig überprüft hatte. Viele Broch-Forscher halten sie für annehmbar und einleuchtend, aber es hat auch Einwände gegeben. Siehe etwa Manfred Durzak, »Hermann Broch und James Joyce; Zur Ästhetik des modernen Romans« *(Deutsche Vierteljahresschrift*, 40/1966, S. 419—420).

27 *Briefe*, a. a. O., S. 46.

28 Zu diesem Prozeß finden sich detaillierte Aufschlüsse in meinem Essay »Zur Entstehung und Struktur«, der in Anm. 26 zitiert wird.

29 *Briefe*, a. a. O., S. 31.

30 *Briefe*, a. a. O., S. 54.

31 *Briefe*, a. a. O., S. 67.

32 Im Essay »Das Weltbild des Romans« (1933); *Essays I*, a. a. O., S. 237.

33 Broch sagt, daß Dos Passos' Romane im »Empirischen« blieben und nicht »durchgeistigt« seien. *(Briefe*, a. a. O., S. 54) Broch war nicht der einzige deutsche Schriftsteller, der vom Amerikaner beeinflußt worden war. Die Studie über den Einfluß Dos Passos' auf die deutsche Prosa, die immer noch geschrieben werden muß, hätte neben Döblin auch Wolfgang Koeppen zu betrachten.

34 *Briefe*, a. a. O., S. 54—55.

35 *Briefe*, a. a. O., S. 57.

36 Cohn, a. a. O., S. 63. Eines der Hauptanliegen der Broch-Forschung ist die Lösung der Frage nach der Beziehung Bertrand Müllers zu Eduard von Bertrand. Sind die beiden physisch identisch? Sind sie als Symbol identisch? Oder besteht wirklich keine nähere Beziehung zwischen den Welten, die sie repräsentieren?

37 *Schlafwandler*, a. a. O., S. 590—591.

38 Frau Cohns Buch enthält die einzige umfassende Interpretation dieses Gedichts (a. a. O., S. 103—136). Es wurde bis jetzt von der Forschung übergangen. In bezug auf Bertrand Müllers Verzweiflung siehe Paul Konrad Kurz, »Hermann Brochs ›Schlafwandler‹-Trilogie als zeitkritischer Erlösungsroman«, *Über moderne Literatur: Standort und Deutungen* (Frankfurt am Main, 1967), S. 129—157.

39 Siehe in diesem Zusammenhang Mandelkow, a. a. O., S. 37 ff. und S. 49 ff.

40 Brief vom 17. Oktober 1930, *Briefe*, a. a. O., S. 35.

41 Vgl. Sidonie Cassirer, »Hermann Broch's Early Writings«, *PMLA*, 75 (1960), S. 453—462.

42 *Schlafwandler*, a. a. O., S. 592—598. Siehe in diesem Zusammenhang Erich Kahler, *Die Philosophie von Hermann Broch* (Tübingen, 1962).

43 Broch betrachtete diese Technik als ausdrückliche Verwendung der Relativitätstheorie in der Literatur. Für weitere Details siehe meinen Aufsatz über »Hermann Broch and Relativity in Fiction«, *Wisconsin Studies in Contemporary Literature, 8 (Sommer* 1967), S. 365—376.

44 Brief vom 3. August 1931, in: *Die Unbekannte Größe und frühe Schriften mit den Briefen an Willa Muir,* hg. v. Ernst Schönwiese (Zürich, 1961), S. 319—320.

45 »The Style of the Mythic Age«, *Essays I,* a. a. O., S. 260.

46 *Briefe,* a. a. O., S. 78.

47 *Briefe,* a. a. O., S. 280.

48 *Briefe,* a. a. O., S. 165.

49 *Schlafwandler,* a. a. O., S. 590.

50 Ich habe diese Interpretation in meiner Studie *The Novels of Hermann Hesse* (Princeton, 1965), vor allem S. 307—320, vorgeschlagen.

51 Ich habe Frank Trommlers Buch *Roman und Wirklichkeit* (Stuttgart, Berlin, Köln und Mainz, 1966) erst während der endgültigen Überarbeitung meines Manuskripts gelesen. Trommlers Studie über fünf österreichische Romanciers (Musil, Broch, Roth, Doderer und Gütersloh) beschäftigt sich mit der fiktiven Darstellung der Wirklichkeit — genau wie der erste Teil dieses Buches. Die Fragestellung ist aber anderer Art: »Wie kann sich der Roman als erzählte Welt in einem Zeitalter behaupten, dessen komplizierte gesellschaftliche und technische Prozesse offenbar in den Wissenschaften ihre adäquate Deutung erfahren?« (S. 5.) Und Trommlers Antworten sind eher theoretisch und weniger an spezifische Untersuchungen gebunden.

Zu Kapitel 6

1 Ingmar Bergman, *Wilde Erdbeeren;* dt. von Irene von Schering (Frankfurt am Main, 1964), S. 10.

2 *Schall und Wahn* (Stuttgart, o. J.), S. 288, 79, 89.

3 Hier und später zitiert nach der Penguin-Ausgabe (New York, 1946), S. 198 f., 208, 209. Im Werk der Virginia Woolf gibt es zahllose weitere Beispiele. In *The Waves* (zusammen mit *Jacob's*

Room. New York, 1966, veröffentlicht) schreibt sie auf S. 366: »Ja, doch plötzlich hört man eine Uhr ticken. Wir, die wir in dieser (zeitlosen und poetischen) Welt versunken waren, wurden eine andere gewahr. Es ist schmerzlich.«

4 Nach J. B. Priestley, *Man and Time* (New York, 1964), S. 106 f.

5 Vgl. Christine Bourbek, *Die Struktur der Zeit in heutiger Dichtung* (Berlin, 1956). Obwohl die Studie in ihrer Einstellung ausdrücklich christlich ist, enthält sie eine großzügige Auswahl moderner deutscher Poesie, die sich mit der Zeitthematik befaßt.

6 »Books and the War, II«, *New Writing* (1941).

7 Hier zitiert nach der Beacon Press-Ausgabe (Boston 1957) S. 218, 221, 15, 55, 419, 271, 400.

8 Für diesen Zusammenhang vgl. Otto Friedrich Bollnow, *Existenzphilosophie*, 4. Aufl. (Stuttgart, 1955) bes. S. 104 ff.

9 In den folgenden Absätzen folge ich Georges Poulets glänzender Einführung in seine *Etudes sur les temps humain* (Paris, 1950) und dem Kapitel »Time and the Modern World« in Hans Meyerhoff, *Time and Literature* (Berkeley und Los Angeles, 1955) S. 85—119. Ich möchte gern meiner allgemeinen Bewunderung für Meyerhoffs Buch Ausdruck geben; die gründlichste und anregendste Untersuchung über das Problem der Zeit in der Literatur. Sowohl Poulet wie Meyerhoff befassen sich ausführlich mit Zeitkonzepten vor dem 20. Jahrhundert.

10 Poulet, a. a. O.

11 Meyerhoff, *Time in Literature*, S. 95.

12 Poulet, a. a. O.

13 *Die Welt von Gestern; Erinnerungen eines Europäers (Stock*holm, 1946), S. 11 und (später) S. 453.

14 Isaac Asimov, *The Clock We Live On* (revid. Ausgabe; New York, 1963), bietet einen lesenswerten Bericht über die Geschichte der wissenschaftlichen Zeit.

15 Priestley, *Man and Time*, S. 110. In diesem Zusammenhang sei vermerkt, daß Science Fiction grundsätzlich dazu neigt, die Vorurteile der Zeiten zu spiegeln. In früheren »Science-fiction«-Werken — etwa in Mary Shelleys *Frankenstein* (1818) oder in den romantischen Erzählungen E. T. A. Hoffmanns — gilt das Hauptinteresse den Reisen durch den Raum (als Symptom des Aufbegehrens gegen geographische Einschränkungen) oder der physischen Umwandlung (als Spiegelung der romantischen Auffassung von der organischen Einheit alles Bestehenden).

16 Dies ist ein allgemeines Prinzip der Geistesgeschichte und der Literaturkritik, das aber häufig nicht beobachtet wird. So hatte das populäre Mißverständnis Rousseaus oder Nietzsches weit größere Folgen für ihre Epochen als es ein genaues Begreifen

jemals hätte haben können. Und hätte Kleist nicht Kant falsch gelesen, wäre die Welt wohl um einige große Erzählungen und Dramen ärmer.

17 Zu diesem Zusammenhang vgl. meinen Aufsatz über »Hermann Broch and Relativity in Fiction« in *Wisconsin Studies in Contemporary Literature*, 8 (Sommer 1967), S. 365—376. In dem Kapitel »Time in Fiction and Drama« in *Man and Time* (S. 106—135) erörtert J. B. Priestley seine eigenen Versuche, verschiedene Zeittheorien in seine Stücke einzubauen. Vgl. auch Irwin Morgenstern, *The Dimensional Structure of Time, together with The Drama and Its Timing* (New York, 1960).

18 *The Direction of Time*, hg. v. Maria Reichenbach (Berkeley und Los Angeles, 1956), S. 17.

19 Im Kapitel »Strandspaziergang«.

20 In diesem Zusammenhang möchte ich gern Margaret Church, *Time and Reality; Studies in Contemporary Fiction (Chapel Hill, 1963)* erwähnen. M. Church, deren Untersuchung mehr auf Werte und Bedeutung als auf Struktur und Technik abzielt (S. 19), neigt dazu, Autoren mehr oder weniger nach ihrem Verständnis Bergsons und Prousts einzuschätzen. Ihr Buch enthält eine Menge nützlicher Beobachtungen und dazu eine ausgezeichnete Bibliographie von englischen, deutschen und französischen Arbeiten über Zeit.

21 Diese Behandlung unterscheidet sich, wie zu betonen ist, von der äußerst schätzenswerten Methode Günther Müllers in *Die Bedeutung der Zeit in der Erzählkunst* (Bonn, 1947); diese Untersuchung befaßt sich vor allem mit der Diskrepanz zwischen »erzählter Zeit« und »Erzählzeit« und mit den Auswirkungen auf Struktur und Qualität des Erzählten. Mein eigenes Vorgehen liegt näher (ohne damit identisch zu sein) bei demjenigen von Hans Robert Jauss in *Zeit und Erinnerung in Marcel Prousts ›A la recherche du temps perdu‹; Ein Beitrag zur Theorie des Romans* (Heidelberg, 1955). Jauss unterscheidet (S. 37) zwischen der »Dauer der Erscheinung« und der »Erscheinung der Dauer«.

22 So schreibt E. M. Forster im Kapitel »The Story« in *Aspects of the Novel* (New York, 1927) auf S. 29, es sei »für einen Romancier niemals möglich, im Gewebe seines Romans die Zeit zu verleugnen; er muß sich vielmehr leicht an den Faden seiner Erzählung klammern; er muß den endlosen Bandwurm berühren, sonst wird er unverständlich, was, in seinem Fall, ein Fehler ist«. Die Feststellung, daß Zeitlichkeit der menschlichen Wahrnehmung die Form liefert, bildet natürlich eines der Zentralprinzipien in Edmund Husserls *Phänomenologie des inneren*

Zeitbewußtseins. Doch da dieses Werk, das auf einer Reihe von 1904 und 1910 in Göttingen gehaltenen Vorlesungen beruht, nicht vor 1928 veröffentlicht (und da von Martin Heidegger herausgegeben!) wurde, können uns Husserls Ideen nur als Widerspiegelung der zeitgenössischen literarischen Theorie und Praxis beschäftigen, nicht aber als etwas, das sie beeinflußt hätte.

23 Da beide Aspekte — die Darstellung offizieller und privater Zeit — in all diesen Werken deutlich erkennbar sind, kann ich nicht die strenge Unterscheidung akzeptieren, die Paul West in *The Modern Novel* (London, 1963) vorschlägt. In der Einleitung (S. 3—55) spricht West von Romanen metaphysischer Herausforderung und sozialer Analyse. Die meisten der von uns erörterten Werke kombinieren jedoch beide Elemente; ja, ihre Spannung entspricht der Konfrontation dieser Aspekte. Das ist gewiß bei Broch, Döblin und Thomas Mann der Fall. Andererseits ist Wests Untersuchung häufig herausfordernd und wertvoll.

24 »Einführung in den *Zauberberg* für Studenten der Universität Princeton« (1939), *GW*, a. a. O., XI, 611 f.

25 Die Entstehung des Doktor Faustus (1949); in *GW a. a. O.*, XI, 292.

26 »James Joyce und die Gegenwart« (1936); in *Essays I*, a. a. O., S. 192.

27 »Bemerkungen zum Tod des Vergil«; in *Essays I*, a. a. O., S. 267.

28 »Der Geist des naturalistischen Zeitalters« (1924); in *Aufsätze zur Literatur*, a. a. O., S. 80.

29 *Point Counter Point* (New York, ca. 1928), S. 228.

30 *Jacob's Room*, S. 131. In *The Waves* (S. 264) sagt V. Woolf das gleiche metaphorischer: »im Bemühen, einen stählernen Ring aus reiner Poesie zu machen, der die Möven und die Frauen mit schlechten Zähnen verbindet...« Diese poetische Welt ist überdies »eine gegen Veränderung immune Welt« (S. 249).

31 *Herr Meister* (München, 1963), S. 100 f. An dieser Stelle möchte ich auch Jens' Essay »Uhren ohne Zeiger: Die Struktur des modernen Romans« in *Statt einer Literaturgeschichte* (Pfullingen, 1957), S. 23—58 erwähnen. Dies ist eine der phantasiereichsten und anregendsten Untersuchungen, die jemals über die Zeit im modernen Roman von Proust bis Faulkner geschrieben wurden.

32 »Einführung in den Zauberberg«, *GW*, a. a. O., XI, 603.

33 Für diesen Zusammenhang vgl. meine Studie *The Novels of Hermann Hesse* (Princeton, 1965), bes. Kap. 3: »Timelessness: The Chiliastic Vision«.

34 Roger Shattuck analysiert in *Proust's Binoculars: A Study of*

Memory, Time and Recognition (New York, 1963) drei Methoden, die Proust anwendet, um seine *instantanés* einzurichten:
das filmische, das Montage- und das stereoskopische Prinzip.
Robert Humphrey bietet in *Stream of Consciousness in the
Modern Novel* (Berkeley und Los Angeles, 1959) eine gescheite
Auseinandersetzung über verschiedene Techniken, die den Effekt des Bewußtseinsstroms hervorrufen.

35 In diesem Zusammenhang vgl. A. A. Mendilow, *Time and the
Novel* (London und New York, 1952), S. 63: »In der letzten
Analyse reduzieren sich so gut wie alle Techniken und Mittel
der Erzählung auf eine Behandlung gemäß den verschiedenen
Zeit-Wertigkeiten und Zeit-Abfolgen und darauf, wie eine gegen die andere ausgespielt wird.« Die Nützlichkeit dieser Untersuchung, die eine Anzahl glänzender Bemerkungen zur Erzähltechnik enthält, wird durch drei große Schwächen verdorben: ein unzulängliches Verständnis der philosophischen Probleme hinter dem modernen Zeitproblem (z. B. S. 8, wo Heidegger
mit Heisenberg durcheinander gebracht wird); einen Mangel an
Kenntnis ausländischer Romane und kritischer Arbeiten über
die Zeit; und die Neigung, moderne Experimente aufzulösen
»in wenig mehr als die Entwicklung von Mitteln, die das 18.
Jahrhundert vorweggenommen hat« (S. 160). Die letzte Bemerkung widerspricht natürlich dem Zentralthema Poulets und
Meyerhoffs und meinem eigenen Kapitel.

36 Bollnow, *Existenzphilosophie*, a. a. O., S. 106.

37 *Time in Literature*, a. a. O., S. 26.

38 *The Waves*, a. a. O., S. 264. Das ist nur eines der vielen lebendigen Bilder in jenem Roman, worin Virginia Woolf die charakteristische Leuchtkraft dieser Momente unterstreicht, die »der
Schlinge der Zeit« entwunden sind (S. 189). Die gleiche Strah-
lung ist ausdrücklich bei vielen anderen Autoren erwähnt: Joyce, Rilke, Hofmannsthal, Musil. Vgl. in diesem Zusammenhang
meinen Aufsatz »James Joyces Epiphanie und die Überwindung der empirischen Welt in der modernen deutschen Prosa«,
Deutsche Vierteljahresschrift 35 (1961), S. 595—616.

39 *Nourritures terrestres* in André Gide, *Romans* (Paris, 1958),
S. 172.

40 *Time in Literature*, a. a. O., S. 74.

41 Vgl. Frederick J. Hoffman, *The Mortal No: Death and the Modern Imagination* (Princeton, 1964), S. 4: »Der Tod richtet uns
auf das Leben aus und zwingt uns, es zu bewundern oder zu
lieben (auch wenn wir ebenso gut an ihm verzweifeln können),
das Vergehen der Zeit mit Neid anzusehen (das sich durch Veränderungen in Gegenständen anzeigt) und schließlich an Ent-

scheidungen zu verzweifeln.« Ich erwähne Hoffmans Buch lieber hier als im folgenden Kapitel, weil es trotz seines Titels nicht so sehr vom Tod handelt als vielmehr von der verstärkten Lebenszuwendung und der Zeitlichkeitserfahrung, wie sie sich in der modernen Literatur finden.

42 *The Waves*, a. a. O., S. 273.

43 Aus den vielen Untersuchungen über die Zeit in der Literatur möchte ich als erwähnenswert zwei Arbeiten hervorheben, die von allgemeinem Interesse, aber nicht auf unseren Zusammenhang anwendbar sind; Emil Staiger, *Die Zeit als Einbildungskraft des Dichters* (Zürich und Leipzig, 1939), ein Buch, das sich mit Brentano, Goethe und Keller befaßt; und Jean Pouillon, *Temps et roman* (Paris, 1946), das weniger auf Zeit eingeht als auf Blickpunkt und Psychologie.

Zu Kapitel 7

1 Rilke, *Briefwechsel mit Benvenuta* (Eßlingen, 1954) S. 93.

2 Martin Buber, »Geleitwort« in Richard Beer-Hofmann, *Gesammelte Werke* (Frankfurt am Main, 1963), S. 5; auch in Erich Kahlers Einleitung zu Hermann Broch, *Gedichte* (Zürich, 1953), S. 12—14. Zu untersuchen bleibt noch immer das Ausmaß, in dem diese Besessenheit Bezug zu zeitgenössischen psychologischen Theorien hat, zumal zu denen Ernst Machs.

3 R. W. B. Lewis, *The Picaresque Saint; Representative Figures in Contemporary Fiction* (Philadelphia und New York, 1961), S. 17.

4 *The Picaresque Saint*, a. a. O., S. 19.

5 Walther Rehm, *Der Todesgedanke in der deutschen Dichtung vom Mittelalter bis zur Romantik* (Halle/S., 1928), S. 1.

6 Vgl. Norman O. Brown, *Life against Death; The Psychoanalytical Meaning of History* (Middletowns, 1959), besonders Kap. 8: »Time, Death and Eternity«. Brown bietet eine überzeugende Analyse Hegels und Freuds, aber er versäumt zu bemerken: a) ihre Abhängigkeit von früheren romantischen Quellen und b) Unterschiede zwischen ihrer Haltung und der zahlreicher anderer moderner Denker.

7 Lewis, *The Picaresque Saint*, a.a.O., S. 20 f.

8 R. M. Albérès, *Histoire du roman moderne* (Paris, 1962), S. 9: »*Le roman est un substitut de la mort* ... le roman a remplacé l'idée de l'éternité, dont il est un *ersatz* sans cesse renouvelé.«

9 Georg Simmel, »Zur Metaphysik des Todes«, *Logos*, 1 (1910), 57—70; *Rembrandt: Ein kunstphilosophischer Versuch* (Leipzig,

1916); *Lebensanschauung* (München und Leipzig, 1918), bes. »Tod und Unsterblichkeit«.

10 In diesem Zusammenhang vgl. die Einleitung zu Georg Simmel, *Brücke und Tür; Essays des Philosophen zur Geschichte, Religion, Kunst und Gesellschaft,* ed. Margarete Susman und Michael Landmann (Stuttgart, 1957), S. VI. Ich beziehe mich auf den Text von Simmels Essay, wie er in dieser Ausgabe S. 29—36 abgedruckt ist.

11 Z. B. *Der Untergang des Abendlandes* (München, 1963) S. 160: »Mit der Geburt ist der Tod, mit der Vollendung das Ende gegeben ... Mit dem *Wissen* um das Leben, das den Tieren fremd blieb, ist das Wissen um den Tod zu jener Macht aufgewachsen, die das gesamte menschliche Wachsein beherrscht.«

12 Simmels Vorstellung scheint Gides Ansicht in *Les nourritures terrestres* (Gide, *Romans,* S. 172) zu spiegeln: »Ich würde nicht länger versuchen, etwas zu tun, wenn man mir sagte, wenn mir bewiesen würde, daß ich alle Zeit der Welt hätte, es zu tun. Ich gäbe mich von Anbeginn an mit dem Wunsch zufrieden, etwas zu unternehmen, weil ich wüßte, daß ich Zeit habe, alles andere *ebenso* zu tun. Was immer ich täte, zählte nicht, wenn ich nicht wüßte, daß diese Form des Lebens an ein Ende gelangen muß ...«

13 *Time in Literature,* a. a. O., S. 66.

14 *Essai sur l'expérience de la mort* (Paris, 1951).

15 Erich Kahler: *The Tower and the Abyss; An Inquiry into the Transformation of Man* (New York, 1967); Gerhard Mazur, *Prophets of Yesterday; Studies in European Culture, 1890 bis 1914* (New York, 1961); H. Stuart Hughes, *Consciousness and Society; The Reconstruction of European Social Thought* (New York, 1961); Fritz Stern, *The Politics of Cultural Despair* (New York, 1965).

16 Im Essay »Das Böse im Wertsystem der Kunst« (1933); in *Essays I,* a. a. O., S. 316. Diese Beobachtung ist natürlich nicht allein diejenige Brochs. Vgl. Jacques Choron, *Death and Western Thought* (New York, 1963). In diesem nützlichen Überblick befaßt sich Choron mehr mit Philosophie als mit Literatur.

17 Brief vom 15. Februar 1949: *Briefe,* a. a. O., S. 327.

18 *Malte,* a. a. O., S. 713 f.

19 *Die Welt als Wille und Vorstellung,* Teil II, Kap. 41. Dieser lange Abschnitt über den Tod und seine Beziehung zur Unzerstörbarkeit unseres Seins an sich machte einen so tiefen Eindruck auf Thomas Buddenbrook in Thomas Manns frühem Roman (Teil X, Kap. 5).

20 *Versuch über die Gräbersymbolik der Alten* (Basel, 1859).

21 *Das Erlebnis und die Dichtung* (6. Aufl., Berlin und Leipzig, 1919), S. 230. Diltheys 1905 als Buch veröffentlichte Essays waren einzeln seit 1865 erschienen. Die erwähnte Stelle steht im Abschnitt über Goethe (1877).

22 Vgl. Robert J. Olsons Aufsatz über »Death« in *The Encyclopedia of Philosophy*, hg. v. Paul Edwards (New York, 1967) II, 307—309.

23 *Der Tor und der Tod* (1893), in Hugo von Hofmannsthal, *Gedichte und lyrische Dramen* (Frankfurt am Main, 1952), S. 209. Zur Todesthematik vgl. bes. Richard Alewyns Essay »Der Tod des Ästheten« in *Über Hugo von Hofmannsthal* (Göttingen, 1958), v. a. S. 74 f: »Dies ist die Einweihung, die Claudio nun empfängt: Überall grenzt das Leben an den Tod, nicht nur als an eine dauernde Möglichkeit (im Sinne des christlichen Todes), sondern auch als eine allgegenwärtige Wirklichkeit.«

24 Die ausführliche Untersuchung über Rilkes Todesauffassung findet sich in Walther Rehm, *Orpheus; Der Dichter und die Toten* (Düsseldorf, 1950), S. 377—669. Unglücklicherweise sagt Rehm wenig speziell über den *Malte* (S. 586—589).

25 Lydia Baer, »Rilke und Jens Peter Jacobsen«, *PMLA*, 54 (1939), 900—932, 1133—1180.

26 *Orpheus*, a. a. O., S. 586.

27 Hans Aarsleff, »Rilke, Herman Bang, and *Malte*«, Proceedings of the IVth Congress of the International Comparative Literature Association (Den Haag und Paris, 1966), S. 628—636.

28 Brief vom 6. Januar 1923 an die Gräfin Margot Sizzo-Noris-Crouy; Rilke, *Briefe* (Wiesbaden, 1950), II, bes. 378—382.

29 *Malte*, a. a. O., S. 720.

30 *Malte*, a. a. O., S. 862.

31 *Malte*, a. a. O., S. 859.

32 *Malte*, a. a. O., S. 862.

33 Brief vom 8. November 1951 an Lotte Heßner; *Briefe*, a. a. O., II, 56.

34 »Von deutscher Republik«; *GW*, a. a. O., XI, 851. Lydia Baer verfolgt in *Concept and Function of Death in the Works of Thomas Mann* (Diss., University of Pennsylvania, 1932) das Auftreten dieser Thematik in Manns Werk, ohne seine Einstellung von der typisch romantischen Anschauung zu unterscheiden. Joseph G. Brennan erklärt in *Thomas Mann's World* (New York, 1962), S. 67, Manns ganze Vorliebe für Krankheit psychoanalytisch und sieht darin einen Ersatz für die Neugierde bezüglich des nicht direkt erfahrbaren Todes.

35 *Zauberberg*, a. a. O., S. 412.

36 So sehr, daß Hermann J. Weigand in *Thomas Mann's Novel Der*

Zauberberg (New York und London, 1933), S. 28, den Tod unter Hans Castorps vier »Urerlebnisse« rechnete.

37 *Zauberberg*, a. a. O., S. 686.

38 Im Nachwort zu seiner Ausgabe von *Berlin Alexanderplatz* spielt Walter Muschg (S. 521) auf Ernst Barlachs Drama *Der tote Tag* und auf die expressionistische Literatur im allgemeinen an; doch diese Parallelen liegen nicht so nahe wie Hofmannsthals Spiel.

39 *Berlin Alexanderplatz*, a. a. O., S. 475.

40 *Berlin Alexanderplatz*, a. a. O., S. 474.

41 *Berlin Alexanderplatz*, a. a. O., S. 479.

42 *Berlin Alexanderplatz*, a. a. O., S. 488.

43 *Berlin Alexanderplatz*, a. a. O., S. 489.

44 In *Erkennen und Handeln; Essays II*, hg. v. Hannah Arendt (Zürich, 1955), S. 232. Der Tod ist in Brochs Denken ein so fundamentaler Begriff, daß er in so gut wie jedem seiner Werke erörtert wird. Zwei hilfreiche Analysen sind der in Anm. 2 zitierte Essay Erich Kahlers und Hannah Arendts Einführung in die *Essays I*. Beide befassen sich mit der allgemeinen Rolle des Todes in Brochs Philosophie.

45 *Essays I*, a. a. O., S. 316.

46 *Essays I*, a. a. O., S. 317. Das steht bildlich und der Einstellung nach ganz dicht bei Rilkes Gedicht »Todes-Erfahrung«.

47 »Hofmannsthal und seine Zeit«; in *Essays I*, a. a. O., S. 123.

48 »Leben ohne platonische Idee«; in *Die Unbekannte Größe und frühe Schriften*, hg. v. Ernst Schönwiese (Zürich, 1961), S. 276.

49 *Briefe*, a. a. O., S. 201.

50 *Briefe*, a. a. O., S. 271.

51 *Briefe*, a. a. O., S. 376.

52 *Briefe*, a. a. O., S. 192 f.

53 *Briefe*, a. a. O., S. 214.

54 Vgl. die glänzende Analyse Hermann J. Weigands »Hermann Broch's *Death of Vergil*: Program Notes«, *PMLA*, 62 (1947), 525—554. Nützlich sind auch D. Meinert, *Die Darstellungen der Dimensionen menschlicher Existenz in Brochs »Tod des Vergil«* (Bern und München, 1962) und Götz Wienold, »Die Organisation eines Romans: Hermann Brochs »Der Tod des Vergil«, *Z. f. dt. Ph.*, 86 (1967), 571—593.

55 *Schlafwandler*, a. a. O., S. 426.

56 *Schlafwandler*, a. a. O., S. 104.

57 *Schlafwandler*, a. a. O., S. 488.

58 *Schlafwandler*, a. a. O., S. 533.

59 *Schlafwandler*, a. a. O., S. 612.

60 *Schlafwandler*, a. a. O., S. 683.

61 *Schlafwandler,* a. a. O., S. 105, 283.

62 *Schlafwandler,* a. a. O., S. 314.

63 *Schlafwandler,* a. a. O., S. 609.

64 In diesem Zusammenhang vgl. die Hinweise auf Rilke in Gaston Bachelard, *Le poétique de l'espace* (Paris, 1957); bes. Kap. 1 über »das Haus«.

65 Diese folgenden und weitere Beispiele führt Walther Rehm in *Orpheus,* a. a. O., S. 622—625, an.

66 Hans Egon Holthusen, *Rainer Maria Rilke in Selbstzeugnissen und Bilddokumenten* (Reinbek, 1958), S. 138 f.

67 »Okkulte Erlebnisse«, *GW,* a. a. O., X, 135—171.

68 In einem Brief an Hermann Pongs vom 21. Oktober 1924 schrieb Rilke, er habe Malte zum Teil deshalb einen Dänen sein lassen, um seine okkulten Erlebnisse plausibel zu machen: »... weil nur in der Atmosphäre der skandinavischen Länder das Gespenst unter die möglichen Ereignisse eingereiht erscheint und zugegeben (: was meiner eigenen Einstellung gemäß ist).« Rilke, *Gesammelte Briefe* (Leipzig, 1939), V. 323.

69 In Broch, *Briefe,* a. a. O., S. 218—220.

70 Gustav Janouch, *Gespräche mit Kafka,* a. a. O., S. 108.

71 *Gespräche mit Kafka,* a. a. O., S. 95.

72 In Franz Kafka, *Hochzeitsvorbereitungen auf dem Lande und andere Prosa aus dem Nachlaß* (Frankfurt am Main, 1966). S. 40.

73 *Gespräche mit Kafka,* a. a. O., S. 59.

74 *Gespräche mit Kafka,* a. a. O., S. 61.

75 »Vom Scheintod«; in *Hochzeitsvorbereitungen,* a. a. O., S. 433.

76 *Tagebücher,* a. a. O., S. 545.

77 *Tagebücher,* a. a. O., S. 448 (13. Dezember 1914).

78 *Franz Kafka* (New York, 1966), S. 11.

79 Hoffman, *The Mortal No,* a. a. O., S. 4.

80 *The Picaresque Saint,* a. a. O., S. 27. Es ist vielleicht an dieser Stelle beachtenswert, daß der Tod die Schlüsselthematik ist, durch die sich Sartre als repräsentativer Philosoph der folgenden Generation von Heidegger und anderen unterscheidet, die an einen immanenten Tod glauben. Für Sartre ist der Tod eine »Kontingente«, undurchschaubare Tatsache: nämlich weder immanent noch der Erkenntnis zugänglich.

Zu Kapitel 8

1 *Don Carlos, II,* 2.

2 *Candide* erschien 1759 und *René* 1802. Alle übrigen Romane fallen in die gleiche Epoche: Novalis, *Heinrich von Ofterdingen*

(1802); Ludwig Tieck, *Die Geschichte des Herrn William Lovell*
(1795/96) und *Franz Sternbalds Wanderungen (1798)*; Joseph
von Eichendorff, *Ahnung und Gegenwart* (1815); L'Abbé Pré-
vost, *Manon Lescaut* (1731); Henry Fielding, *Tom Jones* (1749)
Stendhal, *Le Rouge et le noir* (1831).

3 Hilaire Belloc, *Cautionary Verses* (New York, 1959), S. 64.

4 Diese Verallgemeinerung trifft natürlich nur auf Romane mit einem einzigen Helden zu, und nicht etwa auf Sittenromane mit
mehreren Hauptgestalten (z. B. Goethes *Wahlverwandtschaften*
oder Choderlos de Laclos *Les Liaisons dangereuses*).

5 Vgl. Justin O'Brien, *The Novel of Adolescence in France*
(New York, 1937).

6 Vieles von dem folgenden Material verdanke ich Ulrich Helfen-
stein, *Beiträge zur Problematik der Lebensalter in der mittleren
Geschichte* (Zürich, 1952). Vgl. auch Philippe Ariès. *L'Enfant et
la vie familiale sous l'ancien régime* (Paris, 1960). Die Altersverschiebung von zwanzig auf dreißig steht, wie Ariès zeigt,
zweifellos in Verbindung mit dem Fehlen eines »Jünglings«-Be-
griffs vor dem 19. Jahrhundert. Schließlich ist bemerkenswert,
daß Dantes Alter zu Beginn der *Göttlichen Komödie* (fünfunddreißig) in eine andere Tradition und Gedankenverbindung
gehört: es bezeichnet die Mitte — »nel mezzo del cammin di
nostra vita« — der biblischen siebzig Jahre.

7 Zitiert nach *Das große Testament* von François Villon (St. Gal-
len, Stuttgart, Wien, 1949), übers. von Walter Widmer: »Nun
bin ich grade dreißig Jahre alt, / Die Schande hab' ich ausge-
kostet bis zur Neige / und alle Scham bis auf den Bodensatz
gefressen, / bin nicht ganz töricht, nicht recht weise halt ...«

8 Aus dem Essay »De l'Aage« (I, L VII); zitiert nach *Oeuvres
Complètes* (Paris, 1924), II, S. 10.

9 *Journal d'un homme de trente ans* (Paris, 1948), S. 24 (Eintrag
vom Juli 1915).

10 »Reginald« und »Reginald« in the Academy« in dem Band
Reginald (1904), hier zitiert nach *The Short Stories of Saki*
(New York, 1937), S. 4 und 10.

11 Dieses Wort wurde natürlich seit den Unruhen in Kalifornien
zum nationalen Slogan. Vgl. den amüsanten Beitrag John Fi-
schers in *Harper's* (März 1956), S. 16—28; und C. D. B. Bryan,
»Why the Generation Gap Begins at 30«, *The New York Ti-
mes Magazine* (2. Juli 1967), S. 10 f. und 34—39. Kürzlich erschien sogar ein Essayband mit dem Titel *Never Trust a God
Over 30«*, hg. v. Albert H. Friedlander (New York, 1967).

12 F. M. Dostojewski, *Die Brüder Karamasoff*, übers. von E. K.
Rahsin, (München, 1921), I, 455 f.

13 In *Also sprach Zarathustra* parodierte Nietzsche bewußt viele
   biblische Elemente, sowohl stilistisch wie strukturell; der vierte
   Teil ist eine schmähende Travestie der letzten Tage Christi. Man
   darf wohl angesichts dieser Tendenz als gesichert annehmen,
   daß Nietzsche Jesus im Sinn hatte, der auch als Dreißigjähriger
   in die Wüste ging. In »Der Wanderer und sein Schatten« (der
   zweiten Abteilung des zweiten Bandes von *Menschliches, All-
   zumenschliches*, 1880) umreißt Nietzsche im Stück 269 seine
   Theorie des Alters (»Die Lebensalter«). Weder die ersten noch
   die letzten zwanzig Jahre sollten zählen, erklärt er, sondern
   nur die drei Dekaden zwischen zwanzig und fünfzig: Frühling,
   Sommer und Herbst des Lebens. Danach sind die Dreißigerjahre
   diejenigen der Arbeit und der »Rüstigkeit«.

14 »A Lady Thinks She Is Thirty« aus dem Band *Many Long
   Years ago* (1936); hier zitiert nach *Verses from 1929 On* (New
   York, 1959), S. 42. (»Unwillig wacht Miranda auf, / empfindet die Sonne mit Schrecken. / Sie tut einen unwilligen Schritt /
   und schaudert in den Spiegel hinein. / Miranda in Mirandas
   Blick / ist alt und grau und schmutzig; / Neunundzwanzig war
   sie gestern abend; / Heut morgen ist sie dreißig.«).

15 »Das dreißigste Jahr«, in Ingeborg Bachmann *Gedichte, Erzählungen, Hörspiele, Essays* (München, 1964), S. 67.

16 Albert Camus *Le Mythe de Sisyphe* (dt. Ausg.: *Der Mythos
   von Sisyphos. Ein Versuch über das Absurde*, übers. von Hans
   Georg Brenner und Wolfdietrich Rasch, Reinbek, 1959, S. 16 f.).

17 Seltsamerweise ist weder im Roman noch im Essay das Alter
   des Schreibenden deutlich festgestellt — anders als in allen
   übrigen hier erörterten Werken. Doch beide Male ist es klar angedeutet. Der folgende Absatz des Essays sagt, man schenke
   den Alltagsereignissen wenig Aufmerksamkeit. Doch: »Es
   kommt ein Tag, da stellt der Mensch fest oder sagt, daß er
   dreißig Jahre ist. Damit beteuert er seine Jugend. Zugleich aber
   bestimmt er seine Situation, indem er sich in Beziehung zur
   Zeit setzt! Er nimmt in ihr seinen Platz ein.« Diese frappierende Assoziation der Krise mit dem Dreißig-Jahre-Alter kann
   nicht zufälliger sein als Meursaults Bemerkung kurz vor dem
   Ende des Romans: »In Wirklichkeit war ich mir nicht im Un-
   klaren darüber, daß es wenig Unterschied macht, ob man mit
   dreißig oder mit siebzig stirbt ...« Vernünftigerweise muß man
   annehmen, daß der junge Erzähler, der das Alter von siebzig
   Jahren als Kontrast wählt, selber dreißig ist. Weiterhin ist interessant, daß Camus selber noch nicht dreißig war, als diese beiden
   Werke 1942 erschienen. Dies kann bedeuten, daß er, statt ein
   autobiographisches oder ein aufs Geratewohl erwähltes Alter

zu benutzen, den symbolischen Sinn des dreißigsten Jahres auswerten wollte. Das könnte die seltsame Wendung erklären: »Da stellt der Mensch fest oder sagt, daß er dreißig Jahre ist« (»l'homme constate ou dit qu'il a trente ans«). Hier wäre zu erwähnen, daß das Alter von dreißig Jahren nicht notwendigerweise überhaupt einen Bezug zum Alter des Autors haben muß, der zuweilen zur Zeit der Niederschrift um die Dreißig ist, häufig aber viel älter (Broch, Döblin, Bernanos).

18 Z. B. Alfred Andersch *Die Kirschen der Freiheit* (1952). Diese Autobiographie, eines der fesselndsten Dokumente der deutschen Nachkriegsliteratur, bietet ein perfektes Beispiel für die Krise des Dreißigjährigen in der Wirklichkeit. Natürlich wählte Andersch das Alter dreißig nicht aus symbolischen Gründen; er berichtet gewisse Ereignisse aus seinem Leben so, wie sie sich abgespielt haben. Doch der kritische Moment, auf den der ganze Bericht ausgerichtet ist, bleibt letzten Endes die Entscheidung zur Desertion aus der deutschen Armee — eine Flucht in die Freiheit, angetreten im Alter von dreißig Jahren. Und diese Hauptepisode (»Die Wildnis«) enthüllt sämtliche Elemente der typologischen Erfahrung, wie sie oben skizziert wurde. Mein Kollege Michael Curschmann hat mich auf die gleicherweise charakteristische Tagebucheintragung Paul Klees an seinem dreißigsten Geburtstag aufmerksam gemacht.

19 *Malte*, a. a. O., S. 726

20 *Der Mythos von Sisyphos*, a. a. O., S. 16: »Alle große Taten und alle großen Gedanken haben in ihren Anfängen etwas Lächerliches ... Mehr als irgendeine andere Welt verdankt die Welt des Absurden ihren Adel dieser niedrigen Herkunft. Antwortet ein Mensch auf die Frage, was er denke, in gewissen Situationen mit ›nichts‹, so kann das Verstellung sein. Verliebte wissen das genau. Ist diese Antwort aber aufrichtig, stellt sie den sonderbaren Seelenzustand dar, in dem die Leere beredt wird, die Kette alltäglicher Gebärden zerrissen ist ... dann ist sie gleichsam das erste Zeichen der Absurdität.«

21 Es ist vielleicht bemerkenswert, daß sich dieses innere Erwachen zu einem Empfinden des Zerfalls häufig am Romanende im öffentlichen Ereignis des Ersten Weltkriegs spiegelt, der in der Realität den geistigen Zusammenbruch sichtbar macht. Es gibt Untersuchungen über die Kriegsthematik. Doch noch immer fehlt ein gutes Buch über die symbolische Bedeutung des Krieges in den *Schlafwandlern*, im *Zauberberg*, in Hesses *Demian*, Musils *Mann ohne Eigenschaften*, Joseph Roths *Radetzkymarsch* und anderen Werken. Literarisch unterscheidet sich die Bedeutung des Ersten Weltkriegs völlig von der des Zweiten.

22 *Anatomy of Criticism* (dt. Ausg.: *Analyse der Literaturkritik*, Stuttgart, 1964; S. 189). Frye prägt diese Formulierung im Hinblick auf Comic strips, deren Hauptfiguren jahrelang unverändert bleiben. Doch sie läßt sich auch auf viele Szenen bei Kafka anwenden.

23 Jean Paul Sartre *La nausée* (Paris, 1951), S. 250.

24 Die Frage von Josef K.s Schuld ist ein Thema, über das sich die Kritiker natürlich uneins sind. Ich betrachte ihn als schuldig und nicht willens, seine Schuld zu akzeptieren. (Vgl. Kap. 2.) Doch *beide* Auffassungen erkennen eine bewußte Entscheidung K.s an; daher bleibt diese Ansicht über die Struktur des Romans unberührt von der Interpretation bestehen.

25 *L'Etranger* (Paris, 1957), S. 119: »Als mir der Wärter eines Tages sagte, ich sei seit fünf Monaten im Gefängnis, glaubte ich ihm, aber ich verstand es nicht. Für mich war es ohne Unterschied derselbe Tag gewesen, der sich in meine Zelle strömte, und dieselbe Aufgabe, der ich nachging.«

26 *Die Blechtrommel* (Frankfurt am Main, 1964), S. 9 f.

27 *L'Etranger*, S. 179: »Et moi aussi, je me suis senti prêt à tout revivre. Comme si cette grande colère m'avait purgé du mal, vidé d'espoir, devant cette nuit chargée de signes et d'étoiles, je m'ouvrais pour la première fois à la tendre indifférence du monde.«

28 Das hat jedoch nichts mit der größeren, im Kapitel 7 erörterten Thematik des Todes zu tun. Ein neues Bewußtsein für die Todesmetaphysik spielt häufig eine Hauptrolle beim Erwachen des Helden.

29 *Journal d'un curé de campagne* (Paris, 1961), S. 201: »En un éclair, j'ai vu ma triste adolescence — non pas ainsi que les noyés repassent leur vie, dit-on, avant de couler à pic, car ce n'était sûrement pas une suite de tableaux presque instantanément deroulés — non. Cela était devant moi comme une personne, un être (vivant ou mort, Dieu le sait!). Mais je n'étais pas sûr de la reconnaître parce que ... oh! cela va paraître bien étrange — parce que je la voyais pour la première fois, je ne l'avais jamais vue.«

30 Ich meine nicht, daß die Grenzen allzu weit ausgedehnt werden können. Es hat sich bereits gezeigt, daß der zwanzigjährige Held eine andere Erzählform erfordert. Und ein weiteres Kapitel ließe sich über den Helden in den Vierzigerjahren schreiben, dessen Erfahrung nochmals andere Merkmale aufweist.

31 *The Dangling Man* (dt. Ausg.: *Mann in der Schwebe*, dt. v. Walter Hasenclever, Köln, 1969, S. 30).

32 Nach Abschluß dieses Kapitels lenkten Freunde und Kollegen

mein Interesse auf weitere Werke, die mit ihren dreißigjährigen Helden in das allgemeine Muster passen. Léon Roudiez erwähnte die Heldin von Françoise Sagans *La Chamade*. Und ich stoße weiterhin selber auf neue, z. B. den Helden von Georg Büchners *Woyzeck*. Zwei außerordentlich typische Fälle lassen sich in so radikal unterschiedlichen Werken wie Witold Gombrowiczs *Ferdydurke* (1937), das viele andere Parallelen zu Sartres *La nausée* aufweist, und Ray Bradburys *Fahrenheit 451* (1953) finden. Verschiedentlich wurde auch *The Great Gatsby* genannt; doch da hier der Erzähler dreißig ist, und nicht der Held, ist die Wirkung in Fitzgeralds Roman weniger deutlich. Obwohl es richtig ist, daß Nick Carraway eine Krise durchmacht, bestimmt Jay Gatsby die Handlung und daher die Struktur des Werks.

33 Um jedes mögliche Mißverständnis zu vermeiden, möchte ich betonen, daß der Roman des Dreißigjährigen in keiner Weise eine ausschließliche Struktur ist: er kann weit mehr enthalten, besonders weitere Implikationen des Dreißig-Jahre-Alters selber. Die meisten dieser Romane nutzen (abgesehen vom *Journal d'un curé de Campagne*) nicht die mögliche Jesus-Parallele. (Wenigstens ein Forscher hat darauf bestanden, der *Prozeß* sei als Parallele zum Leben Christi zu lesen, doch diese Ansicht findet wenig Zustimmung.) Die *Blechtrommel* allerdings parodiert eine Anzahl Elemente aus dem Leben Jesu, darunter auch seinen Aufbruch mit dreißig Jahren zur Sammlung von Jüngern und zur Verkündigung. Dieser Aspekt steht nicht im Widerspruch zu der allgemeineren Struktur; er erweitert sie und fügt ihr interessante Details hinzu.

Zu Kapitel 9

1 M. J. C. de la Ville, *Continuation des Causes Célèbres et Interessantes; avec les jugements qui les ont décidées* (2. Aufl., Paris, 1769), S. VII—VIII.

2 Die Verbindung mit dem Picaro begründet überzeugend Frank W. Chandler, *The Literature of Rougery*, 2 Bde. (New York, 1907). Diese ganze Kategorie läßt sich natürlich als Säkularisation des »edlen Banditen« oder »sublimen Verbrechers« verstehen, den Mario Praz in dem Kapitel »Die Metamorphosen Satans« (in *Liebe, Tod und Teufel*, dt. München, 1963) erörtert. Aus eben diesem Grund ist er nicht zu verwechseln mit jenen Sehern des Bösen, die Praz »Im Zeichen des göttlichen Marquis« stehen sieht. Denn der edle Bandit glaubt, auch wenn er außerhalb der Rechtsordnung steht, noch immer an Gerechtig-

keit und Tugend, während der Marquis de Sade und seine Nachfolger durch ihre Umkehrung der Werte die Existenz des Guten überhaupt leugneten. In diesem Zusammenhang vgl. auch Martin Greiner, *Die Entstehung der modernen Unterhaltungsliteratur* (Hamburg, 1964), bes. S. 116—126, »Die edlen Räuber«. Mit ausdrücklichem Bezug auf die Kategorien Brochs weist Greiner zu Recht darauf hin, daß das ganze Zeitalter den »Kriminellen« mit dem »Rebellen« verwechselte. Wir werden später Gelegenheit zu der weiteren Feststellung haben, daß sich bis zum Ende des 18. Jahrhunderts diese Verwechslung auch auf den »Verrückten« erstreckte.

3 Hier stimme ich mit Richard Gerber in seinem Artikel über »Verbrechensdichtung und Kriminalroman«, *Neue Deutsche Hefte*, 13 (1966), 101—117 überein. Gerber wendet sich gegen die Unterscheidung zwischen »Kriminalroman« und »Detektivroman«, in der sich viele deutsche Enzyklopädien gefallen. In beiden, so behauptet er, liegt die Betonung auf der Ermittlung. »Der Kriminalroman ist kastrierte Verbrechensdichtung.«

4 Die erschöpfendste Untersuchung scheint noch immer Régis Messac, *Le »Detective Novel« et l'Influence de la Pensée Scientifique* (Paris, 1929) zu sein.

5 Obwohl 1762 geschrieben, wurde das Werk erstmals in Goethes deutscher Übersetzung 1805 veröffentlicht. (Wir werden später Gelegenheit haben festzustellen, wie angemessen es ist, daß Goethe diesen beachtlichen Dialog übersetzte und damit in die Weltliteratur einführte.) Goethes Fassung wurde 1821 ins Französische zurückübersetzt, Diderots Manuskript aber erst 1891 wiederentdeckt. Ich zitiere hier nach der Ausgabe von Michel Hérubel (Paris, 1964), S. 22, 79 und 83.

6 »Der Verbrecher aus verlorener Ehre; Eine wahre Geschichte.« Zitiert nach Schiller, *Großherzog Wilhelm Ernst Ausgabe* Bd. 3 (Leipzig, o. J.), in diesem Absatz S. 397, 398 f. und 413. Zum historischen und biographischen Hintergrund von Schillers Erzählung vgl. Willi Stoess, *Die Bearbeitungen des »Verbrechers aus verlorener Ehre«* (Stuttgart, 1913).

7 Verbindungen mit dem Präfix »miß-« sind ein stilistischer Beleg für das Generalthema des korrumpierten guten Menschen. So schreibt am Ende des *William Lovell* der böse Andreas an den Helden: »So ließ ich Dich durch alle Grade gehen, um Dich zu einer seltsamen Mißgeburt umzuschaffen.«

8 Schiller, a. a. O., S. 81

9 Jean-Paul Sartre, *Saint Genet: comedien et martyr* (Paris, 1952). Diese Verbindung von Schiller und Sartre ist nicht willkürlich; vgl. das Kapitel »Schiller und Sartre: Ein Versuch zum

Idealismus-Problem Schillers« in Käte Hamburger, *Philosophie der Dichter* (Stuttgart, 1966), S. 129—177.

10 »Das zweite Pariser Tagebuch« (16. Oktober 1943); in Ernst Jünger, *Werke* (Stuttgart, o. J.), III, 178 f.

11 E. T. A. Hoffmann, *Poetische Werke* (Berlin, 1958), IV, 230.

12 In *Dostoevsky; The Making of a Novelist* (New York, 1962), S. 90.

13 Zitiert nach *Aus einem Totenhaus* (München, 1958), S. 430, 90 f.

14 »*Crime and Punishment:* Murder in Your Own Room«, in *Eleven Essays in the European Novel* (New York, 1964), S. 122.

15 André Malraux, *Les Conquérants* (Paris 1963), Roudiez, »The Literary Climate of *L'Etranger:* Samples of a Twentieth-Century Atmosphere«, *Symposium* 12 (1958), S. 19—35.

16 Nietzsche, *Werke,* hg. v. Karl Schlechta (München, 1956), III, 619. Nietzsche stand natürlich in seinem Fasziniertsein von Renaissance-»Verbrechern« nicht allein da. Stendhal las begierig italienische Verbrechenschroniken. Huysmans war ebenso hingerissen vom Unhold Gilles de Rais, wie Durtal, der Held von *Là bas* (1891). Walter Pater, der seine Informationen über Renaissance-Verbrecher teilweise aus Stendhals *Histoire de la Peinture en Italie* bezog, sprach in seiner Oxford-Vorlesung über Raffael (1892) von einer Tendenz der Epoche: »Verbrechen, wie es scheinen kann, um seiner selbst willen, eine ganze Oktave phantastischen Verbrechens.«

17 *Götzendämmerung*, Abschnitt 45; Werke II, 1020—1022. In Nietzsches Anspielungen auf den Verbrecher hat das Präfix »ent«- die gleiche Funktion wie »miß«- bei früheren Autoren; es bezeichnet eine Abweichung oder Entstellung einer normalen Entwicklung.

18 *Tagebuch eines Diebes* (dt. Hamburg, 1961), S. 25. Die anderen Zitate in diesem Absatz stammen von S. 72, 74, 27, 279. Diese Tradition ruhte in Frankreich zwischen Diderot und Genet natürlich nicht: sowohl Stendhal wie Mérimée waren deutlich von titanischen Kriminellen fasziniert.

19 Dieser titanische Aspekt hat seine Parallelen im Alltagsleben. John Bowers zitiert in einem Artikel »Big City Thieves« in *Harper's* (Februar 1967) den Fall eines früheren Einbrechers, der jetzt als Schnellkoch arbeitet. Der ehemalige Sträfling wird rhapsodisch, wenn er sich an seinen Sing-Sing-Aufenthalt erinnert:« ›Ich sage Ihnen, dort brachten sie Männer zustande. Und Genies.‹ Die Augen leuchteten ihm.« Ihn könnte man den Genet des armen Mannes nennen.

20 *Tagebuch eines Diebes*, a. a. O., S. 253, 254 f., 135.

21 *L'Immoraliste*, in André Gide, *Romans*, a.a.O., S. 471.

22 Thomas Mann, *GW*, a. a. O., VIII, 298 f.; folgendes Zitat S. 316.

23 In Walter Muschg, *Tragische Literaturgeschichte* (Bern 1948) ist ein Kapitel (»Die Schuld«, S. 329—350) dem Aufkommen des Schuldbewußtseins beim Künstler des 19. Jahrhunderts gewidmet. Muschg geht jedoch nicht auf die Metapher des Verbrechers ein.

24 »Dostojewski — mit Maßen«; *GW, a. a. O.,* IX, 659. Nach einer langen und ergebnislosen Suche nach der Quelle dieser Äußerung, die oft zitiert, aber nie belegt wird, bat ich Kollegen um Hilfe. Ich bin Johannes Urzidil für den Vorschlag dankbar, der mir die vernünftigste — und überzeugendste — Lösung des Rätsels zu sein scheint: daß Goethe die Äußerung nie in. dieser Form machte. In den Maximen und Reflexionen (Nr. 1332 in der Ausgabe von Erich Trunz) sagte er dies: »Man darf nur alt werden, um milder zu sein; ich sehe keinen Fehler begehen, den ich nicht auch begangen hätte.« Dies gab Emerson in seinem Goethe-Essay in *Representative Men* (1850) frei wieder und übersetzte Fehler mit »crime« (Verbrechen) statt mit »mistake«: »I have never heard of any crime which I might not have committed.« Herman Grimm, der Emersons Essay 1857 ins Deutsche übersetzte, behielt den Irrtum bei; er taucht wieder im letzten Kapitel seiner Goethe-Biographie (1877) auf: »Goethe sagt einmal: von allen Verbrechen könne er sich denken, daß er sie begangen habe...« (Beachtenswert ist, daß Grimm gegen seine übliche Praktik keine Quelle für seine freie Paraphrase nennt.) Grimms Buch, das in seiner ursprünglichen Form als Berliner Vorlesungsreihe (1874/75) ein riesiger Erfolg war, blieb bis heute eine der lesbarsten und beliebtesten Goethe-Biographien. Ob Gide und Thomas Mann die Äußerung bei Emerson oder Grimm fanden, ist wahrscheinlich nicht feststellbar; aber es wäre gut möglich. Jedenfalls scheint es eine recht überzeugende Hypothese zu sein, daß das berühmte »Zitat«, wie Urzidil vorschlägt, auf die Rückübersetzung eines Übersetzungsfehlers zurückgeht.

25 André Gide, *Journal, 1889—1939;* zit. nach Übers. Maria Schaefer-Rümlin (*Aus den Tagebüchern 1889—1939*, Stuttgart, 1961), S. 49.

26 Renée Lang, *André Gide et la pensée allemande* (Paris, 1949), S. 134. Dieses Buch enthält die ausführlichste Studie über Gides Beziehung zu Goethe und Nietzsche. Vgl. jedoch auch Jean Delay, *La Jeunesse d'André Gide* (Paris, 1957), bes. Bd. II: »Persona«.

27 »Die Brüder Karamasoff oder der Untergang Europas«; in Hesse, *Gesammelte Schriften* (Frankfurt/M., 1957), VII, 169.

28 »Gedanken zu Dostojewskis *Idiot;* ebd. S. 184 f.

29 *GW,* a.a.O., IX, bes. S. 656—668.

30 Jacques Maritain (nach *The Responsibility of the Artist;* New York, 1960; S. 25) zitiert dieselbe Bemerkung Degas' als Beispiel für das Prinzip, daß die erste Verantwortung des Künstlers seinem Werk gelte — und nicht dem Wohl des Menschen.

31 Jean Hytier verweist in *André Gide* (New York, 1962), S. 116, darauf, daß es Lafcadio »schockiert, sich einen *Verbrecher* genannt zu hören«, weil er keine Reue über seine Tat empfindet.

32 Die hilfreichste Erörterung dieses oft verworrenen Begriffs fand ich bei Justin O'Brien, *Portrait of André Gide* (New York, 1953), S. 186—194.

33 *Journal, 1889—1939,* a. a. O., S. 55. Delay, a. a. O., II, 650, definiert Gides Begriff äußerst genau: »moraliste ambigu et immoraliste douteux, il fut en définitive un amoraliste.«

34 Vgl. Simmons, *Dostojewski,* a. a. O., S. 143.

35 *Klein und Wagner;* in Hesse, *Gesammelte Dichtungen (1952),* III, 529.

36 *Bekenntnisse des Hochstaplers Felix Krull; GW,* a. a. O., VII, 298.

37 Vgl. Henry Hatfield, *Thomas Mann* (revid. Ausg.; Norfolk, Conn., 1962), S. 154—163. In unserem Zusammenhang ist auch die Beobachtung Hatfields interessant, daß Thomas Mann seinem Helden eine Anzahl von Goethes moralischen Äußerungen in den Mund gelegt hat. Robert B. Heilmann bietet in »Variations on Picaresque *(Felix Krull)*« in *Thomas Mann: A Collection of Critical Essays,* hg. v. Henry Hatfield (Englewood Cliffs, N. J., 1964), S. 133—154, eine glänzende Interpretation des Romans als rein pikaresk; er bemerkt jedoch auch gewisse kriminelle Züge. Und das Pikareske ist, wie gesagt, mit der literarischen Tradition des Verbrechens direkt verwandt.

38 Ich nehme an, daß dieser Literaturtyp in die marxistischen Angriffe eingeschlossen ist. So erklärt der Artikel »Kriminalroman« in *Meyers Neues Lexikon* (Leipzig, 1964), daß Literatur, die das Verbrechen rühmt, ohne seine sozialen Ursachen darzustellen, bezeichnend für die »imperialistische Epoche der bürgerlichen Gesellschaft« sei. Diese Kritik trifft in keinem Fall auf die titanische Tradition zu, die unveränderlich die sozialen und sonstigen Ursachen des Verbrechens enthüllt.

39 *Malte,* a. a. O., S. 916.

40 *Malte,* a. a. O., S. 912.

41 *Malte,* a. a. O., S. 918.

42 *Saint Genet*, a. a. O., Kap. IV/5.

43 Diese Auffassung vom Verbrecher ist bei einem Autor zu erwarten, der in *Le Diable et le Bon Dieu* (1951) schrieb: »Die heutigen Menschen sind als Verbrecher geboren. Ich muß Anspruch auf meinen Anteil an ihren Verbrechen erheben, wenn ich an ihrer Liebe und ihren Tugenden teilhaben will.«

44 Die Symbolik der Falschmünzerei wurde in der Gide-Kritik reichlich diskutiert. Vgl. Hytier, *André Gide*, S. 212 f., oder Harold March, *Gide and the Hound of Heaven* (Philadelphia, 1952), S. 276 ff.

45 »Mein Buch *Berlin Alexanderplatz*«, abgedruckt in Muschgs Ausgabe von *Berlin Alexanderplatz*, a. a. O., S. 505.

46 Er konnte Genet natürlich nicht gekannt haben; aber er bezieht sich in diesen Jahren wiederholt auf Gides Werk, und das Buch selber enthüllt den Einfluß von *Les Faux-Monnayeurs*.

47 *Die Schlafwandler*, a. a. O., S. 445. Ernst Jünger, einer der subtilsten Theoretiker der Kriminalität, trifft eine ähnliche Unterscheidung in seinem Nihilismus-Essay »Über die Linie« (1950); *Werke* V, 246. »Der Nihilist ist kein Verbrecher im hergebrachten Sinn, denn dazu müßte noch gültige Ordnung sein. Aus demselben Grunde aber spielt das Verbrechen auch keine Rolle für ihn; es tritt aus dem moralischen Zusammenhang über in den automatischen.« Das klingt sehr nach einer Beschreibung Huguenaus in seiner »wertfreien« Phase.

48 In einem Brief vom 19. Juli 1930; *Briefe*, a. a. O., S. 26.

49 Brief vom 10. April 1930; *Briefe*, a. a. O., S. 18.

50 *Briefe*, a. a. O., S. 18; *Briefe*, a. a. O., S. 25 f.

51 Ich beziehe mich besonders auf Ernst Kaiser und Eithne Wilkins, *Robert Musil: Eine Einführung in das Werk* (Stuttgart, 1962), bes. S. 48—60 und 151—194; und auf Wilhelm Bausinger, *Studien zu einer historisch-kritischen Ausgabe von Robert Musils Roman »Der Mann ohne Eigenschaften«* (Hamburg, 1964), bes. S. 72—93. In diesem Zusammenhang vgl. Hildegard Emmel, *Das Gericht in der deutschen Literatur des 20. Jahrhunderts* (Bern und München, 1963), bes. S. 56—81. »Das Problem des Verbrechers: Hermann Broch und Robert Musil«.

52 *Der Mann ohne Eigenschaften* (Hamburg, 1952, 1968), S. 121.

53 *Der Mann ohne Eigenschaften*, a. a. O., S. 76.

54 »Das erste Pariser Tagebuch« (6. Oktober 1942); *Werke*, II, 414. Läßt man diesen Gedanken übrigens gelten, dann ließe sich eine Vorliebe für Detektivgeschichten analog als eine Art von spirituellem Masochismus erklären; wir bewundern die Leistungen des Verfolgers, krümmen uns aber mit dem verhafteten Verbrecher, in dem wir uns selber erkennen. Die letzte Triviali-

sierung dieser Einstellung wird in dem Film *Bonnie and Clyde* evident, der einen rücksichtslosen Gangster und seine Genossin schildert, als seien sie einfach ein nettes junges Paar von neben-an beim Bummeln.

55 W. H. Auden scheint in »The Guilty Vicarage« in *The Dyer's Hand and Other Essays* (New York, 1962), S. 146—158 den gleichen Gedankengang anzudeuten. Nach seiner theologischen Analyse von Detektivgeschichten liegt das Hauptinteresse auf der »Dialektik von Unschuld und Schuld«, während sich der Leser ganz mit dem Detektiv als einem Repräsentanten von Gesellschaft und Ordnung identifiziert. Denke man dagegen »an ein Kunstwerk, das sich mit Mord befaßt, so besteht dessen Effekt auf den Leser in dem Zwang, sich mit dem Mörder zu identifizieren, was er lieber nicht wahrhaben möchte. Die Identifikation in der Phantasie ist stets ein Versuch, eigenes Leiden zu vermeiden«. Auden führt hier den *Prozeß* an, um den Unterschied zwischen einem Kunstwerk und einer Detektivgeschichte zu illustrieren.

56 Ich nehme an, daß Northrop Frye das im Sinn hat, wenn er (*Analyse der Literaturkritik*, a. a. O., S. 53) diese Verlagerung feststellt: von »einer ironischen Komödie, die sich an Menschen wendet, die erkennen können, daß eine Mordtat weniger einen Angriff auf eine tugendhafte Gesellschaft von seiten eines bösartigen Individuums darstellt als vielmehr ein Symptom der Bösartigkeit eben dieser Gesellschaft« — hin zur »Sittenkomödie«, in der »der Held von der fiktiven Gesellschaft als Narr oder Schlimmeres angesehen wird und doch in den Augen des wirklichen Publikums etwas Wertvolleres aufzuweisen hat als seine Gesellschaft«.

Zu Kapitel 10

1 Günter Grass, *Die Blechtrommel* (1959); Gisela Elsner, *Die Riesenzwerge* (1964); Jakov Lind, *Landschaft in Beton* (1963); Heinrich Böll, *Ansichten eines Clowns* (1963); Max Frisch, *Mein Name sei Gantenbein* (1964). Gisela Elsner besitzt nicht den gleichen Rang wie die übrigen; sie ist hier nur erwähnt, weil ihr mit dem internationalen Prix Formentor ausgezeichneter Roman einen derartigen *succès de scandale* hatte.

2 Jeder Leser kann selber leicht weitere Beispiele aus der deutschen und amerikanischen Literatur hinzufügen: Arno Schmidt, Friedrich Dürrenmatt, Reinhard Lettau; John Barth, Joseph Heller, Bruce Jay Friedman, John Updike.

3 Vgl. meinen Aufsatz »The Odysseus Theme in Recent German Fiction«, *Comparative Literature, 14* (1962), 225—241.

4 *Deutsche Literatur in West und Ost: Prosa seit 1945 (München, 1963)*.

5 Nach demselben Paragraphen wurde Franz Biberkopf runde dreißig Jahre früher in die Heilanstalt eingeliefert *(Berlin Alexanderplatz, S. 491)*.

6 Vgl. Hermann A. Korff, Geist der Goethezeit (3. Aufl.; Leipzig, 1959), III *(Frühromantik)*, S. 162 und 222; und Albrecht Schöne, *Interpretationen zur dichterischen Gestaltung des Wahnsinns in der deutschen Literatur* (Diss.; Münster, 1952). Zum allgemeineren Hintergrund vgl. Michel Foucault, *Madness and Civilization: A History of Insanity in the Age of Reason* (New York. 1966).

7 *Biographien der Wahnsinnigen* (Leipzig, 1796). Ich finde es übrigens gleicherweise zeittypisch, daß dieser Band in einer glänzenden Neuauflage beim Verleger von Günter Grass wieder erschien. (Neuwied und Berlin, 1966).

8 *Titan*, Dreiunddreißigste Jobelperiode, 132. Zykel.

9 Eine bedeutsame Ausnahme, die in mancher Hinsicht das 20. Jahrhundert vorwegnimmt, bildet Georg Büchners kraftvolle, 1835 geschriebene Novelle *Lenz*, die den Wahnsinn des Dramatikers Reinhold Lenz schildert. Büchner war selber ausgebildeter Physiologe mit besonderem Interesse für das Nervensystem.

10 Es ist bemerkenswert, daß die gleichen Jahre vielfältige Studien von Psychiatern mit literarischem Einschlag hervorbrachten, und zwar sowohl über die Beziehung zwischen Genie und Wahnsinn wie über Literatur als Dokumentationsquelle für Wahnsinnsfälle.

11 In dem Essay »Arzt und Dichter«; *Aufsätze zur Literatur*, S. 362. In diesem Essay spricht Döblin über das Verhältnis seines Arztberufs zu seiner schriftstellerischen Tätigkeit.

12 *Der Mann ohne Eigenschaften, S.* 68 f.; folgendes Zitat S. 72.

13 Herman Meyer, *Der Sonderling in der deutschen Dichtung* (München, 1963), bes. Kapitel VIII, S. 290 ff.

14 Erstes Buch, Abschnitt 14; *Werke*, hg. v. Schlechta, I, S. 1022 bis 1024.

15 Fünftes Buch, Abschnitt 451, ebd. S. 1230. Vgl. auch Günter Grass, »Vom mangelnden Selbstvertrauen des schreibenden Hofnarren unter Berücksichtigung nicht vorhandener Höfe«, *Akzente, 13* (1966), S. 194—199. Obgleich Grass Nietzsche nicht erwähnt, spricht er von dem grellen Konflikt zwischen den in der Realität nötigen Kompromissen und dem kompromißlosen Wesen der wahren Kunst — sehr ähnlich wie Böll oder Valentin.

16 *Kurgast*; in *Gesammelte Dichtungen* (Frankfurt/M., 1952), IV, S. 57.

17 »Gedanken zu Dostojewskis *Idiot*« (1919); *Gesammelte Schriften*, VII, S. 178—186.

18 Vgl. Wolfgang Kayser, *Das Groteske; Seine Gestaltung in Malerei und Dichtung* (Oldenburg und Hamburg, 1957). Ich verwende das Wort nicht genau im Sinn Kaysers, doch die zeitgenössischen Grotesken weisen verschiedene der von Kayser definierten Merkmale auf (S. 193—203). Kayser betont die groteske Perspektive, die eine entfremdete Welt als Ausdruck des Verrückten in Manifestationen des Absurden darstellt.

19 Das gleiche Muster läßt sich übrigens in den »geschlossenen« Dramen der Epoche beobachten, wo der Ort der Handlung symbolisch gegen die Welt verschlossen ist: z. B. in Siegfried Lenz' *Zeit der Schuldlosen* (1961) und in Hermann Moers' *Zur Zeit der Distelblüte* (1959). In diesen beiden Stücken ist das Thema nicht so sehr die Kriminalität wie der Wahnsinn im erörterten Sinn. Überdies gehört aus eben diesem Grund Thoreaus berühmte Bemerkung aus dem Essay »Civil Disobedience« in diese Kategorie: »Unter einer Regierung, die jemanden zu Unrecht einsperrt, ist der wahre Ort eines Gerechten ebenfalls ein Gefängnis.« Denn Thoreau befaßt sich mit Gerechtigkeit, nicht mit dem Bösen als dem Symbol eines titanischen Helden. Man hat das verhältnismäßig sichere Gefühl, daß sich Thoreau bei Genet oder Dostojewskis Orlow oder gar bei Schillers Christian Wolf nicht sehr wohl fühlte. Aber er käme sich in Kreuders Irrenhaus oder bei Bölls Mutter Fähmel zu Hause vor.

20 In *Die Verbindung des Menschen aus der Kunst* (München, 1964).

21 Die Debatte über »Dokument oder Literatur« ist so dringlich geworden, daß sie das Thema für die siebente deutsch-französische Autoren-Konferenz in Bourges (Dezember 1967) abgab, die vom Internationalen Amt für Kommunikation und Dokumentation gefördert wurde. Für eine anregende Diskussion neuerer Entwicklungen im deutschen, französischen und englischen Roman vgl. Hector-Jan Loreis, *Nieuwe Roman = Nieuwe Filosofie; Van de nouveau roman naar de nouveau nouveau roman* (Brüssel und Den Haag, 1967).

22 Friedrich Schlegel, *Literary Notebooks*, 1797—1801, hg. v. Hans Eichner (Toronto, 1957), S. 48 u. S. 238.

23 Eine ähnliche Situation besteht ebenso in der Lyrik: im einen Extrem die oft formlose und höchst propagandistische Aktionspoesie; im anderen die wesentlich sinnlosen, ideographischen Formen der »konkreten« Texte.

Über den Autor

Theodore Ziolkowski ist Professor für deutsche Literatur an der Princeton University. Zahlreiche Arbeiten zur deutschen Literatur der Moderne, insbesondere über Hermann Hesse und Hermann Broch. Sein jüngstes Werk »Fictional Transfigurations of Jesus« ist soeben in Amerika erschienen.

List Taschenbücher der Wissenschaft

Literaturwissenschaft

Band 1442

Marianne Thalmann

Die Romantik des Trivialen

Von Grosses »Genius« bis Tiecks »William Lovell«

Band 1443

Michael Hamburger

Die Dialektik der modernen Lyrik

Von Baudelaire bis zur Konkreten Poesie

Band 1445

Eda Sagarra

Tradition und Revolution

Deutsche Literatur und Gesellschaft 1830–1890

Aus dem Englischen von Herbert Drube

List Taschenbücher der Wissenschaft

Erziehungswissenschaft

Band 1661

Erziehung in der Klassengesellschaft

Einführung in die Soziologie der Erziehung.

Von Johannes Beck, Manfred Clemenz, Franz Heinisch,
Ernest Jouhy, Werner Markert, Hermann Müller, Alfred Pressel

Diese Einführung, von Mitarbeitern der Abteilung für Erziehungswissenschaften an der Frankfurter Universität erstellt, enthält Beiträge zu einer sozialwissenschaftlichen Theorie und Praxis emanzipatorischer Erziehung. Sie richtet sich an alle, die Bedingungen, Ziele und Inhalte gegenwärtiger Erziehung ändern wollen.

Band 1662

Arno Combe

Kritik der Lehrerrolle

Dieses Buch über die Lehrer und die Schule wird zum Kristallisationskern einer Kritik an den Anforderungen der spätkapitalistischen Leistungsgesellschaft, die verhindern, daß die Schule in der gegenwärtigen Gestalt einen gesellschaftlichen Bereich darstellt, wo die Demokratisierung der Gesellschaft vorangetrieben werden kann.

Erziehungswissenschaft

Band 1663

Freerk Huisken

Zur Kritik bürgerlicher Didaktik und Bildungsökonomie

Kaum eine der erziehungswissenschaftlichen Disziplinen hat sich in den letzten Jahren in ihren Fragestellungen und Methoden so sehr gewandelt wie die Didaktik. Der Autor untersucht die veränderten Methoden und Fragestellungen in der Didaktik und stellt fest, daß durch die Übernahme des positivistischen Wissenschaftsbegriffs die Didaktik in zunehmendem Maß zu einer Disziplin wird, die uns Techniken zur Lernmaximierung entwirft, ohne nach den gesellschaftlichen Interessen zu fragen.

Band 1664

Karl Zenke

Pädagogik – Kritische Instanz der Bildungspolitik?

Zur technischen und emanzipatorischen Relevanz der Erziehungswissenschaft

Die vorliegende Arbeit untersucht die Relevanz erziehungswissenschaftlicher Konzeptionen für die Entdeckung, Beschreibung, Analyse und Lösung bildungspolitischer Probleme. Dabei orientiert sich diese Untersuchung zum einen an den – jeweils grundsätzlich möglichen – »technischen« Beiträgen der Konzeptionen, sie fragt andererseits nach der »emanzipierten« Relevanz, die für Bildungspolitik im Auftrage des Grundgesetzes, also für eine an Demokratie, Freiheit, Humanität und sozialer Gerechtigkeit orientierte Bildungspolitik, von besonderer Bedeutung ist.

Die Gesellschaft und ihre Wissenschaften

Band 1621

Demosthenes Savramis
Theologie und Gesellschaft

Philosophie

Band 1641

Stephan Körner
Grundfragen der Philosophie
Aus dem Englischen von Gisela Shaw

Band 1642

K. T. Fann
Die Philosophie Ludwig Wittgensteins
Aus dem Englischen von Gisela Shaw

Band 1643

Edo Pivcevic
Von Husserl zu Sartre
Auf den Spuren der Phänomenologie
Aus dem Englischen von Anne Edwards

List Taschenbücher der Wissenschaft

Entwicklungsaspekte der Industriegesellschaft

Band 1605

Leslie Sklair

Soziologie des Fortschritts

Aus dem Englischen von Ursel Richter

Leslie Sklair hat den ebenso interessanten wie anregenden Versuch unternommen, soziologische Kriterien der moralischen Beurteilung gesellschaftlicher Veränderungsprozesse zu entwickeln. Er basiert dabei auf der englischen Tradition der rationalistischen Ethik. Sklair liefert nicht nur eine Geschichte der Fortschrittsidee, sondern auch eine eigene Theorie des Fortschritts mit Vorschlägen für die praktische Anwendung.

Band 1606

Christian Graf von Krockow

Soziale Kontrolle und autoritäre Gewalt

Prof. v. Krockow untersucht das Verhältnis von sozialer Kontrolle und autoritärer Gewalt zunächst in der alten vorindustriellen Ordnung, dann in der Übergangs- und Industriegesellschaft. Er demonstriert die Schwierigkeiten der Demokratisierungsprobleme in verschiedenen Industriegesellschaften am Beispiel von vier nationalen »Modellen«, nämlich Frankreich, den USA, der Sowjetunion und Japan. Einen Ausweg aus dem Dilemma sieht Graf v. Krockow in einer Fundamentaldemokratisierung.

Band 1551

Robert J. Lifton
Die Unsterblichkeit des Revolutionärs
Mao Tse-tung und die chinesische Kulturrevolution

Band 1552

Profile und Programme der Dritten Welt
Herausgegeben von Peter J. Opitz

Band 1553

Elie Kedourie
Nationalismus

Band 1554

Joseph Frankel
Nationales Interesse
Aus dem Englischen von Barbara Ullmann

Band 1555

Jean Servier
Der Traum von der großen Harmonie
Eine Geschichte der Utopie.
Aus dem Französischen von Bernd Lächler

List Taschenbücher der Wissenschaft

Geschichte des politischen Denkens

Band 1501

Zwischen Revolution und Restauration

Politisches Denken im England des 17. Jahrhunderts
Herausgegeben von Eric Voegelin

Band 1502

Aufklärung und Materialismus
im Frankreich des 18. Jahrhunderts

Herausgegeben von Arno Baruzzi

Band 1503

Die Revolution des Geistes

Politisches Denken in Deutschland 1770–1830.
Herausgegeben von Jürgen Gebhardt

Band 1504

Chinesisches Altertum und
konfuzianische Klassik

Politisches Denken von der Chou-Dynastie bis zur
Han-Dynastie.
Herausgegeben von Peter J. Opitz